ISBN 978-1-334-27787-0
PIBN 10581049

This book is a reproduction of an important historical work. Forgotten Books uses state-of-the-art technology to digitally reconstruct the work, preserving the original format whilst repairing imperfections present in the aged copy. In rare cases, an imperfection in the original, such as a blemish or missing page, may be replicated in our edition. We do, however, repair the vast majority of imperfections successfully; any imperfections that remain are intentionally left to preserve the state of such historical works.

1 MONTH OF
FREE
READING

at
www.ForgottenBooks.com

By purchasing this book you are eligible for one month membership to ForgottenBooks.com, giving you unlimited access to our entire collection of over 1,000,000 titles via our web site and mobile apps.

To claim your free month visit:
www.forgottenbooks.com/free581049

English
Français
Deutsche
Italiano
Español
Português

www.forgottenbooks.com

Mythology Photography **Fiction**
Fishing Christianity **Art** Cooking
Essays Buddhism Freemasonry
Medicine **Biology** Music **Ancient
Egypt** Evolution Carpentry Physics
Dance Geology **Mathematics** Fitness
Shakespeare **Folklore** Yoga Marketing
Confidence Immortality Biographies
Poetry **Psychology** Witchcraft
Electronics Chemistry History **Law**
Accounting **Philosophy** Anthropology
Alchemy Drama Quantum Mechanics
Atheism Sexual Health **Ancient History**
Entrepreneurship Languages Sport
Paleontology Needlework Islam
Metaphysics Investment Archaeology
Parenting Statistics Criminology
Motivational

ZEITSCHRIFT

FÜR

INDUKTIVE ABSTAMMUNGS-

UND

VERERBUNGSLEHRE

HERAUSGEGEBEN VON

C. CORRENS (MÜNSTER), **V. HAECKER** (HALLE), **G. STEINMANN** (BONN),
R. v. WETTSTEIN (WIEN)

REDIGIERT VON

E. BAUR (BERLIN)

III. Band
1910

BERLIN

VERLAG VON GEBRÜDER BORNTRAEGER

W 35 SCHÖNEBERGER UFER 12a

1910

BAND III HEFT 1 u. 2   FEBRUAR 1910

ZEITSCHRIFT

FÜR

INDUKTIVE ABSTAMMUNGS-

UND

VERERBUNGSLEHRE

HERAUSGEGEBEN VON

C. CORRENS (MÜNSTER), **V. HAECKER** (HALLE), **G. STEINMANN** (BONN),
R. v. WETTSTEIN (WIEN)

REDIGIERT VON

E. BAUR (BERLIN)

BERLIN

VERLAG VON GEBRÜDER BORNTRAEGER

W 35 SCHÖNEBERGER UFER 12a

1910

Über alternative Vererbung bei Hunden.

Von Arnold Lang in Zurich.

(Mit Tafel 2.)

I. Kreuzung eines kurzhaarigen, braungetigerten Hühnerhundes mit einem langhaarigen, schwarzen Neufundländer.

Nach einem Vortrag über die Mendelschen Vererbungsgesetze bei Heliciden, den ich am 30. Oktober 1905 in der hiesigen naturforschenden Gesellschaft gehalten hatte, machte mich mein Kollege Herr Prof. Dr. A. Heim, ein gewiegter Kynologe und bekannte Autorität speziell auf dem Gebiete der Neufundländerzucht, auf einige Erfahrungen bei Hunden aufmerksam, welche zu der Vermutung berechtigten, daß alternative Vererbung auch bei diesen eine Rolle spielt. Ich bat ihn, der Sache nachzugehen. Prof. Heim richtete sodann im „Zentralblatt der Hundeliebhaber" eine Aufforderung an die Hundezüchter, ihm interessante Erfahrungen über Bastardierung mitzuteilen. Er berichtete mir am 12. November 1907 schriftlich über die eingelaufenen Antworten. Unter diesen erregte vor allem die Mitteilung meine Aufmerksamkeit, daß die braungetigerte Hühnerhündin des Herrn C. Pfister-Küpfer, Direktor des Elektrizitätswerkes in Baden im Aargau, die von dessen sehr rassigem, schwarzen Neufundländerrüden gedeckt worden war, 14 typische schwarze „Neufundländer" geworfen habe, von denen alle bis auf drei getötet worden seien. Das ließ in der Tat eine sehr weitgehende Uniformität dieser F_1-Generation und völlige Dominanz der schwarzen Farbe vermuten, auf Erscheinungen streng alternativer Vererbung schließen. Ich setzte mich unverzüglich mit Herrn Pfister in Verbindung und erwarb die drei überlebenden Bastarde, zwei Rüden und eine Hündin, um womöglich durch Weiterzucht sicherere Grundlagen für die Beurteilung der Erblichkeitsverhältnisse zu gewinnen. Ich habe inzwischen durch Inzucht eine F_2-Generation erhalten und teile die bisherigen Resultate mit, in der Hoffnung, zur Ausdehnung und Fortsetzung solcher Versuche bei Hunden anzuregen. Etwas reichlich ausführlich gehe ich auf die Art und Weise ein, wie sich die theoretische

Induktive Abstammungs- und Vererbungslehre. III.   I

Voraussicht für den Ausfall der F_2-Generation ermitteln ließ. Für solche, welche mit dem gegenwärtigen Stand der Vererbungslehre vertraut sind, ist diese Darlegung z. T. überflüssig. Andere Leser hingegen erhalten dadurch eine vielleicht nicht unwillkommene Anleitung zu einer wissenschaftlich einigermaßen korrekten Beurteilung in bestimmter Absicht herbeigeführter oder rein zufälliger Züchtungsresultate bei Haustieren, für die sich der Mensch ja besonders interessiert.

Zunächst einige Mitteilungen über die beiden Ausgangstiere (P_1-Generation) sowie eine kurze Beschreibung der wichtigsten Merkmale derselben, von denen freilich vor der Hand nur wenige in Betracht kommen.

Fig. 1. *A* und *B*.
Zwei typische Neufundländer-Ausstellungsköpfe in Profil.
Skizzen von Herrn Prof. A. Heim.

Die P_1- oder Ausgangsgeneration.

Der Rüde, W o t a n , war ein r e i n r a s s i g e r N e u f u n d -
l ä n d e r , der als solcher von Prof. H e i m geschätzt wurde. Sein Stammbaum ist väterlicherseits bis zu den Urururgroßeltern, mütterlicherseits bis zu den Ururgroßeltern zurück bekannt. Zur Orientierung des Lesers diene die Fig. 2 Taf. 2, welche nicht unser P_1-Tier selbst, wohl aber einen H e i m schen berühmten Rassehund gleichen Namens und desselben Typus (S. H. S. B. 1302 u. N. S. B. 71) nach einer wohlgelungenen photographischen Aufnahme des Herrn Dr. A r n o l d H e i m darstellt.

Pfisters Wotan, unser Ausgangstier, wurde im November 1908 abgetan. Er steht jetzt ausgestopft in den zoologischen Sammlungen unserer Universität, wo auch sein Skelett aufbewahrt wird.

A l l g e m e i n e   E r s c h e i n u n g   u n d   P r o p o r t i o n e n: Typisch. Höhe am Widerrist etwa 65—66 cm. Oberarm und Unterarm ziemlich gleichlang, daher Ellbogen tiefliegend (Rassenmerkmal). K o p f: typisch, O b e r k o p f im Profil nicht besonders stark gewölbt. S t i r n e zwischen den Augen flach; dies ist aber kein Rassemerkmal, da auch beim Neufundländer hier häufig eine mediane Einsenkung vorkommt. N a s e schwarz. · S c h n a u z e n r ü c k e n im Profil sehr schwach gewölbt. A u g e n dunkelbraun. O h r e n typisch dreieckig mit abgerundeter Spitze, anliegend, das Niveau des Mundwinkels nicht erreichend. Länge außen von der Wurzel bis zur Spitze 13,5 cm. L e f z e n nicht über die Mundspalte hinunterhängend. P a r i e t a l k a m m des Schädels stark ausgebildet. L ä n g e   d e s

Fig. 2. *A* und *B*.

Hundeköpfe von vorn: *A* Hund mit Hängelefzen und langen Hängeohren. *B* Hund ohne Hängelefzen uud mit kurzen Hängeohren.

S c h n a u z e n r ü c k e n s bis zum Stirnabsatz etwa 8,5 cm. A b - s t a n d   d e s   h i n t e r e n (äußeren) A u g e n w i n k e l s   v o m V o r d e r r a n d   d e r   O h r w u r z e l etwa 6 cm.

B e h a a r u n g: Wotan war typisch langhaarig. (Siehe die Abbildung seines Namensvetters, Tafel 2 Fig. 2.) S c h w a n z l ä n g e im Fleisch: 42 cm.

F a r b e: Typisch schwarz, ganz einfarbig, ohne irgendwelches „peripheres Weiß". Peripheres Weiß (Brustfleck, Pfotenspitzen, Schwanzspitze) kommt indes vielleicht bei der Mehrzahl der Neufundländer vor und gilt bei der Prämierung als zulässig.

. Die A u s g a n g s h ü n d i n   F l o r a ist eine kurzhaarige Hühnerhündin, die man wohl zu der d e u t s c h e n   V o r s t e h e r r a s s e rechnen darf, obschon sie vielleicht nicht ganz rasserein ist und nach dem Urteil der Kenner wahrscheinlich „etwas P o i n t e r b l u t" hat. Ein Stammbaum fehlt. Herr Pfister kaufte sie im Jahre 1904 von einem

Zahnarzt in Luzern, der von dort seitdem fortgezogen ist, aber seinerzeit versichert hatte, daß sie aus sehr guter Familie aus dem Elsaß
stamme. Herr Pfister rühmt sie als prima Gebrauchshündin mit feiner
Nase und ausgezeichneten jagdlichen Eigenschaften. „Sie geht gerne
ins Wasser, apportiert ausgezeichnet, jagt laut, läßt sich sofort ab-
pfeifen auf Hase oder Bock."

A l l g e m e i n e   E r s c h e i n u n g   u n d · P r o p o r t i o n e n.
Die Farbenskizze (Taf. 2 Fig. 1), die ich angefertigt habe, ist wohl
ziemlich zutreffend, doch sind die Beine vielleicht 'etwas zu plump
ausgefallen und die Kopfform nicht absolut korrekt. Die Hündin ist
vielleicht etwas leichter und grazieler als die gewöhnlichen deutschen
Vorstehhunde. H ö h e am Widerrist etwa 62 cm.

K o p f. O b e r k o p f im Profil nur sehr wenig gewölbt. S t i r n e
zwischen den Augen sehr deutlich zu einer medianen Furche eingesenkt.
N a s e braun. S c h n a u z e n r ü c k e n im Profil fast geradlinig.
A u g e n hellbraun. O h r e n lang, außen von der Wurzel bis zur
Spitze 17 cm, oben schmal, mit eingeschlagenem Hinterrand. Spitze
ziemlich abgerundet. Die Ohren hängen ziemlich weit über das Niveau
des Mundwinkels hinunter und werden, wie mir scheint, meist nicht
ganz anliegend, sondern mit dem Vorderrand ziemlich abstehend getragen. Es sei hier bemerkt, daß man im allgemeinen unter anliegenden
Ohren solche versteht, die gleich von ihrer Wurzel an herunterhängen,
also auch an der Basis nicht aufgerichtet sind. Unter diesem Gesichtspunkt sind die Ohren der Flora allerdings vollständig anliegend.
L e f z e n (Lippen) vollständig überhängend, so daß man den Unterkiefer in der Seitenansicht nicht sieht, dagegen wohl eine deutliche
Mundwinkelfalte. P a r i e t a l k a m m wenig ausgebildet. L ä n g e
d e s S c h n a u z e n r ü c k e n s bis zum deutlichen Stirnabsatz etwa
9,5 cm. A b s t a n d d e s h i n t e r e n (äußeren) A u g e n w i n k e l s
v o m V o r d e r r a n d d e r O h r w u r z e l etwa 8 cm.

S c h w a n z l ä n g e. Der Schwanz wurde gestutzt, wie das bei
Vorstehhunden üblich ist.

B e h a a r u n g dicht, kurz und glatt.

H a a r f a r b e u n d Z e i c h n u n g. Rücken und Seiten des
Rumpfes und des Halses, Außenfläche der vier Oberschenkel, Ober-
kopf vom Hals her bis hinter die Augen, die ganzen Ohren und der
ganze Schwanzrücken zusammenhängend einfarbig kastanienbraun mit
vereinzelten, zerstreuten weißen Haaren. Der ganze Vorderkopf ringsherum bis hinter die Augen hell, weiß und braun meliert, d. h. weiße
und braune Haare innig gemischt, doch so, daß weiß vorherrscht.

Unterseite des Kopfes und Halses, Brust, Bauch, Beine (mit Ausnahme der Außenseite der Oberschenkel hellbraun, d. h. braun und weiß meliert, braun vorherrschend. Unterseite und äußerste Spitze des (gestutzten) Schwanzes fast rein weiß.

Die F_1-Generation (erste Bastard- oder Heterozygoten-Generation).

Bei mangelnder Aufsicht wurde Flora im Spätsommer 1907 von Wotan gedeckt, welcher mit ihr zusammen auf der gleichen Liegenschaft gehalten wurde. Sie warf am 21./22. September 14 Junge, 10 Männchen und 4 Weibchen. Alle 14 Junge waren schwarz, mit wenig peripherem Weiß an Brust oder Zehen, kurzhaarig. Da aber auch die Jungen der langhaarigen Neufundländer bei der Geburt recht kurzhaarig sind, so läßt sich diese Angabe nicht ganz zuverlässig verwerten. Von den 14 Jungen wurden 11 getötet und auf die Seite geschafft, so daß sie nicht mehr erhältlich waren, als ich benachrichtigt wurde. Ich erwarb die drei am Leben erhaltenen Jungen, eine Hündin und zwei Rüden. Die Hündin „Zuggi" behielt ich im eigenen Haus, die beiden Rüden wurden von zwei Nachbarn an der Rigistraße übernommen, nämlich „Dirk" von meinem Kollegen Herrn Prof. Dr. G. Ruge und „Lord" von Herrn Apotheker Fleischmann. Alle drei F_1-Bastarde haben sich prächtig entwickelt und sind kräftige, muskulöse, starkknochige, gesunde und auch schöne Tiere geworden, welche die Aufmerksamkeit der Passanten auf sich ziehen. Sie gehen gern ins Wasser und hätten vielleicht, wenn dazu verwendet, gute Jagdhunde abgegeben. Der Habitus, die allgemeine Erscheinung ist, was die Form betrifft, entschieden weit eher die eines sehr kräftigen und großen kurzhaarigen deutschen Vorstehhundes, als die eines Neufundländers. Sie sind indessen plumper (Infektion durch die väterliche Rasse?).

Am kräftigsten und massivsten ist Lord (besonders auch im Kopf), am leichtesten Dirk; Zuggi, die Hündin, hält die Mitte. Aber alle drei Bastarde tragen offensichtlich denselben Typus zur Schau, der in meiner Skizze, wie man mir sagt, gut wiedergegeben ist (Taf. 2 Fig. 3).

Höhe am Widerrist (in der Richtung der senkrecht stehenden Vorderbeine) bei Zuggi etwa 64—65 cm, bei Lord 65—66 cm, bei Dirk 66—67 cm (beim Neufundländervater 65—66 cm, bei der Hühnerhundmutter etwa 62 cm). Schwanzlänge von der Wurzel bis zur Fleischspitze auf der Oberseite gemessen bei Lord etwa 40 cm, bei Dirk 44 cm, bei Zuggi 49 cm.

K o p f. Dieser ist im ganzen auffällig nach Art des Vorstehhunde-
kopfes geraten und wäre dies noch mehr, wenn die Ohren länger wären.
Wenn man die Abbildungen von Vorstehhundköpfen auf S. 270 des
zweiten Bandes des großen Werkes von R i c h a r d   S t r e b e l „Die
Deutschen Hunde und ihre Abstammung" betrachtet, so glaubt man
bei dieser oder jener Figur einen unserer Bastarde wiederzuerkennen. —
O b e r k o p f im Profil recht flach, wie beim Vorstehhund. S t i r n e
zwischen den Augen eingesenkt, am meisten bei Zuggi, bei keinem
Bastard so stark wie bei der Mutter. S t i r n a b s a t z deutlich, besonders bei Zuggi. H i n t e r k o p f r ü c k e n gegen den Hals in der
für die Vorstehhunde charakteristischen Weise geknickt abfallend.
N a s e schwarz. S c h n a u z e n r ü c k e n lang, im Profil sehr wenig
gewölbt, und zwar bei Dirk und Lord gleichmäßig, bei Zuggi mehr in der
vorderen Hälfte. A u g e n braun, bei Dirk und Zuggi dunkelbraun,
bei Lord hellbraun. Die O h r e n sind mäßig lang, länger als bei dem
Neufundländer und kürzer als beim Vorstehhund; also intermediär.
Länge bei Dirk etwa 15—15,5, bei Lord etwa 15,5, bei Zuggi 16,5—17 cm
beim Neufundländervater 13,5, bei der Vorstehhundmutter 17 cm. Bei
allen drei Bastarden sind sie anliegend, d. h. von der Wurzel an herab-
hängend, ziemlich dreieckig, mit abgerundeter Spitze, hinten am oberen
Teil etwas eingeschlagen, d. h. mit verjüngter Basis hoch oben am
Hinterkopf aufgehängt. Der Vorderrand steht häufig etwas ab, besonders bei Zuggi. Doch ist die Ohrenstellung beim Hunde bekanntlich
außerordentlich von der Haltung und Stellung des Körpers, oder
von den wechselnden Affekten und Stimmungen abhängig. Die Spitze
des Ohres reicht bei Dirk und Lord bloß bis zum Niveau des Mundwinkels herunter, bei Zuggi etwa 2 cm weiter.

Die L e f z e n soweit überhängend, daß Kinn und Unterkiefer in
der Seitenansicht knapp verdeckt sind. Bei Zuggi bleibt indessen noch
ein schmaler Streifen des Unterkiefers unbedeckt. Die Mundwinkelfalte tritt bei allen drei Bastarden deutlich hervor.

Der P a r i e t a l k a m m des Schädels relativ wenig ausgebildet,
am besten noch bei Zuggi. L ä n g e   d e s   S c h n a u z e n r ü c k e n s
bis zum Stirnabsatz bei Lord und Zuggi etwa 10 cm, bei Dirk etwa
10,5 cm (beim Neufundländervater 8,5 cm, bei der Vorstehhundmutter
9,5 cm). A b s t a n d   d e s   h i n t e r e n (ä u ß e r e n) A u g e n w i n k e l s vom
Vorderrand der Ohrenwurzel bei Lord etwa 8 cm, bei Zuggi 9,5—10 cm,
bei Dirk etwa 10 cm (beim Vater etwa 6 cm, bei der Mutter etwa 8 cm).
Der Kopf ist bei Lord dicker und massiger als bei den beiden andern
Bastarden. Zuggi scheint mir die schlankste Schnauze zu besitzen.

B e h a a r u n g. Alle drei F_1-Bastarde müssen ganz zweifellos als typisch kurz- und glatthaarig bezeichnet werden. Ganz rein ist in dieser Beziehung Lord, der nur an der Unterseite des Schwanzes längere Haare, eine Art „Bürste" besitzt. Auch Dirk ist typisch glatt- und kurzhaarig, doch sind die Haare allgemein eine Spur länger als bei Lord, besonders auch an der Schwanzunterseite. Relativ am längsten sind die Haare am Rumpfe und Schwanze bei der Hündin, ohne indes am Schwanze etwa eine „Fahne" zu bilden. Sie sind auf dem Rücken und am Schwanze glänzend gewellt. Der Kopf mit Ohren ist bei allen drei Bastarden gleichmäßig kurz- und glatthaarig. Bei allen dreien sind die Haare an der Gesäßseite der Oberschenkel etwas länger.

H a a r f a r b e. Alle 14 F_1-Jungen waren einfarbig schwarz, mit wenig „peripherem Weiß" (an Brust und Zehen). Die drei am Leben erhaltenen großgezogenen Bastarde sind t i e f s c h w a r z und auch glänzend. Schwärzer als diese drei Bastarde kann kein Neufundländer sein. Der Haarpelz von Lord zeigte indes in der Jugend einen deutlichen bräunlichen Anflug. Vielleicht steht hiermit in Zusammenhang, daß seine Augen hellbraun sind. „Peripheres Weiß" kommt bei allen drei Bastarden vor, am ausgedehntesten bei Lord, welcher auf der Brust eine ansehnliche weiße Zeichnung in Form eines Kreuzes mit doppeltem unteren Schenkel trägt und auch unbedeutende weißliche Fransen am Ende der Zehen. Dirk hat einen deutlichen, aber sehr kleinen weißen Brustfleck und am äußersten Schwanzende ein Büschelchen von ganz wenigen, weißen Haaren. Zuggi besitzt nur eine geringe Anzahl zerstreuter weißer Haare an Stelle des Brustflecks und ist sonst einheitlich rabenschwarz.

Trotz der deutlichen individuellen Verschiedenheiten muß man, wie schon betont, die F_1-Generation als uniform bezeichnen. Diese individuellen Verschiedenheiten mögen rein persönliche Modifikationen sein, sie können aber auch teilweise auf verschiedengradiger Bastardinfektion beruhen, zum Teil der Ausdruck verschiedener in der Mischung enthaltener „reiner Linien" sein. Die elterlichen Rassen zeigen in verschiedenen Merkmalen eine nicht unansehnliche Variationsbreite.

Die Hündin Zuggi war Ende Juli und anfangs August 1908 zum ersten Male brünstig. Ich mußte aus verschiedenen Gründen darauf verzichten, sie decken zu lassen. Meine Absicht war selbstverständlich die, durch Inzucht eine F_2-Generation zu erzielen. Die zweite Brunstperiode trat sodann in der zweiten Aprilwoche dieses Jahres (1909) ein. Allein die Hündin ließ weder Lord noch Dirk, die ihr wiederholt zugeführt wurden, zur Deckung zu. Während der dritten Brunstperiode wurde

sie dann im hiesigen Tierspital, wo sie unter sorgfältiger Aufsicht in
Einzelhaft gehalten wurde, zweimal durch Dirk gedeckt, das erstemal
am 2. September und sodann am 4. September. Die Deckung hatte
den gewünschten Erfolg.

Theoretische Voraussicht für die F_2-Generation.

Die Versuchung lag nahe — ich sollte richtiger sagen: die wissenschaftliche Verpflichtung war gegeben — zu kontrollieren, ob wir in
der exakten Vererbungslehre in der Ermittlung von Gesetzmäßigkeiten
über die allerersten Anfänge schon so weit hinaus sind, daß eine Prophezeiung über den Ausgang des Kreuzungsversuches innerhalb der
weiten, in der Natur der Sache liegenden, aber die Gesetzmäßigkeit
in keiner Weise alterierenden Sicherheitsgrenzen gewagt werden darf.

Zu dem Ende suchte ich alles in Betracht kommende Tatsachen-
material sorgfältig zusammenzutragen, um die empirische Basis für
die theoretische Voraussage so breit und zuverlässig wie immer möglich
zu gestalten.

Zwei Hauptgruppen von Erfahrungen kamen hierbei in Betracht.

Erstens, die bisherigen züchterischen Erfahrungen zunächst bei Hunden und sodann bei
andern Säugetieren.

Zweitens, die bei der P_1-Kreuzung an der F_1-
Generation gemachten Erfahrungen. Dieser zweiten
Gruppe gehört als Grundlage für die Voraussage der Vorrang.

I. Züchterische Erfahrungen bei Hunden und
anderen Säugetieren. Zielbewußte experimentelle Kreuzungsversuche mit Hunden unter modernen Gesichtspunkten ausgeführt, liegen
nicht vor. Das Bestreben der praktischen Züchter ist auf die Reinheit
der Rasse und darauf gerichtet, einen Moderekord zur Geltung zu
bringen, bei dem sie mit ihrer eigenen Zucht am besten auf ihre Rechnung kommen. Zufällige Bastardierungen, Beimischungen von fremdem
Blut werden im Geschäftsinteresse meist sorgfältig verschwiegen.
Trotzdem findet sich in der züchterischen und sportlichen Fachliteratur
zweifellos eine Menge von interessanten Angaben, deren Sichtung auf
Zuverlässigkeit aber unmöglich ist. Sie können nicht für unsern Zweck
verwertet werden und erhalten ihre Bedeutung erst, nachdem auf
wissenschaftlichem Wege Gesetzmäßigkeiten sicher nachgewiesen sind.

Zur Verfügung stehen nun schon recht ausgedehnte Erfahrungen
.auf dem Gebiete der. exakten, experimentellen Vererbungslehre bei

andern Säugetieren, in erster Linie bei Mäusen, Ratten, Kaninchen und Meerschweinchen.

Die Frage, ob die hier gesammelten Erfahrungen ohne weiteres auf den Hund übertragen werden können, läßt sich dahin beantworten, daß dies mit beträchtlicher, aber durchaus nicht mit absoluter Sicherheit geschehen kann. Die Erfahrungen zeigen nämlich, daß ein Merkmal, welches bei der Mehrzahl der Arten dominant ist, bei einer besonderen Tierart ausnahmsweise rezessiv sein kann; ja der Beweis ist schon erbracht, daß ein und dasselbe Merkmal (z. B. weiße Farbe, Scheckigkeit usw.), das wir bei verschiedenen Trägern mit unsern Sinnen absolut nicht unterscheiden können, bei einer und derselben Organismenart mit Bezug auf die Erblichkeitsverhältnisse verschieden sein kann. Es kann bei einem Biotypus dominant, bei einem andern äußerlich nicht unterscheidbaren rezessiv sein. Äußerlich identisches Weiß kann entweder schwarz oder braun oder gelb, Scheckzeichnung oder Einfarbigkeit „latent" enthalten.

Unter diesem wissenschaftlich gebotenen Vorbehalt kann man nach Analogie der bei andern Säugetieren experimentell gesammelten Erfahrungen mit Wahrscheinlichkeit annehmen, d a ß a u c h b e i m H u n d e

1. d i e M e r k m a l e F a r b e , Z e i c h n u n g , H a a r l ä n g e d e n R e g e l n d e r a l t e r n a t i v e n V e r e r b u n g f o l g e n und daß speziell

2. d i e s c h w a r z e F a r b e ü b e r d i e b r a u n e v o l l - k o m m e n o d e r a n n ä h e r n d v o l l k o m m e n d o m i n i e r t ,

3. d i e E i n f a r b i g k e i t g a n z o d e r a n n ä h e r n d v o l l - k o m m e n ü b e r d i e Z e i c h n u n g (T i g e r u n g , S c h e c k - z e i c h n u n g usw.) d o m i n i e r t , wobei Vorkommen von bloß peripherem Weiß (z. B. auf der Brust, an den Zehen, an der Schwanz- spitze) als genotypisch die Einfarbigkeit nicht störend betrachtet werden darf,

4. d a ß d i e K u r z h a a r i g k e i t ü b e r d i e L a n g h a a r i g - k e i t d o m i n i e r t . Etwelche Infektion namentlich bei den Hetero- zygoten ist eher wahrscheinlich als unwahrscheinlich.

Es kommt noch die O h r l ä n g e in Betracht. Hier liegt leider nur die exakt experimentelle C a s t l e sche Erfahrung mit kurz- und langrohigen Kaninchen vor. Per analogiam wäre v i e l l e i c h t z u erwarten, daß

. 5. a u c h b e i m H u n d e d i e O h r l ä n g e d e n R e g e l n d e r i n t e r m e d i ä r e n V e r e r b u n g f o l g t u n d d a ß d i e intermediäre Ohrlänge bei den Nachkommen der Bastarde sich konstant erhält.

Für andere Merkmale, die bei unserem Hundeversuch in Frage kommen, liegt bei andern Säugetieren kein sicheres, experimentelles Untersuchungsmerkmal vor. Die Erfahrung versagt z. B. für eine mutmaßungsweise Voraussage über die Körpergröße, Lippenbeschaffenheit, Profillinie des Kopfes usw.

Zu den Punkten 2 und 3 bemerke ich, daß nach den vorliegenden Erfahrungen über Scheckzeichnung, Tigerung, Panachierung usw., die fast für die ganze Organismenwelt Gültigkeit haben, diese Merkmale höchst selten ein Produkt der Bastardierung, z. B. von schwarz und weiß, braun und weiß usw. sind, sondern unabhängige, erbeinheitliche Eigenschaften darstellen, die auf besonderen Genen beruhen. Prof. Heim übermittelte mir eine Mitteilung eines großen Hundezüchters, des Herrn Stadtrat Burger in Leonberg, nach welcher schwarze und weiße Spitzer gekreuzt niemals gefleckte geben. Peripheres Weiß darf dabei genetisch nicht als Fleckzeichnung gelten.

II. Die tatsächlichen Erfahrungen bei unserer F_1-Generation bestätigen in vollem Maße die bei andern Säugetieren gesammelte Erfahrung, insofern sie zweifellos ergeben, daß

1. die Merkmale der Farbe, Zeichnung und Haarlänge mendeln. Die F_1-Generation zeigt dabei die Dominanzerscheinung, welche bei der alternativen Vererbung wenigstens im Tierreich die Regel ist,

2. Daß schwarz über braun vollkommen dominiert (leichte Unvollkommenheit der Dominanz bei Lord in der Jugend),

3. Daß die Einfarbigkeit (mit extremem Weiß) vollkommen über die Zeichnung dominiert. Ich muß hier bemerken, daß ich nach den Erfahrungen bei andern Säugetieren die Verteilung der Farbe bei der P_1-Mutter Flora als extreme Fleckzeichnung, Zusammenfließen der braunen Platten auf dem Rücken, im übrigen feine Melierung von braunen und weißen Haaren, auffassen durfte,

4. Daß Kurzhaarigkeit fast vollkommen über Langhaarigkeit dominiert,

5. Daß die Ohren mit Bezug auf ihre Länge zwar recht variabel, indessen, besonders wenn man ihre relative Länge in Betracht zieht, intermediär sind.

Die Übereinstimmung der beiden Erfahrungsreihen verleiht den Sätzen 1, 2, 3 und 4 einen hohen Grad von Sicherheit, welcher es als nicht zu gewagt erscheinen läßt, an eine Voraussage über den mutmaßlichen Ausfall der F_2-Generation zu denken. Die Sicherheit wird noch durch folgende, allerdings sehr ungenügend festgestellte Erfahrungen über anderweitige Nachkommenschaft unserer P_1-Ausgangshunde Wotan und Flora vermehrt.

W o t a n , der P_1-Neufundländer, hat 1908 „eine total rasselose $\frac{1}{3}$-Bernhardinerhündin" gedeckt und mit ihr mehrere F_1-„Neufundländer" gezeugt, die im Mai zur Welt kamen. Damit, daß die Jungen als Neufundländer bezeichnet werden, ist zunächst wohl nur gemeint, daß sie schwarz waren.

F l o r a , die P_1-Hühnerhündin, war im Jahre 1906 von Treff II, dem vielfach prämierten kurzhaarigen deutschen Vorstehhund mit Pointerblut des Herrn Architekten A. von Glenck in Zürich gedeckt worden. Dieser Hund (D. H. St. B. No. 973c) ist über und über braun getigert (gesprenkelt, meliert) hat aber einen braunen Kopf und eine kleine braune Platte am Rücken. Flora gebar am 11. September 1906 14 Junge (10 ♂ und 4 ♀), alle braun gesprenkelt mit braunen Platten, kurzhaarig.

Dieses Zuchtresultat ist insofern von Bedeutung, als es nichts enthält, was gegen den reinrassigen Charakter der Mutter Flora sprechen würde.

Mit Bezug auf die Haarlänge sind Vorbehalte zu machen. Da Kurzhaarigkeit dominant ist, so ist a priori nicht ausgeschlossen, daß die (kurzhaarige) P_1-Mutter Flora mit Bezug auf Haarlänge heterozygotisch ist, d. h. das Gen für Langhaarigkeit latent enthält. Dann hätte nach der theoretischen Erwartung von den 14 Jungen aus der Kreuzung mit dem zweifellos rasserreinen langhaarigen Neufundländer Wotan die Hälfte langhaarig, die andere kurzhaarig sein sollen. Die drei überlebenden sind kurzhaarig, die 11 kurz nach der Geburt getöteten sollen auch kurzhaarig gewesen sein. Allein auch die langhaarigen Neufundländer sind in der frühen Jugend recht kurzhaarig, so daß jene Angabe nicht ganz entscheidend ist. Ich bin im Begriffe, genaue Ermittlungen darüber anzustellen, ob man schon kurz nach der Geburt die später langhaarigen Hunde von den später kurzhaarigen sicher unterscheiden kann.

Im verliegenden Falle muß als wahrscheinlicher bezeichnet werden, daß die P_1-Mutter Flora mit Bezug auf Kurzhaarigkeit homozygotisch, reinrassig ist.

Für eine auch nur einigermaßen begründete theoretische Voraussicht über das Schicksal anderer Merkmale in der F_2-Generation sind die empirischen Daten, welche die auf d r e i beschränkte Zahl der erwachsenen F_1-Jungen liefern, gänzlich ungenügend. Man könnte daran denken, daß die lange Schnauze über die kurze, der lange Ohrabstand über den kurzen, die flache Profillinie des Oberkopfes über die gewölbte, die Hängelefze über die Nichthängelefze dominiert. Dominanz wäre hier überall, wenigstens bei den H e t e r o z y g o t e n der F_2-Generation, unvollkommen. Man wird auch der Knielage seine Aufmerksamkeit zuwenden müssen. Mit Bezug auf die Hängelefze teilt mir Herr Prof. H e i m mit, daß eine deutliche Korrelation zwischen Ohrlänge und Hängelefzen bei den Hunden überhaupt zu bestehen scheint.

Demgegenüber darf für die theoretische Voraussicht über die Gestaltung der Merkmale Haarlänge, Haarfarbe, Zeichnung, relative Ohrenlänge nach den Erfahrungen bei anderen Tieren und dem tatsächlichen Verhalten unserer F_1-Generation m i t g r ö ß t e r W a h r - s c h e i n l i c h k e i t a n g e n o m m e n w e r d e n, d a ß k e i n e r l e i f e s t e K o r r e l a t i o n existiert, weder zwischen der Langhaarigkeit, schwarzen Farbe, Einfarbigkeit und kurzen Ohren des Neufundländers, noch zwischen der braunen Farbe, Tigerung, Kurzhaarigkeit und den langen Ohren des Vorstehhundes. Demnach wäre es rein willkürliche Geschmackssache, ob ein Neufundländer kurz oder langhaarig, schwarz oder braun, ein Vorstehhund einfarbig oder getigert, mit langen oder kurzen Ohren sein darf. Aber es wäre riskiert, so etwas auf dem Pürschgang zu den Jagdgenossen laut zu sagen.

Nachdem ich das Terrain für eine Prophezeiung sorgfältig ausgekundschaftet, will ich nunmehr die Berechnung selbst nach den Regeln der alternativen Vererbung anstellen, die ich bei den Lesern dieser Zeitschrift als bekannt voraussetzen darf. Ich kann wohl auch als bekannt voraussetzen, daß die theoretischen Zahlenverhältnisse nur bei sehr großen Zahlen sich mit g r o ß e r Sicherheit realisieren. Ein Wurf von 16 Jungen ist beim Hunde ein extrem gesegneter, für eine sichere Ermittlung oder Bestätigung der Zahlenverhältnisse ist aber diese Zahl noch v i e l z u k l e i n. — Zunächst das Schicksal eines jeden Merkmalpaares für sich allein (M o n o h y b r i d i s m u s).

I. H a a r f a r b e. Auf je 4 F_2-Exemplare sollen nach der theoretischen Erwartung bei großen Zahlen 3 schwarze und 1 braunes kommen.

Geringe Kreuzungsinfektion, in der Jugend sichtbar, möglich, namentlich bei den Heterozygoten.

II. Z e i c h n u n g. Auf je 4 F_2-Exemplare sollen nach der theoretischen Erwartung 3 einfarbig pigmentierte (eventuell mit peripherem Weiß) und 1 gezeichnetes (getigertes, eventuell geschecktes) kommen.

III. H a a r l ä n g e. Auf je 4 F_2-Exemplare sollten 3 kurzhaarige und 1 langhaariges kommen. Etwelche Kreuzungsinfektion besonders bei den Heterozygoten wahrscheinlich.

Von den Kombinationen kommt zunächst an die Reihe die Kombination Haarfarbe und Zeichnung (D i h y b r i d i s m u s).

IV. H a a r f a r b e und Z e i c h n u n g. 16 genotypisch (mit Bezug auf die inneren erblichen Anlagen) verschiedene Kombinationen (Biotypen), die aber in nur 4 äußerlich verschiedenen Gewändern (Phänotypen) vorkommen, und zwar in folgendem theoretischen Zahlenverhältnisse.

Auf je 16 F_2-Individuen kommen durchschnittlich bei großen Zahlen
9 einfarbig schwarze (mit peripherem Weiß oder ohne solches),
3 einfarbig braune (mit peripherem Weiß oder ohne solches),
3 schwarz und weiß gezeichnete (Tiger, Schecke),
1 braun und weiß gezeichnetes (Tiger, Scheck).

Nur die letztgenannte Kombination ist eine reine Rasse, repräsentiert einen mit der äußeren Erscheinung innerlich (genotypisch) vollständig übereinstimmenden, harmonierenden Biotypus.

Es läßt sich die theoretische Wahrscheinlichkeit ausrechnen für die verschiedensten Eventualitäten, für die Fälle, daß Zuggi bloß 2, 3, 4 oder 5 oder 6, 7, 8, 9, 10 oder mehr Junge werfen wird. Die theoretische Wahrscheinlichkeit läßt sich aber nur für den Fall in ganzen Zahlen ausdrücken, als die Zahl der Jungen des Wurfes 16 ist. Werden nur 2 oder 3 Junge geboren, s o k ö n n e n j a ü b e r h a u p t n i c h t a l l e 4 T y p e n v e r t r e t e n sein. nur 2 auftreten.

Für den Fall, daß 8 Junge geboren würden, wäre die theoretische Wahrscheinlichkeit für jeden der 4 Phänotypen folgende:
4,5 einfarbig schwarze,
1,5 einfarbig braune,
1,5 schwarz und weiß gezeichnete,
0,5 braun und weiß gezeichnete.

Da aber keine halben Jungen geboren werden, so ist ersichtlich, daß folgende wirklich realisierbaren Fälle der theoretischen Erwartung am nächsten kommen werden.

	a	b	c	d	e	f	g	h	i
Einfarbig schwarze Exemplare	4	4	4	5	5	5	5	5	6
Einfarbig braune Exemplare	2	2	1	2	1	1	2	0	1
Schwarz und weiß gezeichnete Exemplare	2	1	2	1	2	1	0	2	1
Braun und weiß gezeichnete Exemplare . . . . . ·.	0	1	1	0	0	1	1	1	0
Summa	8	8	8	8	8	8	8	8	8

Weiter unten komme ich auf die Rolle des Zufalles für das tatsächliche Eintreffen der verschiedenen Kombinationen zu sprechen.

V. Haarfarbe und Haarlänge. Dihybridismus. Es entstehen wiederum 16 Kombinationen mit den folgenden 4 Phänotypen im theoretischen Zahlenverhältnis von 9:3:3:1; nämlich 9 mit schwarzem Pigment und kurzen Haaren, 3 mit schwarzem Pigment und langen Haaren, 3 mit braunem Pigment und kurzen Haaren und 1 Exemplar mit braunem Pigment und langen Haaren. Nur der letztgenannte Phänotypus ist zugleich ein Biotypus.

VI. Haarlänge und Zeichnung. Dihybridismus. Es entstehen natürlich auch 16 Kombinationen mit 4 Phänotypen in folgendem Zahlenverhältnis: 9 kurzhaarige einfarbige Exemplare, 3 kurzhaarige gezeichnete Exemplare, 3 langhaarige einfarbige Exemplare und 1 langhaariges und gezeichnetes Exemplar.

VII. Die Kombination der 3 Paare von Merkmalen, die sich auf die Farbe, Zeichnung und Haarlänge zugleich beziehen, bildet einen Fall des Trihybridismus, bei dem 64 Kombinationen (Biotypen) entstehen mit 8 äußerlich verschiedenen Phänotypen im theoretischen Zahlenverhältnis von 27:9:9:9:3:3:3:1.

Ich will diesen Fall genauer ausführen und tabellarisch darstellen. Die drei Merkmalspaare resp. Paare von Genen sind:

1. A schwarz (dominant) — a braun (rezessiv),
2. B einfarbig (dominant) — b gezeichnet (gescheckt, getigert). (rezessiv),
3. C kurzhaarig (dominant) — d langhaarig (rezessiv).

Es werden folgende 8 Arten von reinen Gameten (alle Arten in gleicher Zahl) gebildet, die sich bei der Befruchtung frei kombinieren.

Gameten: 1. ABC 2. ABc 3. AbC 4. Abc 5. aBC 6. aBc 7. abC 8. abc.

Tabelle der 64 Kombinationen oder Biotypen[1]).

Gameten	ABC	ABc	AbC	Abc	aBC	aBc	abC	abc
ABC	AABBCC 1	AABBCc 2	AABbCC 3	AABbCc 4	AaBBCC 5	AaBBCc 6	AaBbCC 7	AaBbCc 8
ABc	AABBCc 9	AABBcc 10	AABbCc 11	AABbcc 12	AaBBCc 13	AaBBcc 14	AaBbCc 15	AaBbcc 16
AbC	AABbCC 17	AABbCc 18	AAbbCC 19	AAbbCc 20	AaBbCC 21	AaBbCc 22	AabbCC 23	AabbCc 24
Abc	AABbCc 25	AABbcc 26	AAbbCc 27	AAbbcc 28	AaBbCc 29	AaBbcc 30	AabbCc 31	Aabbcc 32
aBC	AaBBCC 33	AaBBCc 34	AaBbCC 35	AaBbCc 36	aaBBCC 37	aaBBCc 38	aaBbCC 39	aaBbCc 40
aBc	AaBBCc 41	AaBBcc 42	AaBbCc 43	AaBbcc 44	aaBBCc 45	aaBBcc 46	aaBbCc 47	aaBbcc 48
abC	AaBbCC 49	AaBbCc 50	AabbCC 51	AabbCc 52	aaBbCC 53	aaBbCc 54	aabbCC 55	aabbCc 56
abc	AaBbCc 57	AaBbcc 58	AabbCc 59	Aabbcc 60	aaBbCc 61	aaBbcc 62	aabbCc 63	aabbcc 64

Gruppieren wir diese 64 Kombinationen nach ihrer äußeren Erscheinung, so werden alle Kombinationen, welche die dominanten Gene ABC enthalten, s c h w a r z (A), e i n f a r b i g (B) und k u r z h a a r i g (C) erscheinen, im ganzen 27 Individuen auf 64,

---

[1]) In Wirklichkeit gibt es nicht 64 verschiedene Kombinationen, denn die Verschiedenheit von aA und Aa, bB und Bb, cC und Cc steht nur auf dem Papier. Wir stellen im folgenden, wo heterozygotisch die beiden Merkmale eines Paares vorkommen, das dominante Merkmal mit dem großen Buchstaben voraus. — Es wäre indes denkbar, daß aA und Aa, bB und Bb auch eine genotypische Verschiedenheit ausdrucken könnten, beispielsweise wenn bei geschlechtlich reziproken Kreuzungen die Nachkommenschaft eines ♂ Typus A ✕ ♀ Typus a anders ausfällt als die Nachkommenschaft eines ♀ Typus A ✕ ♂ Typus a.

nämlich 1 Ex. (Nr. 1) von der Formel AABBCC, das einzige, das mit Bezug auf alle drei dominanten Merkmale homozygotisch ist,

      2 Ex. (Nr. 2 und 9) von der Formel AABBCc (heterozygotisch nur mit Bezug auf Haarlänge),

      2 Ex. (Nr. 3 und 17) von der Formel AABbCC (heterozygotisch nur mit Bezug auf Zeichnung),

      2 Ex. (Nr. 5 und 33) von der Formel AaBBCC (heterozygotisch nur mit Bezug auf Haarfarbe),

      4 Ex. (Nr. 4, 11, 18, 25) von der Formel AABbCc (homozygotisch nur mit Bezug auf Haarfarbe),

      4 Ex. (Nr. 6, 13, 34, 41) von der Formel AaBBCc (homozygotisch nur mit Bezug auf Zeichnung),

      4 Ex. (Nr. 7, 21, 35, 49) von der Formel AaBbCC homozygotisch nur mit Bezug auf Haarlänge),

      8 Ex. (Nr. 8, 15, 22, 29, 36, 43, 50, 57) von der Formel AaBbCc (heterozygotisch mit Bezug auf alle drei Merkmale, triheterozygotisch.

Im ganzen 27 Exemplare schwarz, einfarbig und kurzhaarig.

9 Individuen enthalten die dominanten Gene A und B und sind mit Bezug auf das rezessive Gen c (Langhaarigkeit) homozygotisch. C fehlt. Diese 9 Individuen sind s c h w a r z , e i n f a r b i g und l a n g h a a r i g ,

nämlich 1 Ex. (Nr. 10) von der Formel AABBcc (das einzige trihomozygotische, d. h. komplett homozygotische Ex.),

      2 Ex. (Nr. 12, 26) von der Formel AABbcc (monoheterozygotisch mit Bezug auf Bb),

      2 Ex. (Nr. 14, 42) von der Formel AaBBcc (monoheterozygotisch mit Bezug auf Haarfarbe),

      4 Ex. (Nr. 16, 30, 44, 58) von der Formel AaBbcc (diheterozygotisch mit Bezug auf Haarfarbe und Zeichnung).

Im ganzen   9 Exemplare.

9 Individuen enthalten zwar die dominanten Gene A und C, sind aber mit Bezug auf das rezessive Gen b (Tigerung) homozygotisch. Diese 9 Individuen sind also s c h w a r z , g e t i g e r t und k u r z - h a a r i g ,

nämlich 1 Ex. (Nr. 19) von der Formel AAbbCC (das einzige
trihomozygotische Ex.),

2 Ex. (Nr. 20, 27) von der Formel AAbbCc (heterozygotisch nur mit Bezug auf Haarlänge),

2 Ex. (Nr. 23, 51) von der Formel AabbCC (heterozygotisch nur mit Bezug auf Haarfarbe),

4 Ex. (Nr. 24, 31, 52, 59) von der Formel AabbCc (di-
heterozygotisch, Haarfarbe und Haarlänge!).

9 Exemplare

9 Individuen (von 64) enthalten zwar die dominanten Faktoren
B und C, sind aber mit Bezug auf das rezessive Gen a (für die braune
Farbe) homozygotisch, so daß dieses Gen ungehindert zur Entfaltung
gelangen kann. Die äußere Erscheinung dieser 9 Individuen ist also:
B r a u n , e i n f a r b i g , k u r z h a a r i g. Die folgenden Konstitutions-
formeln kommen vor:

1 Ex. (Nr. 37) hat die Formel aaBBCC (das einzige vollständig homozygotische Individuum).

2 Ex. (Nr. 38 und 45) haben die Formel aaBBCc (heterozygotisch nur
mit Bezug auf die Haarlänge),

2 Ex. (Nr. 39 und 53) haben die Formel aaBbCC (heterozygotisch nur
mit Bezug auf die Zeichnung),

4 Ex. (Nr. 40, 47, 54, 61) haben die Formel aaBbCc (sind diheterozy-
gotisch, Zeichnung und Haarlänge!).

9 Exemplare

Auf je 64 Individuen kommen ferner durchschnittlich 3, welche nur
eines von den 3 dominanten Genen, entweder A oder B oder C enthalten.

Eine erste Gruppe von 3 Individuen enthält zwar das dominante
Gen A (schwarze Farbe), ist aber mit Bezug auf die rezessiven Gene b
und c homozygotisch. Äußere Erscheinung: s c h w a r z , g e t i g e r t ,
l a n g h a a r i g.

1 Ex. (Nr. 28) hat nämlich die Formel AAbbcc (das Exemplar ist
trihomozygotisch, reinrassig);

2 Ex. (Nr. 32 und 60) haben die Formel Aabbcc (sie sind monoheterozygotisch).

3 Exemplare

Eine zweite Gruppe von 3 Individuen enthält von dominanten Genen
nur das Gen B. (Einfarbigkeit). Äußere Erscheinung: b r a u n , e i n -
f a r b i g , l a n g h a a r i g.

1 Ex. (Nr. 46) hat dabei die Formel aaBBcc (ist trihomozygotisch, reinrassig);

2 Ex. (Nr. 48 und 62) haben die Formel aaBbcc (sie sind monoheterozygotisch).

3 Exemplare

Ein dritte Gruppe von 3 Individuen enthält von dominanten Genen nur das Gen C (Kurzhaarigkeit). Äußere Erscheinung: b r a u n , g e t i g e r t , k u r z h a a r i g.

1 Ex. (Nr. 55) hat dabei die Formel aabbCC (ist trihomozygotisch, reinrassig);

2 Ex. (Nr. 56 und 63) haben die Formel aabbCc (sind monoheterozygotisch).

3 Exemplare

Schließlich bleibt unter 64 Exemplaren noch 1 Individuum und nur eines im Durchschnitt übrig, welches überhaupt keines von den 3 dominanten Genen enthält, sondern nur homozygotisch die 3 r e z e s s i v e n G e n e a, b und c. Formel aabbcc. Diese neue Kombination ist vollständig rasserein. Die äußere phänotypische Erscheinung: b r a u n , g e t i g e r t , l a n g h a a r i g deckt sich vollständig mit der inneren genotypischen Konstitution.

Wir haben hier Fälle jener Mendelschen Zuchtregel vor uns, die von immenser praktischer Bedeutung ist und zum Teil das Geheimnis der Erfolge der Methode der Massenkultur enthält, und welche lautet, j e s e l t e n e r e i n e K o m b i n a t i o n i n e i n e r d u r c h p o l y h y b r i d e K r e u z u n g g e w o n n e n e n F$_2$-P o p u l a t i o n a u f t r i t t , u m s o g r ö ß e r i s t d i e W a h r s c h e i n l i c h k e i t , d a ß s i e s i c h d e r v o l l s t ä n d i g p o l y h o m o z y g o t i s c h e n K o n s t i t u t i o n a n n ä h e r t o d e r s i e g e r a d e z u v e r w i r k l i c h t . Und umgekehrt, je zahlreicher ein Typus auftritt, um so größer die Wahrscheinlichkeit, daß zahlreiche ihn zur Schau tragende Individuen verkappte Bastarde sind, die bei der Weiterzucht ein buntes Gemisch von Nachkommen ergeben.

Ich will, obschon ja das eigentlich selbstverständlich ist, doch noch ausdrücklich wiederholen, daß starke Annäherungen an das theoretische Zahlenverhältnis bei den empirischen Befunden nur bei sehr großen Zahlen mit Sicherheit zu erwarten sind. Bei kleinen Zahlen spielt der Zufall die gleiche Rolle wie beim Lotto- oder Würfelspiel. Ein Gelege eines F_1-Hundebastards ist wirklich ein „Wurf" wie beim Spiel mit zwei, drei oder mehr Würfeln. Bei jedem einzelnen Wurfe ist die Lage und damit die Augenzahl der Oberseite des einzelnen Würfels vollkommen zufällig: Wenn ich aber den ganzen Tag würfle und alle einzelnen Würfe protokolliere, so erhalte ich schließlich mit Sicherheit eine große Annäherung an die nach der Wahrscheinlichkeitsrechnung ermittelte durchschnittliche Häufigkeit der Augenzahl eines Wurfes. Und man bedenke auch folgendes. Wenn bei Trihybridismus in der F_2-Generation 8 äußerlich verschiedene Typen: ABC, ABc, AbC, aBC, Abc, aBc, abC, abc im Zahlenverhältnis von 27 : 9 : 9 : 9 : 3 : 3 : 3 : 1 auftreten, was für Typen und wie viele von jeder Sorte sind dann bei einem Wurfe von 3 oder 4 oder 5 oder 8 oder 10 usw. Jungen zu erwarten. Unsere Hunderassen Vorstehhund und Neufundländer sind aber gewiß nicht nur Trihybride, sondern kompliziertere Polyhybride. Bei Heptahybriden treten aber in der F_2-Generation schon 128 äußerlich verschiedene Phänotypen auf, in einem ganz bestimmten Zahlenverhältnis. In einem Wurfe von 8 Jungen k ö n n t e n also von diesen 128 Phänotypen 120 überhaupt n i c h t repräsentiert sein.

Um die Rolle des Zufalls zu veranschaulichen, habe ich die einzelnen F_2-Würfe oder Gelege, die eine F_1-Mutter nach erfolgter Paarung mit einem F_1-Vater wirft, durch Ziehungen bei einer Lotterie zu veranschaulichen gesucht, und solche Ziehungen in größerer Zahl vorgenommen und 10 Würfe in allen Zahlenabstufungen von 3—16, wie sie bei Hunden vorkommen können, simuliert und zwar, für den Fall des Trihybridismus. Das Verfahren war folgendes. Die 8 Phänotypen, die im Zahlenverhältnisse von 27 : 9 : 9 : 9 : 3 : 3 : 3 : 1 auftreten, wurden durch römische Ziffern I—VIII repräsentiert. Ich legte nun in eine Urne 108 Spielmarken I, je 36 Spielmarken II, III und IV, je 12 Spielmarken V, VI und VII und 4 Spielmarken VIII und mischte sie. Zog ich 8 Spielmarken, so stellte dies einen Wurf von 8 Jungen dar. Nach jeder Ziehung wurde gemischt und die Spielmarke wieder in die Urne gelegt[1]). Es hat keinen Sinn, das Protokoll über das Resultat aller Ziehungen zu reproduzieren. Ich will nur dasjenige anführen, das sich auf 8 Ziehungen von je 8 Spielmarken (Würfe von 8 Jungen) bezieht. Zuggi hat in der Tat 8 Junge geworfen. Z u f ä l l i g hat sich gerade diese Serie der theoretischen Erwartung besonders stark genähert.

---

[1]) Es wäre den natürlichen Verhältnissen mehr entsprechend gewesen, wenn die verschiedenen Typen von reinen Gameten durch verschiedene Spielmarken in gleicher Zahl dargestellt und jeweilen zwei zu einer Zygote kombiniert worden waren. Auch dieses Verfahren habe ich vielfach praktiziert.

	Typus I	Typus II	Typus III	Typus IV	Typus V	Typus VI	Typus VII	Typus VIII	
Phänotypen	schwarz einfarbig kurz- haarig	schwarz ge- tigert kurz- haarig	schwarz einfarbig lang- haarig	braun einfarbig kurz- haarig	schwarz ge- tigert lang- haarig	braun ge- tigert kurz- haarig	braun einfarbig lang- haarig	braun ge- tigert lang- haarig	Summa
Formeln	ABC	AbC	ABc	aBC	Abc	abC	aBc	abc	
Theoretische Ratio auf die Zahl 8 reduziert	3.4	1,1	1,1	1,1	0,37	0,37	0,37	0,1	7.91
1. Ziehung	2	—	2	—	3	—	1	—	8
2. ,, ...	3	—	2	1	1	—	1	—	8
3. ,, ...	5	—	1	—	2	—	—	—	8
4. ,, ...	3	2	1	1	1	—	—	—	8
5. ,, ...	2	2	1	2	1	—	—	—	8
6. ,, ...	4	3	—	—	—	1	—	—	8
7. ,, ...	2	2	1	2	—	1	—	—	8
8. ,, ...	4	—	—	2	1	1	—	—	8
Summe aller 8 Ziehungen	25	9	8	8	9	3	2	0	64
Theoretische Ratio	27	9	9	9	3	3	3	1	64

Es ist also bei diesen 8 Ziehungen die seltenste Kombination abc, die einzige s i c h e r dreifach homozygotische, überhaupt nicht aus der Urne gezogen worden, dagegen der 5. Typus in dreifach zu großer Zahl.

Die nachfolgende Tabelle führt uns dieselben Ziehungen, aber bloß auf die H a a r f a r b e und Z e i c h n u n g bezogen (Dihybridismus) vor

	1. Ziehung	2. Ziehung	3. Ziehung	4. Ziehung	5. Ziehung	6. Ziehung	7. Ziehung	8. Ziehung	* * *	Theo- retische Ratio
I. Typus: schwarz, einfarbig . . .	4	5	6	4	3	4	3	4	5	4.5
II. Typus: braun, einfarbig . . .	1	2	—	1	2	—	2	2	2	1.5
III. Typus: schwarz getigert . . .	3	1	2	3	3	3	2	1	—	1.5
IV. Txpus: braun getigert . . .	—	—	—	—	1	1	1	1	1	0.5
	8	8	8	8	8	8	8	8	8	8

Um zu veranschaulichen, wie weit der Zufall die tatsächlichen Ergebnisse von den theoretischen im Durchschnitt erwarteten Zahlen entfernen kann, will ich einige extreme Beispiele aus meinen 14 Lotterieserien von im ganzen 124 Ziehungen (Würfen) von total 933 Spielmarken (Jungen) anführen.

	Trihybridismus								Dihybridismus			
	Typus I schwarz einfarbig kurzhaarig	Typus II schwarz gefärbt kurzhaarig	Typus III schwarz einfarbig langhaarig	Typus IV braun einfarbig kurzhaarig	Typus V schwarz gefärbt langhaarig	Typus VI braun gefärbt kurzhaarig	Typus VII braun einfarbig langhaarig	Typus VIII braun gefärbt langhaarig	Typus I schwarz einfarbig	Typus II braun einfarbig	Typus III schwarz gefärbt	Typus IV braun gefärbt
Serie I. 32 Ziehungen (Würfe) zu 3 Marken (Jungen). Theoret. Erwartung. Tatsächliche Resultate. 6. Ziehung 9. 20. ,,	1,3 / 3	0,4 / 2	0,4 / —	0,4 / —	0,14 / —	0,14 / —	0,14 / —	0,05 / —	0,18 / 3	0,06 / —	0,06 / —	0,02 / —
Serie II. 16 Ziehungen (Würfe) zu 4 (Jungen). Theoret. Erwartung. Tatsächliche Resultate. 2. Ziehung	1,7 / —	0,57 / 3	0,57 / —	0,57 / 1	0,19 / —	0,19 / —	0,19 / 2	0,06 / —	2,25 / —	0,75 / —	0,75 / 3	0,25 / —
Serie V. 9 Ziehungen (Würfe) zu 7 Marken (Jungen). Erwartung. Tatsächliche Resultate. 1. Ziehung 7.	2,97 / 5 / 2	— / 1	1 / 2 / 1	— / —	0,33 / —	0,33 / —	0,33 / —	0,1 / —	4 / 7 / 3	1,3 / —	1,3 / —	0,4 / —
Serie VI. 8 Ziehungen (Würfe) zu je 8 Marken (Jungen). Erwartung. Tatsächliche Resultate. 1. Ziehung	3,4 / 2	1,1 / —	1,1 / 2	1,1 / 1	0,37 / 3	0,37 / —	0,37 / 1	0,1 / —	4,5 / 4	1,5 / —	1,5 / 3	0,5 / —
Serie IX. 6 Ziehungen zu je 11 Marken (Jungen). Theoret. Erwartung. Tatsächliche Resultate. 5. Ziehung	4,6 / 6	1,55 / —	1,55 / 3	1,55 / 2	0,52 / —	0,52 / —	0,52 / —	0,17 / —	6,3 / 9	2,1 / 2	2,1 / —	0,7 / —
Serie X. 6 Ziehungen (Würfe) zu je 12 Marken (Jungen). Theoret. Erwartung. Tatsächliche Resultate. 4. Ziehung	5 / 2	1,68 / 2	1,68 / 1	1,68 / 5	0,56 / 1	0,56 / —	0,56 / 1	0,19 / —	0,75 / 3	2,25 / 6	2,25 / 3	0,75 / —
Serie XII. 5 Ziehungen (Würfe) zu je 14 Marken (Jungen). Theoret. Erwartung. Tatsächliche Resultate. 5. Ziehung	5,9 / 8	, / 2	2 / 2	2 / 1	0,66 / —	0,66 / —	0,66 / —	0,22 / —	7,9 / 10	2,6 / —	2,6 / 3	0,9 / —
Serie XIII. 5 Ziehungen (Würfe) zu je 15 Marken (Jungen). Theoret. Erwartung. Tatsächliche Resultate. 4. Ziehung	6,3 / 9	2,1 / 1	2,1 / 2	2,1 / 1	0,7 / —	0,7 / —	0,7 / 1	0,23 / —	8,5 / 11	2,8 / 2	2,8 / 2	0,9 / —
Serie XIV. 4 Ziehungen (Würfe) zu je 16 Marken (Jungen). Theoret. Erwartung. Tatsächliche Resultate. 3. Ziehung	6,75 / 6	2,25 / 3	2,25 / —	2,25 / 3	0,75 / —	0,75 / —	0,75 / —	0,25 / —	9 / 6	3 / —	3 / 2	— / 3

Gesamtresultat aller Ziehungen.

Typen	I	II	III	IV	V	VI	VII	VIII	Total
Tatsächliches Ergebnis	407	140	118	113	'41	59	44	11	933
Theoretische Erwartung	393,66	131,22	131,22	131,22	34,74	43,74	43,74	14,58	933

Wirklicher Ausfall der F_2 - Generation.

Die vorstehenden Überlegungen und Berechnungen über die mutmaßliche Beschaffenheit der in Aussicht stehenden F_2-Nachkommenschaft
der F_1-Bastardhündin Zuggi aus der Paarung mit ihrem F_1-Bastard-
bruder Dirk teilte ich Herrn Prof. H e i m vor der Niederkunft der Hündin
schriftlich mit. Als besonders entscheidend für das Walten der alternativen Vererbung mußte von vornherein das Ausbleiben der Uniformität, das Auftreten verschiedener und besonders auch neuer Kombinationen, das Prädominieren der schwarzen und kurzhaarigen, das Wiedererscheinen, gleichzeitig aber numerische Zurücktreten langhaariger sowohl
als auch brauner und getigerter Exemplare betrachtet werden. Ich sah
der Geburt des ersten Wurfes der F_2-Generation mit Spannung entgegen.
Sie erfolgte in der Nacht vom 1. auf den 2. November, also wohl etwas
verfrüht. Der Wurf bestand aus 8 Jungen, von welchen sich erwiesen:
5 als einfarbig schwarz, 2 als einfarbig braun, 1 als braun getigert.

Die Jungen waren und sind noch alle kurzhaarig, doch scheinen mir
2 schwarze Exemplare längeres Haar zu besitzen, als die anderen.[1] Ein
schwarzes und leider auch das braungetigerte gingen in den ersten Tagen
nach der Geburt zugrunde. Das braungetigerte ist eine Spur langhaariger als das schwarze. Dieser Umstand läßt um so mehr bedauern
daß es zugrunde ging, denn wenn es wirklich typisch langhaarig geworden wäre, was immerhin recht zweifelhaft ist, so hätte es das e i n z i g
trihomozygotische Individuum (das heißt das e i n z i g e mit Bezug auf
Langhaarigkeit, braune Farbe und Scheckzeichnung reinrassige Tier dargestellt, das durchschnittlich nach der theoretischen Voraussicht unter
64 Exemplaren auftreten müßte. Es ist ein Männchen und hätte sich
für Rückkreuzungsversuche mit der Mutter und für F_2-Kreuzunger mit
Geschwistern sehr wertvoll erwiesen.

Vergleicht man das tatsächliche Ergebnis mit der theoretischen
Voraussicht (p. 14), so wird man nicht umhin können, zuzugeben, daß

---

[1] Inzwischen (14. Dezember 1909) hat sich die Langhaarigkeit bei diesen zwei
Exemplaren (No. 3 u. 4.) stark akzentuiert, besonders bei dem einen. — Jetzt — Ende
Januar 1910 — sind sie typisch langhaarig.

sich die Voraussage, man darf wohl sagen, in eklatanter Weise bestätigt
hat. Es hat sich einer der 9 wirklich realisierbaren Fälle ereignet, die der
theoretischen Erwartung am nächsten kommen und auf Seite 14 angeführt sind, nämlich der Fall g. Unvollkommen ist die Erwartung nur
insofern verwirklicht, als im Wurfe kein schwarz geflecktes oder getigertes Individuum vorkommt. Hoffentlich wird ein nächster Wurf
auch diesen Phänotypus realisieren.

Bei den einfarbig Schwarzen und den einfarbig Braunen tritt zum
Teil auf der Brust oder an den Zehenspitzen oder am Schwanzende etwas
,,peripheres Weiß'' auf. Darüber geben die folgenden Notizen Auskunft.
Nr. 1. Einfarbig schwarz. In den ersten Tagen nach der Geburt
gestorben, ist ganz schwarz, mit Ausnahme von wenigen weißen Härchen,
etwas asymmetrisch links auf der Brust. Das Tierchen, ein Männchen, ist
kurzhaarig. Nr. 2, ein Weibchen, ist kurzhaarig, einfarbig schwarz,
mit peripherem Weiß: auf der Brust ein medianer Doppelstreifen weißer
Haare, dessen Hälften nach oben (vorn) gegen die Kehle etwas divergieren. Die Zehenspitzen sind nur an den Hinterbeinen mit weißen Haaren
meliert. Die äußerste Schwanzspitze ist weiß. Nr. 3 ist ein Männchen.
Es ist vollkommen schwarz, auch ohne die geringste Spur von peripherem
Weiß. Das Haar ist schon deutlich lang, auch an den Ohren, glänzend
gewellt. Ich glaube, daß dieses Junge erwachsen ganz den Eindruck eines
echten schwarzen Neufundländers machen wird. Nr. 4, ein Männchen,
zeigt auch längeres Haar als die übrigen und ich vermute, daß es typisch
langhaarig wird. Das Tier ist einfarbig schwarz, doch mit einem schmalen
weißen Streifen in der Medianlinie der ganzen Brust- und Bauchseite
des Halses und mit sehr wenigen weißen Haaren an den äußersten Spitzen
der Zehen nur der Hinterfüße. Nr. 5, ein Weibchen, ist einfarbig
schwarz, mit einem asymmetrisch etwas links von der Mediane gelegenen
schmalen weißen Streifen auf der Brust, der sich oben (vorn) an der Hals-
basis T-förmig verbreitert. Die Spitzen der Zehen aller 4 Füße sind mit
zerstreuten weißen Haaren meliert. Das Tier ist kurzhaarig. Nr. 6,
ein kurzhaariges Weibchen, ist ziemlich dunkel braun, einfarbig, mit
einem weißen Kreuz auf der Brust, ähnlich demjenigen seines Onkels
,,Lord''. Der hintere (untere) mediane Schenkel des Kreuzes ist ein
Doppelstreifen oder paariger Streifen. An der äußersten Schwanzspitze
etwa ein Dutzend weißer Haare. An den Spitzen der Zehen des linken
Vorderfußes und der beiden Hinterfüße ist das Braun mit weißen Haaren
vermischt. Nr. 7, ein kurzhaariges Männchen, ist einfarbig braun,
etwas heller braun als Nr. 6. Auf der Brust findet sich ein medianer,
doppelter Streifen gegen die Mittellinie konvergierender weißer Haare.

Sonst findet sich kein Weiß. Nr. 8. Das braun und weiß gezeichnete
Exemplar ist ein typischer Scheck. Daß nicht speziell die Zeichnung
der Mutter, d. h. zusammenhängendes Braun auf dem Rücken aufgetreten
ist, sondern eine typische Fleck- oder Scheckzeichnung, war als eventueller
Fall vorausgesagt worden. An diesem F_2-Scheck (Taf. 2 Fig. 4) sind die
weißen Bezirke rein weiß, die braunen Platten rein braun. Ob die Mut-
maßung berechtigt ist oder nicht, daß beim Heranwachsen in den weißen
Bezirken braune, und in den braunen weiße Haare zerstreut, also meliert,
aufgetreten wären, entzieht sich zurzeit meiner Beurteilung. Im einzelnen
ist die Zeichnung des neugeborenen Schecks folgende. Der ganze Kopf
inklusive Ohren ist braun, mit Ausnahme der Kehle und eines schmalen
und kurzen, medianen, weißen Streifens auf der Stirne. Auch das Kinn
ist weißlich. Der übrige Körper ist weiß mit uniform braunen Bezirken
(Platten). Vom weißen Hals kommt dem kleinen weißen Stirnfleck eine
symmetrisch dreieckige, mit der Spitze zwischen den Vorderrändern der
Ohrwurzeln endigende weiße Zunge entgegen. Eine große runde, braune
Platte von etwa 52 mm dorsoventralem und etwa 47 mm longitudinalem
Durchmesser ziert die Gegend hinter der linken Schulter und dem linken
Oberarm und greift auf den obern und hintern Teil des letzteren über.
Auf dem Rücken, etwa 20 mm vor der Schwanzbasis endigend, eine runde
braune Platte von etwa 25 mm Durchmesser. Der etwa 80 mm lange
Schwanz von der Basis an oberseits braun, in einem nach hinten schmal
werdenden Streifen an der Unterseite weiß. Schwanzende in einer Länge
von etwa 34 mm ganz weiß. Auf der rechten Körperseite hinter der
Schulter eine braune Platte, die sehr viel kleiner ist, als die entsprechende
der linken Seite (Durchmesser etwa 16 mm). Vor dem oberen Teil des
hinteren rechten Oberschenkels eine braune Platte von etwa 30 cm dorsoventralem und 25 cm longitudinalem Durchmesser. Der ganze rechte
hintere Oberschenkel mit Ausnahme seines vorderen Randes, das ganze
rechte Gesäß bis zur Mittellinie, der ganze rechte Unterschenkel, das rechte
Fußgelenk und der proximale Teil des rechten Fußes sind außen braun.
Innenseite des rechten Oberschenkels in der größeren vorderen Hälfte
weiß. Unterschenkel in der Mitte ringsherum braun, innen proximal
und distal weiß. Linke Hinterextremität ganz weiß. Oberseite der Zehen-
endglieder der Hinterfüße mit einem braunen Fleck[1]).

---

[1]) Nr. 8 ist, wie schon erwähnt, wenige Tage nach der Geburt gestorben. Sein
Pelz ist kurzhaarig, doch sind die Haare etwas länger als bei dem schon etwas vorher
gestorbenen Bruder Nr. 1. Nr. 8 ist ein Männchen. Von den 8 Exemplaren des
F_2-Wurfes sind also 5 Männchen und 3 Weibchen.

Als in hohem Maße sicheres Untersuchungsresultat können wir schon jetzt das hinstellen, daß bei den zum Experiment verwendeten Hunderassen Haarfarbe und Zeichnung des Haarkleides strenge den Regeln der alternativen Vererbung folgen und daß, wie fast ganz allgemein bei den übrigen Säugetieren schwarz über braun und Einfarbigkeit (inkl. peripheres Weiß) über Scheck- oder Tigerzeichnung dominieren, daß ferner Farbe und Zeichnung selbständig mendelnde Vererbungseinheiten sind.

Auch für die Haarlänge kann jetzt schon ein mendelndes Verhalten als höchst wahrscheinlich gelten. 2 Exemplare (oder vielleicht, mit Einschluß des Schecks, der möglicher-, aber nicht wahrscheinlicherweise langhaarig geworden wäre) von den achten der F_2-Generation werden langhaarig, die übrigen bleiben wohl kurzhaarig. Das entspricht der theoretischen Erwartung. Kurzhaarigkeit dominiert, wie auch sonst allgemein bei Säugetieren, über Langhaarigkeit.

II. Bastardierung von Dachshund und normalbeinigen Hunderassen, Dachsbeinigkeit ein dominantes, mendelndes Merkmal?

Nach Beobachtungen und Erkundigungen von Prof. A. Heim.

Vorbemerkung. Die Dachshunde sind höchstwahrscheinlich aus Jagdhunden durch Verkürzung und Knickung der Beine hervorgegangen. Stellt man den Dachshundkörper auf gerade und hohe Beine so sieht man eine Art Hühnerhund vor sich. Die Verkürzung der Beine wird in erster Linie durch die starke Verkürzung der Unterarm- und Unterschenkel bedingt, sodann dadurch, daß der Oberarm im rechten Winkel von der Schulter nach hinten, der Oberschenkel im rechten Winkel vom Becken nach vorne absteht und daß der verkürzte Unterarm nach innen geknickt ist.

Professor Heim verfolgte folgenden sehr interessanten Fall von Bastardierung zwischen Dachshund und Bernhardiner, über den ich genau nach dem schriftlichen Berichte meines Gewährsmannes referiere. In Bergün fand im Jahre 1905 die Deckung einer Dachshündin durch einen Bernhardinerhund (P_1-Generation) statt. Die Dachshündin starb kurz nach der Geburt an den Folgen derselben. Die Jungen waren zu groß. Der P_1-Bernhardiner lebt noch (8. IV. 1908) im Hotel Kreuz in Bergün. Man weiß nur von 2 F_1-Jungen aus diesem Wurfe. Das eine, ein

Männchen, habe keine Dachsbeine gehabt und sei in irgendwelche Hände nach Zürich gekommen. Das andere, eine Hündin, „Rollmops" genannt, wurde von Herrn M o r d a s i n i in St. Moritz gekauft, wo sie lebt. Sie hat schon zweimal geworfen, das erstemal, wie versichert wird, nach Deckung durch den rauhhaarigen Pintscher des Herrn Gemeinderat

Fig. 3

F u r r e r , das zweitemal nach Deckung durch den Bernhardinerrüden des Herrn Baumeister K o c h . Es ist nicht ausgeschlossen, daß vor dem ersten Wurf nicht auch noch eine andere Deckung stattgefunden hat, was von Bedeutung ist, weil verschiedene Exemplare eines und desselben Wurfes einer von verschiedenen Rüden gedeckten Hündin verschiedene Väter haben können.

D i e F$_1$ - H ü n d i n R o l l m o p s wird von H e i m so charakteri-
siert, daß sie auf den ersten Blick als e i n B e r n h a r d i n e r a u f
D a c h s b e i n e n erscheine. Nur die Beine sind vom Dachshund.
Den Habitus illustriert nebenstehende Fig. 3, eineReproduktion der von
H e i m nach dem Leben ausgeführten Originalskizzen. Fig. 3 C: Vorder-
pfote von oben.

M a ß e. Schulterhöhe 38 cm (70—80 cm beim Bernhardiner).
Länge vom Brustbein bis Schwanzwurzel 72 cm. Schädellänge gemessen
von der Schnauzenspitze bis zum Hinterhauptbein 23 cm. Schulter-
breite 26 cm. Das Brustbein steht 16 cm über dem Boden. Unterarm
15 cm lang, Mittelhand 12 cm, Fußlänge 15 cm.

H a a r ziemlich lang und sonst wie beim Bernhardiner.

F a r b e : Weiß mit dunkel schwarzbraun gestromten, rähmfarbigen
(nicht scharf ausgesprochenen) Platten. Blässe (Stirnlinie) weiß.

Die Hündin ist jetzt (8. IV. 1908) von unbekannter Deckung wieder
tragend. Sie schleift in diesem Zustande wegen ihrer Kurzbeinigkeit den
Bauch am Boden und bewegt sich ganz unbeholfen.

D i e K r e u z u n g d e r d a c h s b e i n i g e n F$_1$ - H ü n d i n
„R o l l m o p s" m i t F u r r e r s n o r m a l b e i n i g e m P i n t s c h e r
stellt sich mit Bezug auf die Form der Beine als eine Rückkreuzung dar.
Die Deckung erfolgte im Januar 1907 und der Wurf am 14. März. Man
weiß von 3 F$_2$-Jungen. Einer ist im Besitz von Herrn C a s t e l -
n o v a s in St. Moritz, der zweite gehört Herrn A g o s t i n e t t i in
Celerina, der dritte Herrn R y f f e l , Wirt in St. Moritz. Die beiden
zuerst genannten hat Herr H e i m selbst gesehen und untersucht. Beide
sind B e r n h a r d i n e r a u f D a c h s b e i n e n . Den dritten hat Professor
H e i m nicht selbst gesehen; er war, als ihn H e i m besichtigen wollte,
mit seinem Herrn ausgegangen. Man sagte, er sei auch dachsbeinig.

Nr. 1. C a s t e l n o v a s B a s t a r d . Ein sehr wenig typischer
B e r n h a r d i n e r a u f D a c h s b e i n e n . Ein sehr lebhaftes Tier,
dessen Maße schwierig zu nehmen sind.

S c h u l t e r h ö h e 34 cm. Länge: Nase bis Schwanzwurzel 67 cm,
Nase bis Schwanzspitze 1,27 m.

H a a r : Stark langhaarig, viel langhaariger als bei der Mutter „Rollmops". Besonders die Beine stark befiedert. Schwanz stark buschig.
Starke „Hosen" (Behaarung an der Schenkelhinterseite, d. h. am Gesäß).

F a r b e : Kein weiß; uniform dunkelbraun mit schwarzen Rähm-
flecken und Streifen.

„R a s s i g" erscheinen am ganzen Hunde eigentlich bloß die Dachs-
füße.

Nr. 2. A g o s t i n e t t i s   B a s t a r d h u n d. Wurfbruder von
Nr. 1. E i n m ä c h t i g e r B e r n h a r d i n e r a u f D a c h s b e i n e n.
Textfigur 4 A, B, C.

M a ß e: Schulterhöhe 43 cm. Länge: Brustbein bis Schwanzwurzel
85 cm. Kopflänge 29 cm. Kopfbreite (Distanz der Ohrenansätze) 18 bis
20 cm. Brustbreite 29 cm. Pfotenbreite 9 cm. Gewicht 39 kg (beim
Dachshund 7,5—10 kg). Länge (Schnauzenspitze bis Schwanzspitze)
140 cm. Scheitelhöhe in normalem Stand 65 cm. — Oberarmlänge 13 cm.
Unterarmlänge 13 cm. Beim Dackel sind ebenfalls Oberarm und Unterarm durchschnittlich gleich lang, etwa 10:10 cm. Beim Bernhardiner
ist der Oberarm durchschnittlich etwa 22 cm und der Unterarm 30 cm
lang. Beim Pintscher ist die Unterarmlänge durchschnittlich etwa 17 cm.

Fig. 4.

K o p f f o r m : Ein mächtiger Bernhardinerkopf, viel mächtiger
als bei Mutter und Bruder, nur ist die Schnauze etwas zu wenig hoch und
im Profil etwas zu wenig viereckig. Stirnbreite mächtig. Die Ohren
zeigen den typischen Bernhardinerschnitt.

H a a r : Es ist sehr dicht und mittellang, wie bei vielen Bernhardinern.

F a r b e : Das Haarkleid zeigt kein Weiß; es ist ganz dunkel kastanienbraun, mit Schwarz gestromt „rähmfarbig". Diese Farbe tritt
bei Bernhardinern oft in den Platten auf; sie dominiert bei alten Formen
nicht selten fast ganz. Der weltberühmte Barry war weiß mit Rähm-
platten.

S t i m m e : Gewaltig tief und stark wie beim allergrößten Bernhardiner.

G a n g : Galoppiert ganz unbeholfen, wie ein Dachshund.
Nr. 3.   R y f f e l s   B a s t a r d .   Wurfbruder der vorigen.   S o l l
a u c h   d a c h s b e i n i g   s e i n .   Prof.   H e i m   hat ihn nicht selbst
gesehen.

K r e u z u n g   d e r   d a c h s b e i n i g e n F_1 - H ü n d i n   „R o l l -
m o p s“   m i t   d e m   B e r n h a r d i n e r h u n d   d e s   H e r r n
B a u m e i s t e r   K o c h .

Aus dieser Rückkreuzung sah Prof. H e i m bei Herrn M o r d a s i n i
einen damals noch nicht ausgewachsenen, im November 1907 geborenen
Hund, welcher ein t y p i s c h e r , seinem Vater sehr ähnlich sehender,
n̦ormalbeiniger B e r n h a r d i n e r ist. Er ähnelt auch seiner Mutter in
Farbe, Beharung und Kopfform, hat aber tadellosen, normalen, guten
Bernhardinergliederbau.

Im Anschluß an das Vorstehende teile ich eine Notiz mit, die ich
schon im November 1907 von Herrn Prof. H e i m erhalten habe, und
welche lautet: „Ein prämierter F o x t e r r i e r h u n d in Bütigen
(Kanton Bern) deckte eine D a c h s h ü n d i n . Resultat: E i n un-
schöner, aber echter Foxterrier und f ü n f echte Dachshunde. Keine
Zwischen- oder Mischformen.“
Eine Diskussion aller dieser Informationen und Beobachtungen im
einzelnen wäre unnütz und würde zu keinen für die exakteVererbungslehre
verwendbaren Ergebnissen führen, weil die Grundlagen zu unsicher und
unvollständig sind.   Die Bedeutung der Ermittelungen liegt darin, daß
auch sie das Walten streng alternativer Vererbung bei manchen wichtigen
Rassemerkmalen der Hunde v e r m u t e n   u n d   z i e l b e w u ß t e
K r e u z u n g s e x p e r i m e n t e   a l s   a u s s i c h t s v o l l   u n d
l o h n e n d erwarten lassen.   Die Beobachtungen legen die M u t -
m a ß u n g nahe, daß zum mindesten Dachsbeinigkeit u n d N o r m a l -
b e i n i g k e i t a u t o n o m e , m e n d e l n d e , e r b e i n h e i t l i c h e
M e r k m a l e   s i n d ,   w o b e i   d i e   D a c h s b e i n i g k e i t   v o l l -
k o m m e n   o d e r   a n n ä h e r n d   v o l l k o m m e n   ü b e r   n o r -
m a l e n   G l i e d e r b a u   d o m i n i e r t . — Wenn die Annahme sich bestätigen sollte, daß autonome, typisch spaltende Merkmale sprungweise,
unvermittelt, als sogenannte Mutationen, entstanden sind, so würde man
weiter annehmen dürfen, daß die Dachshunde durch plötzliches Auftreten
von kurzen Krummbeinen aus normalbeinigen Hunden hervorgingen.
Vielleicht traten und treten heute noch solche Mutationen bei v e r -
s c h i e d e n e n Hunderassen auf.   Daß aber derartige Dachsbein-

mutationen gerade bei Jagdhunden erhalten und gezüchtet wurden, ist wegen ihrer Verwendbarkeit zu speziellen jagdlichen Zwecken des Menschen leicht verständlich. In der freien Natur würden sie aber sicherlich bald ausgemerzt werden. Daß Dachsbeine resp. Klumpfüße als Mutationen entstehen können, dafür spricht der Fall des A n c o n - oder O t t e r s c h a f e s , der als gesichert gelten kann. Über diesen Fall hat D a r w i n in seinem Werke: „D a s V a r i i e r e n d e r T i e r e u n d P f l a n z e n i m Z u s t a n d e d e r D o m e s t i k a t i o n" (I. Band, übersetzt von J. Victor Carus, dritte Ausgabe 1878, p. 109) folgendes berichtet: „In einigen Fällen sind neue Rassen (des Schafes) plötzlich entstanden. So wurde 1791 in Massachusetts ein Widderlamm mit kurzen krummen Beinen und einem langen Rücken, wie ein Dachshund geboren. Von diesem einen Lamme wurde die halbmonströse Otter- oder Ancon-Rasse gezüchtet. Da diese Schafe nicht über die Hürden springen konnten, so glaubte man, sie würden wertvoll sein. Sie sind aber von Merinos verdrängt worden und auf diese Weise ausgestorben. Diese Schafe sind merkwürdig, weil sie ihren Charakter so rein fortpflanzten, daß Oberst H u m p h r e y s (Philosoph. Transact. London 1813, p. 88) nur von „einem einzigen zweifelhaften Fall" hörte, wo ein Anconwidder und -Mutterschaf nicht einen Anconwurf erzeugt hätten. Werden sie mit anderen Rassen gekreuzt, so gleicht die Nachkommenschaft mit seltenen Ausnahmen, statt intermediären Charakters zu sein, vollständig den beiden Eltern; sogar bei Zwillingen glich der eine dem Vater, der andere der Mutter. Endlich hat man „beobachtet, daß sich die Ancons zusammenhalten und sich von dem Reste der Herde, wenn sie mit andern Schafen in der Einfriedigung gehalten werden, trennen."

Inzwischen hat C. L. B r i s t o l einen noch ausführlicheren Bericht über das Auftreten der Otterrasse ausfindig gemacht und im „American Naturalist., vol. XLII, Nr. 496, April 1908, p. 282" abgedruckt. Er findet sich in „President T i m o t h y D w i g h t 's Travels in New-England and New York" (New Haven 1822, vol. III, p. 134). Die Reise fand ungefähr 1798, also nicht lange nach dem plötzlichen Auftreten der Rasse in M e n d o n statt. Der Ort Mendon liegt etwa 18 Meilen südöstlich von Worcester, Massachusetts. Der Bericht lautet nach der — wovon ich mich überzeugt habe — sehr exakten, von mir nur wenig veränderten deutschen Übersetzung von F. M. in der „Naturwissensch. Rundschau", Jahrg. XXIII, Nr. 37, 1908, folgendermaßen: In diesem Stadtbezirk hatte, wenn man mir genau berichtet hat, ein Mutterschaf zwei Junge geworfen, deren Körperbau, wie der Eigentümer beobachtete, von dem aller andern Schafe der Gegend abwich; namentlich waren die

Vorderbeine viel kürzer und nach innen gebogen, so daß sie eine entfernte Ähnlichkeit mit Klumpfüßen („club feet") hatten. Auch war ihr Rumpf dicker und plumper. Während ihres Heranwachsens zeigten sie sich zahmer („more gentle"), weniger lebhaft und weniger zum Herumstreifen geneigt als andere Schafe und unfähig, die in der Gegend häufigen Steinmauern zu übersteigen. Da sie verschiedenen Geschlechts waren, so suchte der Besitzer die Rasse fortzupflanzen. Der Versuch war erfolgreich. Die Nachkommen hatten alle die Merkmale der Eltern und obschon inzwischen ihre Zahl zu vielen Tausenden angewachsen ist, zeigen sie doch keine erhebliche Abänderung. Man hat mir mitgeteilt, daß man die neue Rasse auch mit der gewöhnlichen in der Gegend gezüchteten Rasse gekreuzt hat und daß die Lämmer in allen Fällen entweder dem Vater oder der Mutter glichen, nie zeigten sie auch nur die geringste erkennbare Vermischung der Merkmale. Man nannte diese Schafe Otterschafe wegen einer gewissen Ähnlichkeit mit dem Fischotter. Ihr Fleisch soll gut gewesen sein und ihre Wolle weder an Menge und Länge, noch an Feinheit derjenigen gewöhnlicher Schafe nachgestanden haben. Als ihren besonderen Wert aber betrachtete man ihr ruhiges Verbleiben innerhalb jeglicher Umzäunung. In einer Gegend, wo Steinmauern als Zäune so allgemein verwendet werden, wie in vielen Teilen von Neu-England, mögen derartige Schafe von unbezahlbarem Werte sein."

Tafelerklärung.

Fig. 1. Flora, die P_1-Hühnerhündin.

Fig. 2. Wotan, ein berühmter rassereiner schwarzer langhaariger Neufundländer des Herrn Prof. A. Heim in Zürich, repräsentiert den gleichen Typus, wie P_1-Wotan, unser Versuchstier.

Fig. 3. Zuggi, F_1-Hündin aus der Kreuzung von Flora und Wotan.

Fig. 4. Der einzige Scheck unter den 8 Jungen der F_2-Generation, ging kurz nach der Geburt zugrunde.

Postskriptum. Herr Dr. Baur hatte die Güte, mich unmittelbar vor Absendung des Manuskriptes auf eine Mitteilung von R. R. Gates in Chicago aufmerksam zu machen, welche den Titel „A Litter of hybrid Dogs" trägt und in No. 749 vol. XXIX 1909 der amerikanischen Zeitschrift „Science" N. S. erschienen ist. Es handelt sich um einen Wurf von Hybriden zwischen zwei angeblich rein gezüchteten Hunden zweier scharf unterschiedener Rassen. Die Mutter gehörte zur Rasse des „englischen Stummelschwanz-Schäferhundes (Old English Bobtailed Sheep Dog), der Vater war ein schottischer Schäferhund (Scotch Collie).

Von beiden wird angegeben, daß sie direkt aus England importiert worden waren. Die hybriden Jungen wurden im Juni 1894 geboren. Gates hatte damals die Gelegenheit, beide Eltern längere Zeit sorgfältig zu beobachten und war selbst mehrere Jahre hindurch Besitzer eines der Jungen. Er sagt selbst: „Ich bin mir der Gefahren selbstverständlich wohl bewußt, die darin liegen, nachträglich Angaben zu sammeln und ich habe deshalb nur solche Angaben aufgenommen, die durch meine eigene Erinnerung bestätigt werden. Diejenigen, die sich auf „Beine und Körper" und „Kopfform" beziehen, beruhen natürlich nur auf einem allgemeinen Eindruck, den die betreffenden Körperteile hervorriefen, die wahrscheinlich mehr oder weniger Mischlingscharakter trugen. — Die Erblichkeitsverhältnisse werden durch die nachstehende Übersichtstabelle für unsern Zweck hinreichend eingehend dargelegt. Der Wurf zählte mehr als sechs Junge. Aber nur über die sechs angeführten konnte der Verfasser zuverlässige Erkundigungen einziehen.

Gates knüpft an die Tabelle eine Reihe von Bemerkungen, die wir hier übergehen können. Ich glaube, kein Forscher, der viel Erfahrung in exakter Kreuzungszüchtung hat, wird den Verdacht von der Hand weisen, daß die Eltern heterozygotisch waren. Doch hat eine Diskussion der Möglichkeiten auch hier keinen Zweck. Dagegen läßt das, was wir erfahren, die weitgehende Autonomie und freie Kombination der Merkmale, ebenfalls wieder das Walten alternativer Vererbungsgesetze vermuten. — Mit Recht macht Gates darauf aufmerksam, daß bei der Beurteilung des intermediären Zustandes des Schwanzes bei den Hybriden die Tatsache berücksichtigt werden muß, daß in Reinzuchten stummelschwänziger Schäferhunde häufig kürzere und längere Schwänze auftreten, die dann gewöhnlich gestutzt werden. Es ist, so viel ich erfahre, nicht gelungen, eine mit Bezug auf die Schwanzlosigkeit reine, konstante Rasse zu züchten. Besondere Beachtung verdient die zu exakten Experimenten in hohem Maße stimulierende Beobachtung über die alternative Vererbung der Temperamente, die beim Hybriden Nr. 1, also bei einem und demselben Individuum, zeitlich alternieren, was an das Alternieren der Färbung und Zeichnung während der Bildung des Gehäuses von Tacheaarten erinnert.

Merkmale	Mutter	Vater	Hybride Nr. 1	Hybride Nr. 2	Hybride Nr. 3	Hybride Nr. 4	Hybride Nr. 5	Hybride Nr. 6
Haarfarbe	Einfarbig grau, doch weiße Brust	Schwarz und lohfarbig ("black and tan"), Brust weiß, Körper schwarz ("jetla"), Beine bun Zehen bis z. Fußgelenk lohfarbig	Schwarz, Brust und Pfoten weiß	Graublau, Brust und Pfoten weiß	Schwarz, Beine hell ("light") lohfarbig	Schwarz, Beine hell ("light") lohfarbig	Dunkelbraun, doch Brust weiß	Gescheckt, große und hell Platten über den ganzen Körper, Vorderbeine weiß, Hinterbeine gelb
Haarform	Lang u. zottig am ganzen Körper (inkl. Kopf und Beine)	Schwer und gewellt ("Le arg and wavy")	Zottig am ganz. Körper wie beim Vater, aber gewellt, wie bei der Mutter	Wie bei Hybrid Nr. 1	Kurz u. glatt	Kurz u. glatt	Dichtes, welliges Haar am ganzen Körper (inkl. und Beine)	Kurz u. glatt
Schwanz	Fehlt. Kein vorragender Stummel	Lang und buschig, langhaarig, schwarz	ca. 4 Zoll lang	ca. 4 Zoll lang	ca. 8 Zoll lang	ca. 8 Zoll lang	6 Zoll lang mit "kink" in der Mitte	Lang und buschig, gelb
Augen	braun	Hellbraun	Dunkelbraun	Dunkelbraun	Hellbraun	Hellbraun	Dunkelbraun	Das eine Auge ein Glasauge ("wall eye"), das andere hellbraun
Temperament ("Disposition")	Sehr fromm ("gentle") und furchtsam	Aufgeweckt, mutwillig ("playful") und agressiv	Gewöhnlich fromm und aber zeitweise plötzlich agressiv schnappend	Sehr fromm	Sehr agressiv	Fromm	Agressiv	Sehr furchtsam
Beine und Körper	Körper lang, Beine lang, Hinterbeine sehr kurz vom Fuß bis zum Knie ("hock"),	Gewöhnliche Größe und Form	Wie bei der Mutter	Wie bei der Mutter	Wie beim Vater	Wie beim Vater	Wie bei der Mutter	Wie beim Vater, aber kleiner

Vererbungs- und Bastardierungsversuche mit *Antirrhinum*.

Von **Erwin Baur**-Berlin.

Mit *Antirrhinum majus* sind schon früher vielfach Vererbungsversuche angestellt worden. Über eine Reihe von Kreuzungen berichtet de Vries in der Mutationstheorie Bd. 2, S. 196 und dann
hat vor allem Miss Wheldale[1]) über sehr umfangreiche Kreuzungsversuche mit Rassen von *A. majus* wichtige Mitteilungen gemacht.

Meine eigenen Versuche laufen jetzt im sechsten Jahre. Ich
begann im Sommer 1904 mit Versuchen über die Erblichkeit der
Aurea-Sippen, über die ich bereits an anderer Stelle kurz berichtet
habe[2]). Ich achtete jedoch bald auch auf eine Reihe anderer Merkmale, Blütenfarbe, Blütenform, Wuchsart, Blattfarbe und Blattform.
Die zu Anfang wenig umfangreichen Versuche wurden naturgemäß
immer ausgedehnter. Noch 1906 bestand meine Kultur nur aus
wenigen Individuen, Sommer 1909 wurden bereits rund 25 000 Pflanzen
zur Blüte großgezogen und gezählt.

Durchgeführt wurden die Versuche in den ersten Jahren in meinem
kleinen privaten Versuchsgarten in Friedrichshagen bei Berlin. Im
Sommer 1909 habe ich jedoch auch einen Teil des Berliner Universitätsgartens mit benutzen können. Etwa die Hälfte der Freilandbeete
war dort Versuchszwecken dienstbar gemacht, und was für mich das
Wichtigste war, auch die Frühbeete und Gewächshäuser standen
zur Anzucht der jungen Keimpflanzen und zur Überwinterung der
Stammpflanzen wenigstens teilweise zur Verfügung.

---

1) Wheldale, Miss M. The inheritance of flower colour in Antirrhinum
majus. Proc. Roy. Soc. London. **B. 79** 1907. S. 288.

2) Baur, E. Untersuchungen über die Erblichkeitsverhältnisse einer nur in
Bastardform lebensfähigen Sippe von Antirrhinum majus. Ber. d. Deutsch. Botan.
Ges. 25 1907. S. 442. Ferner: Die Aureasippen von Antirrhinum majus. Ztschr.
nd. Abst. u. Vererbungslehre 1 1909. S. 124.

Methodisches.

Alle wichtigen Verrichtungen, Kastrierung, Kreuzung, Samenernte, Aussaat und Etikettierung habe ich stets selbst vorgenommen. Pikiert habe ich bis 1908 ebenfalls alles selbst, seit 1909 habe ich hierfür in dem Obergärtner des Universitätsgartens W. Heuer einen zuverlässigen, stets hilfsbereiten Mitarbeiter. Das Auspflanzen erfolgt durch Gärtnergehilfen, aber stets unter meiner Kontrolle und in der Weise, daß immer nur eine Sorte gleichzeitig zum Auspflanzen von mir ausgegeben wird.

Die Aussaat erfolgte bis 1908 in Erde, die ich mir aus einer Gärtnerei bezog, die ziemlich frei von *Antirrhinum* war. Außerdem wurden die Saattöpfe schon 14 Tage vor dem Aussäen mit dieser Erde beschickt und feuchtwarm gehalten, um eventuell in der Erde ruhende *Antirrhinum*-Samen zum Auskeimen zu bringen. Seit 1909 säe ich nur in sterilisierte Erde aus, weil die Infektionsgefahr infolge der Massenkulturen von *Antirrhinum* jetzt zu groß geworden ist.

Um die zweite große Fehlerquelle bei derartigen Versuchen, Etikettverwechslungen und Schreibfehler auf den Etiketts, zu vermeiden, habe ich seit 1909 eine doppelte Etikettierung eingeführt. Jede Aussaat hat zwei verschiedene Nummern, eine Hauptnummer auf dem Etikett und eine auf den Topf geschriebene Kontrollnummer. Welche zwei Zahlen eine Aussaat kennzeichnen, zusammengehören; ist nur aus meinem Aussaatbuch zu ersehen, jede Verwechslung, jeder Schreibfehler beim Neuetikettieren äußert sich dann dadurch, daß zwei nicht zusammenpassende Zahlen zusammenkommen, der Fehler meldet sich also selbst.

Im einzelnen ist weiterhin meine Buchführung die, daß auch jede *Antirrhinum*pflanze, die ich auf ihre Vererbung hin untersuche, als „Stammpflanze" eine Nummer bekommt, etwa „A. 26" und außerdem als Kontrollnummer die Hauptnummer derjenigen Saat, aus der die betreffende Pflanze stammt. Im ganzen habe ich bisher 642 derartige Stammpflanzen. Alle Stammpflanzen halte ich jetzt in Töpfen und kultiviere sie mehrjährig, um immer die Möglichkeit zu haben, die Stammpflanzen mit ihrer Nachkommenschaft zu vergleichen und vor allem auch, um die Möglichkeit zu haben, mit den gleichen Stammpflanzen noch anderweitige Kreuzungen vorzunehmen, die zur Beantwortung von neu aufgetauchten Fragen notwendig werden.

Jede Stammpflanze hat in einem Zettelkatalog ihr Kartonblatt, auf dem ihre Aszendenz vermerkt ist. Ferner ist auf dieser

Karte vermerkt, unter welchen Aussaatnummern in den verschiedenen Jahrgängen Samen dieser Pflanzen ausgesät worden sind, mit welchen anderen Pflanzen Kreuzungen gemacht wurden, und endlich, welche anderen Stammpflanzen Deszendenten dieser Pflanze sind. Auf diese Weise ist es mir jederzeit möglich, Aszendenz und Deszendenz jeder meiner Stammpflanzen rasch festzustellen. Jede Stammpflanze hat dann ferner in einem Buche einige Seiten, auf denen eine kurze Beschreibung und vor allem die Formel steht mit Angabe aller der Aussaaten und Beobachtungen usw., die zur Ableitung dieser Formel führen.

Je eine Frucht wird in einem eigenen Samenbeutel[1]) geerntet, auf welchem die Nummern des Elters bzw. der Eltern aufgeschrieben waren. Also z. B. Samen von A. 26 durch Selbstbefruchtung gewonnen heißt A. 26 ✕ A. 26. Unten auf der Samendüte steht als Kontrollnummer die Nummer der Aussaat der Elternpflanzen.

Der Inhalt je einer Samendüte, also die Samen je einer Frucht werden in einem eigenen Saattopf ausgesät. Jeder Saattopf bekommt eine Nummer (Doppelnummer wie oben beschrieben) und diese Nummer steht im „Saatbuch“ des betreffenden Jahres. In meinen Notizen und so auch im folgenden Text werden alle Saatnummern kenntlich gemacht durch Vorsetzen von S. und der Jahreszahl, also z. B. „S. 08. 125“ heißt Aussaat No. 125 des Jahres 1908. Im Saatbuch steht unter der betreffenden Nummer angegeben, von welchen Eltern der ausgesäte Same stammt, ferner eine kurze Beschreibung der Eltern, ihre Formel und einiges mehr. In dieses Saatbuch werden dann alle Beobachtungen über die aus dieser Aussaat hervorgehenden Pflanzen, wie Spaltung, Zahlenverhältnisse usw. eingetragen. Werden die jungen Pflanzen einer Aussaat pikiert und später in Beete ausgepflanzt, so geht die Saatnummer immer mit und steht später auf einem großen Etikett an dem Freilandbeete. Ebenso geht diese Saatnummer, wie oben schon gesagt, als Kontrollnummer auf einem eigenen Etikett mit allen „Stammpflanzen“ weiter, die aus dieser Saat entnommen werden.

Die Zahl der von einem Elter, bezw. bei Kreuzungen von einem Elternpaare ausgesäten Samen ist im einzelnen sehr verschieden. Ist in einer Aussaat eine komplizierte Spaltung zu erwarten, so ziehe ich mehr, bis 1000 Individuen, ist die Aussaat voraussichtlich mehr ein-

---

1) Sehr praktisch sind zuklebbare Düten aus Pergamin. Man kann darin durch das Papier hindurch jederzeit die Zahl der Samen, ihre Beschaffenheit usw. erkennen.

heitlich, so ziehe ich weniger. Im allgemeinen säe ich etwa 1½—2-mal so viele Samen aus, als ich von der betreffenden Aussaat Individuen groß ziehen will. Aus dem Saattopf wird dann nur die gewünschte Anzahl + ungefähr 10 % pikiert. Der Rest der Keimpflanzen bleibt noch einige Wochen als Reserve im Saattopf stehen. Damit beim Pikieren der groß zu ziehenden Pflanzen jede (auch unbewußte!) Selektion vermieden wird, gehe ich stets in der Weise vor, daß ohne jede Auswahl alle innerhalb eines gewissen Teiles des Saattopfes gekeimten Pflänzchen pikiert werden. D. h. ich fange an irgend einer Ecke zu pikieren an und pikiere dann Pflänzchen um Pflänzchen weiter, schwache und kräftige, ohne eines auszulassen.

Erfahrungsgemäß geht von den ausgepflanzten Individuen immer ein gewisser Prozentsatz frühzeitig zugrunde. Das kann natürlich, besonders wenn etwa einzelne herausmendelnde Typen weniger widerstandsfähig sind als die andern, zu einer Fehlerquelle werden. Ein weiterer Prozentsatz entgeht der Zählung dadurch, daß er zu spät zur Blüte kommt, d. h. den Frösten im Herbst zum Opfer fällt, ehe er geblüht hat. Um ein Urteil über die Tragweite der in den Versuchen gefundenen Zahlenverhältnissen zu geben, führe ich daher im Folgenden, soweit ich Notizen darüber habe, bei den Aussaatberichten jeweils an, wieviele Pflanzen nicht zur Blüte gelangt waren[1]).

Diese Angaben über die Buchführung genügen wohl zum Verständnis der nachfolgenden Mitteilung.

Fragestellung.

Wir wissen heute, daß das, was wir als äußere Eigenschaften, Farbe, Form usw. an einem Organismus erkennen, abhängt von einer großen Zahl Erbeinheiten[1]). Erbeinheiten und sichtbare Außeneigenschaften sind ganz prinzipiell verschiedene Dinge, zwischen beiden bestehen, wie ich mich früher schon einmal ausgedrückt habe, nur ungefähr dieselben Beziehungen, wie sie etwa zwischen dem ja auch nur theoretisch erschlossenen, hypothetischen molekularen Aufbau einer bestimmten chemischen Verbindung einerseits und den äußeren Eigenschaften dieser Verbindung — Farbe, Geruch usw. — andererseits bestehen.

[1]) Genaue Notizen darüber, wieviele der pikierten und ausgepflanzten Individuen frühzeitig starben, habe ich erst seit 1909 für meine Aussaaten gemacht.
[2]) Vgl. hierüber: Baur, E. Einige Ergebnisse der experiementellen Vererbungslehre. Beih. zur medizinischen Klinik. Heft 10. 1908. S. 283.

Von *Antirrhinum majus* unterscheiden schon die Gärtner über 100 verschiedene Rassen (Haage und Schmidt in Erfurt z. B. im Preisverzeichnis 1909: 105) und die Zahl der unterscheidbaren Rassen ist in Wirklichkeit noch sehr viel größer. Es schien mir nun zunächst einmal von Interesse festzustellen, auf der Kombination von wieviel verschiedenen und von welchen Erbeinheiten diese zahlreichen Rassen beruhen. ferner. festzustellen, ob es überhaupt möglich ist, die ganze große Formen- und Farbenmannigfaltigkeit von *A. majus* auf eine bestimmte Anzahl von Erbeinheiten zurückzuführen, oder ob auch „nicht mendelnde" Unterschiede hier eine Rolle spielen. Mit anderen Worten, ich will eine völlige hybridologische Analyse der Spezies durchführen.

Eine zweite Aufgabe habe ich mir darin gestellt, zu untersuchen, ob die Unterschiede zwischen *A. majus* und anderen Arten wie *A. latifolium, sempervirens, molle. hispanicum* usw., die, wie ich festgestellt habe, mit *A. majus* fertile Bastarde geben, ebenfalls auf Fehlen und Vorhandensein von Erbeinheiten beruhen.

Die Lösung dieser beiden Aufgaben ist natürlich in wenigen Jahren nicht möglich und ich bin heute dem Anfang der Arbeit wohl noch viel näher als dem Ende. Aber immerhin übersehe ich heute doch schon manches mit ziemlicher Klarheit, so daß mir eine teilweise Publikation meiner Versuche angezeigt scheint, vor allem deshalb, weil ich nicht der einzige bin, der mit *Antirrhinum* experimentiert.

Ich will in der Weise vorgehen, daß ich zunächst einen Überblick gebe über die Erbeinheiten, durch deren Präzisierung es möglich ist, das sonst völlig unübersichtliche empirisch gefundene Zahlenmaterial zu verstehen. Erst danach soll ein Bericht über einen Teil meiner Versuche folgen.

Ich selbst arbeite mit der zuerst ja von Correns[1]) angedeuteten, dann aber besonders von Bateson[2]) und seinen Schülern ausgearbeiteten, heute ja wohl ganz allgemein angenommenen[3]) „Presence and Absence"-Hypothese, das will ich, ohne auf Theoretisches hier zu Beginn einzugehen, vorläufig noch hervorheben.

---

[1]) Correns, C. Weitere Beiträge zur Kenntnis der dominierenden Merkmale und der Mosaikbildung der Bastarde. Ber. Deutsch. Botan. Ges. 21 1903. S. 195.

[2]) Vgl. z. B. Bateson, W. Mendels Principles of Heredity. Cambridge 1909 auf S. 76ff.

[3]) Shull, G. H. The „Presence and Absence" Hypothesis. The American Naturalist 43 1909. S. 410.

Die Erbeinheiten von *A. majus*.

Eine Anzahl von Erbeinheiten hat schon Miss Wheldale heraus-gearbeitet, diese genügen aber lange nicht, um meine Versuche ver-ständlich zu machen. Ich selbst operiere zurzeit mit 22 verschiedenen Erbeinheiten, über 13 will ich zunächst in dieser ersten Veröffent-lichung etwas eingehender berichten.

I. Erbeinheiten der **Blütenfarbe.**

Die Mannigfaltigkeit der Farbenrassen von *A. majus* ist ganz erstaunlich groß. Trotzdem beruht diese bunte Mannigfaltigkeit von Farben auf einer kleinen Zahl von Erbeinheiten, und ich will ver-suchen, zunächst eine Übersicht über die bekannten Farbenrassen und die Erbeinheitsformel dieser Rassen zu geben.

1. Die Farbenrassen und ihre Bezeichnung.

Da es oft Schwierigkeiten macht, ohne genaue Beschreibung und vor allem ohne Abbildung, zu erkennen, welche Farbenrasse ein Autor meint, habe ich dieser Abhandlung eine farbige Tafel beigegeben, die freilich nur einen kleinen Teil der mir bekannten Farbenrassen zur Darstellung bringt. Aber an der Hand dieser Tafel wird es doch wohl für jeden Leser möglich sein, die in der nachstehenden Über-sicht vorkommenden Bezeichnungen zu verstehen und danach die von mir untersuchten Rassen zu erkennen.

weiß = Fig. 1 Taf. I. Identisch mit dem white von Miss Wheldale.

gelb = Fig. 2 Taf. I. Identisch mit dem yellow von Miss Wheldale.

elfenbein = Fig. 3 Taf. I. Identisch mit dem ivory von Miss Wheldale und einem Teil des weiß von de Vries.

rosarücken a. e. (a. e. = Abkürzung für: auf elfenbein), ganz = Fig. 27, 28 Taf. I. Die rosa Farbe ist in der Reproduktion ein wenig zu blaß ausgefallen.

rosarücken a. g. (a. g. = Abkürzung für: auf gelb), ganz wie die vorige, aber Grundfarbe der Blüte gelb wie Fig. 2 Taf. I.
(rosarücken a. e. und a. g. als Delila-Form kenne ich noch nicht.)

fleischfarbig a. g., ganz = Fig. 4 u. 5 Taf. I.

fleischfarbig a. g., Delila, wie Fig. 4 u. 5, aber Röhre elfenbein-farbig und Farbe der Lippen sehr blaß, fast ohne roten Farbenton. Sehr oft kaum von gelb zu unterscheiden.

fleischfarbig a. e., ganz = Fig. 6 Taf. I. Identisch mit rose von Miss Wheldale und fleischfarbig von de Vries.

fleischfarbig a. e., Delila, wie Fig. 6 Taf. I, aber Röhre elfenbein
und Farbe der Lippen sehr blaß. Oft kaum von elfenbein
zu unterscheiden. Identisch mit rose delila von Miss
Wheldale und mit einem Teil des weiß von de Vries.
chamoisrosa a. g., ganz, ähnlich wie Fig. 14 Taf. I, aber Farbenton der Lippen wie von Fig. 17.
chamoisrosa a. g., Delila = Fig. 17 Taf. I.
chamoisrosa a. e., ganz = Fig. 14 Taf. I.
chamoisrosa a. e., Delila, ähnlich wie Fig. 14 Taf. I, aber Röhre
elfenbein.
rot a. g., ganz, = Fig. 8 Taf. I. Identisch mit dem crimson von
Miss Wheldale.
rot a. g., Delila, ähnlich wie Fig. 8 Taf. I, aber Röhre elfenbein.
Identisch mit crimson delila von Miss Wheldale.
rot a. e., ganz, = Fig. 7 Taf. I. Identisch mit magenta von Miss
Wheldale.
rot a. e., Delila = Fig. 16 Taf. I. Identisch mit magenta delila
von Miss Wheldale.
blaßrot a. g., ganz = Fig. 9 Taf. I, aber mit gelbem Untergrund.
blaßrot a. g., Delila, entsprechend dem vorigen, aber Delilaform.
blaßrot a. e., ganz = Fig. 9 Taf. I.
blaßrot a. e., Delila. Delilaform zu Fig. 9 Taf. I.
Ganz genau entsprechende Typen, wie die eben für fleischfarbig, chamoisrosa und rot aufgezählten, gibt es auch mit
schwarzrot als Farbenton. Eine Blüte mit schwarzrot a. e. ganz
als Farbe ist in Fig. 10 Taf. I abgebildet. Die zugehörigen a. g.-Formen
sind nur wenig im Farbenton verschieden.
Ein weiterer Farbenton, der a. e. und a. g. und als ganz und
als Delila vorkommt, ist Rubin. Eine Blüte mit Rubin a. e.,
ganz, als Farbe, ist in Fig. 15 abgebildet.
Außer mit homogener Färbung kommen nun die eben genannten
Farbentöne chamoisrosa, rot, schwarzrot, rubin auch als
„picturatum" vor. Eine Blüte z. B. von rot a. e., ganz, picturatum
ist in Fig. 12 Taf. I, eine Blüte von rot a. g., ganz, picturatum ist
in Fig. 11 und 13 Taf. I dargestellt.

2. Die Erbeinheiten.
Faktor B.
Es gibt zunächst Rassen mit völlig „weißen" Blüten (Fig. 1 Taf. I).
Diese weißen sind von den sonst ähnlichen „elfenbeinfarbigen"

(ivory) leicht daran zu unterscheiden, daß sie auch auf der Mitte der Unterlippe und an den Haaren im Innern der Blütenröhre völlig rein weiß, nicht gelb oder gelblich sind. Weiß sind alle Individuen, die die Erbeinheit oder, wie ich weiterhin meist sagen werde, den Faktor B nicht haben, also in ihrer Formel bb aufweisen.

Individuen, die B wenigstens einmal in der Formel enthalten, also alle Bb und alle BB, sind nicht weiß, sondern gefärbt. Welche Farbe diese BB, bzw. Bb Pflanzen haben, hängt ab von den übrigen Farbenfaktoren, zunächst dem Faktor F. Eine Pflanze, welche B enthält aber F und C nicht, blüht „gelb" wie Fig. 2 Taf. I.

Wir haben also in diesem Faktor B die Grundlage für alle Farbe überhaupt zu sehen.

Mein Faktor B ist identisch mit dem Faktor Y von Miss Wheldale.

BB und Bb Pflanzen sind äußerlich meist nicht deutlich unterscheidbar.

Faktor C.

Der Faktor C macht Pflanzen, die B wenigstens einmal, aber nicht F enthalten, zu „Elfenbein" (Fig. 3 Taf.). Elfenbein kann also sein BBCC oder BBCc oder BbCc. Die Einwirkung von C auf F und die übrigen Farbenfaktoren wird weiter unten besprochen werden.

Mein Faktor C ist identisch mit Miss Wheldales Faktor J.

CC- und Cc-Pflanzen sind äußerlich nicht deutlich unterscheidbar.

Faktor F.

Der Faktor F bewirkt in Pflanzen, die zwar B, aber nicht den Faktor R enthalten, einen zarten rosa Ton auf dem Rücken der Blüte und einen ebensolchen Schimmer auf der Röhre beiderseits vom Sporn (Fig. 27 Taf. I). In dem übrigen Teil der Blüte ist nichts von rosa Farbe zu bemerken. Ist die betreffende Pflanze im übrigen cc, so ist sie, abgesehen von dem rosa Hauch auf dem Rücken und neben dem Sporn, gelb, ist sie Cc oder CC, so ist sie elfenbein mit rosa Hauch auf dem Rücken (Fig. 27, 28 Taf. I).

FF und Ff-Individuen sind meist gut unterscheidbar.

Faktor R.

In Pflanzen, die wenigstens je einmal B und F, aber nicht M und nicht C enthalten, bewirkt R eine Färbung, wie in Fig. 4 Taf. I abgebildet, d. h. „fleischfarbig a. gelb" in meiner Farbenbezeichnung. In Pflanzen, die außer B und F auch C wenigstens einmal enthalten,

M aber nicht, sitzt dieses fleischfarbig auf elfenbein (Fig. 5 und 6 Taf. I), und in gleicher Weise äußert sich auch bei allen weiter noch zu beschreibenden verschiedenen helleren und dunkleren roten Rassen das Fehlen oder die Gegenwart von c immer dadurch, daß die betreffende rote Farbe auf gelber oder auf elfenbeinfarbener Unterlage aufsitzt, bzw. einen mehr gelbroten oder einen mehr blauroten Ton hat. Fleischfarbig kann also sein BBCCFFRR oder BBCCFFRr oder BBCCFfRR oder BBCCFfRr usw. bis BbCcFfRr.

Die RR-Individuen, die Ff sind, sind deutlich blasser fleischfarben als die homozygotisch fleischfarbigen, also BBCCFFRR ist dunkler gefärbt als BBCCFfRR. Die BBCCFFRR dagegen sind von z. B. den Bb CCFFRR oder den BBCCFFRr usw. nicht sicher äußerlich unterscheidbar. In allen Individuen, denen einer der Faktoren B oder F oder beide ganz fehlen, bleibt F völlig unwirksam. Sie sind weiß bzw. elfenbein oder gelb, also z. B. bbCCFFRR oder bbCCFFrr ist weiß, BBccffRR ist gelb usw.

Faktor M.

M bewirkt in allen Individuen, die B, F und R wenigstens einmal, aber nicht A enthalten, eine eigenartige „chamois-rosa"-Färbung. Fig. 14 Taf. I stellt diese Färbung auf elfenbein-Grundlage dar. Fehlt F oder B oder mehrere von diesen Faktoren in einer Pflanze ganz, so bleibt M unwirksam, d. h. BBFFrrMM z. B. hat nur rosa Rücken (Fig. 27, 28 Taf. I) und ist nicht etwa chamoisrosa. Oder bbRRFFMM ist weiß. MM und Mm ist oft deutlich am Farbenton unterscheidbar.

Faktor A.

A bewirkt, aber nur zusammen mit wenigstens einmal B, F, R und M rote Farbe, das „rot" meiner Farbenbezeichnung. Zusammen mit CC bzw. Cc sieht dieses „rot" aus wie in Fig. 7 Taf. I abgebildet, zusammen mit cc, wie in Fig. 8 Taf. I dargestellt.

Die Intensität des Rot ist verschieden, je nachdem die Faktoren B, R, F, M, A homo- oder heterozygotisch in einem Individuum enthalten sind, vor allem die Ff-Pflanzen sind vor den FF sehr stark verschieden. Fig. 7 Taf. I ist die Farbe eines BBCCFFRRMMAA-, Fig. 9 eines BBCCFfRRAA-Individuums.

Faktor L.

L macht mit BFRMA „schwarzrot" wie Fig. 10. Je nachdem, ob CC bzw. Cc oder ob cc vorhanden sind, ist die Farbe entsprechend dem Unterschiede zwischen Fig. 7 und Fig. 8 mehr gelbrot oder mehr blaurot.

Fehlt irgend einer der anderen vorgeordneten Faktoren für Farbe ganz, so ist L wirkungslos, z. B. BBCCFFrrMMAALL ist rosa Rücken, bbCCFFRRMMAALL ist weiß usw. Homo- und heterozygotisch schwarzrot (d. h. LL und Ll ceteris paribus) ist meist ziemlich deutlich unterscheidbar, fluktuiert aber transgredierend.

Wir haben also hier eine ganze Reihe von Faktoren, welche rote Färbung in verschiedenen Intensitäten und Nuancen bewirken. Voraussetzung dafür, daß ein Faktor sich äußern kann, ist immer, daß die vorgeordneten Faktoren alle wenigstens einmal in dem betreffenden Individuum enthalten sind. Von der Reihe B, F, R, M, A, L müssen immer alle links von einem Faktor stehenden übrigen Faktoren in einer Pflanze wenigstens einmal enthalten sein, damit dieser betreffende Faktor sich äußern kann.

Mit dieser Reihe von Faktoren ist nun aber die Zahl der Faktoren, welche die Blütenfarbe beeinflußt, noch lange nicht erschöpft. Zunächst sei von weiteren Faktoren genannt, der

Faktor D.

Alle Pflanzen, die D nicht enthalten, also alle dd-Individuen haben eine elfenbeinfarbige Röhre und zeigen die rote oder rötliche Farbe, die in ihnen durch die übrigen schon genannten Farbenfaktoren bewirkt wird, nur in den Lippen. So ist z. B. die dd-Form zu rot von Fig. 7, also eine Pflanze von der Formel BBCCFFRRMMAAllCCdd in Fig. 16 abgebildet, während Fig. 7 die Formel BBCCFFRRMMAAllDD hat. Die ddcc-Form zu Fig. 14 ist Fig. 17. Die dd-Form zu Fig. 12 ist Fig. 20 usw. Das Fehlen von D in einer Pflanze äußert sich ferner dadurch, daß auch in den Lippen die Farbe etwas blaßer ist als in den entsprechenden „Ganz"-Formen. Besonders auffällig ist das bei fleischfarbigen Sippen, z. B. ist die dd-Form zu Fig. 6 Taf. I sehr blaß und kann nur bei ganz genauem Zusehen von rein elfenbeinfarbigen Pflanzen unterschieden werden.

dd-Formen kenne ich bereits zu allen verschiedenen roten Farbenrassen mit Ausnahme der „rosarücken"-Sippen. Eine Rasse von dem Aussehen von Fig. 16 ist unter dem Gärtnernamen „Delila" im Handel und daher hat sich allmählich die Gepflogenheit eingebürgert, die dd-Formen als „Delila"-Formen im Gegensatz zu den „Ganz"-Formen zu bezeichnen.

Der Faktor D mendelt, wie auch alle anderen bisher besprochenen Faktoren, völlig unabhängig von den übrigen, z. B. ergibt eine Kreuzung von BBCCFFRRmmAALLdd also „fleischfarbig a. e. Delila" (Delilaform zu Fig. 6 Taf. I) mit BBCCFFRRMMAAllDD also „rot a. e. ganz" (wie Fig. 7 Taf. I) eine F 1-Generation, die „schwarzrot a. e. ganz" ist wie Fig. 10 und in F 2 ein Aufmendeln in: schwarzrot a. e. ganz, rot a. e. ganz, fleischfarbig a. e. ganz und schwarzrot a. e. Delila, rot a. e. Delila und fleischfarbig a. e. Delila-Individuen. Derartige Kreuzungsversuche werden wir im folgenden vielfach kennen lernen.

Faktor G.

Der Faktor G bewirkt, daß die durch die übrigen Farbenfaktoren bedingte rote Färbung nicht homogen ist, sondern ein eigentümlich verwaschenes Aussehen den *picturatum*-Charakter der Gärtner aufweist. So hat eine Pflanze von der Formel BBCCFFRRMMAALLDDGG das Aussehen von Fig. 12, eine von derselben Formel aber mit cc das Aussehen von Fig. 11, eine von der Formel BBCCFFRRMMAALLddGG das Aussehen von Fig. 20.

Auch damit ist die Reihe der Faktoren, welche die Farbe beeinflussen, noch nicht beendet. Ich kenne noch einen Faktor O, der mit BRFC zusammen rot geaderte Blüten, wie Fig. 26 bewirkt (die entsprechende cc-Form ist rot geadert auf gelbem Grunde). Es ist möglich, daß auch dieser Faktor in die oben geschilderte Reihe BFRMAL einzuschalten ist (zwischen R und M), und daß das Vorhandensein von O erforderlich ist für alle nachgeordneten roten Farben, aber Bestimmtes kann ich hierüber noch nicht angeben, das sollen erst F 2-Generationen, die im Sommer 1910 blühen werden, zeigen.

Ferner kenne ich einen Faktor Q, der mit BFRM einen eigentümlich leuchtend rosa Farbenton (Fig. 15 Taf. I) bewirkt. Auch dieser Faktor gehört vielleicht in die oben genannte Reihe (hinter M) und wäre dann Voraussetzung für alle höheren Farben [1]. · Dann kenne ich einen sicher mendelnden Faktor, der bewirkt, daß die Zipfel der Unterlippe einer sonst rot gefärbten Blüte, etwa Fig. 16, ausgebleicht sind so wie in Fig. 29. Weiter scheint ein Faktor vorzuliegen, der bedingt, daß der gelbe Fleck in der Mitte der Unterlippe der roten Blüten mehr oder weniger breit ist.

---

[1] Es ist aber die Möglichkeit noch nicht ausgeschlossen, daß dieser vorläufig angenommene Faktor Q identisch ist mit L. Auch das sollen Aussaaten des Sommers 1910 erst entscheiden.

Versuche zur genaueren Präzisierung dieser letztgenannten Faktoren sind im Gange. In dieser ersten Mitteilung werde ich hierauf jedoch noch nicht eingehen.

Über 4 weitere, aber vorläufig noch wenig bekannte Faktoren, die ebenfalls die Blütenfarbe beeinflussen, habe ich ebenfalls Untersuchungen im Gange. Insgesamt wird es wohl möglich sein, auf etwa 20 Erbeinheiten die ganze große Mannigfaltigkeit der Blütenfarbe von *A. majus* restlos zurückzuführen.

2. Erbeinheiten der **Blütenform**.

Ebenso wie in Bezug auf Blütenfarbe, gibt es auch in bezug auf Blütenform eine Reihe von erblich konstanten Rassen. Auch

A   *B*

Fig. 1. Blüten von A. 331 (A) und A. 14 (B).

hier läßt sich eine kleine Anzahl von Faktoren erkennen, deren Kombinationen in den verschiedenen Rassen verkörpert sind. Eine

Anzahl von Faktoren, die ich aber noch fast gar nicht untersucht habe, beeinflußt die Blütengröße, die relative Größe der beiden Lippen, die Form der Oberlippe, die Länge des Blütenstieles und ähnliches. Untersuchungen über diese Faktoren sind im Gange, aber noch sehr wenig weit gediehen. Eine zweite Gruppe von Faktoren, die einzige, die ich bisher schon etwas eingehender untersucht habe, beeinflußt die Blütenform insofern, daß die Blüte normal zygomorph, oder radiär pelorisch, gebaut ist. Hier läßt sich zunächst unterscheiden ein

Faktor E.

Eine Pflanze, die zwar alle anderen Faktoren für zygomorphe Blüte enthält, aber nicht E, blüht radiär pelorisch (Textfig. 1 B). Ich habe z. B. eine völlig konstante Rasse von der Formel BBFFRRMMAA-llCCDDggee in Kultur, die nur Blüten von der in Textfig. 1 B abgebildeten Form und der in Fig. 7 Taf. I dargestellten Farbe bildet.

Faktor P.

Ein weiterer Faktor, der zygomorphe Form der Blüte bedingt, ist der Faktor P. Alle Pflanzen, die diesen Faktor nicht enthalten, blühen ebenfalls radiär pelorisch, auch wenn sie im übrigen EE oder Ee enthalten. Die radiär pelorische Form, die durch pp bedingt wird, ist jedoch eine andere als die durch ee bedingte vorher beschriebene radiäre Pelorie. Eine Pflanze von der Formel BBFFRRMMAALLccddEEpp ist in Textfig. 1 A abgebildet, eine einzelne Blüte davon in Fig. 30 Taf. I. Während bei den Pflanzen, die eePP in der Formel enthalten (Textfig. 1 B), sämtliche Blüten ganz gleichmäßig radiär pelorisch gebaut sind, tragen die EEpp-Pflanzen durchweg pelorische **und** zygomorphe Blüten (Textfig. 1 A).

Meistens überwiegen unten und ganz oben an einem Blütenstand die zygomorphen Blüten, in der Mitte dagegen die radiären. Diese eigentümliche Verschiedenheit der Blüten vererbt die EEpp-Sippe völlig konstant, und zwar ist zwischen der Deszendenz einer geselbsteten radiären und der Deszendenz einer geselbsteten zygomorphen Blüte einer solchen EEpp-Pflanze kein Unterschied. Die Nachkommen tragen immer wieder normale und pelorische Blüten nebeneinander.

Die Kreuzung der eePP- und der EEpp-Sippe, also der pelorischen Rasse Fig. 1 B mit der pelorischen Rasse Fig. 1 A, ergibt eine homogene F1 mit ausschließlich normalen Blüten, da ja auf diese Weise EePp-Pflanzen, die jetzt die beiden Faktoren für normale zygomorphe Blüte wenigstens je einmal enthalten, entstehen. Näheres über derartige Kreuzungen werde ich im folgenden mitteilen (S. 86).

Von anderen mendelnden Faktoren der Blütenform kenne ich dann noch einen, dessen Nichtvorhandensein die in Textfig. 2 wiedergegebene Blütenform bedingt. Das Verhalten dieses Faktors zu E und P habe ich noch nicht untersucht.

Vermutlich wird sich herausstellen, daß auch die normale zygomorphe Blütenform von einer größeren Anzahl von Erbeinheiten abhängt, und daß das Fehlen einzelner oder mehrerer von diesen Faktoren die anderen Blütenformen, Schlitzer, wie Textfigur 2, radiäre Pelorien, Textfigur 1 A. und B, Apetala-Formen, wie in Textfigur 3 abgebildet, und ähnliche Blütentypen mit sich bringt. Die Klarlegung dieser Verhältnisse wird wohl noch die Arbeit einiger Jahre kosten.

Fig. 2. Blüten von A. 312.

3. Erbeinheiten der Blattfarbe.

Zunächst sei hier ausdrücklich hervorgehoben, daß sämtliche Blütenfarbenfaktoren, nur vielleicht mit Ausnahme des Faktors G, auch die Blattfarbe mit beeinflussen. Die Blätter und Stengel aller Pflanzen, die B und F enthalten, zeigen, wenigstens bei Kultur in mäßig warmer Temperatur und hellem Lichte einen mehr oder

Fig. 3. Blüten von A. 543.

weniger starken roten Anflug, der besonders auf der Unterseite der
Kotyledonen und der ersten Laubblätter der Keimpflanzen ausgesprochen ist. Je nach dem Vorhandensein oder Fehlen der verschiedenen anderen einander übergeordneten Farbenfaktoren ist die
Intensität und der Farbenton dieses roten Anfluges sehr verschieden.
Alle Pflanzen, denen schon F oder B fehlt, haben nur grüne, nicht
rot angelaufene Blätter und Stengel. Die dd-Pflanzen, die „Delilas"
also, haben ceteris paribus immer weniger stark rot angelaufene
Stengel und Blätter, als die entsprechenden DD-Individuen.

Abgesehen von diesen Blütenfarbenfaktoren, die sich auch in den
Blättern äußern, gibt es nun noch weitere Erbeinheiten, die speziell
eine besonders schwache oder starke Ausbildung der roten Farbe
gerade in den Blättern bedingen. Daß es sich auch hier nur um
mendelnde Erbeinheiten handelt, ist mir sehr wahrscheinlich. Genau
untersucht habe ich aber diese Verhältnisse noch nicht.

Näher beschäftigt habe ich mich bisher nur mit einigen Erbeinheiten, welche die Bildung des Blattgrünes bedingen. Ich habe
bisher zwei Faktoren unterscheiden können. Zunächst einen

Faktor N.

Fehlt N einer Pflanze, so bildet sie keine sattgrüne Chlorophyll-
körner aus, sondern wenig intensiv gefärbte mit einem Stich ins
Gelbliche. Derartige nn-Pflanzen sind meist (außer bei Individuen,
die dunkelrot überlaufene Blätter haben) schon von weitem von den
reinen grünen zu unterscheiden und zeigen ein auffällig gehemmtes
Wachstum, blühen auch meist erst im zweiten Lebensjahre, wohl
infolge ihres schwächeren Assimilationsvermögens.

Ein zweiter Faktor des Blattgrüns ist

Faktor H.

Alle Pflanzen, die HH enthalten, sind statt grünblätterig intensiv
gelbblätterig und nicht lebensfähig. Hh-Pflanzen, also die Heterozygoten,
sind gelbgrün, sogenannte Aurea-Pflanzen. H ist also der Faktor,
durch dessen Besitz das eigentümliche *A. majus fol. aureis* charakterisiert ist, über dessen Erblichkeit ich schon früher publiziert habe [1]).

4. Die Erbeinheiten der **Blattform.**

Die Erbeinheiten der Blattform sind, zum großen Teil mindestens,
identisch mit den Erbeinheiten der Blütenformen. Das geht aus einer

---

1) Baur. Ber. d. Deutsch. Botan. Ges. **25** 1907. S. 442 und Zeitschr. ind.
Abst. u. Vererbungslehre 1 1909. S. 124.

Reihe von Beobachtungen hervor. Spezielle Untersuchungen habe ich darüber noch nicht angestellt, ich habe aber im vergangenen Sommer mit Notizen darüber begonnen.

5. Erbeinheiten der **Wuchsform.**

Erbeinheiten der Wuchsform habe ich bisher ebenfalls fast noch nicht bearbeitet; daß aber auch alle die verschiedenen Wuchsformen von *A. majus* mendeln, ist wohl zweifellos. Die Verhältnisse liegen hier freilich sehr kompliziert. Eine Anzahl von Beobachtungen hat mir bisher nur gezeigt, daß „Wuchs" zunächst abhängt von verschiedenen Erbeinheiten, die starke oder schwache Verzweigung bedingen, ferner spielen dabei andere Erbeinheiten mit (sicher mehrere), welche die Länge der Internodien, ferner andere. die überhaupt die Lebenskräftigkeit der Pflanze bedingen. Zum Teil sind diese Faktoren identisch mit Farbenfaktoren und mit Faktoren der Blatt- und Blütenform. Zum Beispiel ist der Faktor B sicher auch ein Wuchsfaktor: bb-Pflanzen, die in einer komplizierten F_2-Generation herausmendeln, sind immer kleiner (etwa um $1/3$) als die entsprechenden Bb oder BB-Individuen.

Ganz besonders erschwert wird aber eine Untersuchung der Erbeinheiten der Wuchsformen dadurch, daß es sich hier um Außenmerkmale handelt, die zwar sicher konstant vererbt werden, die aber weitgehend transgredierend fluktuieren.

Die Erbeinheiten in der Form, wie ich sie im vorstehenden skizziert habe, sind natürlich durchaus nicht etwa auch von mir vor den Versuchen theoretisch aufgestellt worden, sondern in Wirklichkeit waren die Versuche das erste, die Untersuchung der Deszendenz zahlreicher selbstbefruchteter Individuen sehr verschiedenartiger Herkunft. die ich in der S. 35 geschilderten Weise als Stammpflanzen verwendete, und dann vor allem das Resultat von Kreuzungen dieser Stammpflanzen, die durch mehrere Generationen hindurch verfolgt wurden, ergab eine große Zahl von zum Teil sehr komplizierten Spaltungen und bestimmte Gesetzmäßigkeiten in den Zahlenverhältnissen. Erst nachdem so ein größeres empirisch gewonnenes Material vorlag, versuchte ich durch Annahme bestimmter Erbeinheiten in die Lage zu kommen, die empirisch gefundenen Zahlen-

verhältnisse auch theoretisch zu berechnen. Verkehrte Hypothesen, die zunächst mit dem Material zu stimmen schienen, die
aber schließlich zu Widersprüchen führten, hat es in großer Zahl
bedurft, um endlich zu einer Umreißung der Erbeinheiten in einer
Form zu kommen, die es ermöglicht, theoretisch auf Grund der Annahme eben dieser Erbeinheiten und ihrer gegenseitigen Beziehungen
alle in meinen sehr zahlreichen Versuchen beobachteten Erscheinungen auch zu berechnen und das Resultat neuer Versuche vorher
zu sagen.

Zu einem gewissen Abschluß bin ich von den Erbeinheiten der
Blütenfarbe erst mit A, B, C, D, F, G, L, M und R, von denen der Blattfarbe
mit H und N und von denen der Blütenform mit E und P gekommen,
und nur mit diesen Erbeinheiten werde ich in den Formeln der Versuchspflanzen im folgenden operieren.

Wenn wir nur diese 13 unabhängig mendelnden Erbeinheiten in
Rechnung stellen, so sind danach theoretisch schon $2^{13}=8192$ homozygotische Individuen, also auch ebensoviel erblich konstante
verschiedene Sippen und $\dfrac{(2^{13})^2}{2} + \dfrac{2^{13}}{2} = 33\,558\,528$, d. h. über
$33\frac{1}{2}$ Million, in ihrem erblichen Verhalten verschiedene Individuen möglich.

Rechnen wir nur mit den vorhin genannten 9 Erbeinheiten der
Blütenfarben (BFRMALCDG), so sind damit theoretisch $2^9=512$ homozygotische Individuen, d. h. auch ebensoviele erblich konstante verschiedene Sippen gegeben. Von diesen 512 Sippen würden allerdings
nur ein kleiner Teil auch äußerlich unterscheidbar sein, es werden
nämlich 256 Sippen allein weiß blühen müssen, sich als verschieden
nur erkennen lassen an ihrem Verhalten bei Kreuzungen. Die
übrigen 256 Sippen werden gefärbt sein müssen und von ihnen wird
wiederum die Hälfte, d. h. 128 elfenbeinfarbig (50%) bezw. gelb (50%)
blühen. Irgendwie rot oder rötlich gefärbte Sippen bleiben also
theoretisch 128 übrig. Von diesen 128 irgendwie rötlich oder rot
gefärbten haben 64 nur den Farbenton von Fig. 27, 28 Taf. I usw.
Ich will diese ganze Ableitung nicht zu Ende durchführen, jeder
mit diesen Fragen vertraute wird das leicht selbst ausführen können.
Das Ende der Überlegung ist schließlich, daß wir von schwarzrot
gefärbten Sippen BBFFRRMMAALL noch acht verschiedene homozygotische Kategorienhaben müssen (entsprechend den Faktoren C, D, G
nämlich:

BBFFRRMMAALLCCDDGG schwarzrot a. e. ganz, picturatum (Fig. 12 Taf. I [1])
BBFFRRMMAALLCCDDgg schwarzrot a. e. ganz (Fig. 10 Taf. I)
BBFFRRMMAALLCCddGG schwarzrot a. e. Delila, picturatum (Fig. 20 Taf. I [1])
BBFFRRMMAALLCCddgg schwarzrot a. e. Delila (Delilaform zu Fig. 10 Taf. I)
BBFFRRMMAALLccDDGG schwarzrot a. g. ganz, picturatum (Fig. 11 Taf. I [1])
BBFFRRMMAALLccDDgg schwarzrot a. g. ganz
BBFFRRMMAALLccddGG schwarzrot a. g. Delila, picturatum
BBFFRRMMAALLccddgg schwarzrot a. g. Delila.

Wirklich beobachtet habe ich von den theoretisch möglichen Kombinationen von Erbeinheiten der Blütenfarbe erst einen kleinen Teil. Die zuletzt aufgezählten acht Kategorien von schwarzroten habe ich alle in meinen Versuchen beobachtet, ebenso alle acht theoretisch möglichen entsprechenden Kategorien von roten. Hier sind alle denkbaren Kategorien ja auch äußerlich verschieden, und deshalb sind Sippen, welche diese verschiedenen Kombinationen darstellen, schon von den Gärtnern einigermaßen isoliert worden. Nur die Unterscheidung der roten GG-Individuen von den schwarzroten GG-Individuen macht Schwierigkeiten. Aber schon von den 16 verschiedenen denkbaren Kategorien mit chamoisrosa als Farbenton, die ja nicht mehr alle äußerlich verschieden sind, habe ich bisher erst drei beobachtet. Von den 23 verschiedenen denkbaren von fleischfarbigen bisher erst sechs, von den 64 mit rosa Rücken als Farbenton erst zwei, von den 128 elfenbein bzw. gelb nur fünf und von den 256 verschiedenen weißen Sippen, die ja alle äußerlich sich völlig gleichen, erst drei.

Soviel hier zunächst über die bisher erkannten Erbeinheiten. Der besseren Übersichtlichkeit halber gebe ich nachstehend noch einmal eine Zusammenstellung dieser vorläufig in Rechnung gestellten Erbeinheiten. Ich hoffe, diese Zusammenstellung wird die ja sonst für manche wohl etwas schwierige Lektüre erleichtern. Ich gebe die Faktoren in alphabetischer Reihenfolge, so wie sie auch in den Formeln stehen.

A. „Rot"-Faktor, wirkt nur zusammen mit wenigstens je einmal B, F, R, M, bedingt zusammen mit diesen Faktoren die Farbe rot (Fig. 7 bzw. 8 Taf. I).

B. Grundfaktor für alle Blütenfarben. Für sich allein, d. h. ohne C und ohne F bedingt er **gelbe** Farbe (Fig. 2 Taf. I). Alle Pflanzen, die nicht wenigstens einmal B enthalten, blühen weiß (Fig. 1 Taf. I), auch wenn sonst alle anderen Farbenfaktoren enthalten sind.

---

[1]) Fig. 11, 12, 13, 20 sind gezeichnet nach rot — picturatum —, also II-Pflanzen. Die schwarzrot- und die rot-picturatum-Pflanzen sind aber äußerlich fast nicht zu unterscheiden.

C. „**Elfenbein**"-Faktor. Modifiziert das durch B bedingte gelb in „elfenbein" (Fig. 3 Taf. I), bzw. das gelbrot, mein rot a. g.[1]) (crimson englisch) zu bläulichrot, rot a. e.[2]) (magenta englisch) z. B. auf Taf. I Fig. 4 zu Fig. 6, Fig. 8 zu Fig. 7, Fig. 11 zu Fig. 12, Fig. 33 zu Fig. 23 usw.

D. „**Ganz**"-Faktor. Alle sonst irgendwie rot oder rötlich gefärbten Pflanzen, die nicht wenigstens einmal D enthalten, haben elfenbeinfarbige Röhre, bilden die Delilaformen zu den entsprechenden ganz-gefärbten (z. B. auf Taf. I: ist Fig. 16 die dd, d. h. Delilaform zu Fig. 7, Fig. 20 die Delilaform zu Fig. 12, Fig. 17 die Delilaform (und gleichzeitig cc-Form!) zu Fig. 15 usw.).

E. 1. Faktor für zygomorphe **normale** Blütenform. Alle ee-Pflanzen haben radiär pelorische Blüten (Textfig. 1 B und Fig. 34 Taf. I).

F. **Rosarücken**-Faktor, bedingt zusammen mit wenigstens einmal B in Pflanzen, die R nicht enthalten, die in Fig. 28 u. 27 Taf. I dargestellte Färbung.

G. „**Picturatum**"-Faktor, modifiziert die durch die übrigen Farbenfaktoren bedingte rote Farbe zu picturatum (z. B. ist Fig. 12 die GG, d. h. picturatum-Form zu Fig. 7, Fig. 20 zu Fig. 16 usw.).

H. „**Aurea**"-Faktor, macht homozygotisch das sonstige normale Blattgrün zu gelb (nicht lebensfähige Pflanzen!), heterozygotisch zuaureafarbig.

L. „**Schwarzrot**"-Faktor, macht zusammen mit wenigstens je einmal B, F, R, M, A die Farbe schwarzrot (wie Fig. 10 Taf. I).

M. „**Chamoisrosa**"-Faktor, macht zusammen mit wenigstens je einmal B, F, R, in Pflanzen die A nicht enthalten, die Farbe chamoisrosa (Fig. 15 Taf. I).

N. Faktor für normales Grün der Chromatophoren. Fehlen dieses Faktors bedingt gelblichgrüne Blätter, die „**chlorina**"-Färbung.

P. 2. Faktor für zygomorphe **normale** Blüte. Fehlen dieses Faktors bedingt die in Textfig. 1 A dargestellte Pelorie, d. h. die pelorische Halbrasse.

R. „**Fleischfarbig**"-Faktor, bedingt zusammen mit wenigstens je einmal B und F in Pflanzen, die nicht M enthalten, die Farbe fleischfarbig (Fig. 4—6 Taf. I, Fig. 4 u. 5 sind dabei cc, Fig. 6 cc). Die dd, d. h. die Delila-Form von fleischfarbig ist sehr schwer äußerlich von gelb bzw. elfenbein zu unterscheiden.

---

[1]) a. g. = auf gelb.
[2]) a. e. = auf elfenbein.

Vererbungs- und Kreuzungsversuche.

Im ganzen habe ich im Laufe der letzten fünf Jahre 642 Individuen zu Stammpflanzen gemacht und 216 davon bisher analysiert, d. h. es wurden durch geschützte Selbstbefruchtung gewonnene Samen ausgesät und die Deszendenz untersucht. Eine große Anzahl dieser Pflanzen wurde untereinander gekreuzt und diese Kreuzung weiter verfolgt.

Es würde viel zu weit führen, wenn ich etwa alle diese Versuche hier publizieren wollte, ein großer Teil ist zudem noch lange nicht abgeschlossen und betrifft Fragen, die hier noch gar nicht erwähnt sind, wie Mutationen, ferner die sonderbare Erblichkeit der gestreiften Rassen (Taf. I Fig. 23—25 u. 33—34), „Gametic Coupling" und ä. Ich will mich darauf beschränken, in dieser ersten Mitteilung zu berichten über die Erblichkeit, die eine Anzahl aus verschiedenen Quellen bezogener Antirrhinumpflanzen bei Selbstbefruchtung zeigten, und dann die Resultate besprechen, die eine Anzahl von Kreuzungen zwischen diesen Individuen ergab.

1. Die Stammpflanzen.

Zu den Kreuzungen, über die hier berichtet werden soll, wurden verwendet die Pflanzen:

A. 14.

War erhalten durch Selbstbefruchtung von **A. 12.** Diese Pflanze war aureablättrig und hatte normale, d. h. regelmäßig zygomorphe Blüten und als Blütenfarbe das typische rot a. e. ganz. Das heißt genau Blütenform und Farbe von Fig. 7 Taf. I. Durch Selbstbefruchtung gewonnene Samen von **A. 12** gaben in S. 07. 351 22 grüne und 45 aureablättrige Keimpflanzen. Zur Blüte großgezogen wurde hiervon nichts. Eine zweite geselbstete Frucht ergab in S. 07. 250 zwei aurea und drei grüne Keimpflanzen, die großgezogen alle rot genau wie die Mutter blühten. In Hinsicht auf die Blütenform waren vier normalblütig, eine dagegen trug ausschließlich radiär pelorische Blüten, genau wie Textfig. 1 B. Diese Pflanze wurde zur Stammpflanze gemacht als **A. 14.** Die Pflanze war grün-, d. h. nicht aureablättrig[1]), die Blüten waren alle rot a. e. ganz, pelorisch.

---

[1]) Grünblättrig heißt hier und weiterhin stets nur: „nicht aurea" und „nicht chlorina", d. h. normaler Chlorophyllgehalt. Im übrigen können diese als grün bezeichneten Blätter rein grün oder mehr oder weniger rot überlaufen sein. A 14 hatte z. B. einen sehr deutlichen roten Anflug an den ersten Blättern.

A. **14** erwies sich bei Selbstbefruchtung als völlig konstant. In
S. 08. 138 wurden aus einer durch Selbstbestäubung erhaltenen Frucht
von A. **14** rund 100 Keimpflanzen erzielt, die alle rein grünblättrig
waren. Zur Blüte großgezogen wurden 24, alle erwiesen sich als vollkommen gleichartig unter sich und in allem übereinstimmend mit
A. **14**. Nach alledem hat also A. **14** die Formel AABBCCDDeeFFgghhll
MMNNPPRR. Durch Selbstbefruchtung erzielte Deszendenten von A. **14**
(aus S. 08. 138) sind die Pflanzen A. **194** und A. **335**, die auch ihrerseits weiterhin völlig konstante Nachkommenschaft ergaben[1]).

A. 40.

A. **40** erzog ich in S. 07. 82 aus Handelssamen (bezogen als A.
nigropurpureum von Haage & Schmidt in Erfurt). Die Pflanze war
grünblättrig und blühte schwarzrot a. e., ganz, normal, war also genau = Fig. 10 Taf. I. Geselbstet gab A. **40** in S. 08. 143 und in
S. 09. 3 eine Spaltung in grünblättrige und in Chlorinapflanzen (vgl.
Bemerkung zu Faktor N Seite 52). In S. 08. 143 waren 19 chlorina:
81 grün, in S. 09. 3 waren 12 chlorina: 32 grün, zusammen
also 31 chlorina zu 113 grün. Theoretisch wären zu erwarten gewesen *36* chlorina: *108* grün. Im übrigen erwiesen sich beide Aussaaten als völlig einheitlich und übereinstimmend mit A. **40**. Die
Formel für A. **40** wäre danach anzusetzen als AABBCCDDEEFFgghh
LLMMNnPPRR. Eine grünblättrige Tochterpflanze von A. **40** ist A. **269**,
das geselbstet in S. 09. 90 eine Deszendenz von 9 chlorina:
33 grünen Keimpflanzen ergab (theoretisch *10,5:31,5*), die großgezogen alle einheitlich schwarzrot a. e., ganz, normal blühten. Nachkommenschaft aus geselbsten chlorina-Deszendenten von A. **40** habe
ich noch nicht gezogen. Gekreuzt wurde A. **40** mit fünf anderen Pflanzen,
über einen Teil dieser Kreuzungen soll nachher berichtet werden.

A. 44.

Die Pflanze wurde 07 in S. 07. 267 aus Handelssamen erzogen
(A. m. album Queen Victoria von Haage & Schmidt in Erfurt). Die
Pflanze war rein grünblättrig und blühte elfenbein, normal genau wie
Fig. 3 Taf. I. Geselbstet ergab A. **44** in S. 08. 259 unter 20 Pflanzen
5, die gelb (wie Fig. 2 Taf. I) und 15, die elfenbein wie die Mutter

---

[1]) A 12 war dagegen AABBCCDDEeFFggHhllMMNNPPRR. Eine der „normal‘‘ blühenden Schwesterpflanzen von A 14, die als A 139 zur Stammpflanze gemacht worden
war, erwies sich ebenfalls als Ee, spaltete in S. 08. 137 in 28 normal: 11 pelorisch
blühende Pflanzen.

blühten (also zufällig genau die theoretischen Zahlen). In Wuchs, Blattfarbe usw. war die ganze Deszendenz einheitlich und gleich der Mutter. Die Formel kann danach angesetzt werden als: .. BBCc .. EEff . . hh . . . . NNPP . . . Eine Pflanze aus dieser Aussaat S. 07. 267 ist A. 270, die in S. 09. 91 sich ebenfalls als C c erwies, in vier gelbe: 19 elfenbein spaltete (theoretisch *5,75:17,25*). Gekreuzt wurde A. 44 im ganzen mit vier anderen Individuen.

A. 48.

Erwuchs aus Handelssamen (A. m. „Rosa" von Haage & Schmidt) in S. 07. 86. Die Pflanze war grünblättrig, die Blüten rot a. e. ganz, normal, wie Fig. 7 Taf. I. Samen aus Selbstbefruchtung wurden gesät in S. 08. 135 und in S. 09. 5. Es erfolgte Spaltung in „ganz" und in „Delila"-Formen und in rot a. e. und in chamoisrosa a. e. (Fig. 14 Taf. I). Im einzelnen war das Verhältnis:

Tabelle I.

(A. 48 × A. 48, S. 08. 135 und S. 09. 5.)

Aussaat	rot a. e. ganz		rot a. e. Delila		chamoisrosa a. e. ganz		chamoisrosa a. e. Delila	
	ge-funden	theo-retisch	ge-funden	theo-retisch	ge-funden	theo-retisch	ge-funden	theo-retisch
S. 08. 135...	25	*24,75*	8	*8,25*	10	*8,25*	1	*2,75*
S. 09. 5 . . .	79		10		36		1	
Sa.	**104**	*95,625*	**18**	*31,875*	**48**	*31,875*	**2**	*10,625*

Die Spaltung ist mit der theoretisch verlangten nicht ganz in Einklang. Zunächst ist zwar das Verhältnis aller rot : allen chamoisrosa 122:48 noch in genügender Übereinstimmung mit den theoretischen Zahlen *3:1*, genau wäre es *127,5 : 42,5*, aber das Verhältnis aller „ganz" zu allen „Delilas" ist unklar. Gefunden wurden 150 „ganz" und 20 „Delilas", wo theoretisch ebenfalls *127,5* „ganz" : *42,5* „Delila" hätten erwartet werden müssen. Woher das Mißverhältnis stammt, habe ich nicht feststellen können [1]).

Aus A. 48 × A. 48, und zwar aus S. 08. 135 stammen zwei Stammpflanzen A. 245 rot a. e., ganz, normal und A. 225 chamoisrosa a. e., ganz, normal. A. 245 erwies sich als homozygotisch in bezug auf den Faktor D und als heterozygotisch in bezug auf den Faktor A.

---

[1]) Auffällig ist, daß die S. 08. 135 für sich allein betrachtet eine sehr gute Übereinstimmung zwischen den gefundenen und den theoretischen Zahlen ergibt, vgl. die Tabelle I.

Samen aus Selbstbefruchtung ergaben nämlich in S. 09. 75 103 rot a. e. ganz normal und 36 chamoisrosa a. e. (theoretische Zahlen *104,25:34,75*).

A. 225 erwies sich als Dd, spaltete in S. 09. 62 in 61 chamoisrosa a. e., ganz, normal und 19 chamoisrosa a. e., Delila, normal (Theoretisch *60:20*). Die Formeln der letztgenannten Pflanzen dürften also danach wohl zu setzen sein als:

A. 48 AaBBCCDdEEFFgghhllMMNNPPRR

A. 245 AaBBCCDDEEFFgghhllMMNNPPRR

A. 225 aaBBCCDdEEFFgghhllMMNNPPRR.

Kreuzungen habe ich mit **A. 48** nicht ausgeführt, dagegen in großer Zahl mit **A. 245** und **A. 225**.

A. 49.

Erwuchs in S. 07. 80 aus Handelssamen (A. m. album von Haage & Schmidt in Erfurt). Die Pflanze war grünblättrig und blühte elfenbein, normal, genau wie Fig. 3 Taf. I.

F. 1 aus Selbstbefruchtung wurde gezogen in S. 08. 258 und S. 09. 312. In beiden Aussaaten waren alle Keimpflanzen rein grün. Die groß gezogenen blühten gelb (3) und elfenbein (7). Die Blütenform war bei allen normal. Danach kann also für **A. 49** die Formel vorläufig angesetzt werden als: . . BBCc . . EEff . . hh . . . . NNPP . .

A. 50.

Erwuchs in S. 07. 264 aus Handelssamen (A. m. picturatum mirabundum von Haage & Schmidt in Erfurt. Grünblättrig, Blüte ähnlich wie Fig. 19 Taf. I, aber Färbung ein klein wenig dunkler, d. h. in meiner Farbenbezeichnung „hellpicturatum a. e., Delila, normal". Die ganze Röhre war, wie bei allen Delilaformen elfenbein. Samen aus Selbstbefruchtung ergaben in S. 08. 157 eine völlig konstante Deszendenz. Zur Blüte groß gezogen wurden im ganzen 40 Pflanzen, als Keimpflanzen wurden untersucht (auf Kotyledonenfarbe usw.) 200. Aus dieser Aussaat stammen die Pflanzen **A. 193** und **A. 278**, die beide zu zahlreichen Kreuzungen benutzt wurden, von denen freilich nur über einige wenige im folgenden vorläufig berichtet werden soll. Die Formel für **A. 50** und ebenso für die davon abstammenden **A. 193** und **A. 278** ist nach dem Ergebnis von S. 08. 157 anzusetzen als: aaBBCCddEEFFGGhh . . MMNNPPRR.

Vielleicht ist es zweckmäßig, hier einmal diese Annahme zu motivieren: Picturatum Delilas mit AA oder Aa und im übrigen der gleichen Formel wie die von **A. 50** sehen aus wie Fig. 20 Taf. I. BB muß vorliegen, sonst wären in F I weiße Pflanzen aufgetreten, CC muß vorliegen, sonst hätten gelbe bzw. „auf gelb" gefärbte in F I vorhanden sein müssen. dd ergibt sich aus dem Aussehen (D macht gefärbte Röhre). Auf EE ist daraus zu schließen, daß in F I keine pelorischen, auf FF daraus, daß in F I keine elfenbein Individuen auftraten, ferner auf GG, weil alle F I-Individuen picturatum waren (homogen wie Fig. 14 Taf. I gefärbte waren keine darunter). hh folgt aus dem Aussehen (H macht Aureablätter). Ob ll oder LL oder Ll vorliegen, ist auf Grund von S. 08. 157 noch nicht zu entscheiden, da wegen aa ein eventuell auch vorhandenes L sich gar nicht äußern könnte. MM folgt daraus, daß alle F I-Pflanzen den gleichen rosa Farbenton hatten, NN daraus, daß keine chlorina, und PP daraus, daß keine pelorischen Individuen in F I beobachtet wurden. RR muß vorliegen, denn rr-Pflanzen sind ungefärbt bis auf einen rosa Hauch auf der Oberseite der Blüte, und derartige Individuen waren in S. 08. 157 ja ebenfalls nicht aufgetreten.

A. 67.

Die Pflanze war grünblättrig, die Blüte weiß, normal, genau wie Fig. 1 Taf. I. Entstanden war **A. 67** als Deszendent von **A. 2**, **A. 2** stammt ab von einer im Jahre 1905 aus Handelssamen erzogenen aureablättrigen Pflanze mit gestreiften Blüten (wie Fig. 25 Taf. I aber a. e.). Die Deszendenz dieser betreffenden Pflanze war nicht weiter untersucht worden, ich habe nur notiert, daß die Nachkommen dieser Pflanze teils aureablättrig, teils grün, ungefähr im Verhältnis 2 aurea: 1 grün waren. **A. 2** ist ein solcher grünblättriger Deszendent. **A. 2** blühte rot gestreift a. e., ganz, normal, wie Fig. 23 Taf. I aber a. e. Geselbstet gab es in S. 07. 247 eine Deszendenz von lauter grünblättrigen Pflanzen, die aber in Hinsicht auf die Blütenfarbe eine ziemlich komplizierte Aufspaltung zeigten. Es waren:

   1. rein weiß 123
   2. rot gestreift a. g. (Fig. 33) oder a. e. (Fig. 23) oder
     rot gestreift auf fleischfarbig a. g. (Fig. 25) oder
     rot gestreift auf fleischfarbig a. e.[1]) 266
   3. wie 2, aber die Delilaform 61
   4. fleischfarbig a. g. ganz 2

---

[1]) Diese verschiedenen Kategorien von gestreiften Pflanzen hatte ich 1907 noch nicht richtig erkannt und habe sie deshalb alle zusammengezählt.

Auf die Natur der gestreiften Pflanzen und auf die Deutung der
beiden fleischfarbigen Individuen wollen wir vorläufig nicht eingehen.
Über die Erblichkeit der Streifung werde ich einmal gesondert publizieren, meine Versuche sind noch nicht zu einem genügenden Abschluß
gekommen. Wir wollen hier nur unterscheiden weiße einerseits und
irgendwie rot gefärbte andererseits. Wir haben dann weiß 123:
irgendwie rot gefärbt 329. Theoretisch wäre zu erwarten gewesen
113 weiß:*339* gefärbt. Jedenfalls war also A. 2 Bb. Was im übrigen
die Formel von A. 2 war, mag vorläufig dahingestellt bleiben. A. 67
ist eine dieser weißen Tochterpflanzen von A. 2. Geselbstet gab A. 67
in S. 08. 127 eine völlig homogene weiß blühende grünblättrige
Deszendenz (zur Blüte wurden im ganzen 20 Pflanzen gezogen). Als
Formel für A. 67 kann danach vorläufig angesetzt werden .. Bb .... E-
E .... hh .... NNPP ..

A. 93.

Stammt aus der Kreuzung von A. 4 × A. 7 in S. 07. 54. A. 4
war eine grünblättrige Pflanze, die elfenbein, normal blühte und sich
bei Selbstbefruchtung als völlig konstant erwies.

A. 7 war wahrscheinlich eine Schwesterpflanze von A. 2 und war
aureablättrig und blühte rot a. e., ganz normal. Geselbstet gab A. 7
in S. 07. 48 eine Deszendenz von 77 aurea : 40 grün und in S. 07. 311
21 aurea : 4 grünen, zusammen also 98 aurea : 44 grünen Keimlingen.
Theoretisch wäre verlangt gewesen *94,666* . . . aurea : *47,333* . . .
grün (da die homozygotisch HII-Individuen nicht lebensfähig sind).
Zur Blüte groß gezogen wurden von A. 7 nur 30 als Keimpflanzen rot
angelaufene[1]) Individuen, die sehr verschieden blühten. Eine Zählung
wurde nicht vorgenommen. Es waren vertreten: rot a. e., ganz, wie
Fig. 7 Taf. I, rot a. e., Delila, rot a. g., Delila, fleischfarben a. e.,
ganz, fleischfarben a. g., ganz. Sehr wahrscheinlich hat danach A. 7
die Formel AAB . CcDdEEF . ggHhIIMmNNPPRR gehabt. Ob Bb oder BB
bzw. ob Ff oder FF vorlag, ist nicht auf Grund von S. 07. 48 zu
entscheiden, da nur rot angelaufene Pflanzen groß gezogen wurden
(daß Bb vorgelegen haben muß, folgt aus der Formel von A. 93, vgl.
nachher S. 59).

Die Kreuzung A. 4 × A. 7 ergab in S. 07. 54 14 Pflanzen, davon
waren 10 aurea und 4 grün (theoretisch verlangt 7 aurea : 7 grün).

---

[1]) Die Keimpflanzen waren teils rot angelaufen, teils nicht. Pikiert wurden nur
rot angelaufene Keimpflanzen.

Groß gezogen wurden alle diese Pflanzen und blühten teils rot a. e., ganz, teils rot a. e., Delila, teils fleischfarben a. e., ganz, teils fleischfarben a. e., Delila. Ausgezählt habe ich die verschiedenen Farbenkategorien nicht[1]), ich habe nur notiert, welche verschiedenen Pflanzen auftraten. (Daraus, daß in F 1 dieser Kreuzung keine schwarzroten Pflanzen auftraten, folgt, daß auch A. 4 II gewesen sein muß, daraus daß teils ganz, teils Delila-Formen darunter waren, folgt, daß A. 4 entweder dd oder Dd war, ein Schluß, der übrigens auch aus anderen mit A. 4 oder seinen Deszendenten vorgenommenen Kreuzungen zu ziehen ist.)

Eine fleischfarbig a: e., ganz-Pflanze aus dieser Aussaat ist A. 93. Geselbstet gab sie in S. 08. 125 folgende Spaltung: Es waren 28 fleischfarbig a. e., ganz[2]), 9 fleischfarbig a. e., Delila und 37 elfenbein und weiß. Unerwartet war mir das Auftreten von weißen, ich achtete anfangs nicht darauf und zählte längere Zeit weiße und elfenbein Pflanzen unterschiedslos durcheinander als elfenbein, bis ich schließlich doch bemerkte, daß auch rein weiße darunter waren, sogar wohl die Mehrzahl der nichtroten bildeten. Da A. 4 völlig konstant elfenbein, also BB war, konnte nur von A. 7 das in A. 93 enthaltene b stammen. A. 7 muß also wohl Bb gewesen sein. Daß in S. 07. 48 keine weiße Pflanzen beobachtet worden waren, ist nicht auffällig, da ja dort nur mehr oder weniger rot angelaufene Keimpflanzen pikiert worden waren. Nach der in S. 08. 125 erfolgten Spaltung muß A. 93 heterozygotisch in 3 Faktoren, nämlich BbFfDd gewesen sein. Theoretisch wäre demnach für die Farbenkategorien zu erwarten gewesen:

$$
\begin{array}{llr}
\text{fleischfarbig a. e., ganz} & . . & 27 \\
\text{,,\quad ,, ,, Delila} & . . & 9 \\
\text{elfenbein} & . . . . & 12 \\
\text{weiß} & . . . . & 16
\end{array}
\quad
\begin{array}{l}
\left. \begin{array}{l} \\ \\ \end{array} \right\} 3 \\
\left. \begin{array}{l} \\ \end{array} \right\} 1
\end{array}
\quad
\begin{array}{l}
\left. \begin{array}{l} \\ \\ \\ \end{array} \right\} 3 \\
\\
\left. \begin{array}{l} \\ \end{array} \right\} 1
\end{array}
$$

und wenn wir die danach theoretisch zu erwartenden Zahlen den empirisch gefundenen gegenüberstellen, so finden wir:

---

[1]) Ich hatte diese Aussaat ebenso wie viele andere des Jahres 1907 ursprünglich nur gemacht, um die Vererbung der Blattfarbe zu studieren, und habe über die Blütenfarbe anfänglich nur einige gelegentliche Notizen gemacht.

[2]) Eine dieser fleischfarbig a. e., ganz gefärbten Pflanzen ist A. 338, eine weißbuntblättrige Pflanze, über deren Erblichkeitsverhältnisse ich bei einer anderen Gelegenheit berichten werde.

Tabelle II.
(A. 93 × A. 93, S. 08. 125.)

Farbenkategorien	theoretisch verlangt	gefunden
fleischfarbig a. e. ganz	(27) 31,21875	28
fleischfarbig a. e. Delila	(9) 10,40625	9
elfenbein	(28)[1]) 32,37500	37
weiß		
Sa.	74,00000	74

Die Übereinstimmung zwischen den theoretischen und den empirischen Zahlen geht hier also genügend weit.

Für **A. 93** haben wir demnach die Formel anzunehmen A.BbCC-DdEEFfgghhllmmNNPPRR [2]). Ein durch Selbstbefruchtung von **A. 93** gewonnener Deszendent **A. 220** (fleischfarbig a. e., ganz) zeigte folgende Erblichkeit:

Tabelle III.
(A. 220 × A. 220, S. 09. 57.)

Farbenkategorien	gefunden	theoretisch verlangt
fleischfarbig a. e. ganz.	26	(9) 24.75
fleischfarbig a. e. Delila	10	(3) 8.25
elfenbein.	8	(4) 11.00
Sa.	44	44,00

A. 220 hat demnach in der Formel BB, stimmt aber im übrigen mit **A. 93** überein.

A. 96.

Stammt aus **A. 3** × **A. 3** in S. 07. 44. **A. 3** stammt von einer 05. aus Handelssamen erzogenen aureablättrigen Pflanze, über deren Blütenfarbe ich aber keine Notizen gemacht habe. **A. 3** war rot a. e., ganz, aureablättrig und hatte in puncto Blütenfarbe in S. 07. 44 kompliziert aufgespalten. Genaue Notizen habe ich aber auch über diese Spaltung noch nicht gemacht. In puncto Blattfarbe spaltete **A. 3** in 126 aurea zu 68 grün, also fast genau wie erwartet nach 2 zu 1.

[1]) 12 + 16.
[2]) Ob Aa oder AA vorliegt, ist vorlaufig nicht zu sagen. Einmal wenigstens A folgt aber aus der Formel von A 7.

A. 96 war grünblättrig. Die Blütenfarbe war genau die von Fig. 28 Taf. I, also „rosa Rücken a. e.".

Samen von **A. 96** aus Selbstbefruchtung ergaben in S. 09. 14. 109 Pflanzen „rosa Rücken" und 40 elfenbein, also fast genau *3:1* (ganz genau *3:1* wäre *111,75:37,25*). Als Formel ist demnach vorläufig anzusetzen: .. BBCCDDEEFf .. hh .... NNPPrr. Ganz sicher ist mir hier freilich die Sachlage noch nicht. Es wäre möglich, daß die hier als elfenbein bezeichneten und von elfenbein nicht unterscheidbaren Pflanzen in Wirklichkeit die mir noch unbekannten dd-Formen zu rosa Rücken wären[1]). Kreuzungsversuche, die diese Frage klarstellen sollen, sind im Gange.

A. 103.

Wurde erzogen in S. 07. 83 aus Handelssamen (A. m. coccineum von Haage & Schmidt, Erfurt). Grünblättrig, Blüte schwarzrot a. g., ganz, normal (also wie Fig. 10 Taf. I, aber auf gelbem Grunde und außerdem etwas blasseres Rot).

Bei Selbstbefruchtung ergab die Pflanze in S. 08. 144 (30 Individuen) eine deutliche Spaltung in der Blütenfarbe. Ein kleinerer Teil der Deszendenten blühte rot wie Fig. 8 Taf. I, ein größerer Teil mehr oder weniger schwarzrot wie die Mutter. Eine sichere Unterscheidung der Kategorien war nicht durchführbar, rot, heterozygotisch schwarzrot und homozygotisch schwarzrot fluktuieren transgredierend, ich komme hierauf später nochmals zurück. Offenbar war also **A. 103** heterozygotisch in Ll. Im übrigen ist die Formel dieser Pflanze nach S. 08. 144 anzusetzen als AABBccDDEEFFgghhLlMMNNPPRR.

A. 106.

Stammt aus Handelssamen in S. 07. 265 (A. m. picturatum immitable von Haage & Schmidt, Erfurt). Grünblättrig, Blüte genau wie Fig. 11 Tafel I, d. h. in meiner Bezeichnung „dunkelpicturatum a. g., ganz, normal". Nachkommenschaft aus Selbstbefruchtung wurde erzogen in S. 08. 162 und in S. 09. 16. Das Resultat war eine Spaltung in drei Typen,

1. gelbe, genau wie Fig. 2,
2. dunkelpicturatum a. g., Delila,
3. dunkelpicturatum a. g., ganz, genau wie der Elter.

[1]) **A. 96** hätte dann die Formel .. BbCCDdEEFF .. hh .... NNPPrr.

Das Zahlenverhältnis war:

Tabelle IV.

(A. 106 ⋋ A. 106, S. 08. 162 und 09. 16.)

	gelb	dunkelpict. a. g. Delila	dunkelpict. a. g. ganz
S. 08. 162.	52	22	66
S. 09. 16	26	26	107
Sa.	78	48	173

Theoretisch wäre auf Grund der von mir angenommenen Erbeinheiten zu erwarten gewesen, daß ¼ aller Individuen gelb und ¾ gefärbt, und daß von den gefärbten ¼ Delila und ¾ ganz seien sollten, d. h. es ist zu erwarten das Verhältnis *4* gelb : *3* dunkelpicturatum a. g., Delila : *9* dunkelpicturatum a. g., ganz. Und wenn wir das Verhältnis für die gefundenen Zahlen berechnen, hätte theoretisch verlangt werden müssen *74,75* gelb (gef. 78) : *56,0625* picturatum, Delila (gef. 48) : *168,1875* picturatum, ganz (gef. 173). Die Übereinstimmung zwischen den theoretischen und den gefundenen Zahlen ist also genügend weitgehend.

Als Formel wäre danach für A. 106 vorläufig anzusetzen AABBcc-DdEEFfGGhh . . MMNNPPRR. Ob LL oder Ll oder ll vorliegt, ist auf Grund des Aussehens von A. 106 und des Befundes in S. 08. 162 und S. 09. 16 nicht zu entscheiden. Die roten und die schwarzroten GG-Individuen sind äußerlich kaum verschieden. Das kann erst aus Kreuzungsergebnissen festgestellt werden.

Eine gelbe Pflanze aus S. 08. 162 ist A. 283. Für diese Pflanze ist nach der Formel ihres Elters und nach ihrem Aussehen die Formel als AABBcc . . EEffGGhh . . MMNNPPRR vorläufig festzusetzen. Mit A. 286 habe ich eine große Zahl von Kreuzungen ausgeführt.

A. 111.

A. 111 ist eine Schwesterpflanze von A. 14 (S. 53), also ebenfalls erzogen aus Samen von selbstbefruchteten A. 12, über das bei A. 14 schon berichtet ist, und zwar aus einer dritten ausgesäten Frucht in S. 07. 309. Die Aussaat ergab nur 23 Pflanzen, die teils aurea, teils grün waren. Eine Zählung habe ich nicht vorgenommen.

Zur Blüte kamen hiervon nur 10 Pflanzen, die alle rot a. e., ganz, aber teils normal, teils pelorisch blühten, und zwar fünf normal und fünf pelorisch, statt wie theoretisch verlangt wäre, 7,5 : 2,5. Aber bei so kleinen Zahlen ist eine größere Übereinstimmung nicht zu erwarten.

Eine von diesen ersteren normalen Pflanzen dieser Aussaat ist **A. 111**. Die Pflanze war grünblättrig, die Blüte rot a. e., ganz, normal, genau wie Fig. 7 Tafel I.

Geselbstet gab **A. 111** in S. 08. 136 eine Deszendenz, die in allem bis auf die Blütenform einheitlich und der Mutter gleich war. In Hinsicht auf die Blütenform erfolgte eine Spaltung in 23 Individuen mit normalen und 8 mit pelorischen Blüten (theoretisch *23,25 : 7,75*). Die pelorischen Pflanzen stimmten in allem völlig mit **A. 14** überein.

Die Formel von **A. 111** ist demnach vorläufig anzusetzen als: AABBCCDDEeFFgghhllMMNNPPRR.

A. 112.

Erwuchs in S. 07. 314 aus Samen, über deren Herkunft mir nur bekannt ist, daß sie von einer selbstbefruchteten Pflanze des Jahrgangs 1906 stammen. S. 07. 314 bestand aus vier Kategorien von Pflanzen, die alle in Wuchs und Blattform übereinstimmten, aber in der Blütenfarbe verschieden waren. Die vier Kategorien waren: elfenbein, gelb, rot a. e. Delila, rot a. g. Delila. Über das Zahlenverhältnis kann ich keine Angaben machen, eine Zählung wurde nicht ausgeführt.

Eine elfenbeinfarbige Pflanze aus dieser Aussaat war **A. 112**. Deszendenz aus Selbstbefruchtung von **A. 112** habe ich nicht gezogen. Über die Formel ist daher vorläufig nur zu sagen, daß die Pflanze ff und hh, ferner, daß sie wenigstens einmal C, E, P, gehabt haben muß. Aus der Zusammensetzung von S. 07. 314 folgt ferner, daß die Mutterpflanze von **A. 112** die Formel AABBCcddEEFfgghhllMMNNPPRR gehabt haben muß. Demnach ist also für **A. 112** mit sehr großer Wahrscheinlichkeit vorläufig die Formel AABBC.ddEEffgghhllMMNNPPRR anzusetzen. (Faktoren, die die Mutterpflanze homozygotisch enthält, enthalten natürlich die Tochterpflanzen alle in gleicher Weise — von dem seltenen mutativen Verlust einzelner Erbeinheiten abgesehen.)

A. 113.

A. 113 ist eine Schwesterpflanze von **A. 67** und blühte ebenfalls weiß. Auch im übrigen gilt alles für **A. 67** Gesagte auch für **A. 113**. Auch für **A. 113** ist demnach als Formel vorläufig nur anzunehmen ..bb....EE....hh....NNPP ..

A. 117.

Stammt aus S. 07. 310 von einer geselbsteten Pflanze des Jahres 1906. Wie diese Pflanze beschaffen war, weiß ich ebenso wie bei

A. 112 in S. 07. 314 auch hier nicht, einer bei der Aussaat vor-
gekommenen Etikettverwechslung[1]) wegen. S. 07. 310 bestand, abgesehen von einer Spaltung in Wuchsformen, aus vier verschieden
gefärbten Kategorien von Pflanzen. Diese waren gelb, elfenbein,
rot a. g. Delila, rot a. e. Delila. Die Form der Blüte war bei allen
gleich, normal. A. 117 war eine gelbe Pflanze aus dieser Aussaat.
Sehr wahrscheinlich hat nach dem vorstehenden der Elter von A. 117
die Formel AABBCcddEEFfgghhiiMMNNPPRR gehabt, und A. 117 hat danach die Formel AABBccddEEffgghhiiMMNNRR.

Nachkommenschaft aus Selbstbefruchtung habe ich von A. 117
nicht gezogen.

A. 141.

War eine ebenfalls rein weiße Schwesterpflanze von A. 67 und
A. 113. Alles für A. 67 Gesagte gilt auch für A. 141. Die Formel
ist demnach für A. 141 zu setzen als . . bb . . . EE . . . . hh . . . . NNPP . .

A. 143.

Ist eine Schwesterpflanze von A. 67, A. 113, und A. 141, blühte
aber fleischfarbig a. e., ganz, genau wie Fig. 4 Tafel I. Samen aus
Selbstbefruchtung ergaben in S. 09. 299, eine in Hinsicht auf Blütenfarbe, Wuchs und grüne Farbe der Blätter ganz einheitliche
Deszendenz[2]). Alle Pflanzen waren grünblättrig und blühten fleischfarbig a. e., ganz, wie die Mutter. Als Formel von A. 143 kann danach gesetzt werden . . BBccDDEEFFgghh . . mmNNPPRR.

A. 149.

Erwuchs in A. 07. 89 aus Handelssamen (A. m. Sonnengold von
J. C. Schmidt, Erfurt). Die Pflanze war grünblättrig, die Blüten
waren rot a. e. Delila, normal (Fig. 16 Tafel I), aber Farbenton deutlich dunkler, etwa Ton von Fig. 30.

Samen aus Selbstbefruchtung wurden ausgesät in S. 08. 152 und
in S. 09. 19. In Wuchs und Blattfarbe war diese Deszendenz einheitlich. In der Blütenfarbe folgte eine ganz interessante Spaltung.

---

[1]) Ich hatte 1907 die doppelte Etikettierung, die einen solchen Fehler sofort
meldet und meist auch erkennen läßt, was für ein Fehler begangen wurde, noch nicht
eingeführt.

[2]) In Hinsicht auf die Form der Blüte war diese Generation nicht ganz einheitlich, mehrere Individuen hatten eigentümlich tief herab getrennte Blumenblätter. Um
was es sich hierbei handelt, müssen erst weitere Untersuchungen lehren.

Die Pflanzen blühten nämlich teils genau wie der Elter, also rot a. e. Delila, teils chamoisrosa Delila (wie Fig. 14 Taf. I, aber Röhre elfenbein), teils chamoisresa a. g. Delila (Fig. 17 Tafel I, Ton ist aber dort nicht ganz naturgetreu herausgekommen), teils fleischfarbig a. e. Delila (wie Fig. 6 Tafel I, aber Röhre elfenbein), teils fleischfarbig a. g. Delila (wie Fig. 4, aber Röhre elfenbein).

Diese verschiedenen Kategorien traten in folgenden Zahlenverhältnissen auf:

Tabelle V.

(A. 149 × A. 149, S. 08. 152, S. 09. 19.)

Kategorien	rot a. e. Delila	rot a. g. Delila	rosa a. e. Delila	rosa a. g. Delila	fleischfarb. a. e. Delila	fleischfarb. a. g. Delila
gef. in S. 08. 152	30	11	12	4	16	8
gef. in S. 09. 19	99	30	41	10	42	14
Sa.	129	41	53	14	58	22

Auf Grund dieser Aufspaltung ist anzunehmen, daß A. 149 als Formel hat AaBBCcddEEFFgghhllMmNNPPRR. Die Pflanze wäre also heterozygotisch in drei Erbeinheiten, nämlich in Aa, Cc und Mm. Theoretisch wäre danach zu erwarten, daß zunächst ein Viertel aller Individuen (alle ff) fleischfarbig sein müßten und drei Viertel (alle FF und Ff) rot oder rosa sein müßten. Ferner ist zu erwarten, daß von den rot bzw. rosa gefärbten genau ein Viertel (alle mm) rosa, drei Viertel (alle Mm und MM) rot blühen müssen. Ferner ist theoretisch zu erwarten, daß von jeder dieser Farbenkategorien je ein Viertel a. e. und je drei Viertel a. e. sein müssen. Es ergibt sich also das theoretisch zu erwartende Verhältnis von

rot a. e. Delila . . . . . 27 ⎫ 9 ⎫
rot a. g. Delila . . . . . 9 ⎭   ⎫
                                   ⎬ 3
rosa a. e. Delila . . . . 9 ⎫   ⎪
rosa a. g. Delila . . . . 3 ⎭ 3 ⎭   ⎫ 1
                                       ⎬
fleischfarbig a. e. Delila . 12 ⎫   ⎪
fleischfarbig a. g. Delila . 4 ⎭ 4 ⎭

Wenn wir für die in den beiden Aussagen gefundene Individuenzahl das theoretische Verhältnis 27 : 9 : 9 : 3 : 12 : 4 ausrechnen, so ergibt ein Vergleich der empirisch gefundenen und der theoretisch erwarteten Zahlen folgendes:

Tabelle VI.

(A. 149 × A. 149, S. 08. 152 und S. 09. 19.)

Farbenkategorien	gefunden in S. 08. 152 und in S. 09. 19	theoretisch erwartete Zahlen	
rot a. e. Delila	129	(27)	133.734375
rot a. g. Delila	41	(9)	44.578125
rosa a. e. Delila	53	(9)	44.578125
rosa a. g. Delila	14	(3)	14.859375
fleischfarbig a. e. Delila	58	(12)	59.437500
fleischfarbig a. g. Delila	22	(4)	19.812500
Sa.	317	317	

Die Übereinstimmung ist in Anbetracht der für eine so komplizierte Spaltung doch nicht sehr großen Individuenzahl von 317 eine ganz auffallend gute.

Auch die Zahlen von S. 09. 19 für sich allein geben schon eine sehr weitgehende Übereinstimmung.

Tabelle VII.

(A. 149 × A. 149, S. 09. 19.)

Farbenkategorien	gefunden	theoretisch berechnet	
rot a. e. Delila	99	(27)	99.5625
rot a. g. Delila	30	(9)	33.1875
rosa a. e. Delila	41	(9)	33.1875
rosa a. g. Delila	10	(3)	11.0625
fleischfarbig a. e. Delila	42	(12)	44.2500
fleischfarbig a. g. Delila	14	(4)	14.7500
Sa.	236	236.0000	

Aus S. 08. 152 wurde eine der rot a. e. Delila blühenden Pflanzen zur Stammpflanze gemacht. Diese Pflanze = A. 343 gab geselbstet in S. 09. 114 eine Aufspaltung in rot a. e. Delila, rot a. g. Delila, chamoisrosa a. e. Delila und chamoisrosa a. g. Delila. Offenbar ist also A. 343 eine MM-Form, wie sie ja theoretisch in der Deszendenz von A. 149, das Mm war, erwartet werden muß. Die Formel von A. 343 ist demnach AaBBCcddEEFFgghhllMMNNPPRR.

Auch bei A. 343 war die Übereinstimmung zwischen den berechneten und den gefundenen Zahlen auffällig gut. Der Befund war:

Tabelle VIII.
(A. 343 ⨯ A. 343. S. 09. 114.)

Farbenkategorien	gefunden	theoretisch berechnet
rot a. e, Delila . . . . :	110	(9) 112,5
rot a. g. Delila.	39	(3) 37,5
rosa a. e. Delila	38	(3) 37,5
rosa a. g. Delila	13	(1) 12,5
Sa,	200	200,0

A. 331

erzog ich in S. 08. 321 aus Samen, die ich aus dem Botanischen Garten der Universität Straßburg erhalten hatte. Die Pflanze ist von mittelhohem Wuchs, sehr wenig verzweigt, der Stengel schwach rot überlaufen, die Blätter sind grün und auffallend schmal. Die Blüten sind ziemlich lang gestielt, etwa doppelt so lang als die Blüten der großen Mehrzahl meiner anderen Sippen. Die Blüten sind **teils** normal, **teils** mehr oder weniger radiär pelorisch. Vgl. Textfig. 1 A. Die Farbe der Blüte ist schwarzrot a. g. Delila. Eine völlig pelorische Blüte dieser Pflanze ist in Fig. 30 Taf. I abgebildet — die Farbe ist jedoch zu hell ausgefallen, liegt in Wirklichkeit ungefähr in der Mitte zwischen den Lippenfarben von Fig. 30 und Fig. 10. In der Verteilung der normalen und pelorischen Blüten auf den einzelnen blühenden Zweigen besteht eine gewisse Gesetzmäßigkeit, im allgemeinen sind die obersten und die untersten Blüten mehr normal, die mittleren mehr pelorisch, streng gilt diese Regel aber nicht. Bei Selbstbefruchtung (jeweils eine Blüte mit ihrem eigenen Pollen bestäubt) zeigte sich A. **331** völlig konstant. Sämtliche großgezogenen Deszendenten stimmten alle genau mit dem Elter überein. Speziell waren bei allen wieder die Blüten in genau der gleichen Weise, teils normal, teils pelorisch. Ich säte im ganzen die Samen von vier geselbsteten Blüten aus, und zwar von zwei völlig pelorischen und zwei völlig normalen. Die Deszendenz der pelorischen und der normalen Blüten war völlig gleich, was ich übrigens auch gar nicht anders erwartet hatte. A. 331 hat demnach vorläufig als Formel zu bekommen AABBccddEEFFgghhLLMMNNppRR.

A. 334.

A. **334** stammt ab von selbstbefruchtetem A. **54** und dieses wiederum war erzogen aus selbstbefruchtetem **A. 1.** Es ist daher zunächst über diese Vorfahren zu berichten:

A. 1 war erwachsen in S. 06. 3, und zwar aus Samen von einer
selbstbefruchteten aureablättrigen Pflanze des Jahres 1905, über deren
Aussehen ich aber keine Notizen habe. A. 1 war grünblättrig und
hatte rot a. e. Delila Blüten von normaler Form. Nachkommenschaft
aus Selbstbefruchtung wurde gezogen in S. 07. 42. Hier erfolgte eine
Aufspaltung in die Farbenkategorien rot a. e. Delila, rot a. g. Delila,
elfenbein und gelb. Die Blattfarbe war überall grün. Eine gelb-
blühende Pflanze aus dieser Aussaat ist A. 54. Um über die Formel
von A. 1 völlige Sicherheit zu bekommen, habe ich in S. 09. 315 eine
noch vorhandene 06 durch Selbstbefruchtung von A. 1 gewonnene
Frucht ausgesät. Das Resultat war auch hier eine Spaltung in die
gleichen Farbenkategorien, wie sie in S. 07. 42 aufgetreten waren.

Im einzelnen ergab sich in beiden Aussaaten folgendes Verhältnis:

Tabelle IX.

(A. 1 ⨯ A. 1, S. 07. 42, S. 09. 315.)

Farbenkategorien	gef. in S. 07. 42	gef. in S. 09. 315	zusammen in beiden Aussaaten	theoretisch berechnet
rot a. e. Delila	5	13	18	(9) 18.5625
rot a. g. Delila	2	2	4	(3) 6.1875
elfenbein	4	5	9	(3) 6.1875
gelb	1	1	2	(1) 2.0625
Sa.			33	33.0000

Danach hat also A. 1 die Formel AABBCcddEEFfgghhllMMNNPPRR
gehabt.

Eine gelb blühende Tochterpflanze von A. 1 ist wie gesagt A. 54.
Geselbstet gab sie in S. 08. 132 eine völlig einheitliche, gelb blühende
Nachkommenschaft (zur Blüte groß gezogen wurden 12 Pflanzen).
Für A. 54 ist als Deszendent von A. 1 und auf Grund seines Aussehens
die Formel AABBccddEEffgghhllMMNNPPRR anzusetzen.

Eine Tochterpflanze von A. 54 ist nun endlich A. 334, die zu
sehr vielen Kreuzungsversuchen verwendet wurde, von denen freilich
hier vorläufig nur über einen berichtet werden soll.

Die Formel von A. 334 muß die gleiche sein, wie die des völlig
homozygotischen Elters, also ebenfalls: AABBccddEEffgghhllMMNNPPRR.

Soviel hier zur Orientierung über eine Anzahl meiner Stammpflanzen, die in den jetzt zu beschreibenden Versuchen verwendet
worden sind.

2. Kreuzungsversuche.
1. A. 40 ⤬ A. 141.

schwarzrot a. e., ganz, normal	weiß, normal
AABBCCDDEEFFgghhLLMMNnPPRR	. . bb . . . . EE . . . . hh . . . . NNPP . .

F. 1 wurde erzogen in S. 08. 295 in Stärke von 50 Individuen. Alle blühten schwarzrot a. e. genau wie die Mutter. Aus diesem Befund folgt zunächst, daß A. 141 gg ist, sonst hätten hier in F. 1 picturatum-Pflanzen auftreten müssen.

Eine dieser F. 1-Pflanzen wurde als A. 268 zur Stammpflanze gemacht und ergab aus Selbstbefruchtung in S. 09. 89 lauter grüne Keimpflanzen (also keine Chlorina) und eine Aufspaltung in 48 schwarzrot a. e., ganz, 15 rot a. e., ganz und 13 weiß.

A. 268 muß nach dieser Spaltung die folgende Formel gehabt haben: AABbCCDDEEFFgghhLlMMNNPPRR. Warum dies der Fall sein muß, brauche ich wohl im einzelnen nicht mehr abzuleiten. Es ist nun die Frage, ob diese Formel von A. 268 im Einklang steht mit der Formel der Eltern. Diese Frage ist zu bejahen. Für A. 40 hatten wir die Formel angesetzt AABBCCDDEEFFgghhLLMMNnPPRR und für A. 141 die Formel . . bb . . . . EE . . gg[1])hh . . . . NNPP . . und ein Blick auf diese Formeln zeigt, daß ein Widerspruch zwischen den drei Formeln nicht besteht.

Man kann nun aber auch aus der Formel von A. 268 rückwärts die noch unbekannten, durch Punkte angedeuteten Erbeinheiten von A. 141 teilweise ergänzen. A. 141 muß nach der Formel von A. 268 zu schließen, mindestens je einmal gehabt haben die Faktoren A, C, B, F, g, l, M, R. Die Formel von A. 141 kann also jetzt bereits geschrieben werden als: A . bbC . D . EEF . gghh . lM . NNPPR .[2]).

Als Zahlenverhältnis zwischen den verschiedenen Farbenkategorien war in S. 09. 89 gefunden 48 schwarzrot, 15 rot, 13 weiß. Diese Zahlen stimmen, wie Tab. X zeigt, mit den theoretisch berechneten genügend überein.

---

[1]) Vgl. das oben Gesagte.

[2]) Solche Rückwärtsfolgerungen kann man natürlich für ein und dasselbe Individuum von mehreren verschiedenen Seiten her machen, wenn man nur dieses Individuum mit mehreren anderen Individuen gekreuzt hat. Selbstverständlich müssen die Folgerungen, die man so von verschiedener Seite herzieht, zu dem gleichen Ergebnis führen. Eine Diskrepanz sagt ohne weiteres, daß entweder in der Theorie noch ein Fehler steckt, oder daß ein Beobachtungsfehler vorgekommen ist.

Tabelle X.
(A. 268 × A. 268, S. 09. 89.)

Farbenkategorien	gefunden	theoretisch berechnet	
schwarzrot a. e. ganz	48	(9)	42,75
rot a. e. ganz	15	(3)	14,25
weiß	13	(4)	19,00
Sa.	76		76,00

Auffällig ist nur, daß etwas zu wenig weiße gefunden wurden,
das ist aber verständlich dadurch, daß die bb-Pflanzen, wie früher
schon gesagt, durchweg schwächer sind, als die Bb- oder BB-Pflanzen,
und auch, wie ich oft habe direkt beobachten können, leichter allerhand Schädlichkeiten erliegen. Die weißen sind daher fast in allen
Spaltungen, in denen sie auftreten, in etwas geringerer Zahl vorhanden,
als berechnet wird.

2. A. 40 × A. 106.

schwarzrot a. e. ganz, normal | dunkelpict. a. e. ganz, normal,
AABBCCDDEEFFgghhLLMMNnPPRR | AABBccDdEEFfGGhh . . MMNNPPRR

F_1 wurde gezogen in S. 08. 189. Alle — 60 — Pflanzen waren
gleichartig dunkelpicturatum a. e. ganz. Das war nach der Formel
der Eltern zu erwarten gewesen. Der Ton der dunkelpicturatum war
im einzelnen etwas ungleich, im großen und ganzen aber scheinbar
etwas dunkler als bei A. 106. Bei genauerer Betrachtung ergab sich
aber, daß die dunklere Färbung hauptsächlich wohl dadurch zustande
kam, daß der Picturatumcharakter weniger deutlich ausgesprochen war.

Aus dieser Saat wurden zwei Pflanzen: A. 222 und A. 223 zu
Stammpflanzen gemacht.

A. 222 ergab nach Selbstbefruchtung in S. 09. 59 und S. 09. 292
zunächst eine Aufspaltung in grüne und in chlorina Keimpflanzen.
Das Zahlenverhältnis gebe ich nachstehend in Tabellenform:

Tabelle XI.
(A. 222 × A. 222, S. 09. 59 und S. 09. 292.)

Blattfarben	gefunden in S. 09. 59	gefunden in S. 09. 292	zusammen	theoretisch berechnet	
chlorina	39	68	107	(1)	87
grün	74	167	241	(3)	261
Sa.			348		348

Es traten also auffallend viele chlorina Individuen auf. Die Übereinstimmung zwischen den theoretischen und den gefundenen Zahlen
ist so schlecht, daß es sich hier wohl nicht mehr um einen zufälligen
Fehler handelt. Was aber hier vorliegt müssen erst weitere Versuche
entscheiden.

Abgesehen von der Aufspaltung in bezug auf die Blattfärbung
erfolgte unabhängig davon auch eine Aufspaltung in Hinsicht auf die
Blütenfarbe. Es traten auf folgende Kategorien: 1. gelb (Fig. 2,
Taf. 1), 2. elfenbein (Fig. 3, Taf. 1), 3. schwarzrot a. e. ganz (Fig. 10,
Taf. 1), 4. schwarzrot a. g. ganz, 5. schwarzrot a. e. Delila, 6. schwarzrot a. g. Delila, 7. dunkelpicturatum a. e. ganz (wie Fig. 12, Taf. 1),
8. dunkelpicturatum a. g. ganz (Fig. 11, Taf. 1), 9. dunkelpicturatum
a. e. Delila (Fig. 20, Taf. 1), 10. dunkelpicturatum a. g. Delila. Die
a. e. und a. g. waren bei schwarzrot und dunkelpicturatum nur sehr
schwer ohne ganz genaue Untersuchung unterscheidbar. Es wurden
daher die Kategorien 3 mit 4, ferner 5 mit 6, 7 mit 8, 9 mit 10
zusammengezählt. Das Ergebnis der Zählung gebe ich nachstehend
in einer Tabelle:

Tabelle XII.

(A. 222 × A. 222, S. 09 59 und S. 09. 292[1]).)

Farbenkategorien	gefunden in S. 09. 59	gefunden in S. 09. 292	zusammen gefunden	theoretisch berechnet
gelb	6	4	10 ⎫ 49	(16) 38,750000
elfenbein	20	19	39 ⎭	
schwarzrot a. g. und a. e. Delila	3	4	7	(3) 7,265625
schwarzrot a. g. und a. e. ganz	9	11	20	(9) 21,796875
dunkelpict. a. g. und a. e. Delila	9	11	20	(9) 21,796875
dunkelpict. a. g. und a. e. ganz	23	36	59	(27) 65,390625
		Sa.	155	155,000000

A. 222 ist nach der Spaltung in dieser Aussaat offenbar heterozygotisch in den Farbenfaktoren F (Spaltung in elfenbein bzw. gelb
einerseits und + — rot gefärbte andererseits), D (Aufspaltung in ganz
und Delila), G (Spaltung in homogen gefärbte und in picturatum gefärbte), C (Spaltung in elfenbein und gelb, bzw. in a. e. und a. g.).
Homozygotisch dagegen hat A. 222 die Faktoren AA, BB, LL, MM, RR.

---

[1]) Ausgepflanzt wurden in S. 09. 59. 113, davon waren, wie oben gesagt,
39 chlorina und 74 grün. Zur Blüte kamen nur 70, und zwar nur grüne. In S. 09.
292 wurden 235 Pflanzen ausgepflanzt (63 chlorina, 167 grün), auch hier kamen nur
die grünen wenigstens großenteils zur Blüte, im ganzen 85 Individuen, alle andern
blühten im ersten Jahre noch nicht und werden voraussichtlich in diesem Winter erfrieren.

Warum dies zu folgern ist, brauche ich im einzelnen wohl nicht abzuleiten.

Die Formel von A. 222 ist also danach; AABBCcDdEEFfGghhLLMMNn
PPRR. Es ist nun natürlich die Frage, ob aus der Kreuzung von
A. 40 × A. 106 Individuen von dieser Formel haben entstehen können.
Diese Frage ist zu bejahen. Für A. 40 hatten wir die Formel AABB
CCDDEEFFgghhLLMMNnPPRR festgestellt. Danach hat A. 40 zweierlei
Gameten gebildet. Erstens ABCDEFghLMNPR und zweitens ABCDEFgh
LMnPR.

Für A. 106 hatten wir angesetzt AABBCcDdEEFfGGhh . .[1])MMNNPPRR.
Diese Pflanze konnte demnach folgende vier verschiedene Arten von
Gameten bilden.

1. ABcDEFGh . MNPR
2. ABcDEfGh . MNPR
3. ABcdEFGh . MNPR
4. ABcdEfGh . MNPR

F1 der Kreuzung A. 40 × A. 106 hat demnach bestehen müssen
aus 2 × 4, d. h. 8 verschiedene Kategorien von Individuen (die freilich äußerlich alle gleich sein mußten und dies ja auch waren).
Eine von diesen 8 möglichen Kombinationen eines Gameten von A. 40
und eines von A. 106 ist nun folgende: Von A. 40 der zweite der oben
genannten, d. h. ABCDEFghLMnPR, von A. 106 der vierte der oben genannten d. h. ABcdEfGh . MNPR. Die Vereinigung dieser beiden Gameten
muß eine Pflanze von der Formel AABBCcDdEEFfGghhL[2])MMNnPPRR ergeben. Mit dieser Formel stimmt aber die für A. 222 auf Grund seiner
Spaltung anzusetzende Formel AABBCcDdEEFfGghhLLMMNnPPRR völlig
überein. Aus der Formel von A. 222, das LL ist, folgt nun aber, daß
auch A. 106 Gameten mit L abgegeben haben muß, daß also A. 106
entweder LL oder mindestens Ll gewesen sein muß. Wäre A. 106 ll
gewesen, dann hätten alle F. 1-Individuen der Kreuzung A. 40 × A. 106
Ll-Pflanzen sein müssen, d. h. hätten bei Selbstbefruchtung ausspalten

---

1) Ob A. 106 LL oder Ll oder ll war, dafür hatte die früher beschriebene Untersuchung seiner Deszendenz (S. 62) keinen Anhaltspunkt gegeben. In Hinsicht auf
den Faktor l lassen sich daher aus der Formel von A. 106 keine Folgerungen ziehen.
Daß umgekehrt dagegen aus der empirisch gefundenen Formel von A. 222 der Schluß
gezogen werden muß, daß A. 106 nur entweder LL oder Ll, aber nicht ll gewesen ist,
wird nachher auseinandergesetzt werden.

2) Da über den Faktor l in der Formel von A. 106 noch nichts bekannt war
(vgl. S. 62). ließ sich für die Kreuzungsprodukte von A. 40 und A. 106 nur sagen,
daß alle F_1-Pflanzen aus dieser Kreuzung mindestens einmal den Faktor l enthalten
haben mußten (weil A. 40 ll ist).

müssen in rote und in schwarzrote — in unserem Falle natürlich in elfenbein, gelb, rot a. e. ganz, rot a. g. ganz, schwarzrot a. e. ganz, schwarzrot a. g. ganz, rot a. e. Delila, rot a. g. Delila, schwarzrot a. e. Delila und schwarzrot a. g. Delila und (da mit G zusammen rot und schwarzrot nicht sicher unterscheidbar sind) in picturatum a. e. ganz, picturatum a. g. ganz, picturatum a. e. Delila und picturatum a. g. Delila. Rote waren nun aber in S. 09. 59 und S. 09. 292 nicht aufgetreten, also ist A. 222 sicher LL und dann muß also auch A. 106 LL oder Ll gewesen sein.

Auf Grund der Formel von A. 222 ist theoretisch zu erwarten, daß entsprechend Ff zunächst $\frac{1}{4}$ aller Deszendenzen elfenbein bzw. gelb, $\frac{3}{4}$ irgendwie rot, teils a. e., teils a. g. gefärbt sein müssen. Entsprechend Cc müssen die elfenbein:gelb, bzw. a. e.:a. g. jeweils im Verhältnis 3:1 stehen. Ferner muß entsprechend Dd von den irgendwie rot gefärbten $\frac{1}{4}$ Delila, $\frac{3}{4}$ ganz sein und entsprechend Gg muß von den irgendwie roten $\frac{1}{4}$ homogen, $\frac{3}{4}$ picturatum sein. Das ergibt also theoretisch folgende Verhältniszahlen:

schwarzrot a. e. picturatum, ganz .		
schwarzrot a. g. picturatum, ganz .	*108*	*27*
schwarzrot a. e. picturatum, Delila .		
schwarzrot a. g. picturatum, Delila .	*36*	*9*
schwarzrot a. e. ganz		
schwarzrot a. g. ganz	*36*	*9*
schwarzrot a. e. Delila		
schwarzrot a. g. Delila	*12*	*3*
elfenbein		
gelb	*64*	*16*

Das heißt, wenn wir die Kategorien elfenbein mit gelb und ebenso die entsprechenden a. g. und a. e. zusammenrechnen, wie wir es ja der schlechten Unterscheidbarkeit halber bei der Zählung im Versuch getan haben, dann ergibt sich für die unterschiedenen Farben-kategorien das Verhältnis *27:9:9:3:16*. In der Tabelle XII ist nun in der letzten Spalte dies Verhältnis für die gezählte Individuenzahl ausgerechnet. Die Übereinstimmung ist in Anbetracht der geringen Individuenzahl eine ziemlich weitgehende, nur sind etwas zu viele elfenbein bzw. gelbe gefunden worden. Das nur zufällig eine zu große Zahl gelber und elfenbeinfarbene Individuen hier beobachtet worden ist, wird sehr wahrscheinlich dadurch gemacht, daß, wenn man S. 09. 292 allein in Rechnung zieht — ich will das hier im einzelnen nicht ausführen — die theoretischen und empirischen Zahlen sehr genau stimmen. Ebenso ist die Übereinstimmung eine sehr weitgehende in der Deszendenz einer Schwesterpflanze von A. 222, der jetzt gleich zu besprechenden A. 223.

A. 223, wie oben gesagt eine Schwesterpflanze von A. 222, ergab in S. 09. 60 zunächst eine in der Blattform völlig einheitliche grüne Deszendenz. Chlorina Individuen waren nicht dabei. A. 223 ist demnach NN. In Hinsicht auf die Blütenfarbe erfolgte eine Spaltung in genau die gleichen Kategorien, wie wir sie bei A. 222 kennen gelernt haben. In Form einer Tabelle dargestellt ist das Resultat der Auszählung folgendes (elfenbein und gelb, bzw. a. e. und a. g. nicht getrennt gezählt):

Tabelle XIII.

(A. 223 × A. 223, S. 09. 60.)

Farbenkategorien	gefunden in S. 09. 60	theoretisch berechnet
gelb, bzw. elfenbein	6	(16)	6,750000
schwarzrot a. e. und a. g. Delila	2	(3)	1,265625
schwarzrot a. e. und a. g. ganz	3	(9)	3,796875
dunkelpicturatum a. e. und a. g. Delila	5	(9)	3,796875
dunkelpicturatum a. e. und a. g. ganz	11	(27)	11,390625
Sa.	27		27,000000

Nach dem vorhin für A. 222 ausgeführten ist hierzu wenig zu bemerken. A. 223 hat nach dieser Spaltung offenbar die Formel: AA BBCcDdEEFfGghhLLMMNNPPRR, weicht also von A. 222, das Nn war, nur durch NN ab. Daß in F. 1 der Kreuzung A. 40 × A. 106 auch NN-Individuen zu erwarten waren, folgt aus dem oben Seite 72 ausgeführten. Die Übereinstimmung der theoretischen und der gefundenen Zahlen geht hier in Anbetracht der sehr kleinen Individuenzahl des Versuches wieder sehr weit.

3. A. 40 × A. 103.

schwarzrot a. e. ganz, normal   schwarzrot a. g. ganz, normal
AABBCCDDEEFFgghhLLMMNnPPRR   AABBccDDEEFFgghhLlMMNNPPRR

F_1 der Kreuzung wurde erzogen in S. 08. 187. Die ganze Aussaat war sehr einheitlich. Alle 50 großgezogenen Individuen waren grün, die Blüten waren alle normal und schwarzrot a. e., ganz, genau wie Fig. 10 Taf. 1. Das war ja auch auf Grund der Formel der Eltern nicht anders zu erwarten. Aus dieser Aussaat wurden 3 Pflanzen

A. 178, A. 181 und A. 351 zu Stammpflanzen gemacht. A. 351 zeigte die auch sonst ab und zu zu beobachtende Erscheinung, daß die beiden Endblüten eines Astes ganz regelmäßig radiär pelorisch waren. Diese drei Stammpflanzen wurden geselbstet und ihre Deszendenz blühte im Sommer 1909. Ich berichte über die Deszendenz dieser drei Pflanzen getrennt.

A. 178 ergab in S. 09. 37 zunächst eine Spaltung in chlorina und in grün, und zwar 41 Keimpflanzen chlorina und 130 grün, das heißt, also fast genau das theoretische Verhältnis 1:3 *(42,75:128,25)*. Pikiert wurden ohne Wahl 102 Pflanzen. Davon waren 21 chlorina und 81 grün. Zur Blüte kamen nur 79 Pflanzen, und zwar nur grüne, die chlorina Individuen blühten bis zum Herbst noch nicht[1]). Die zur Blüte gelangten 79 grünen Pflanzen zeigten ein Aufspalten in rote und in schwarzrote und in a. e. und a. g. Vertreten waren also in der Aussaat schwarzrot a. e. ganz, schwarzrot a. g. ganz, rot a. e. ganz, rot a. g. ganz. Da die sichere Unterscheidung von a. e. und a. g. bei schwarzrot sehr zeitraubend ist und auch bei rot sogar eine Unterscheidung im Freien, besonders beim Zählen im grellen Sonnenlicht, oft Schwierigkeiten macht, habe ich nur die zwei Kategorien schwarzrot und rot unterschieden. Das Resultat der Zählung war 20 rot a. e. bzw. a. g. : 59 schwarzrot a. e. bzw. a. g. Theoretisch wäre zu erwarten gewesen *19,75* rot : *59,25* schwarzrot. Danach hat A. 178 die Formel AABBCcDDEEFFgghhLlMMNnPPRR. Diese Formel steht im Einklang mit der oben angegebenen Formel der Eltern. A. 40 bildet u. a. Gameten von der Formel ABCDEFghLMnPR und A. 103 u. a. Gameten von der Formel ABcDEFghlMNPR. Die Vereinigung von diesen beiden Gameten muß eine Pflanze von der Formel von A. 178 ergeben.

A. 181 ergab im S. 09. 306 eine homogen grünblättrige Deszendenz, war demnach NN. In Hinsicht auf Blütenfarbe erfolgte genau die gleiche Spaltung wie bei A. 178. Rot a. e. bzw. a. g. waren 6, schwarzrot a. e. bzw. a. g. waren 14 Pflanzen[2]). Theoretisch wären zu erwarten gewesen *5* rot : *15* schwarzrot. Die Formel von A. 181 ist demnach AABBCcDDEEFFgghhLlMMNNPPRR. Pflanzen von dieser Formel waren aus der Kreuzung von A. 40 ⋋ A. 103 ja ebenfalls zu erwarten gewesen.

---

[1]) Werden aber unter Bedeckung überwintert, damit ich feststellen kann, ob die Chlorinapflanzen ein anderes Verhältnis der Blütenkategorien zeigen, als die grünen, was allerdings nicht wahrscheinlich ist.

[2]) Pikiert waren 37 Pflanzen, von denen aber nur 20 noch zur Blüte kamen. S. 09. 306 geschah als Nachaussaat erst am 29. V. 09.

A. **351** wich, wie oben gesagt, von den beiden Schwesternpflanzen nur dadurch ab, daß es als Ende eines Blütenzweiges zwei ganz regelmäßig radiär pelorische Blüten, genau von der Form, die für A. **14** beschrieben ist, aufwies. In der ganzen sonstigen Deszendenz von geselbstetem A. **40** sowohl, wie von geselbstetem A. **103** war etwas ähnliches nicht beobachtet worden. Es wurde zur Untersuchung der Erblichkeit dieser pelorischen Blüten jede mit eigenem Blütenstaub befruchtet und ebenso wurden einige normale Blüten von A. **351** geselbstet. Samen einer normalen Blüte wurde in S. 09. 116, die Samen der pelorischen Blüten in S. 09. 117 a und S. 09. 117 b gesät. Das Resultat war, daß zunächst alle Pflanzen grünblätterig waren. A. **351** ist also, wie A. **181** NN. In bezug auf die Blütenfarbe erfolgte eine Spaltung in rot a, e. bzw. a. g. in schwarzrot a. e. bzw. a. g. also genau wie bei A. **178** und A. **181**. Eine genaue Zählung unterließ ich hier. Daß ungefähr ein Viertel rot : drei Viertel schwarzrot vorlag, war ohne weiteres zu sehen. A. **351** war also auch Cc und LJ, d. h. hatte genau die gleiche Formel wie A. **181**.

Die Deszendenz der normalen und der pelorischen Blüten war **nicht** verschieden. Von den Nachkommen der normalen Blüte wurden 48 groß gezogen, von denen der beiden pelorischen Blüten 36 bzw. 48. Alle diese Pflanzen hatten völlig normale Blüten. Die Bildung der beiden pelorischen Blüten auf A. **351** war danach also wohl keine Mutation, sondern eine reine Modifikation[1]).

4. A. **44** × A. **67.**

elfenbein, normal.   weiß, normal.

.. BBCc .. EEff .. hh .... NNPP ..   .. bb .... EE .... hh ....NNPP ..

F. 1 dieser Kreuzung wurde in S. 08. 294 gezogen und bestand ans 28 Pflanzen, die rot a. e. ganz, 7 die rot a. e. Delila und 1, die gestreift auf a. e. ganz blühte. Die Blütenform war überall normal. Auf die Deutung der gestreiften Pflanze möchte ich in dieser Publikation nicht eingehen, über das Wesen und die Erblichkeit der Streifung werde ich später publizieren. Vorläufig sei diese gestreifte Pflanze als rot gezählt. Wir hätten dann 28 rot a. e. ganz : 8 rot a. e. Delila. Das ist offenbar das Verhältnis 3 : 1. Das Rot dieser F. 1-Pflanzen war sehr blaß, genau wie das von Fig. 9 Tafel 1, d. h. genau das

---

[1]) Das Auftreten von ganz pelorischen Blüten auf Individuen normalblütiger Sippen habe ich mehrfach beobachtet. Die Erblichkeit habe ich aber nur in diesem einen Falle untersucht.

typische Ff rot. Aus diesem Resultat der Kreuzung erfolgt mit Sicherheit, daß A. 67 FF und CC gewesen ist und daß mindestens einer der Eltern AA, MM, RR war, daß beide Eltern gg und ll und daß beide Eltern Dd gewesen sein müssen. Das ist wohl alles ohne weiteres jetzt jedem verständlich. Aus dieser F. 1-Generation wurde eine Pflanze als A. 212 zur Stammpflanze gemacht. Die aus Selbstbefruchtung gewonnene Deszendenz von A. 212 ist in S. 09 51 erzogen. Pikiert wurden im ganzen 662 Pflanzen. Zur Blüte kamen davon 654. Die hierbei aufgetretenen Blütenfarben und die für die einzelnen Kategorien gefundenen Zahlenverhältnisse sind folgende:

Tabelle XIV.

(A. 212 ✕ A. 221, S. 09. 51.)

Farbenkategorien	gefunden in S. 09. 51	theoretisch berechnet
rot a. e. ganz . . . . '.	90	*(9)* 91,96875
blaßrot a. e. ganz	217	*(18)* 183,93750
rot a. e. Delila	30	*(3)* 30,65625
blaßrot a. e. Delila	64	*(6)* 61,31250
elfenbein	141	*(12)* 122,62500
weiß	112	*(16)* 163,50000
Sa.	654	654,00000

Aus dieser Spaltung geht hervor, daß A. 212 heterozygotisch war in Bb, Dd, Ff, dagegen homozygotisch war in AA, CC, EE, gg, hh, ll, MM, NN, FP, RR. Die Formel von A. 212 ist danach AABbCCDdEEFfgghhllMM-NNPPRR. Daraus folgt dann aber weiterhin, daß beide Eltern mindestens einmal A, M, R, gehabt haben müssen. In Verbindung mit den schon aus F. 1 gezogenen Schlüssen und den schon früher bekannten (Seite 54 bzw. 57) ergibt sich also jetzt als Formel für A. 44 A . BBCcDd-EEffgghhll M. NNPPR, und für A. 67 A. bbCCDdEEFFgghhllM. NNPPR. Zu besprechen bleiben nun noch die gefundenen Verhältniszahlen der Farbenkategorien. Die theoretisch auf Grund der Formel von 212 zu erwartenden Zahlen sind in den letzten beiden Spalten der Tabelle XIV abgedruckt. Die Übereinstimmung zwischen den gefundenen und den berechneten Zahlen genügt bis auf ein großes Manko von weißen. (Gefunden 112, berechnet 163,5). Das ist aber nicht unerwartet, da die bb Pflanzen, wie schon S. 70 betont, hinfälliger sind, als alle anderen und in jungen Stadien unmittelbar vor und nach dem Pikieren in wesentlich höherem Prozentsatz absterben als die bB oder BB Individuen.

5. A. 49 × A. 67.

elfenbein, normal	weiß, normal
.. BBCc .. EEff .. hh .... NNPP ..	A. bbCCDdEEFFgghhllM. NNPPR.[1])

F.1 wurde gezogen in S. 08. 174. Die ganze Generation — es wurden 50 Pflanzen zur Blüte gezogen — war völlig einheitlich. Alle Pflanzen waren grünblättrig und blühten blaßrot a. e. ganz, wie Fig. 9, und hatten normale Blütenform. Aus dieser Beschaffenheit von F. 1 folgt zunächst schon, daß A. 49 DD, ll, gg, gewesen sein mußte, ferner folgt daraus, daß mindestens einer der beiden Eltern AA, MM, RR, gewesen ist.

Aus dieser Generation wurden zwei Pflanzen A. 226 und A. 253 zu Stammpflanzen gemacht.

Die Deszendenz von geselbsteten A. 226 wurde in S. 09. 63, die Deszendenz von A. 253 in S. 09. 79 gezogen. Beide Pflanzen zeigten genau die gleiche Aufspaltung. Ich gebe deshalb das Resultat der Analyse beider Pflanzen in einer Tabelle vereinigt. Die verschiedenen Kategorien, die auftraten, waren weiß, elfenbein, rot auf elfenbein ganz, blaßrot a. e. ganz. Im einzelnen wurden folgende Zahlen gefunden:

Tabelle XV.

(A. 226 × A. 226, A. 253 × A. 253, S. 09. 63, S. 09. 79.[2])

Farbenkategorien	A. 226 × A. 226 in S. 09. 63	A. 253 × A. 253 in S. 09. 79	Summa	theoretisch berechnet
rot a. e. ganz	130	7	137	(3) 127,875
blaßrot a. e. ganz	263	15	278	(6) 255,750
elfenbein	116	14	130	(3) 127,875
weiß	120	17	137	(4) 170,500
Sa.	629	53	682	682,000

Diese Spaltung ergibt für A. 226 sowohl wie für A. 253 die Formel: AABbCCDDEEFfgghhllMMNNPPRR. Aus dieser Formel kann man nun aber wiederum Rückschlüsse auf einige unbekannte Faktoren in der Formel der Eltern ziehen und ebenso muß natürlich diese Formel im Einklang stehen mit der schon anderweitig erkannten Formel der Eltern. Dieses letztere ist vollkommen der Fall, im einzelnen will ich das hier nicht mehr ableiten. Daraus, das A. 226 und A. 253 AA, MM, RR sind, folgt,

---

[1]) Die Formel auf Grund des Resultates der vorhergehenden Kreuzung ergänzt.
[2]) In S. 09. 63 wurden pikiert 696 Pflanzen, zur Blüte kamen davon 629, der Rest, 67, ging vorher zugrunde. In S. 09. 79 wurden 60 Pflanzen pikiert, davon starben 7 frühzeitig und 53 kamen zur Blüte.

daß jeder der Eltern mindestens einmal A, M, R enthalten haben
muß. Zusammen mit der schon oben Seite 78 angestellten Überlegung
und dem schon früher bekannten, folgt also aus diesem Kreuzungsversuch, daß A. 49 die Formel A. BBCcDDEEffgghhllM. NNPPR. gehabt
hat. Für A. 67 folgt aus diesem Kreuzungsversuch nichts, was nicht
aus dem vorher beschriebenen Versuche 4 bekannt gewesen wäre, aber
die Schlüsse, die auf die Formel von A. 67 aus Versuch 5 gezogen
werden müssen, stehen völlig im Einklang mit den aus Versuch 4
bereits gezogenen. Die auf Grund der Formel von A. **226** bzw. A. **253**
berechneten theoretischen Verhältniszahlen für die Spaltung weichen
wiederum in der Zahl der weißen stark von der gefundenen ab. Das
hängt aber auch hier offenbar mit der stärkeren Sterblichkeit der bb
Pflanzen zusammen. Wenn man die Annahme macht, daß von den
in S. 09. 63 frühzeitig zugrunde gegangenen Pflanzen etwa drei
Viertel weiß gewesen sind und nur ein Viertel gefärbte, so stimmen
die entsprechend korrigierten gefundenen Zahlen mit den für die
Summe 696 berechneten theoretischen Zahlen sehr gut überein.

6. A. 49. ✕ A. 93.

elfenbein, normal	fleischfarbig a. e. ganz, normal
A. BBCcDDEEffgghhllM . NNPPR [1]).	AABbCCDdEEffgghhllmmNNPPRR

F. 1 in S. 08. 176[2]) — bestand aus zwei Farbenkategorien, elfenbein
und blaßrot a. e. ganz (Fig. 9 Tafel 1), und zwar waren 15 Pflanzen
rot, 19 elfenbein. Die Blattfarbe aller Pflanzen war grün, die Form
der Blüten überall normal. Dieses Resultat steht völlig im Einklang
mit der Formel der Eltern, war also zu erwarten gewesen. Da
A. **49** ff A. **93** Ff war, muß theoretisch das Verhältnis von rot zu elfenbein in F. 1 hier *1 : 1* sein. Damit stehen die gefundenen Zahlen
19 : 15 genügend in Einklang. (Theoretisch war zu erwarten gewesen *17 : 17*.)

Da A. **93** mm ist, und in dieser F. 1 keine fleischfarbigen Individuen
gefunden wurden, folgt, daß A. **49** MM gewesen sein muß. Somit ist
die anfangs so unbekannte Formel dieser Pflanze jetzt schon fast
völlig klar gelegt.

Aus dieser F. 1-Generation wurden zwei Pflanzen, A. **197** und A. **203**,
zu Stammpflanzen gemacht.

---

[1]) Formel ergänzt nach Versuch 5.
[2]) Pikiert 53 Pflanzen, zur Blüte kamen 34, die übrigen starben früh, wurden
großenteils kurz nach dem Auspflanzen von Maulwurfsgrillen abgebissen.

A. 197 ist rot a. e. Deszendenz aus Selbstbefruchtung wurde gezogen in S. 09. 43. Pikiert wurden im ganzen 460 Pflanzen, bis zur Blüte kamen 436. Die übrigen 24 gingen frühzeitig zugrunde (wurden wiederum großenteils nach dem Auspflanzen von Maulwurfsgrillen abgebissen.) Die 436 groß gewordenen Pflanzen waren alle grünblättrig, hatten alle normale Blüten und bestanden hinsichtlich der Blütenfarbe aus 4 Kategorien: elfenbein, fleischfarbig a, c. ganz rot a. e. ganz, blaßrot a. e. ganz. Im einzelnen wurden folgende Zahlen gefunden:

Tabelle XVI.

(A. 197 × A. 197, S. 09. 43.)

Farbenkategorien	gefunden in S. 09. 43		theoretisch berechnet	
blaßrot a. e. ganz	177 | 246	(6) | (9)	163,50 | 245,25	
rot a. e. ganz	69 |	(3) |	81,75 |	
fleischfarbig a. e. ganz ·	84	(3)	81,75	
elfenbein	106	(4)	109,00	
Sa,	436		436,00	

Rot und blaßrot ist in der Tabelle zusammengezogen, weil die Unterscheidung dieser beiden Kategorien Schwierigkeiten machte und vielleicht mehrfach rote als blaßrote gezählt worden sind. S. 09. 43. war in einem etwas schattigen Beete ausgepflanzt und infolgedessen waren die Blütenfarben nicht so intensiv wie sonst.

Auf Grund dieser Spaltung ergibt sich für **A. 197** die Formel AABBCCDDEEFfgghhllMmNNPPRR.

Mit der Formel der Eltern steht diese Formel von **A. 197** in Einklang. Pflanzen von dieser Formel können aus einer Kreuzung von **A. 49** und **A. 93** hervorgehen.

Theoretisch muß seiner Formel gemäß **A. 197** bei Selbstbefruchtung eine Aufspaltung in 9 rot bzw. blaßrot a. e. ganz: 3 fleischfarbig a. e. ganz: 4 elfenbein erwartet werden. Die danach berechneten Verhältniszahlen stimmen mit den empirisch gefundenen fast völlig überein, wie ein Blick auf die letzte Rubrik der Tabelle XVI zeigt.

Eine noch interessantere Aufspaltung zeigte die Schwesterpflanze von **A. 197: A. 203.** Die Pflanze war ebenfalls blaßrot a. e. ganz, genau wie **A. 197.** Nachkommenschaft aus Selbstbefruchtung wurde gezogen in S. 09. 45. Pikiert wurden 128 Pflanzen, zur Blüte kamen davon 114. Hier erfolgte außer einer Spaltung, in die gleichen Farbenkategorien die bei **A. 197** gefunden wurden, auch noch eine Spaltung in ganz und in Delila. Ich gebe das Resultat der Zählung wieder in Form einer Tabelle.

Tabelle XVII.
(A. 203 ⨯ A. 203, S. 09. 45.)

Farbenkategorien	gefunden in S. 09. 45	theoretisch berechnet
blaßrot und rot[1]) a. e. ganz	50	*(27)* 48,09375
blaßrot und rot a. e. Delila	16	*(9)* 16,03125
fleischfarbig a. e. ganz	15	*(9)* 16,03125
fleischfarbig a e. Delila	5	*(3)* 5,34375
elfenbein	28	*(16)* 28,50000
Sa.	114	114,00000

Die Formel von A. 203 ist danach zu setzen als AABBCCDdEEFf-gghhllMmNNPPRR. Pflanzen mit dieser Formel sind aus der Kreuzung von A. 49 ⨯ A. 93 zu erwarten gewesen. Die auf Grund der Formel von A. 203 theoretisch zu berechnenden Zahlen sind in der Tabelle XVII wiederum beigeschrieben. Eine noch genauere Übereinstimmung zwischen den gefundenen und den theoretischen Zahlen wird man selten finden.

7. A. 49 ⨯ A. 14.

elfenbein, normal	rot a. e. ganz, pelorisch
A . BBCcDDEEffgghhllMMNNPPR .	AABBCCDDeeFFgghhllMMNNPPRR

F. 1[2]) war in jeder Hinsicht völlig einheitlich, alle Pflanzen waren grünblätterig, alle hatten völlig n o r m a l e, blaßrot a. e. ganz gefärbte Blüten. Dieses Resultat steht mit der Formel der Eltern völlig im Einklang.

Aus dieser F. 1-Generation habe ich die Stammpflanze A. 219 entnommen. A. 219 ergab in S. 09. 56 eine sehr instruktive Spaltung, die nachstehend in Form einer Tabelle wiedergegeben ist. (Siehe Tabelle XVIII Seite 82.)

Die Pflanzen der als pelorisch bezeichneten Kategorien hatten ausschließlich pelorische Blüten, genau wie A. 14. Die Spaltung ist im übrigen so übersichtlich, die Übereinstimmung zwischen theoretischen und gefundenen Zahlen so weitgehend, daß eine eingehende Besprechung

---

[1]) Auch S. 09. 45 stand in einem schattigen Beete, neben S. 09. 43. Die Unterscheidung von rot und blaßrot machte daher auch hier Schwierigkeiten.

[2]) In S. 08. 178. Es wurden 30 Pflanzen zur Blüte groß gezogen.

Tabelle XVIII.
(A. 219 ⨯ A. 219, S. 09. 56.)

Kategorien	gefunden in S. 09. 56.	theoretisch berechnet
rot a. e. ganz, normal	39	(3) 43,875
rot a. e. ganz, pelorisch	15	(1) 14,625
blaßrot a. e. ganz, normal	94	(6) 87,750
blaßrot a. e. ganz, pelorisch	28	(2) 29,250
elfenbein normal	45	(3) 43,875
elfenbein pelorisch	13	(1) 14,625
Sa.	234	234.000

wohl überflüssig ist. Die Formel von **A. 219** ist danach AABBCCDDEe FfgghhllMMNNPPRR, was mit der Formel der Eltern völlig im Einklang steht. Die blaßroten sind, das sei vielleicht noch einmal hervorgehoben, die Ff-Individuen, die von den FF-, das heißt den roten Individuen deutlich verschieden sind. Rechnet man die roten und blaßroten zusammen, dann muß in der theoretischen Berechnung natürlich ebenfalls eine Summierung der entsprechenden Kategorien erfolgen. Wir müssen dann die altbekannte Zahlenreihe $9:3:3:1$ erwarten. So umgerechnet, also ohne Unterscheidung von rot und blaßrot, sieht die Tabelle folgendermaßen aus:

Tabelle XIX.
(A. 219 ⨯ A. 219, S. 09. 56.)

Kategorien	gefunden in S. 09. 56	theoretisch berechnet
rot und blaßrot a. e. ganz, normal	133	(9) 131,625
rot und blaßrot a. e. ganz, pelorisch	43	(3) 43,875
elfenbein normal	45	(3) 43,875
elfenbein pelorisch	13	(1) 14,625
Sa.	234	234,000

Die Übereinstimmung zwischen den theoretischen und den gefundenen Zahlen ist dann eine fast vollkommene. Dieser Fall ist ein Schulbeispiel für Spaltung bei zwei Merkmalspaaren, wie man es besser gar nicht wünschen kann.

8. A. 111 ⨯ A. 40.

rot a. e. ganz, normal   schwarzrot a. e. ganz, normal
AABBCCDDEeFFgghhllMMNNPPRR   AABBCCDDEEFFgghhLLMMNnPPRR

F. 1 in S. 08. 266 war völlig einheitlich, alle Pflanzen, 11 im ganzen, hatten normale, schwarzrot a. e. ganz gefärbte Blüten. Als Stamm-

pflanze wurde aus dieser Saat genommen A. 318. Die Deszendenz
dieser Pflanze zeigte in S. 09. 104[1]) eine in folgender Tabelle wiedergegebene Aufspaltung.

Tabelle XX.

(A. 318 ╳ A. 318, S. 09. 104)

Kategorien	gefunden in S. 09. 104	theoretisch berechnet
schwarzrot a. e. ganz, normal	138	*(9)* *145,125*
schwarzrot a. e. ganz, pelorisch	51	*(3)* *48,375*
rot a. e. ganz, normal	46	*(3)* *48,375*
rot a. e. ganz, pelorisch.	23	*(1)* *16,125*
Sa.	258	258,000

A. 318 ist danach AABBCCDDEeFFgghhLlMMNNPPRR gewesen. Pflanzen
dieser Formel sind auch theoretisch in F. 1 der Kreuzung A. 111 ╳ A. 40
zu erwarten, wie ein Blick auf die Formel der Eltern zeigt.

9. A. 111 ╳ A. 113.

rot a. e. ganz, normal | weiß, normal
AABBCCDDEeFFgghhllMMNNPPRR | . . bb . . . . EE . . . . hh . . . . NNPP . .

F₁ in S. 08. 191 war völlig gleichartig. Alle 20 großgezogenen
Pflanzen blühten rot a. e. ganz und hatten normale Blütenform.
Aus dieser Beschaffenheit von F. 1 sind verschiedene Rückschlüsse
auf die Formel von A. 113 möglich. Es muß danach zunächst sicher
gg und dann aber auch ll gewesen sein. Stammpflanzen aus dieser
Aussaat sind A. 250 und A. 263. Die Deszendenz von A. 250 wurde
gezogen in S. 09. 78 und S. 09. 294[2]). Das Resultat ist:

Tabelle XXI.

(A. 250 ╳ A. 250, S. 09. 78, S. 09. 294.)

Kategorien	gefunden in S. 09. 78	gefunden in S. 09. 294	Summa	theoretisch berechnet
rot a. e. ganz, normal . . .	66	34	100	*(3)* *98,25*
weiß normal	21	10	31	*(1)* *32,75*
Sa.			131	131,00

[1]) Pikiert wurden 300 Pflanzen, frühzeitig zugrunde gingen 12 Pflanzen, zur
Blüte kamen 258. Der Rest, 30, blühten im ersten Jahre nicht.

[2]) Pikiert wurden in S. 09. 78 96 Pflanzen, davon starben 9 früh, und 87 kamen
zur Blüte. In S. 09. 294 wurden 60 Pflanzen pikiert, 16 starben früh, 44 kamen zum
Blühen.

Die Formel von **A. 250** ist danach AABbCCDDEEFFgghhllMMNNPPRR und aus dieser Formel folgt wiederum, daß **A. 113** auch mindestens einmal A, D, C, F, M und R gehabt haben muß. Die Formel von **A. 113** kann also jetzt angesetzt werden als A . bbC . D . EEF . gghhllM . NNPPR ..

A. 263 zeigte in S. 09. 86[1]) eine Spaltung in die gleichen Farbenkategorien, wie **A. 250**, aber außerdem noch ein Aufspalten in Pflanzen mit normalen und in Pflanzen mit lauter pelorischen Blüten. Im einzelnen war das Ergebnis:

Tabelle XXII.

(A. 263 × A. 263, S. 09. 86.)

Kategorien	gefunden in S. 09. 86	theoretisch berechnet
rot a. e. ganz, normal	28　(9)	30,375
rot a. e. ganz, pelorisch	13　(3)	10,125
weiß, normal	9　(3)	10,125
weiß, pelorisch	4　(1)	3,375
Sa.	54	54,000

A. 263 war danach AABbCCDDEeFFgghhllMMNNPPRR - Pflanzen von dieser Formel waren in F_1 der Kreuzung A. 111 × A. 113 zu erwarten, ebenso wie auch Pflanzen von der für **A. 250** gefundenen Formel.

Zu bemerken ist noch, daß auch hier die als pelorisch in der Tabelle bezeichneten Kategorien ganz regelmäßig pelorisch waren, genau wie **A. 14** und daß alle Blüten der betreffenden Pflanze genau gleich waren.

10. A. 143 × A. 111.

fleischfarbig a. g. ganz, normal	rot a. e. ganz, normal
. . BBccDDEEFFgghh . . mmNNPPRR	AABBCCDDEeFFgghhllMMNNPPRR

F. 1 in S. 08. 304 war in Blütenfarbe und Blütenform einheitlich. Alle 10 großgezogenen Pflanzen blühten rot a. e. ganz normal. Aus diesem Ergebnis folgt, daß **A. 143** ll gewesen sein muß, sonst hätten schwarzrote Pflanzen auftreten müssen, bei Ll lauter schwarzrote, bei Ll 50% rote und 50% schwarzrote.

Eine Pflanze aus dieser Aussaat ist **A. 215**. Diese Pflanze gab geselbstet in S. 09. 53 eine Spaltung, die wieder ein Schulbeispiel für eine Spaltung bei drei verschiedenen Merkmalspaaren liefert. Leider

---

[1]) Pikiert 60, früh gestorben 6.

hatte ich nur 224 Individuen großgezogen, was für eine derartige Spaltung doch etwas wenig ist. Pikiert waren im ganzen 228, es war also glücklicherweise der Verlust in dieser Aussaat sehr gering. Ich gebe die Spaltung wieder in Tabellenform:

Tabelle XXIII.

(A. 215 × A. 215, S. 09. 53.)

Kategorien	gefunden in S. 09. 53	theoretisch berechnet
rot a. e. ganz, normal	64	*(27)*	*52,3125*
rot a. g. ganz, normal	10	*(9)*	*17,4375*
rot a. e. ganz, pelorisch	14	*(9)*	*17,4375*
rot a. g. ganz, pelorisch	6	*(3)*	*5,8125*
fleischfarbig a. e. ganz, normal	23	*(9)*	*17,4375*
fleischfarbig a. g ganz, normal	4	*(3)*	*5,8125*
fleischfarbig a. e. ganz, pelorisch	1	*(3)*	*5,8125*
fleischfarbig a. g. ganz, pelorisch	2	*(1)*	*1,9375*
Sa.	124		*124,0000*

Die pelorischen Pflanzen hatten alle nur pelorische, ganz regelmäßig radiäre Blüten. Nach dieser Spaltung zu schließen, ist die Formel von **A. 215** offenbar: AABBCcDDEeFFgghhllMmNNPPRR. Daß Pflanzen mit dieser Formel in F. 1 der Kreuzung A. 143 × A. 111 zu erwarten waren, zeigt auch hier wohl ein Blick auf die Formel der P. 1-Pflanzen. Für die Formel von **A. 143** folgt aus dieser Formel von **A. 215**, daß A. 143 mindestens einmal A gehabt haben muß. Die Formel von **A. 143** kann also geschrieben werden als A . BBccDDEEFF gghhll[1])mmNNPPRR. Die theoretischen, auf Grund der Formel von **A. 215** berechneten Zahlen stimmen mit den gefundenen nicht so gut, wie in manchen der schon beschriebenen Beispiele, aber die Übereinstimmung ist noch genügend groß. **A. 215** ist übrigens noch am Leben und ich werde, falls genügend Platz frei zu machen ist, nächsten Sommer eine größere Zahl Nachkommen, etwa 500 ziehen, um einmal ein recht instruktives Zahlenbeispiel zu bekommen.

Eine zweite aus der Kreuzung von A. 143 × A. 111 gewonnene Frucht wurde in S. 08. 186 ausgesät. Auch hier war diese F. 1-Generation gleichmäßig rot a. e. normal. Stammpflanze aus dieser Saat wurde **A. 273**, das in S. 09. 92 folgende Spaltung zeigte:

---

[1]) Folgt aus F₁ dieser Kreuzung, vgl. S. 84.

Tabelle XXIV.

(A. 273 × A. 273, S. 09. 92.)

Kategorien	gefunden in S. 09. 92	theoretisch berechnet
rot a. e. ganz, normal	62	(9) 57,9375
rot a. g. ganz, normal	16	(3) 19,3125
fleischfarbig a. e. ganz, normal	20	(3) 19,3125
fleischfarbig a. g. ganz, normal	5	(1) 6,4375
Sa.	103	103,0000

A. 273 ist demnach: AABBCcDDEEFFgghhllMmNNPPRR und derartige
Pflanzen waren ja theoretisch in F. 1 dieser Kreuzung A. 143 × A. 111
ebenfalls zu erwarten gewesen.

11. A. 335 × A. 331.

rot a. e. ganz, pelorisch	schwarzrot a. g. Delila, pelorische Halbrasse, pelorische Blüte
AABBCCDDeeFFgghhllMMNNPPRR	AABBccddEEFFgghhLLMMNNppRR

Die Kreuzung hatte das interessante Ergebnis, daß F. 1 in S. 09 215
(51 Pflanzen) völlig einheitlich aus Pflanzen mit vollkommen normalen
schwarzrot a. e. ganz gefärbten Blüten bestand. Wir haben also hier
den Fall, daß die Kreuzung zweier pelorischer Rassen eine normale
F. 1 gibt. Diese F. 1-Pflanzen müssen auf Grund der Formel der Eltern,
die Formel AABBCcDdEeFFgghhLlMMNNPpRR aufweisen. Danach ist für
ihre Deszendenz, selbst wenn man die Cc und cc nicht unterscheidet,
eine Aufspaltung nach dem Verhältnis $81:27:27:27:27:9:9:9:9:9:9:$
$3:3:3:3:1$ zu erwarten [1]. Darunter müssen nun auch Individuen auftreten, welche ee und gleichzeitig pp sind. Was diese Pflanzen für
eine Blütenform aufweisen werden, ist natürlich im voraus nicht zu
sagen.

12. A. 334 × A. 331.

gelb, normal	schwarzrot a. g. Delila, pelorische Halbrasse, pelorische Blüte
AABBccddEEffgghhllMMNNPPRR	AABBccddEEFFgghhLLMMNNppRR

F. 1 wurde gezogen in S. 09. 211. Alle 53 groß gezogenen Pflanzen
waren völlig einheitlich, blühen schwarzrot a. e. Delila (ganz mit dem

---

[1] In Wirklichkeit erfolgt natürlich auch eine Spaltung in a. e. und a. g. und
das ergibt dann die Verhältniszahlen $243:81:81:81$ usw. bis$:3:1$.

für FɪLɪ typischen blassen Farbenton). Die Blütenform war völlig normal bei allen Pflanzen. Bei keiner wurde trotz wiederholter Durchsuchung auch nur eine einzige pelorische Blüte gefunden. F. 2 der Kreuzung wird im nächsten Sommer zu ziehen sein. Es ist zu erwarten, daß eine Aufspaltung in schwarzrot ä. g. Delila, rot a. g. Delila, gelb, alle normal und in die gleichen Kategorien aber mit zum Teil pelorischen Blüten erfolgen wird, falls nicht, was ich vorläufig noch nicht wissen kann, die beiden gekreuzten Pflanzen A. 334 und A. 331 sich auch noch in einem oder mehreren a n d e r e n vorläufig noch n i c h t bekannten Faktoren der Blütenform unterscheiden.

13. A. 220 ⋉ A. 286.

fleischfarbig a. e. ganz, normal	gelb normal
AABBCCDdEEFfgghhllmmNNPPRR	AABBcc . . EEffGGhh . . MMNNPPRR

A. 286 ist, wie ich oben S. 62 berichtet habe, ein Abkömmling einer Picturatumpflanze, die GG in der Formel hatte. Diese gelb-blühendë (genau wie Fig. 2 Taf. 3) Pflanze mußte danach den Picturatumfactor G ebenfalls homozygotisch enthalten. Anzusehen war ihr das natürlich nicht, aber das mußte sich durch Kreuzungen zeigen lassen. Die hier zu besprechende Kreuzung mit einer fleischfarbigen Pflanze (Aussehen wie Fig. 6 Taf. 1), gab auch tatsächlich ein Resultat, das diese Annahme bestätigte. F. 1 dieser Kreuzung in S. 09. 167 zeigte folgendes:

Tabelle XXV.

(A. 220 ⋉ A. 286, S. 09. 167.)

Kategorien	gefunden in S. 09. 167	theoretisch auf Grund der Formel der Eltern berechnet	
elfenbein	11	(4)	14,0
blasses picturatum a. e. ganz	15	(3)	10,5
blasses picturatum a. e. Delila	2	(1)	3,5
Sa.	28		28,0

Theoretisch war auf Grund der Formeln der P. 1-Pflanzen zu erwarten, daß 50% elfenbein und 50% picturatum sein müssen (weil ein Elter Ff der andere ff ist). Diese Erwartung ist genügend erfüllt. Eine größere Übereinstimmung zwischen den gefundenen Zahlen 11 : 17 und den theoretischen *14 : 14* ist bei der kleinen Individiuenzahl nicht zu erwarten. Ob die picturatum ganz oder Delila sein würden, war nicht vorher zu sagen, da nicht bekannt war, ob A. 286 DD oder Dd oder dd war. Umgekehrt kann man aber aus dem Ergebnis der Kreuzung den Schluß ziehen, daß A. 286 Dd war. Wäre nämlich A. **286** DD gewesen, so hätten nur „ganz"-Formen in F. 1 auftreten dürfen, war A. **286** dd gewesen, so hätten 50% ganz 50% Delila sein müssen (weil A. **220** Dd ist). Wenn A. **286** aber auch Dd ist, dann muß die Kreuzung mit einer anderen Dd-Pflanze wie A. **220** *3* ganz: *1* Delila ergeben. Das gefundene Verhältnis 2 Delila: 15 ganz steht nun zweifellos dem Verhältnis *1 : 3* näher als dem Verhältnis *1 : 1*. Wir dürfen also den Schluß ziehen, daß A. **286** Dd ist. Daß dies der Fall ist, folgt übrigens mit völliger Sicherheit aus verschiedenen anderen Kreuzungen von A. **286** mit anderen Stammpflanzen von bekannter Formel, z. B. aus der Kreuzung A. **278** ⨯ A. **286**.   A. **278** ist eine picturatum a. e. Delilapflanze, die bei Selbstbefruchtung völlig konstante Deszendenz gab. Die Kreuzung von A. **278**, also einer dd-Pflanze mit A. **296** gab in S. 09. 200. 18 blaßpicturatum a. e. ganz: 17 blaß picturatum a. e. Delila, also fast genau das Verhältnis *1 : 1*, das zu erwarten ist, wenn A. **286** Dd in der Formel hat.

A. **286** wurde 1908 noch mit verschiedenen anderen Pflanzen gekreuzt, z. B. mit A. **335** rot a. e. ganz, pelorisch von der Formel AABBCCDDeeFFgghhllMMNNPPRR. ferner mit A. **245** rot. a. e. ganz. AaBBCCDDEEFFgghhllMMNNPPRR und anderen. In allen diesen Kreuzungen waren die in F. 1 auftretenden roten Pflanzen picturatum.

Damit will ich die Einzelbesprechung von derartigen Kreuzungsversuchen abschließen. Freilich stellen die hier genannten Versuche nur einen kleinen Teil der überhaupt ausgeführten dar[1]). Ich gedenke jedoch das ganze Material später in ganz kurzer tabellarischer Form zu veröffentlichen und die hier einzeln beschriebenen Versuche sollen nur vorläufig ein Bild geben, wie sich auf Grund der von mir angenommenen Erbeinheiten diese zum Teil ja ziemlich komplizierten Verhältnisse der Vererbung von Blütenfarbe und Blütenform bei Antirrhinum verstehen und berechnen lassen.

Die Kreuzungsversuche von de Vries und Miss Wheldale.

Schon in der Einleitung habe ich darauf hingewiesen, daß de Vries und vor allem Miss Wheldale eine Reihe von Erblichkeits- und Kreuzungsversuchen mit *A. majus* ausgeführt haben. Es ist natürlich

---

[1]) insgesamt habe ich bisher rund 400 Kreuzungen ausgeführt.

von Interesse, festzustellen, ob auch die Resultate dieser Versuche in Einklang stehen mit den von mir eingeführten Erbeinheiten.

Schwierigkeiten macht hier wohl nur eine Identifizierung der Farbenbezeichnung und hier muß daher erst eine gemeinsame Basis geschaffen werden. Ich gebe deswegen zunächst die Farbenbezeichnung von de Vries, Miss Wheldale und mir, so, wie sie einander entsprechen.

de Vries	Miss Wheldale	Baur
—	white	weiß
weiß z. Teil	ivory	elfenbein
—	yellow	gelb
weiß z. Teil	rose Delila	fleischfarbig a. e., Delila
fleischfarbig	rose	fleischfarbig a. e., ganz
—	crimson Delila	rot a. g. Delila
—	crimson	rot a. g. ganz
Delila	magenta Delila	rot a. e. Delila
rot	magenta	rot a. e. ganz

Ist man sich erst über diese Differenz in der Bezeichnung der Farben klar, so sind die Versuchsergebnisse von de Vries sowohl wie von Miss Wheldale völlig in Einklang mit den von mir aufgestellten Erbeinheiten. Ich will dies an der Hand eines Beispieles zeigen. de Vries z. B. [1]) kreuzte eine „rote" und eine „weiße" Pflanze. Beide Pflanzen hatten bei Selbstbefruchtung konstante Deszendenz. Gekreuzt gaben sie eine rote F. 1 und in F. 2 erfolgte eine Aufspaltung in „rot, fleischfarbig, Delila und weiß", im Verhältnis 51 : 16 : 31 : 2.

Die rote von diesen beiden Pflanzen hatte demnach wohl die Formel AABBCCDDEEFFgghhllMMNNPPRR. Die weiße Pflanze dagegen kann, das werden wir gleich sehen, in Wirklichkeit nur eine „fleischfarbig a. e. Delila"-Pflanze gewesen sein von der Formel AABBCCddEEFFgghhllmmNNPPRR.

F. 1 der Kreuzung zweier Pflanzen von diesen Formeln muß rot a. e. sein, wie de Vries auch fand und F. 2 muß bestehen aus rot a. e. ganz, rot a. e. Delila, fleischfarbig a. e. ganz und fleischfarbig a. e. Delila im Verhältnis 9 : 3 : 3 : 1.

Vergleichen wir diese theoretisch verlangten Zahlen mit den von de Vries gefundenen, so bekommen wir:

---

[1]) de Vries, Mutationstheorie Bd. II, S. 196

Tabelle XVI.

(Kreuzungsversuch von de Vries, Mutationstheorie Bd. II, S. 196.)

Farbenkategorien		gefunden von theoretisch von	
nach de Vries	nach Baur	de Vries	mir erwartet
rot	rot a. e. ganz	51 %	(9) 56,25 %
fleischfarbig	fleischfarbig a. e. ganz	16 %	(3) 18,75 %
Delila	rot a. e. Delila	31 %	(3) 18,75 %
weiß	fleischfarbig a. e. Delila	2 %	(1) 6,25 %

Daß die von de Vries „weiß" genannte Farbe nicht identisch mit meinem weiß oder mit meinem elfenbein hat sein können, folgt aus der sehr kleinen Zahl von „weißen", die de Vries in F. 2 auftreten sah. Hätte eine weiße oder eine elfenbeinfarbige Pflanze (nach meiner Bezeichnung) in P. 1 vorgelegen, dann hätte in diesem Falle $^1/_4$ von F. 2 wieder weiß bzw. elfenbein sein müssen.

Daß fleischfarbig a. e. Delila nur bei sehr genauem Zusehen von rein elfenbeinfarbig zu unterscheiden ist, habe ich oben S. 43 schon erwähnt, und de Vries hat Miß Wheldale selbst brieflich mitgeteilt, daß seine „weißen" teils „ivory" teils „rose delila" in der Farbenbezeichnung von Miß Wheldale gewesen sind.

Ebenso wie diese Kreuzung von de Vries, so steht auch das Verhalten der von ihm l. c. S. 199 geschilderten einzelnen geselbsteten F. 2-Pflanzen völlig in Einklang mit meinem Erbeinheiten bzw. mit der von mir für die beiden P. 1-Pflanzen von de Vries oben genannten Formel.

Die Versuche von Miß Wheldale stimmen alle durchaus mit den meinigen. Ich brauche das aber im einzelnen hier wohl nicht auszuführen.

Die Zahl der Erbeinheiten von A. majus.

Die bisher beschriebenen Versuche zeigen wohl zur Genüge, wie ungemein klar und übersichtlich die sonst ja völlig unverständlichen Befunde werden, wenn man eine Anzahl unabhängig mendelnder Erbeinheiten annimmt, wie die, mit welchen ich in allen diesen Versuchen operiert habe. Wenn man, wie ich es jetzt schon mit *Antirrhinum* getan habe, sehr viele Experimente ausführt und die Resultate miteinander vergleicht, dann kommt man schließlich dazu, mit diesen Erbeinheiten fast eine körperliche Vorstellung zu verbinden, mit ihnen genau so zu operieren, wie es der Chemiker mit seinen —

ja auch nur theoretisch angenommenen Einheiten, den Atomen, Molekülen usw. — tut. Es ist mir wahrscheinlich, daß es nur eine Frage der Zeit ist, für irgend eine Art z. B. für *A. majus* die Erbeinheiten so weit klar zu legen, daß man schließlich die ganze Formenmannigfaltigkeit der betreffenden Art damit umfaßt, daß es möglich ist, einfach durch eine Formel für irgend eine Rasse eindeutig anzugeben, wie sie aussieht, wie sie sich vererbt und vor allem auch, wie sie sich bei jeder einzelnen Kreuzung mit jeder anderen Rasse verhalten wird, wie F. 1 und F. 2 dieser Kreuzungen aussehen werden usw. Für *Antirrhinum majus* wird dies wahrscheinlich mit maximal etwa 40—50 Erbeinheiten möglich sein.

Es ist nun die Frage, sind diese 40 bis 50 Erbeinheiten nun wirklich alle überhaupt in A. majus enthaltenen Erbeinheiten? Diese Frage ist zu verneinen. Wir müssen uns nämlich stets darüber klar bleiben, daß wir irgend eine Erbeinheit als solche nur dann erkennen können, wenn wir ein Individuum haben, oder erzeugen können, das heterozygotisch in bezug auf diese Erbeinheit ist. Und wenn wir auf den Boden der presence and absence-Hypothese bleiben, ist demnach eine Erbeinheit, d. h. ein Faktor, ein großer Buchstabe unserer Formeln, nur dann zu erkennen, wenn es Individuen gibt, die diesen Faktor nicht enthalten. Solange ich keine ee-Pflanze hatte, wußte ich nichts von der Existenz des Faktors E. Solange ich nicht eine rr-Pflanze hatte, wußte ich nichts von der Existenz eines Faktors R usw. Also erst dadurch, daß man eine Rasse oder auch nur ein Individuum in Beobachtung bekommt, das irgend einen Faktor nicht enthält, kann man konstatieren, ob in einer anderen Pflanze dieser Faktor enthalten ist oder nicht. Und wir haben ja gar keinen Grund anzunehmen, daß von *Antirrhinum majus* alle vorhandenen Erbeinheiten auch nur wenigstens in irgend einer Rasse „absent" sind. Mit anderen Worten, auch wenn es möglich sein wird, auf 40 bis 50 Faktoren die ganze Formenmannigfaltigkeit der Rassen von A. *majus* zurückzuführen, so sagt dies nur, daß von den vielleicht noch sehr viel zahlreicheren Erbeinheiten nur 40 bis 50 vorläufig wenigstens in irgend einer Rasse als fehlend gefunden worden sind. Aber über die wirkliche Zahl der vorhandenen Erbeinheiten sagt dies natürlich gar nichts aus.

Will man in der Analyse weiter kommen, so bleibt nur noch ein, gerade bei *Antirrhinum* glücklicherweise wahrscheinlich gangbarer Weg. Dieser Weg besteht in Kreuzungsversuchen zwischen A. *majus* und anderen *Antirrhinum*-Arten. Es ist heute schon wohl mit ziem-

licher Sicherheit zu sagen, daß Unterschiede zwischen zwei sehr verschiedenen „Spezies" gelegentlich der gleichen Art sein können, wie
zwischen Rassen von *A. majus*, d. h. daß es sich um mendelnde,
auf einer großen oder einer kleiner Zahl von Erbeinheiten beruhende
Unterschiede handelt.

In sehr vielen anderen Fällen freilich beruhen die Unterschiede
zwischen zwei Arten nicht bloß auf verschiedenen Erbeinheiten,
sondern sind ganz anderer Art, mendeln nicht. In der Gattung
Antirrhinum gibt es nun mehrere von *A. majus* morphologisch sehr
stark verschiedener Arten, die mit ihm völlig fertile Bastarde geben
und — nach einigen Vorversuchen zu schließen — sehr kompliziert
aufzumendeln scheinen. F. 2-Generationen derartiger Art-Kreuzungen
mit *A. majus* werde ich im nächsten Sommer in sehr großen Individuenzahlen ziehen können und genau zu analysieren versuchen. Es ist
natürlich a priori zu erwarten, daß in diesen Versuchen auch zahlreiche neue Erbeinheiten gefunden werden können, die bisher nicht
erkennbar sind, weil innerhalb der Art *A. majus* diese Erbeinheiten
nur homozygotisch vorkommen.

Voraussichtlich wird also die Zahl der bekannten Erbeinheiten durch
solche Art-Kreuzungen noch wesentlich erhöht werden.

Wieweit sich so durch Artkreuzungen die Analyse wird führen
lassen, das ist nicht vorauszusehen. Ob es möglich sein wird, auf
diesem Wege sich eine präzisere Vorstellung über das Wesen der Erbeinheiten zu verschaffen, das können wir höchstens hoffen. Vielleicht
kommt aber aus solchen Versuchen wenigstens die Aufklärung darüber,
welche Art von Unterschieden zwischen zwei Individuen auf mendelnden Erbeinheiten beruht und welche Art nicht.

Nicht auf Erbeinheiten zurückzuführende Rassen- unterschiede bei Antirrhinum majus.

Bisher schon habe ich wiederholt darauf hingewiesen, daß es
meine Versuche sehr wahrscheinlich machen, daß nahezu die gesamten
Rassenunterschiede bei *Antirrhinum majus* auf mendelnden Erbeinheiten beruhen.

Man war ja noch vor einigen Jahren mit dem Zugeständnis, daß
irgend ein Merkmal nicht mendele, viel freigebiger, als man es heute
ist. Wir wissen eben, daß nicht die Außenmerkmale, sondern die
Erbeinheiten mendeln, und daß ein Außenmerkmal oft von sehr zahlreichen mendelnden Erbeinheiten beeinflußt wird. Eine Kreuzung

z. B. von einem niedrigen, stark verästelten *Antirrhinum majus* mit einem hohem, fast unverzweigten, gibt in F. 1 eine mittelhohe Kompromiß-bildung, in der ungefähr die Form des hohen Elters überwiegt. In F. 2 bekommt man eine sehr große Manigfaltigkeit von Wuchsformen, scheinbar alle denkbaren Übergangsformen zwischen den beiden Elterntypen, ohne jede scharfe Grenze. Früher hätte man sofort ge-schlossen, daß hier kein Mendeln vorliege, in Wirklichkeit liegt aber doch eine regelrechte Spaltung vor, aber eine Spaltung mit etwa 4—6 Erbeinheiten und dabei fluktuieren die einzelnen Typen trans-gredierend, was natürlich die genaue zahlenmäßige Analyse fast un-möglich macht. Man kann also mit dem Schlusse, daß irgend ein Unterschied zwischen zwei Sippen nicht mendele, gar nicht vorsichtig genug sein. Ich habe nun freilich noch eine Menge von Beobachtungen gerade über Vererbung von Unterschieden von Wuchsform, Blattform, Blütenstandbau usw. nicht auf die Erbeinheiten hin analysieren können, kenne aber auf der anderen Seite nur einen einzigen Unter-schied, der sicher nicht mendelt. Dieser Fall liegt vor bei der Erb-lichkeit einer weißbunten, als Mutation aus einer rein grünen Sippe in meinen Kulturen aufgetretenen Pflanze **A. 280**. Näheres über diese Pflanze werde ich bei einer anderen Gelegenheit berichten. Hier kann ich mich damit begnügen, mitzuteilen, daß diese Pflanze sich in ihrer Erblichkeit offenbar genau so verhält wie die von Correns[1]) ein-gehend untersuchte *Mirabilis Jalapa albomaculata*.

Die Buntheit wird auch hier nur durch die Mutter übertragen. Diese Buntblättrigkeit ist aber vorläufig das einzige Merkmal bei *A. majus*, von dem ich sicher sagen kann, daß es nicht mendele.

Ob die Analyse der Artbastarde weitere derartige nicht mendelnde Unterschiede in größerer Zahl ergeben wird, müssen die Versuche der nächsten beiden Jahre zeigen.

Die Erbeinheiten der „wilden" Stammform von *A. majus*.

Wenn es möglich ist, unsere Kulturrassen von *A. majus* zu analy-sieren und wenn wenigstens die Erbeinheiten der Blütenfarben heute schon im wesentlichen klargestellt sind, so ist natürlich zu erwarten,

---

[1]) Correns, C. Vererbungsversuche mit blaß(gelb)grünen und buntblättrigen Sippen bei Mirabilis Jalapa, Urtica pilulifera, und Lunaria annua. Zschr. i. Abst.- u. Vererbungslehre **1** 1909, S. 313.

— — Zur Kenntnis der Rolle von Kern und Plasma bei der Vererbung. Ebenda **2** 1909, S. 331.

daß auch das wilde *A. majus* in dieser Weise analysiert werden könnte. Vor allem ist es dabei von Interesse festzustellen, ob die zahlreichen, offenbar in Kultur entstandenen Rassen etwa alle einfach durch das Fehlen einzelner Erbeinheiten charakterisiert seien, die in dem wilden *A. majus* alle vorhanden sind.

Diese Frage ist nicht zu beantworten. Es gibt eben ein „wildes *Antirrhinum majus*" als etwas einheitliches gar nicht. Es gibt schon wild eine sehr große Menge von einander nahestehenden Sippen. Die Unterschiede zwischen den verschiedenen Sippen sind dabei z T. sehr beträchtlich. Was die Systematiker *Antirrhinum majus* L heißen, ist eine nicht weiter begründete Zusammenfassung einer gewissen Anzahl derartiger Sippen. Wieder andere Sippen aus diesem Verwandtschaftskreise sind ganz willkürlich mit eigenen Artnamen belegt und beschrieben worden. Es wird viel Mühe kosten, hier einigermaßen Ordnung in der Systematik zu schaffen. Eine ganze Anzahl solcher wilder Sippen habe ich bereits in Kultur. Dabei hat sich gezeigt, daß diese wirklich von einem natürlichen Standort stammenden Sippen alle in sich merkwürdig einheitlich sind, d. h. Individuen dieser Sippen, die aus „wilden" Samen erzogen sind, gehen bei Selbstbefruchtung im allgemeinen stets eine völlig konstante Deszendenz. Das ist auffällig, weil alle diese Sippen, darunter auch manche als verschiedene „Spezies" beschriebene, miteinander vollkommen fertil kreuzbar sind und spontan sofort sich kreuzen, wenn sie einander benachbart kultiviert werden. Z. B. habe ich eine sehr charakteristische wilde Sippe von *A. majus* aus Spanien in Kultur, die durch einen eigentümlichen „adszendens"-Wuchs, sehr starke Behaarung und ziemlich kleine Blüten, die ungefähr die Zeichnung von Fig. 26 Taf. I, aber a. g. haben, ausgezeichnet ist. Diese Sippe ist von vornherein völlig konstant gewesen, obwohl sie in Kultur nur durch Einbeutelung rein erhalten werden kann, wenn andere Sippen von *A. majus* in der Nähe wachsen. Die Pflanzen dieser Sippe sind nämlich ziemlich weitgehend selbststeril (was übrigens vielfach bei wilden Sippen von *A. majus* und ein wenig auch bei *A. latifolium* zu beobachten ist), sind also sehr zu Fremdkreuzung geneigt.

Daß trotzdem in der Natur diese Sippen sich rein halten, kann wohl vielfach nur auf räumliche Isolation der einzelnen Sippen zurückgeführt werden.

Im einzelnen die Verbreitung der verschiedenen wilden Sippen, ihr Verhalten an Stellen, wo mehrere Sippen zusammen vorkommen, u. dgl. Fragen zu untersuchen, wäre eine sehr dankbare Aufgabe.

Eine Aufgabe freilich, die erst in Angriff genommen werden kann, wenn man schon möglichst zahlreiche Sippen sehr genau kennt, d. h. nicht bloß aus vertrocknetem Herbarmaterial, sondern durch lange Kultur und Beobachtung im lebenden Zustande.

Durch Kreuzungen einer ganzen Anzahl derartiger Sippen sind offenbar die meisten unserer heutigen Kulturrassen von *A. majus* entstanden. Welche wilde Sippen auf diese Weise als die Stammformen der kultivierten Rassen anzusehen sind, ist wohl heute kaum mehr festzustellen. Wahrscheinlich ist es möglich durch Kreuzung nur weniger — etwa 2—3 — wilder Sippen schon in F. 2 mindestens die ganze Farbenmannigfaltigkeit unserer Kulturrassen zu bekommen. Ich habe einige derartige Versuche eingeleitet, weiß aber nicht, ob ich in absehbarer Zeit genügend Platz haben werde, sie auszuführen.

Die stoffliche Grundlage der Erbeinheiten.

Über den „Sitz" der Vererbungsträger ist sehr viel diskutiert worden, ohne daß wir besonders viel Klarheit gewonnen hätten. Ich halte es vorläufig für zwecklos, sich Spekulationen darüber hinzugeben, wie wir die theoretisch erschlossenen Erbeinheiten, auch wenn wir sie uns ja als irgend etwas Körperliches vorstellen müssen, in Beziehung bringen können zu anatomischen oder zytologischen Befunden. Man kann ja allerdings, um etwas bequemer in Gedanken mit den Formeln operieren zu können, sich vorstellen, daß irgend ein Faktor, der „present" ist, also ein großer Buchstabe in unsern Formeln irgend einem Partikelchen in einem Chromosom entspreche. Eine Pflanze, die homozygotisch in bezug auf diesen Faktor ist, habe dann in beiden Kernanteilen, dem väterlichen und dem mütterlichen, diesen Partikel, habe ihn also doppelt. Bei der Reduktionsteilung bekomme dementsprechend auch jede der Tochterzellen diesen Faktor mit. Eine Pflanze, die heterozygotisch ist, habe diesen Partikel nur in dem einelterlichen Kernanteil also nur einmal, und bei der Reduktionsteilung bekomme dementsprechend immer nur eine der beiden Tochterzellen diesen Partikel mit, d. h. nur die Hälfte aller Sexualzellen überträgt die daran geknüpfte „Erbeinheit". Einer Pflanze, die den betreffenden Faktor homozygotisch nicht enthält, fehle das den Faktor repräsentierende Partikelchen in beiden Kernanteilen. Es ist klar, daß diese Vorstellung völlig im Einklang steht mit allen Spaltungserscheinungen, aber irgend einen bestimmten andern Anhaltspunkt dafür, daß die Erbeinheiten mit Chromosomenpartikelchen zu identifizieren wären, haben wir vorläufig noch nicht.

Ein gewisser Fortschritt in dieser Hinsicht wäre schon erzielt, wenn man wenigstens den Beweis bringen könnte, daß gerade die mendelnden Unterschiede zweier Sippen durch die Chromosomen übertragen würden. Dieser Beweis ist natürlich auch noch längst nicht erbracht, aber es ist doch immerhin eine sehr bemerkenswerte Tatsache, daß gerade zwei Merkmale, von denen wir mit aller Sicherheit sagen können, daß sie nicht mendeln, wohl sicher nicht durch den Kern. vererbt werden. Sicher nicht nach den Spaltungsgesetzen vererbt sich die Weißbuntheit der *Mirabilis Jalapa albomaculata* und diese Weißbuntheit wird, wie Correns[1]) ausführt, sicher nicht durch den Kern, sondern durch das Plasma übertragen. Auf ein zweites Merkmal, das nicht durch den Kern, sondern sehr wahrscheinlich die Chromatophoren übertragen wird, nämlich die Farblosigkeit der Chromatophoren bei einer weißblätterigen Sippe von *Pelargonium zonale* habe ich selbst vor kurzem hingewiesen[2]). Wenn sich so weiterhin auch noch für andere Merkmale, die nicht mendeln, zeigen ließe. daß gerade sie auch nicht mit dem Kern. beziehungsweise dem Chromatin übertragen würden, so wäre damit meines Erachtens sehr viel gewonnen.

Dominanzverhältnisse.

Wenn wir auf dem Boden der presence and absence-Theorie stehen bleiben, dann haben wir völlige Dominanz eines Faktors, wenn er

---

[1]) Correns, C. Zur Kenntnis der Rolle von Kern und Plasma bei der Vererbung. Zschr. i. Abst.- u. Vererbungslehre 2 1909. S. 331.

[2]) Baur E. Das Wesen und die Erblichkeitsverhältnisse der Varietates albomarginatae hort. von Pelargonium zonale. Zschr. i. Abst. u. Vererbungslehre 1 1909. S. 330. Nach meiner Auffassung müssen wir nicht bloß, wie Correns es tut, dem „Sitze der Erblichkeit" nach zwei, sondern drei verschiedene Kategorien von Chromatophoreneigenschaften unterscheiden:

1. mendelnde, die durch den Kern übertragen werden, z. B. das Aurea-Merkmal bei *Antirrhinum* (Faktor H), und *Pelargonium*, das Chlorinamerkmal bei *Antirrhinum* (Faktor N). bei *Pelargonium* und *Mirabilis Jalapa* u. a.
2. nicht mendelnde, die
   a) durch das „Plasma" also nur von der Mutter her übertragen werden *(Mirabilis Jalapa albomaculata)* und eine entsprechende Weißbuntheit bei *Antirrhinum)*, und
   b) die durch die Chromatophoren übertragen werden und demgemäß in der von mir geschilderten eigentümlichen Weise mosaikartig vegetativ schon in der F. 1-Pflanze aufspalten.

Ich gedenke auf alle diese Dinge später eingehend zurückzukommen, wenn eine Anzahl neu eingeleiteter Versuche abgeschlossen ist.

schon heterozygotisch sich in gleich starker Weise äußert, wie homozygotisch. Teilweise Dominanz liegt vor, wenn der Faktor heterozygotisch in seiner Wirkung deutlich geschwächt ist.

Von den in vorstehender Arbeit näher behandelten Faktoren sind es nur drei E, P, N, welche schon heterozygotisch, also als Ee, Pp, Nn, sich genau gleich stark äußern, wie homozygotisch als EE, PP, NN, d. h. hier sind die Heterozygoten nicht von den Homozygoten zu unterscheiden.

Dagegen alle Farbenfaktoren äußern sich homozygotisch intensiver als heterozygotisch. Im einzelnen bestehen freilich große Unterschiede, sehr leicht sind z. B. die Gg von den GG, die Ff von den FF zu unterscheiden, sehr schwer, meist gar nicht dagegen die DD von den dd, oft auch nicht LL von Ll. Daß aber trotzdem auch in diesen Fällen der betreffende Faktor heterozygotisch (also nach der presence and absence-Theorie einmal vorhanden) sich schwächer äußert als wenn er homozygotisch, d. h. doppelt vorhanden ist, kann man gelegentlich nachweisen. Gerade in dem letztgenannten Beispiel, zwischen LL und Ll, tritt ein Unterschied sehr deutlich hervor, wenn man die Pflanzen unter Bedingungen kultiviert, die der Ausbildung der roten Farbe entgegenwirken, also warm und schattig, es tritt dann ein Unterschied zwischen LL und Ll-Pflanzen deutlich hervor, die Ll sind blasser.

Bei einzelnen der im vorstehenden beschriebenen Versuche z. B. im Versuch 6 und 7 habe ich die Heterozygoten und die Homozygoten getrennt gezählt, aber im allgemeinen tue ich das nicht, weil eben meist eine sichere Unterscheidung doch zeitraubend und vielfach sogar unmöglich ist, weil die Homozygoten und die Heterozygoten zwar oft verschieden sind, aber transgredierend fluktuieren.

Ich kann dementsprechend zwar in jeder Spaltung einzelne Individuen bezeichnen, die sicher homozygotisch in bezug auf einen bestimmten Faktor sind und ebenso andere, die sicher heterozygotisch sind, aber ich kann meist nicht von jedem einzelnen Individuum sagen, ob es homo- oder heterozygotisch ist.

Figurenerklärung zu Tafel I.

Farbenrassen von *Antirrhinum majus.* Auf die vorstehende Abhandlung beziehen sich die Figuren 1—17, ferner Fig. 19, 20, 26, 27, 28, 29, 30 und nur diese Figuren seien deswegen hier besprochen. Die übrigen Abbildungen beziehen sich auf eine spätere Arbeit, die auch in dieser Zeitschrift erscheinen soll und sind hier nur schon mitreproduziert worden, um die Kosten einer weiteren, sonst nötig gewesenen Tafel zu ersparen. Die Blüten sind alle nach der Natur von Herrn Maler Eichhorn-Berlin gemalt und dann in Farbenlithographie wiedergegeben worden.

Da im Text, besonders S. 39 sehr ausführlich auf die Tafel Bezug genommen
ist, gebe ich hier nur an, welche Farbenbezeichnung die abgebildete Blüte in meiner
Terminologie hat.

Fig. 1: weiß.

Fig. 2: gelb.

Fig. 3: elfenbein.

Fig. 4: fleischfarbig a. g., ganz.   Vorderansicht.

Fig. 5: fleischfarbig a. g., ganz.   Hinteransicht.

Fig. 6: fleischfarbig a. e., ganz.

Fig. 7: rot a. e., ganz.

Fig. 8: rot a. g., ganz.

Fig. 9: blaßrot a. e., ganz.

Fig. 10: schwarzrot a. e., ganz.

Fig. 11: rot a. g., ganz, picturatum.   Vorderansicht (vgl. Fig. 15).

Fig. 12: rot a. e., ganz, picturatum.

Fig. 13: rot a. g., ganz, picturatum.   Hinteransicht (vgl. Fig. 11).

Fig. 14: chamoisrosa a. e., ganz

Fig. 15: rubin a. e., ganz.

Fig. 16: rot a. e., Delila.

Fig. 17: chamoisrosa a. g., Delila.

Fig. 19: hellpicturatum a. e., Delila.

Fig. 20: dunkelpicturatum a. e., Delila.

Fig. 26: rot geadert, a. e.

Fig. 27, 28: rosarücken a. e.

Fig. 30: schwarzrot a. g., Delila (pelorische Halbrasse).

Zur Phylogenie der Dinosaurier.

Eine kritische Besprechung

von G. Steinmann.

Fast ein Jahrzehnt lang hat F. v. Huene der Untersuchung der
Trias-Dinosaurier gewidmet. und das jetzt abgeschlossene dritte Werk über
diese Reptilgruppe[1]), in dem auch die früheren Untersuchungen mit ver-
arbeitet wurden, zeigt deutlich den gewaltigen Fortschritt auf, den die Wissenschaft v. Huenes sorgfältigen Forschungen verdankt. Denn wir besitzen
jetzt ein Werk, das einen recht vollständigen Überblick über den
Zustand dieser Tiergruppe zur Triaszeit bietet. und das als ein ebenbürtiges
Gegenstück zu der klassischen Monographie von Marsh angesprochen werden

---

[1]) Die Dinosaurier der europäischen Triasformation mit Berücksichtigung der
außereuropäischen Vorkommnisse (Geol. u. pal. Abh. hrg. v. Koken, Supp. 1 1907—08).
Skizze zu einer Systematik und Stammesgeschichte der Dinosaurier (Centralbl. f.
Min. etc. 1909. S. 12—22).

Die früheren umfassenden Arbeiten des Referenten sind:

Übersicht über die Reptilien der Trias (Geol. u. pal. Abh. 10 1902).

Über die Dinosaurier der außereuropäischen Trias (ebenda 12 1906).

darf. Tritt auch das Material an Fülle und Vollkommenheit der Erhaltung gegen das amerikanische nicht unwesentlich zurück, so ist es doch viel mehr allseitig und bis ins Einzelne durchgearbeitet als die meisten anderen Darstellungen von Dinosauriern. Wir finden es daher auch begreiflich, daß der Verfasser die letzten Abschnitte seines Buches einem eingehenden Vergleiche der großen Dinosauriergruppen untereinander und mit den übrigen Reptilabteilungen gewidmet und den Versuch gemacht hat, die gesamten Dinosaurier von phylogenetischem Standpunkte aus zu gruppieren.

Hiernach sind die Dinosaurier eine p h y l o g e n e t i s c h g a n z u n d g a r e i n h e i t l i c h e Reptilgruppe. Ihr Ausgangspunkt ist zu suchen in einer Entwicklungslinie alttriadischer und permischer Formen, die durch die Gattungen Protorosaurus-Aphelosaurus-Proterosuchus-Erpetosuchus bezeichnet wird; die beiden letzteren bilden v. Huenes sog. Proterosuchia. Aus ihnen sind die Theropoden als die Stammgruppe der Dinosaurier hervorgegangen, und auf die älteren Theropoden werden auch die beiden anderen Dinosauriergruppen zurückgeführt, die man bisher allgemein als Sauropoden und Orthopoden (= Praedentata) neben den Theropoden unterschieden hat.

Nach dem Vorgange Seeleys faßt v. Huene die Theropoden und Sauropoden als Saurischia zusammen, weil sie wie die übrigen Reptilien ein nach vorn gewandtes Pubis besitzen, während die Orthopoden mit ihrem nach hinten gewendeten Pubis und dem nach vorn gewendeten Präpubis als Ornithischia bezeichnet werden.

In der oben genannten Entwicklungslinie oder in den Parasuchiern überhaupt sucht von Huene auch die Wurzel der übrigen diapsiden Sauriergruppen, wie Thalatto-, Rhyncho-, Pterosauria, der Crocodilia und der Vögel.

Aus diesem einheitlichen Entwicklungsgange der diapsiden Saurier, im besonderen der gesamten Dinosaurier werden nun aber auch weittragende Folgerungen gezogen. Die Triaszeit ist nach v. Huene „für die Reptilien eine Zeit intensivster Entwicklung, wie es wenigstens für die diapside Hälfte des Stammes nie früher oder später mehr eine solche gegeben hat. Neue Gruppen stehen fast plötzlich neben den alten..." Hier tritt also eine sprungweise Entwicklung deutlich in die Erscheinung, wie sie „die paläontologische Forschung, namentlich in neuerer Zeit, in immer helleres Licht stellt." In der Umprägung der Saurischia zu Ornithischia, die sich in ganz kurzer Zeit (während der jüngeren Trias) vollzogen haben soll, wird „eines der schönsten Beispiele für ruckweise phylogenetische Entwicklung" erblickt.

Welche tatsächlichen Unterlagen gestatten nun solch' weitgehende Schlußfolgerungen, die in unverhülltem Widerspruch zu den allmählichen und nicht sprunghaften Umbildungsvorgängen stehen, die sich bei Wirbellosen so vielfach beobachten lassen? Wenn die quadrupeden Sauropoden auf die schon mehr oder weniger ausgesprochen bipeden Theropoden der Trias zurückgeführt werden, so stehen diesem Vorgehen insofern keine Schwierigkeiten entgegen, als sie mit den angenommenen Vorläufern in zahlreichen Merk-

malen und auch in der Beschaffenheit des Beckens übereinstimmen. Dennoch
scheint es mir bei den weitgehenden Differenzen der Lebensweise und der
daraus resultierenden Beschaffenheit des Skelettes nicht ratsam, die Sauropoden einfach den Theropoden nur als eine den übrigen gleichwertige Familie
einzureihen. Denn Zweifel an der Ableitbarkeit erscheinen nicht unberechtigt.
Der Übergang zur vegetabilischen Ernährung, die Umbildung des digitigraden
Fußes mit stark reduzierten und nicht mehr funktionierenden seitlichen
Zehen in den semiplantigraden mit funktionierenden Seitenzehen ist durch
kein, wenn auch noch so dürftiges Übergangsglied tatsächlich belegt, ja man
könnte sogar die Frage aufwerfen, ob nicht die 5. Zehe der Plateosauriden
schon soweit funktionell rückgebildet war, daß aus ihr nach dem Gesetz
der Unumkehrbarkeit die funktionierende der Sauropoden überhaupt nicht
mehr hervorgehen konnte.

Viel bedenklicher muß aber die Ableitung der Ornithischia von den
triadischen Theropoden erscheinen. Hier gehen die Differenzen in der Gestaltung des Beckens und Schädels so weit, hier klafft in der Überlieferung
eine so weitgähnende Lücke, daß dem Verfasser selbst ernste Bedenken
aufgestiegen zu sein scheinen. Nachdem er auseinandergesetzt hat, wie er
sich die sprunghafte Umprägung denkt (nämlich infolge des Übergangs zur
vegetabilischen Ernährung und unter Annahme des aufrechten Ganges),
sagt er: „Nach diesem Gedankengang allein ist es mir möglich, eine monophyletische Entstehung der Dinosaurier anzunehmen. Will man das nicht,
so kann man die Dinosaurier auch nicht als eine natürliche, d. h. einheitlich
entstandene Ordnung ansehen. Ich glaube aber an eine monophyletische
Entstehung der Dinosaurier.‟

Es ist ja nun gewiß stets von Wert, das Glaubensbekenntnis eines kenntnis-
reichen Forschers über Grundfragen der Abstammung besonders an der Hand
einer von ihm mit so viel Eifer und Erfolg studierten Tiergruppe zu kennen.
Allein ein solcher Glaube sollte doch für die nüchterne Beurteilung der Frage
außer acht bleiben, zumal wenn so weitgehende und gewichtige Folgerungen
allgemeiner Natur gezogen werden. Nun will es mir aber scheinen, als ob
nicht nur die nötigen Grundlagen für die Ableitung der Orthopoden von
den Theropoden zurzeit noch gar nicht vorhanden sind, sondern daß die
bekannten Tatsachen direkt dagegen sprechen. Schon die plötzliche Umbildung des Beckens muß ernste Bedenken erregen, noch mehr aber der
rasche Übergang zu einer ganz geänderten Ernährungsweise, die sich in einer
wesentlich verschiedenen Bezahnung zu erkennen gibt. Wenn man v. Huenes
Auffassung beipflichten wollte, daß die Rückwärtswendung des Pubis durch
den aufrechten Gang hervorgerufen sei, so bliebe es ganz unerklärlich, warum
denn derselbe Vorgang nicht auch bei den Theropoden eingetreten ist, deren
jüngere Vertreter doch die bipede Gangart im extremsten Maße angenommen
haben? Und wie erklärt sich dann die allgemeine Rückwärtswendung des
Pubis bei den Säugern? Sollen deren Vorfahren dies Merkmal auch durch
den bipeden Gang erhalten haben?

Die Bezahnung der Prodinosaurier im Sinne v. Huenes, noch mehr aber der besser bekannten Theropoden aus der Trias erscheint insofern stark spezialisiert, als die Zähne im hinteren Teil der Kiefer bis vor die Augenhöhlen hin fehlen, im vorderen Teil dagegen stark entwickelt sind. Bei den Theropoden ist bekanntlich gerade das Gegenteil der Fall, die Zähne reichen bis hinter die Augenhöhle zurück, aber die Kieferspitzen sind zahnlos. Diese beiden gegensätzlichen Zustände lassen sich nicht voneinander ableiten, werden auch durch kein Verbindungsglied überbrückt. Sollten wir nun annehmen, daß bei der Herausbildung der Orthopoden aus den Theropoden die schon verschwundenen hinteren Zähne neu gewachsen sind? Ich habe zwar auch früher an ähnliche Möglichkeiten gedacht, muß aber gestehen, daß sie mir nach dem Gesetze der Unumkehrbarkeit jetzt gänzlich ausgeschlossen zu sein scheinen. Und so möchte ich denn sagen: Die Ableitung der Orthopoden aus den jetzt bekannten Theropoden erscheint allein schon nach den Unterschieden des Gebisses unmöglich. Auf andere Schwierigkeiten, die der Ableitung entgegenstehen, will ich hier gar nicht eingehen; ihre Zahl ist aber nicht gering.

Wenn sich die Orthopoden aber nicht von den Theropoden ableiten lassen, so kennen wir auch die vielgesuchten „Prodinosaurier" nicht, wie v. Huene meint, sondern nur Vorläufer von Theropoden aus der Perm-Triaszeit. Ob und wie diese aber mit den noch gänzlich unbekannten Ahnen der Orthopoden zusammenhängen, wissen wir nicht.

v. Huene ist der Ansicht, daß die Dinosaurier ohne Nachkommen ausgestorben sind. Ja er wirft die Frage auf, wie es komme, daß sich manche überhaupt so lange haben erhalten können. Die Ursache liegt nach ihm in der gewaltigen Körpergröße, während diese sonst doch als ein Hindernis für das Weiterbestehen betrachtet wird. Während die Vergleiche der Dinosaurier mit anderen Reptilgruppen zum Teil sehr ausführlich gezogen sind, wird die Frage nach den phylogenetischen Beziehungen zu den Vögeln nur summarisch behandelt nach folgendem Gedankengange.

Die Vögel sind monophyletischen Ursprungs und die Laufvögel stammen von den Flugvögeln ab (Fürbringer). Da diese ein Schlüsselbein besitzen, die Dinosaurier aber nicht, so können „die Vögel" phylogenetisch mit ihnen nichts zu tun haben, da das Schlüsselbein nicht von neuem entstanden sein kann. „Die zwischen Vögeln und Dinosauriern bestehenden Ähnlichkeiten beruhen also teils auf Konvergenz, teils aber auch auf gemeinsam ererbter Anlage", da die Vögel aus der gleichen Wurzel permisch-triadischer Vorfahren hervorgegangen sein sollen, wie die Dinosaurier. Wenn es nun feststünde, daß die Laufvögel von Flugvögeln abstammen, so wäre gegen jene Darlegung nichts einzuwenden, aber das ist nur eine Annahme, die durch keine fossile Übergangsformen gestützt wird. Wer daher wie ich diesen Ursprung der Laufvögel nicht für erwiesen hält, wird die Tatsache, daß sie ebenso wie die Dinosaurier kein Schlüsselbein besitzen, phylogenetisch hoch be-

werten, zumal sie ja in so zahlreichen anderen Merkmalen mit den Lauf-
vögeln übereinstimmen und außer dem von v. Huene angeführten Gegen-
grunde eigentlich k e i n e T a t s a c h e der Ableitung der einzelnen Lauf-
vögeltypen von einzelnen Theropoden. Sauropoden und Phytosauriern ent-
gegensteht.

Auf einen Vergleich der Dinosaurier mit irgendwelchen Säugern hat
v. Huene ganz verzichtet, trotzdem manche sonderbare Erscheinungen nur
hierbei verstanden werden können. Das gilt z. B. gerade für die Schlüssel-
beinfrage bei den Dinosauriern. Es ist nämlich nicht ganz korrekt, wenn
v. Huene schlechtweg behauptet: „Schlüsselbeine fehlen den Dinosauriern".
Bekanntlich hat sich bei Iguanodon eine Knochengruppe gefunden, die von
Hulke, Marsh und Zittel unbedenklich als die beiden Schlüsselbeine mit
dazwischen gelegener Interclavicula angesprochen ist, und die in der Tat
bei unbefangener Betrachtung keine andere Deutung zuläßt (abgebildet in
Zittel, Handb. d. Pal. 3, 698, Fig. 606). Bei verwandten Ornithopoden sind
ähnliche Knochen gefunden worden. Trotz der bezeichnenden Form und
gegenseitigen Lage dieser Knochen hat man sie aber für „gestielte Sternal-
knochen" erklärt, obgleich sie als solche wohl ganz einzig in der Vierfüßler-
welt dastehen. Bei dieser Deutung dürften maßgebend gewesen sein einerseits die Tatsache, daß die überwiegende Mehrzahl der Dinosaurier und
namentlich die älteren Vertreter (Theropoden) kein Schlüsselbein besitzen,
andererseits die axiomatische Annahme, daß alle Dinosaurier nur e i n e s
Stammes sein können. Dies vereinzelte Auftreten von Schlüsselbeinen bei
einer bestimmten Gruppe von Orthopoden spricht natürlich nicht zugunsten
einer einheitlichen Abstammung, sondern beweist, daß die einzelnen Abteilungen der Orthopoden, wenn überhaupt, so nur in ganz weit zurückliegender Zeit miteinander zusammenhängen und nicht in den Theropoden
wurzeln können. Damit verlieren wie viele andere Eigenarten der voneinander
so weit abweichenden Orthopoden, so auch diese ihren befremdlichen Charakter.
Hält man sie weiterhin nicht für ausgestorben, sondern sieht man in den
Gravigraden und Loricaten unter den Edentaten ihre Säuger-Nachkommen,
wie ich das früher in dieser Zeitschrift wahrscheinlich zu machen versucht
habe (**2**, 65—90), so gewinnt das vereinzelte Vorkommen der Schlüsselbeine unter den Dinosauriern eine hohe Bedeutung und bestätigt in bemerkens-
werter Weise diesen Zusammenhang. Denn es ist doch gewiß ein eigenartiges
Zusammentreffen, daß unter den Dinosauriern nur ·e i n e Gruppe der Orthopoden, i. B. Iguanodon (und einige Verwandte) ein Schlüsselbein besitzt und
daß unter den Vögeln und Säugern, die ich davon ableitete (Ratitae und Eden-
tatae usw.) wiederum nur e i n e kleine Gruppe, die Gravigraden, im besonderen
Megatherium, im Besitze desselben Merkmals ist, d. h. g e r a d e d i e -
j e n i g e n E d e n t a t e n , die ich nach vielen anderen Merkmalen von
Iguanodon und Verwandten abgeleitet habe. Am Schlusse dieser Besprechung, die die zahlreichen interessanten Beziehungen der Dinosaurier
nicht im Entferntesten erschöpft, möchte ich noch einmal ausdrücklich dem

Fleiße und der Sorgfalt in den Arbeiten v. Huenes meine Anerkennung zollen, zugleich aber auch den einseitigen Charakter der phylogenetischen Darlegungen scharf betonen. Weil durchgängig der Grundsatz der einstämmigen Entwicklung als Axiom gilt, für Dinosaurier, für Vögel, für Säuger, so werden die tatsächlichen Beziehungen der Dinosaurier zu Vögeln kaum, zu Säugern gar nicht erörtert. Das ist streng genommen keine rein induktive, auch keine ganz unbefangene Forschungsmethode.

Sammelreferat.

Zur Phylogenie der Angiospermen.

Von L. Diels.

D. Scott, The Flowering Plants of the Mesozoic Age, in the Light of recent Discoveries. Journ. Roy. Microsc. Soc. London 1907. S. 129—141. Vgl. auch in Nature LXXVI (1907). S. 113—117.

E. A. N. Arber and J. Parkin, On the Origin of Angiosperms. Journ. Linn. Soc., Bot. XXXVIII (1907). S. 29—80. — Ins Deutsche übersetzt von O. Porsch in Österr. Bot. Zeitschr. 1908.

— Studies on the Evolution of the Angiosperms. The Relationship of the Angiosperms to the Gnetales. Ann. Bot. XXII (1908). S. 490—515.

R. v. Wettstein, Die Entwickelung der Blüte der Angiospermen aus derjenigen der Gymnospermen. In „Handb. d. Syst. Bot.". Leipzig und Wien (1907). S. 201—208.

H. Hallier, Zur Frage nach dem Ursprung der Angiospermen. Ber. Deutsch. Bot. Gesellsch. XXV (1907). S. 496—497.

— Über Juliania, eine Terebinthaceen-Gattung mit Kupula und die wahren Stammeltern der Kätzchenblütler. Neue Beiträge zur Stammesgeschichte der Dikotylen. Beih. Bot. Centralbl. XXIII (1908). Abt. II. S. 81—265.

E. Sargant, The Reconstruction of a Race of Primitive Angiosperms. Ann. Bot. XXII (1908). S. 121—186.

Es ließ sich erwarten, daß die wichtige Errungenschaft der jetztzeitigen Paläobotanik, der Nachweis samentragender Gewächse im Paläozoikum, die alte Frage nach der Abstammung der Angiospermen von neuem beleben würde. In der Tat hat sich das vielumstrittene Problem abermals in seinem ganzen Umfang erhoben. Und die stattliche Reihe der Schriften, über die hier zu berichten ist, zeugt von der allgemeinen Teilnahme, die es heute wieder findet.

In England, woher der paläontologische Anstoß kam, betätigte sich dies Interesse erklärlicherweise mit dem größten Nachdruck. Man spürt etwas von der Kühnheit und Zuversicht des Erfolgreichen in den Spekulationen, mit denen man dort die Angiospermen-Rätsel zu meistern unternimmt.

Für die Blüte der Angiospermen muß es einen Anschluß in der Vorzeit geben. Man sucht danach, und findet ihn bei jenen mesozoischen Bennettites,

deren Entdeckung an sich ja „zu den frappantesten und am wenigsten erwarteten Enthüllungen paläontologischer Forschung zu zählen ist". Bei
S c o t t wird die verbindende Linie schon aufgezeigt. A r b e r und P a r k i n
aber versuchen näher zu begründen, daß sie eine feste Brücke bildet. Ein
Jahr vorher erst, 1906, war die früher nur dürftig und unvollkommen bekannte
Gattung Bennettites von W i e l a n d in „American Fossil Cycads" umfassender aufgeklärt worden. Den Bau des blühenden Sprosses hat er erst
vollständig ans Licht gebracht. Und daran knüpft sich natürlich besonderes
Interesse. Es ist ein Zapfen, unten besetzt mit sterilen Hochblättern,
darüber einen Wirtel ♂-Sporophylle tragend und noch höher, an der Spitze,
in der weiblichen Sphäre endend, die aus gestielten Samenanlagen und „inter-
seminalen" Schuppen besteht. Die ♂-Sporophylle sind doppelt gefiedert und
mit zahlreichen Synangien versehen. Ihren Pollen sammeln offenbar die
Samenanlagen unmittelbar. Die Interseminalschuppen verwachsen mit ihren
Spitzen und bilden zuletzt eine Art von Pericarp. In den Samen liegen Keimlinge mit 2 Kotyledonen. Gewisse Ähnlichkeiten dieses Gebildes mit der
Angiospermenblüte hatte bereits W i e l a n d angedeutet, O l i v e r hatte
sie dann mit stärkerem Nachdruck betont, S c o t t und in seinem Gefolge
A r b e r und P a r k i n betrachten sie als entscheidend. Sie sehen in dem
Bennettites-Zapfen den Vorläufer der Angiospermenblüte, und bezeichnen ihn
demgemäß als „Proanthostrobilus". Phyletisch sind für sie bennettitesartige
Gewächse die Ahnen der Angiospermen. Zwar fehlt es ihnen an unmittelbaren
Übergängen. Aber sie schließen die Kette durch die Einschiebung einer
hypothetischen Mittelgruppe. Diesen „Hemiangiospermen" weisen sie freie
Fruchtblätter zu, etwa solche, wie sie heute bei Cycas vorkommen, und lassen
daran blattbürtige Samenanlagen sitzen, die den Pollen noch selber sammeln.
Was nun noch fehlt zum Typus der Angiospermen, das soll die Entomophilie
geschaffen haben. Sie ließ die Sporophylle sich wandeln. Die ♂ wurden stark
vereinfacht, zu ungeteilten Blättern. Die Carpelle schlossen sich und bildeten
an ihrer Spitze das Organ aus, den Pollen festzuhalten.

Zur Würdigung der A r b e r - P a r k i n schen Annahmen muß man
sich gegenwärtig halten, was bei Bennettites und dem Angiospermentypus
verschieden ist, und was gemeinsam. Verschieden sind die Mikrosporophylle:
sie tragen bei Bennettites zahlreiche Synangien und sind geteilt in doppelter
Fiederung, ganz filicoid, so wie etwa der Marattiaceen-Wedel. Verschieden
sind auch die Megasporophylle, denn sie stützen die Samenanlagen, statt sie
auszugliedern, und die Samenanlagen nehmen selber den Pollen auf. Gemeinsam ist die unterständige Hülle, gemeinsam auch die Vereinigung der
Geschlechtsblätter am Achsenende, der „amphisporangiate Strobilus", wie
Verff. sich ausdrücken, gemeinsam ihre Reihenfolge, unten die ♂-, oben
die ♀-Organe.

Bei diesem Stande von Gleich und Ungleich scheint es leicht zu sehen, um
wie viel schwerer die Ungleichheiten ins Gewicht fallen. Für die ♂-Sphäre
geben die Verf. selber zu, der Abstand sei ein sehr großer. Eine derartige
Reduktion der Sporophylls, wie sie hier angenommen werden müßte, ist
zwar vorstellbar, aber es fehlt uns dafür jegliches Beispiel. Doch womöglich
noch schwieriger zu überbrücken ist die Kluft bei den Megasporophyllen.
Hier helfen sich die Autoren mit rein hypothetischen Konstruktionen, die sich
an einer ebenso fiktiven Unterlage, den „Hemiangiospermen" vollziehen. Man muß gestehen, es sind notdürftige Behelfe, und ihrer Schwäche
gegenüber werden die paar Gemeinsamkeiten der beiden Typen viel zu leicht
befunden. Das „Perianth" will wenig bedeuten, denn derartige Hüllen vor der
generativen Sphäre sind sogar bei Bryophyten und Pteridophyten zur Genüge

bekannt. Auch der bisporangiate Strobilus kommt ja bei den Pteridophyten vor. Das einzige mehr Wesentliche und wirklich Auffallende ist die streng geordnete Stellung der heterosporen Phyllome bei den Angiospermen, welche bei Bennettites wiederkehrt: das unbedingte Vorangehen der ♂-Sporophylle. Bei Selaginella und Isoëtes stehen sie meistens umgekehrt; doch ausnahmlos gilt diese Regel nicht, denn bei Selaginella trifft man beide Lagen; die Stellung der beiden Sporophylle ist dort keineswegs fest bestimmt. Es ist also höchst gewagt, wenn man in ihrer übereinstimmenden Anordnung bei Bennettites und den Angiospermen mehr sehen will, als eine Konvergenz ohne phyletische Bedeutung.

Über die Entwicklung der Sporen und Gametophyten bei den Bennettitales wissen wir nichts. Doch daraus darf man kaum das Recht ableiten, auf diese Entwicklungsgeschichte leichten Sinnes zu verzichten und sie sozusagen wohlgemut über Bord zu werfen. Solange darüber ,von Bennettites nichts bekannt ist, solange die Verknüpfung ihrer Sporophylle mit dem Angiospermenschema gewagte Hypothesen verlangt, solange die herangezogenen Analogien nur Allgemeinheiten sind, solange wird A r b e r und P a r k i n s Theorie nichts besseres bleiben, als eine gut durchdachte Vorstellungsmöglichkeit, ,,mehr interessant als überzeugend", wie ihre Vorgängerinnen allesamt. Wenn ihre Schöpfer verlangen, sie als ,,working hypothesis" zu behandeln, so ist das schon zu viel gefordert. Das bedenklichste an ihr ist der Schein der paläontologischen Grundlage. Weil sie an ein gesichertes Petrefakt anknüpft, überträgt man wohl unwillkürlich auf sie selbst ein Gefühl der Sicherheit; in einem Meer von Zweifeln gilt jeder feste Punkt gleich für die erwartete Küste.

Wenn der vollkommene Mangel von Daten über die Entwicklungsgeschichte der Sporen den wichtigsten Einwand bildet, so finden sich die Urheber der Hypothese leicht damit ab. Man habe diese Dinge überschätzt. Sie wollen statt dessen ihre Stellung dadurch festigen, daß sie die Nutzbarkeit ihrer Lehre praktisch zu erproben suchen.

Einen solchen Versuch legen sie vor in ihrer Studie über die V e r w a n d t - s c h a f t d e r A n g i o s p e r m e n m i t d e n G n e t a l e s. Im Gegensatz zur geläufigen Ansicht meinen sie, daß die Gnetales, diese paar versprengten Formen, über den Ursprung der Angiospermen nur wenig Licht verbreiten könnten. Wohl aber halten sie ihre Strobilus-Theorie, wie sie von den Angiospermen ausgeht, für ganz geeignet, die Morphologie der Gnetalesblüte aufzuklären. Den Schlüssel dazu gibt die ♀-Welwitschia-Blüte. Sie besitzt ein Perianth, dann einen Zyklus von Mikrosporophyllen und darüber, an der Spitze, ein ♀-Rudiment: also ein bisporangiates System, und zwar einen Proanthostrobilus; denn es ist das nackte Ovulum, das den Pollen sammelt, und nicht das Fruchtblatt, welches am echten Anthostrobilus dafür sorgt. Ein Fruchtblatt fehlt überhaupt. Es ist geschwunden, weil die langröhrige Mikropyle die Funktion des Griffels übt; das Ovulum ist axil geworden. Der Proanthostrobilus der Welwitschia ist also in der ♀-Sphäre — soweit sie vorliegt — bereits stark reduziert, ganz abgesehen von ihrer Sterilität. Noch stärkere Einschränkung äußert sich in ihrer ♂-Blüte, und ebenso bei Gnetum und Ephedra in beiden Geschlechtern. Darin sehen A r b e r und P a r k i n ein Correlat der dichten Vereinigung der Strobili in hochentwickelten Blütenständen bei diesen Pflanzen. Die Gattungen Ephedra und Welwitschia, meinen sie, könnte man beinahe die ,,Amentiferae der Gnetales" nennen. In der Tat fassen die beiden Autoren die Gnetales auf als eine Gruppe, die sich parallel zu den Angiospermen entwickelt hat. Beide sind hervorgegangen zu denken aus den Hemiangiospermen, jenem

einstweilen nur· in der Vorstellung existierenden Zwischengliede der Bennettitales und der höchststehenden Abteilung des Gewächsreiches.

Der Kern der ganzen Frage liegt auch hier bei den weiblichen Organen.
Die entscheidende Annahme von A r b e r u n d P a r k i n besteht in dem
Rückgang und spurlosen Verschwinden der für die Hemiangiospermen von
ihnen verlangten Fruchtblätter mit blattbürtigen Samenanlagen.   Und
diese Annahme ·dürfte unstatthaft sein.   Man kann unmöglich eine Form
in Beziehung setzen wollen zu einer Gruppe, deren bezeichnendes Merkmal
sie gerade n i c h t besitzt.

Im übrigen nehmen A r b e r und P a r k i n den Standpunkt ein, zu
dem neuerdings viele Autoren von anderer Seite her gelangt sind: eine direkte
phyletische Verknüpfung der Angiospermen mit den Gnetales ist nicht nachweisbar.   Auch P e a r s o n s neue ausführliche Untersuchung des Embryosackes von Welwitschia gibt ja kaum etwas, das sich als angiospermenhaft
aufgreifen ließe.   Anderseits haben die Studien bei den Angiospermen wohl
hier und da ganz ansehnliche Abweichungen im Bau des Embryosackes aufgedeckt, doch nirgends einen Hinweis auf die Gnetales, nirgends etwas wirklich
Primitives.

Demgegenüber tritt W e t t s t e i n wieder nachhaltig für den Anschluß der Angiospermen an die Nacktsamigen durch die Gnetales ein.
Während aus der Masse der Gymnospermen die „bisporangiate" Welwitschia
für A r b e r und P a r k i n vor allen den Leitstern bildet, legt W e t t s t e i n
auf ihren spurweise bewiesenen Hermaphroditismus keinerlei Gewicht.   Was
vielmehr Bedeutung für ihn hat, das ist die sonst durchgreifende Ein-
geschlechtigkeit der Gnetales.   Darin zeigt sich das Band zwischen Gymnospermen und niederen Angiospermen.   Wie die Entstehung der ♂-Angio-
spermenblüte aus der gymnospermen — etwa dem „Typus" von Ephedra zu
denken sei —, macht der „Typus" von Casuarina „vielleicht verständlich".
Da stehen in Wirteln vier Hochblätter, und in der Achsel eines jeden eine
♂-Blüte mit reduzierten Hüllblättern und zwei mit einander verwachsenen
Staubblättern.   Aus solchem Blütenstand wäre die Blüte vieler Monochlamydeen als Pseudanthium abzuleiten: die Hochblätter zusammen werden
zum Kelch, die Hüllblätter verschwinden völlig, die zwei Staubblätter verwachsen zu einem: seine vier Pollensäcke deuten noch an, daß es aus zwei
mit je zwei Pollensäcken verschmolzen ist.   Ähnlich hat man sich die Bildung
des ♂-Blütentypus aus der ♂-Infloreszenz zu denken.   Der ganze Prozeß
läßt drei Stadien erkennen.   Stadium I ist eine Reduktion: der Blütenstand der Gymnospermen wird zur Einzelblüte.   Dieser Vorgang war möglich,
obgleich noch Anemophilie waltete, weil die Ausbildung der Narbe zum
Fangen des Pollens die Befruchtungsaussichten vergrößert hatte.   In
Stadium II nimmt die Zahl der Staubblätter wieder zu, indem die pollen-
suchende Insektenwelt selektiv eingreift.   Stadium III wird weiter durch die
entomophilen Faktoren bedingt: die Staubblätter wandeln sich zum Teil
zu Petalen, das bisher einfache Perianth gliedert sich in Kelch und Krone.

W e t t s t e i n will seine Hypothese nicht anders betrachtet wissen als
„immerhin eine der möglichen Deutungen", weil sie „morphologisch zulässig
und ökologisch verständlich" sei. · Man sieht, dieser Versuch verlangt die
Ableitung der Angiospermenblüte von monochlamydeoiden Formen.   Seine
Voraussetzung ist das Pseudanthium.   Beide Annahmen bieten nicht unerhebliche Bedenken, sobald ihre Konsequenzen verfolgt werden.   Wenn man
an einer gemeinsamen Grundlage der Angiospermenreihe festhält — und
W e t t s t e i n tut dies —, so sieht der Ausgang von den Ranales her jedenfalls viel einfacher und weniger gezwungen aus.   Denn bei diesen sehen wir

wirklich fast vor unseren Augen die Vorkommnisse, die die Theorie erfordert: die Blütenhülle differenziert sich, es entstehen gut gegliederte Blütenstände, im Gefolge solcher sozialer Tendenzen treten Reduktionen ein und führen zu oft hochgradigen Beschränkungen. Anderseits sind es, soweit wir heute beobachten, nur ausgeprägt entomophile Gruppen, die dem Pseudanthium morphologisch oder wenigstens biologisch sich nähern. Da wird es einem nicht gerade leicht, diese abgelegene Organisationsform dort einsetzen zu lassen, wo das Wirken des Entomophilismus sich erst in seinen Anfängen zu erkennen gibt.

Überall also türmen sich riesenhafte Schwierigkeiten auf. Und es hat auch heute noch nicht den Anschein, als ob unsere Spekulation durch kühne Konstruktionen rückwärts die Frage nach dem Ursprung der Angiospermen befriedigend weiter brächte. Trotzdem haben solche Versuche ihren hohen Wert. Beweisen sie doch stets von neuem, daß i n n e r h a l b der Grenzen der Blütenpflanzen noch immer unendlich viel Arbeit geleistet werden muß, ehe wir mit Klarheit wissen, worauf denn bei phylogenetischen Konstruktionen der eigentliche Wert zu legen sei. Den dabei auftauchenden Fragen gegenüber erkennen wir immer wieder, daß die Fülle des Tatsächlichen, das die Angiospermen bieten, auch nicht im entferntesten ausgebeutet ist. Für solche Lücken einen guten Spürsinn bewiesen zu haben, darin liegt ein sicheres Verdienst von H a l l i e r. Jedenfalls ist er in solchen Ahnungen oft glücklicher als in dem, was er als Positives hinzustellen sucht. Auch in seiner jüngsten Äußerung zur Frage nach dem Ursprung der Angiospermen zeigt sich dies wieder. Es kann sicherlich nichts schaden, wenn er den Botanikern von „Europa, Nordamerika, Tokio, Buitenzorg und Peradeniya" die Entwicklungsgeschichte von Gattungen wie Myrica, Acer, Leitnera, Juliania, Rhus zur Untersuchung empfiehlt; während mit der Erhebung der „Terebinthaceen" zu einer phyletisch zentralen Stellung bis jetzt nicht das geringste gewonnen ist, weil sie ebenso dogmatisch vorgetragen wird, wie sie mangelhaft begründet ist. Im übrigen kehrt das Leitmotiv der Vorstellungen H a l l i e r s aus seinen früheren Publikationen auch in seiner neuesten Studie unter den „allgemeinen Schlußfolgerungen" wieder: die Ranales sind die grundlegende Gruppe der Angiospermen, die meisten Monochlamydeen stark abgeleitete Äste.

Diese Idee ist ja schon lange vorher, z. B. von D e l p i n o 1896, geäußert worden. Neuerdings hat sie sich auch bei den englischen Phylogenetikern in weiten Kreisen durchgesetzt. Sie wird von S c o t t, wie von A r b e r und P a r k i n angenommen, sie beherrscht auch E t h e l S a r g a n t s letzte Abhandlung „The Reconstruction of a Race of Primitive Angiosperms". Die Schrift knüpft an frühere Arbeiten der Verf. an. In übersichtlicher Darlegung sucht sie festzustellen, welche Eigenschaften die gemeinsame Stammgruppe von Monokotylen und Dikotylen besessen haben muß. Fossile Aufschlüsse darüber fehlen. Aber der anatomische Vergleich bekundet zunächst, daß ein Cambium bei ihr entwickelt gewesen ist: die Untersuchung monokotyler Keimpflanzen durch A n d e r s s o h n, S a r g a n t selbst und Q u e v a haben dies erwiesen. Die Keimungsgeschichte läßt ferner zwei Keimlinge bei ihr vermuten. Denn die diarche oder tetrarche Symmetrie des Leitsystems, die in den Sämlingen der Dikotylen durch T a n s l e y und T h o m a s festgestellt wurde, nimmt S a r g a n t nach eigenen Befunden auch bei den Monokotylen als das Ursprüngliche an. Allerdings zweigen sich bei denen so zahlreiche Besonderheiten davon ab, daß Ref. bekennt, von der Stärke dieses anatomischen Argumentes nicht ganz überzeugt zu sein. Ebenso gelangt S a r g a n t zu keinen neuen oder

gar zwingenden Schlüssen, wenn sie das Wesen der Monokotylie in ihrer
Beziehung zur Dikotylie erörtert, die Frage also, ob Verkümmerung des
einen Keimblatts oder Verschmelzung der beiden stattgefunden habe. Immerhin aber gibt sie von den Tatsachen und Erwägungen, die eine Abstammung der
Monokotylen von den Dikotylen annehmbar machen, wieder eine brauchbare
Übersicht. Nur darf man dabei keine Beherrschung der Literatur voraussetzen; in dieser Hinsicht lassen die englischen Arbeiten, von denen hier
die Rede war, vielfach zu wünschen übrig. Es geht z. B. zu weit, wenn
S a r g a n t nichts davon zu wissen scheint, daß F r i t s c h ein paar Jahre
vor ihr genau dieselbe Frage ausführlich und mit vorbildlicher Klarheit
besprochen hat.

Eine ökologische Bedingtheit für die Monokotylie haben schon Frühere
gesucht. H e n s l o w z. B. bemühte sich, das Wasserleben damit in Beziehung zu setzen, und derselbe Gedanke ist auch bei anderen anzutreffen.
S a r g a n t denkt eher an Geophilie, aber was sie beibringt, leistet wenig
zur Erhellung der Kernfrage, warum der Geophytismus an einem so konstanten Merkmal schuld sein soll, wenn er es doch bei so zahlreichen Dikotylen
nicht zu schaffen vermocht hat. Solange wir darin aber nicht klarer
sehen, kommen wir doch immer wieder auf einen tief konstitutiven Unterschied der beiden großen Abteilungen, in die unsere Angiospermen
sich gliedern.

Ist also auch ein oekologisches Verständnis dafür bis jetzt ver-
geblich erstrebt worden, so haben die darauf gerichteten Untersuchungen
offenbar wieder gewisse Beiträge für die einheitliche Auffassung der beiden
Angiospermenklassen geliefert. Die Stellung derer, die ihre Monophylie mit
C o u l t e r und C h a m b e r l a i n in Zweifel ziehen wollen, hat jedenfalls
keine Stärkung erfahren. Und summa summarum hat das ganze Problem nur
wenig sein Gesicht gewechselt: noch immer steht der Stamm des Gewächsreiches, der heute die Vegetation der Länder beherrscht, fest in sich geschlossen
vor uns; noch immer fehlt es an jedem zuverlässigen Anhalt, wo wir seinen
Ursprung zu suchen haben.

Referate.

Bateson, W. Mendels principles of heredity. Cambridge (University Press)
1909. gr. 8° 396 S., 3 Portr., 6 farbige Taf., 33 Fig. im Text.

Seit der Wiederentdeckung der Mendelschen Spaltungsgesetze ist auf
diesem Gebiete so intensiv, von so vielen Forschern und mit so vielen Objekten
gearbeitet worden, daß es sehr schwer hält, auch nur einigermaßen die Fülle
des Tatsachenmaterials zu übersehen. Wie groß der Anteil Englands und
speziell B a t e s o n s und der Cambridger Schule an dem erzielten Fortschritt
ist, das ist allbekannt. Eine zusammenfassende Darstellung dieses ganzen
Spezialgebietes aus der Feder von B a t e s o n selbst wird darum überall
willkommen geheißen werden.

Ein „Lehrbuch" im eigentlichen Sinne des Wortes ist auch dieses Buch
nicht, wer sich erst einarbeiten will, der wird besser fahren, wenn er zunächst
etwa die einschlägigen Kapitel bei J o h a n n s e n durchsieht. Wer aber
schon einigermaßen mit dem Thema vertraut ist, der findet in dem Buche
B a t e s o n s eine sehr ausführliche und n a h e z u v o l l s t ä n d i g e Z u s a m m e n-
s t e l l u n g der bekannten Tatsachen. Besonders wichtig ist es, daß
zoologisches und botanisches Material gleich gut vertreten ist.

In vieler Hinsicht bietet dieses Batesonsche Buch eine wertvolle Ergänzung zu Johannsens Elementen der exakten Erblichkeitslehre, in denen natürlich eine so eingehende Behandlung gerade der hier besprochenen Spezialfragen nicht möglich war.

Rein theoretische Betrachtungen treten auch bei B a t e s o n erfreulicherweise sehr zurück. Einzig Kapitel 15 ist vorwiegend theoretischen Inhaltes.

Von Interesse für manche ist sicher das letzte Kapitel des ersten Teiles, das die Nutzanwendung des Mendelismus für die Praxis der Pflanzen- und Tierzüchter behandelt. Es ist bedauerlich, wie wenig z. B. unsere Gärtner noch von allen diesen Dingen wissen, das gilt auch für große renommierte Züchterfirmen. Wieviel Arbeit umsonst getan wird, wieviele Versuche z. B. zu früh abgebrochen werden, weil die Gärtner noch immer nicht gelernt haben, die F_2-Generation abzuwarten, das ist ganz erstaunlich. Freilich liegen die Dinge in dieser Hinsicht bei uns auf dem Kontinent besonders schlimm, viel schlimmer als in England oder gar den Vereinigten Staaten, wo die Züchter auf dem besten Wege sind, uns durch rationelles Arbeiten auf wissenschaftlicher Grundlage zu überflügeln. Wo bleiben eigentlich unsere landwirtschaftlichen Hochschulen, Gärtnerlehranstalten usw.? Hoffentlich wirkt auch in dieser Hinsicht das Batesonsche Buch Nutzen stiftend.

Der zweite Abschnitt des Buches bringt eine Übersetzung der Originalaufsätze Mendels und eine 316 Nummern starke bibliographische Zusammenstellung der neueren Mendelismusliteratur, die sicher vielen willkommen sein wird.   B a u r .

Darwin and Modern Science, edited by A. C. Seward, Cambridge, 1909. 595 p.
Though the practice of producing a Festschrift in honour of a distinguished man is not so common in England as in some other countries, such volumes nevertheless appear upon occasion. The present book is probably the most interesting of its kind that has ever been written. Unlike most Festschrifts it is confined to no definite school and to no particular country, but men of science all over the world, and those the most eminent, have united to do honour to one whose pupils they all account themselves. Between them they have produced a volume of which the historical interest preserves an unbroken continuity from the publication of the "Origin of Species" itself, and the names of the authors are often names which have stood for some or other great movement in the evolution of evolution. Through Ernst H a e c k e l and August W e i s m a n n we are taken back to the great controversies of the past, while the names of de V r i e s and of B a t e s o n are a guarantee that the movements of to day are adequately presented. There is hardly a single line of biological enquiry of which stock is not taken, and in every case by the hand of a master. In short, lucid, and clear cut essays the progress of these different branches of knowledge, whether Palaeontology, Embryology, Anthropology, or Psychology, is traced since the day that Darwin left them, and the problems now before the present generation are outlined. For the interested layman a work such as this is invaluable, being as it is an epitome of present-day biological knowledge clearly set forth by those who are best qualified. For the biologist it is no less valuable, though we imagine that he will turn with greater interest to the last few essays in which the method of evolutionary enquiry is illustrated at work among problems non-biological, and notably those of Miss Jane H a r r i s o n on "The Influence of Darwinism on the

Study of Religions", of W. C. D. Whetham on "The Evolution of Matter',
and of Sir George Darwin on "The genesis of Double Stars". But perhaps
the most fascinating essay of all is that by Professor Judd on Darwin
and geology. Having intimabely known both Darwin and Lyell the author
has been able to catch and fix for us some of the personal charm of these
two great men. Fortunately Professor Judd's essay is one of the long-
est in the book. We need only add that all who come across this volume
cannot fail to be grateful for the admirable way in which it has been
turned out by the Cambridge University Press and for the judicious care
with which it has been edited by Professor Seward.

R. C. Punnett.

Spillman, W. J. The nature of "unit" characters. The American Naturalist
43 1909. p. 243—248.

In this paper the author has laid emphasis upon a thought, which,
though simple in itself, has not before been brought to the attention of
Mendelists. It arose from Baur's statement that the chromosome could not
be the basis of the unit character, since he had demonstrated the possession
of fifteen allelomorphic pairs by *Antirrhinum majus*, which is more than
the number of chromosomes in the species. This argument is not valid
however, unless it can be shown that more independent dominant characters
can exist in a *single individual* of the species than there are chromosomes
after reduction division.

To prove that Mendelian phenomena are beyond the functions of the
chromosomes, it should be shown beyond a doubt that in a species bearing
2n chromosomes, n + 1 dominant characters can exist in a single individual,
without gametic coupling. Such proof has thus far been lacking. In both
Pisum and *Antirrhinum* there are more distinguishable characters than there
are chromosomes in their varieties, but since these characters are possessed
by different varieties it may very well be that they have arisen separately
by functional variation of the chromosomes, and could not exist together.

The writer further elaborates by supposing each chromosome to possess
different functions. The entire failure of one of these funcions would
account for a normal simple Mendelian ratio. If two or three chromosomes
were concerned in producing a somatic character, the genetic analysis
would show it to be a compound character produced only when these two
"factors" interact. The case of polled (dominant) and horned (recessive)
cattle is used as an illustration. He says, "Let us assume that the production of horny substance requires that the functions a, b, e and f (in
chromosome B) shall be normal. If in a given group of individuals the
function e fails, which function may represent the production of a given
chemical substance in the cell, then horns fail to develop." While there
is nothing illogical in this way of looking at the matter, it seems as if
a more fortunate illustration could be used, — one which would not run
counter to the "presence and absence" hypothesis. It is certainly more
simple to say that the presence of something in the cells of the polled
animals has inhibited the production of horny tissue.

The work of several cytologists is cited in support of the theory that
Mendelian is solely chromosomic. Dr. R. R. Gates has suggested before
that abnormal chromosome behavior may account for the mutations of
De Vries. If this is the case, normal evolutionary changes may be simply
normal changes in chromosome function of a chemical nature.

E. M. East, Harvard University.

Winkler, Hans. Weitere Mitteilungen über Pfropfbastarde. 1 Taf., 4 Fig.
i. T. Zschr. f. Botanik I. 1909. S. 315—345.

Strasburger, E. Meine Stellungsnahme zur Frage der Pfropfbastarde. Ber.
d. Deutsch. Botan. Ges. 27, 1909. S. 511—528.

W i n k l e r berichtet zunächst über das weitere Verhalten seines als
Pfropfbastard gedeuteten *Solanum tubingense*[1]). Von Wichtigkeit scheint
Ref. vor allem der Umstand zu sein, daß *Sol. tubingense* Früchte ansetzt,
die teilweise wenigstens keimfähigen Samen enthalten. Diese Samen werden
zwar nicht völlig reif, aber trotzdem enthält ein Teil davon lebensfähige
Embryonen, die unter gewissen Vorsichtsmaßregeln zur Heranzucht lebender
Keimpflanzen verwendet werden können. Irgendwelche Angaben über
die Natur dieser Keimpflanzen von selbstbefruchteten *S. tubingense* macht
W i n k l e r noch nicht.

Von großem Interesse sind dann ferner Angaben über vegetative Aufspaltungen von *S. tubingense* in seine Komponenten. Adventivsprosse aus
zwei dekapitierten Stammstücken von *S. tubingense* bestanden teils aus
absolut reinem *S. nigrum* (15 bzw. 5 Sprosse), teils aus *S tubingense* (8 bzw.
6 Sprosse). — Außer diesen künstlich ausgelösten traten auch zweimal
s p o n t a n e Rückschläge an zwei Zweigen von *S. tubingense* auf, und zwar
beidemal Rückschläge nach *S. nigrum*. Ein derartiger sehr instruktiver
Fall ist auf einer der Abhandlung beigegebenen, nach einer Photographie
reproduzierten Tafel sehr schön illustriert. Das ganze Auftreten dieser
Rückschläge ist völlig analog demjenigen der Rückschläge, die an *Cytisus
Adami* oder an den *Crataegomespilus*-Stöcken beobachtet werden können.

Ferner enthält die Abhandlung den Bericht über die Entstehung eines
zweiten Exemplars von *S. tubingense*. Dieses zweite Individuum entstand
in analoger Weise wie das erste, war aber zunächst kein r e i n e s *S. tubingense*, sondern eine Sectorialchimäre zwischen *S. lycopersicum* und *S. tubingense*. Sprosse aus der Tubingense-Seite dieser Chimäre gaben dann aber
natürlich reines *S. tubingense*.

Das Wichtigste an dieser Abhandlung scheinen Ref. jedoch Mitteilungen
über die Entstehung a n d e r e r, von *S. tubingense* verschiedener Zwischenformen zwischen *S. nigrum* und *S. lycopersicum* zu sein. Die Entstehungs-
weise dieser neuen Formen war in allen Fällen im Prinzip die gleiche, wie die
für *S. tubingense* geschilderte.

Im ganzen traten vier von *S. tubingense* deutlich verschiedene derartige „Pfropfbastarde" auf, von denen W i n k l e r unter den Namen *S. Proteus, S. Darwinianum, S. Gaertnerianum, S. Koelreuterianum* ausführliche Beschreibungen, z. T. auch Abbildungen bringt. *S. Proteus* steht offenbar
im äußeren Habitus der Tomate näher als *S. tubigense* und ist charakterisiert
durch eine sehr variable Blattform. Ebenso sind auch die anderen neuen
„Pfropfbastarde" morphologisch gut voneinander unterscheidbar. Einige
dieser neuen Typen sind mehrfach aufgetreten, z. T. auch zuerst in Form
von Sectorialchimären. Z. B. *S. Proteus* trat einmal auf als Sectorialchimäre,
die in einem Sector *S. nigrum*, im andern *S. Proteus* war. *S. Koelreuterianum*
entstand einmal aus einer Sectorialchimäre zwischen *S. nigrum* und *S.
lycopersicum* und zwar genau auf der Grenze der beiden Gewebeanteile.

Soweit über die tatsächlichen Versuchsergebnisse W i n k l e r s. Weitere
Einzelheiten müssen im Original eingesehen werden, das übrigens selbst
ohnehin schon einen sehr gedrängten v o r l ä u f i g e n Bericht über diese

[1]) Vgl. das Referat in Bd. 1. S. 401 dieser Zeitschrift.

wichtigen Versuche gibt. — W i n k l e r deutet alle diese eigentümlichen
Zwischenformen als Pfropf b a s t a r d e. Ref. hat schon in dem Referate
über W i n k l e r s frühere Arbeit darauf hingewiesen, daß er den Beweis
noch n i c h t für erbracht hält, daß hier wirklich Pfropf b a s t a r d e vorliegen, sondern daß es ihm sehr viel wahrscheinlicher ist, daß hier P e r i -
c l i n a l c h i m ä r e n vorliegen, analog den Periclinalchimären von *Pel.
zonale.* Diese Ansicht hat die Lektüre der vorliegenden Arbeit Winklers
nur noch verstärkt. Das gesamte morphologische und physiologische Verhalten der Winklerschen „Pfropfbastarde" steht
durchaus im Einklang mit dem, was Ref. nach seinen Erfahrungen
mit den Pelargonium chimären von vornherein erwarten würde.
Speziell daß mehrere v e r s c h i e d e n e Zwischenformen zwischen zwei
Spezies auftreten können, das Auftreten der Rückschläge, d. h. vegetatives
Aufspalten in die Komponenten usw., ist gerade von Periclinalchimären zu
erwarten. Den sicheren Beweis dafür, daß Pfropf b a s t a r d e vorliegen,
könnte W i n k l e r nur dadurch erbringen, daß er zeigt, daß schon eine
einzelne Z e l l e seiner Pfropfbastarde eine Kombination der beiden Eltern-
arten darstellt. Wege, diesen Beweis zu versuchen, sind mehrere möglich.
Vorläufig kann eine eingehende Diskussion dieser Fragen aber wohl
noch unterbleiben, bis W i n k l e r seine in Aussicht gestellte ausführliche
Abhandlung veröffentlicht hat.

Daß übrigens auch die bisher als „Pfropf b a s t a r d e" gedeuteten
Cytisus Adami, Crataegomespilus Dardari usw. Periclinalchimären zwischen den
beiden Stammarten sind, dafür spricht alles. Vielleicht kann diese · Frage
durch nicht allzu schwierige Experimente entschieden werden. Ref. ge-
denkt hierauf bei einer anderen Gelegenheit zurückzukommen.

Ganz ähnliche Bedenken gegen die Ansicht W i n k l e r s, daß in *S.
tubingense, Darwinianum* usw. Pfropf b a s t a r d e vorlägen, wie sie Ref. geäußert hat, spricht in der hier noch zu referierenden Arbeit auch
E. S t r a s b u r g e r aus. Auch er ist, übrigens völlig unabhängig von dem
Ref., auf den Gedanken gekommen, daß hier Chimärenbildungen vorliegen
könnten. Daß diese Chimären scheinbar einheitlich aussehen, kann nach
S t r a s b u r g e r darauf zurückgeführt werden, daß bei ihnen im Vegetationspunkte „die Vermischung der Gewebe beider Pflanzen besonders weit gediehen ist und daß bei solcher Durchdringung eine gegenseitige Beeinflussung
der Merkmale beider Arten sich einstellt". Und weiter: „Die Wechselwirkung
der spezifisch verschiedenen Protoplasten, die genau so untereinander zusammenhängen, als wenn sie derselben Spezies angehörten, löst Bildungs-
vorgänge aus, die unter Umständen die Mitte zwischen den beiden Spezies
einhalten. Die spezifischen Tätigkeiten der Chromosomen in den Kernen
beider Arten beeinflussen sich bei so innigem Verbande der Protoplasten
annähernd so, als wenn diese Chromosomen wie beim sexuellen Bastard in
derselben Kernhöhle vereinigt wären."

S t r a s b u r g e r schlägt für derartige, „den Höhepunkt der Chimären-
bildung einnehmende bastardähnlichen Artverschmelzungen" den Ter-
minus „H y p e r c h i m ä r e n" vor.

Über die Art, in welcher er sich die Zellen der beiden Arten im Vegetationspunkt gemischt denkt, macht S t r a s b u r g e r keine Angaben.
Ref. ist der Meinung, daß n u r eine Verteilung nach dem Typus der Periclinalchimären angenommen werden kann, da bei j e d e r andern Verteilung
— etwa wenn die Zellen beider Stammpflanzen im Vegetationspunkt mosaikartig durcheinandergewürfelt wären — eine solche ‚Hyperchimäre" sehr
rasch vegetativ v ö l l i g in die Komponenten aufspalten m ü ß t e. Das

folgt aus der Art des Wachstums und des Teilungsverlaufes in derartigen Vegetationspunkten. Hierüber ist ja in der Dresdener Versammlung der Deutschen Botanischen Gesellschaft von Correns, Hans Winkler und dem Referenten sehr lebhaft diskutiert worden.

Die Arbeit Strasburgers bringt weiterhin einen Bericht über Versuche darüber, ob zwischen *S. nigrum* und *S. lycopersicum* Verschmelzungen vegetativer Zellen häufig vorkämen. Das war, wie Strasburger ausführt, schon auf Grund von ·Vorversuchen nicht sehr wahrscheinlich, die ergeben hatten, daß weder bei *S. nigrum* noch bei *S. lycopersicum* Kernüberwanderungen zwischen zwei benachbarten Zellen häufig vorkommen. (Wenn man Gewebe dieser Arten so behandelt, wie H. Miehe[2]) es in seinen bekannten Versuchen getan hat.) Tatsächlich hat denn auch Strasburger bei der eingehenden cytologischen Untersuchung von Geweben aus der Verwachsungszone von Pfropfungen zwischen beiden Arten nie Fälle von Kernüberwanderung beobachten können.

In einem dritten Abschnitt seiner Mitteilung berichtet Strasburger dann noch über vegetative Aufspaltungen u. ä. an einer von ihm seit längerer Zeit kultivierten Bizzaria - Pflanze, die danach ein dem *Cytisus Adami*, dem *Crataegomespilus Dardari*, dem *Solanum tubingense*, usw. ganz homologes Gebilde zu sein scheint. Baur.

Vries, Hugo de. On twin hybrids. Bot. Gazette. **44,** 1907. S. 401—407.
— **Über die Zwillingsbastarde von Oenothera nanella.** Ber. d. Deutsch. Bot. Ges. **26a,** 1908. S. 667—676.
— **Bastarde von Oenothera gigas.** Ebenda. S. 754—762.
— **On triple hybrids.** Bot. Gazette. **47,** 1909. S. 1—8.

Schon in Band 2 seiner Mutationstheorie hatte de Vries gezeigt, daß eine ganze Reihe von verschiedenen Bastardbildungen zwischen den einzelnen Arten der zur Sektion *Onagra* gehörigen *Oenotheren* vorkommt. Die Regel ist zwar die, daß die Bastarde zwischen verschiedenen Arten hier konstant und gleichmäßig durch die aufeinanderfolgenden Generationen sind; einige abweichende Fälle, z. B. das Bastardieren von *Oe. brevistylis* nach Mendel wie vor allem die sogenannten Mutationskreuzungen mit ungleichförmiger F_1 wurden schon dort erwähnt. Zudem wurde mitgeteilt, daß die reziproken Kreuzungen in dieser Gruppe, z. B. von *Oe. muricata* und *biennis* oftmals ganz verschieden und bei Inzucht konstant sind, wobei in dem genannten Beispiele beide Rassen dem Vater ähneln, „patroclinous" sind; andererseits kommen auch Fälle vor, wo die reziproken Kreuzungen sich nicht unterscheiden, z. B. ist *Oe. Sellowii* × *Oe. biennis* = *Oe. biennis* × *Sellowii*; ebenso verhalten sich die Kreuzungen zwischen *Onagra*- und *Euoenothera*-Arten.

In den hier zu besprechenden Abhandlungen wird nun aber über eine ganze Anzahl weiterer, äußerst interessanter, differenter und z. T. recht komplizierter Bastardierungsmöglichkeiten berichtet. Die erste Abhandlung beschäftigt sich hauptsächlich mit Bastardierungen von *Oe. Lamarckiana* bzw. einem ihrer Mutanten mit *Oe. biennis* oder *muricata*. Es ergibt sich da die Tatsache, daß bei Verwendung von *Lamarckiana* oder einem ihrer Mutanten als Vater die Nachkommenschaft nicht gleichmäßig ist, sondern aus je 50% „twins", also zwei gut voneinander verschiedenen, wenn auch sehr ähnlichen Formen besteht, von denen die eine als forma *laeta*, die andere als *velutina* bezeichnet wird; beide Formen sind hauptsächlich durch

---

[2]) Miehe, H. Über Wanderung des pflanzlichen Zellkerns. Flora **88** 1901. S. 115.

Blattgestalt und Behaarung unterschieden. Bedenkt man dann, daß die reziproke Kreuzung (*Lamarckiana* als ♀) wieder ihre eigene Form ergibt, so haben wir als Resultat der Kreuzung zwischen zwei Arten 3 verschiedene Formen. Wird statt *Lamarckiana Oe. brevistylis* als ♂ verwendet, so kompliziert sich die Sache noch dadurch, daß das *brevistylis*-Merkmal von den übrigen unabhängig aufmendelt, die Zahl der Formen sich also noch erhöht.

Wenn nun — wir kommen zur zweiten Abhandlung — *Oe. Lamarckiana* ♂ in der Kreuzung mit *Oe. muricata* ♀ durch ihren Mutanten *nanella* ersetzt wird, so entstehen ebenfalls die Zwillinge *velutina* und *laeta*, jede zu etwa 50%; das *nanella*-Merkmal ist aber in F_1 latent; in F_2 erscheint es dann bei Selbstbefruchtung nur bei *velutina*, nicht bei *laeta*; *laeta* bleibt dann weiterhin dauernd konstant und hochwüchsig, während *velutina* immer etwa zur Hälfte Zwerge abspaltet mit dem *velutina*-Merkmal, die de Vries als *Oe. murinella* bezeichnet.

Wie kommen nun diese Verhältnisse zustande? Zur Erklärung der Sachlage nimmt der Autor an, daß diese Bastarde sich in bezug auf das *nanella*-Merkmal wie mendelnde Heterozygoten verhalten, (hoher Wuchs dominiert) und daß diese Bastarde zwar, der Regel entsprechend, Eizellen produzieren, von denen 50% das *nanella*-Merkmal und 50% das Merkmal hohe Statur übertragen, daß aber nur einerlei Pollenkörner gebildet werden, nämlich von *velutina* nur solche mit dem (rezessiven) *nanella*-Merkmal und von *laeta* nur solche mit dem Merkmal des hohen Wuchses. Verhält es sich so, dann muß *velutina* ♀ × *velutina* ♂ sich verhalten wie die Mendelsche Kreuzung eines Bastardes mit seinem rezessiven Elter, wobei sich das Verhältnis von 50% ergibt, was ja auch angenommen werden kann, da *velutina* jährlich 50% Zwerge abspaltet. *laeta* ♀ × *laeta* ♂ aber muß, obgleich innerlich von Bastardnatur äußerlich stets rein *laeta* erscheinen, da ja die Pollenkörner stets von neuem das dominierende Merkmal der hohen Natur liefern. Diese Hypothese läßt sich nun dadurch prüfen, daß man die reziproken Kreuzungen mit *velutina* bzw. *laeta* und *murinella* oder *velutina* bzw. *laeta* und *nanella* ausführt. Stimmt die Hypothese, so müßte *velutina* ♀ × *murinella* (*nanella*) ♂ auch 50% Zwerge geben, *velutina* ♂ × *murinella* (*nanella*) ♀ dagegen 100% Zwerge; *laeta* ♀ × *murinella* (*nanella*) ♂ müßte 50% Zwerge geben und *laeta* ♂ × *murinella* (*nanella*) ♀ lauter hochwüchsige Exemplare. Es stimmt das auch alles mit Ausnahme des letzten Falles, wo lauter Zwerge zustande kommen, was Verf. so erklärt, daß der Blütenstaub von *laeta* den reinen Zwergen gegenüber rezessiv ist, während er über die Bastardnatur der eigenen Eizellen dominiert.

· Ganz anders, als wie nach dem bisher mitgeteilten zu erwarten war, verhält sich eine Bastardierung zwischen dem Mutanten *Oe. gigas* einerseits und der Stammart *Lamarckiana* andererseits. Hier tritt nicht, wie es für die anderen Mutanten gefunden wurde, eine unter sich verschiedene F_1 auf, sondern in beiden reziproken Kreuzungen kommt es in der I. Generation sofort zur Bildung einer Zwischenform, welche sich weiterhin als konstant erweist, so daß auch ein neuentstandener Mutant mit seiner Stammform sogleich konstante, intermediäre Bastarde zu bilden imstande ist. Ebenso verhält sich *Oe. gigas* bei der Bastardierung mit *Oe. biennis* und *muricata*, nur sind die Bastarde mit letzterer steril. Interessant ist noch, daß die Nachkommenschaft der Kreuzung *lata* × *gigas* wieder eine doppelte Zusammensetzung hat, indem zur Hälfte Bastarde mit dem Merkmal beider Eltern, zur anderen der Kreuzung *Lamarckiana* × *gigas* gleichende Nachkommen sich zeigten. *Oe. gigas × rubrinervis* ebenso wie × *brevistylis* ließ dieselben Verhältnisse wie *Oe. gigas × Lamarckiana* erkennen.

„Triple hybrids" gehen hervor, wenn solche Arten, die mit *Lamarckiana* als Vater twins ergeben würden, gekreuzt werden mit den Mutanten *scintillans* und *lata*. Solche Arten sind: *Oe. strigosa* Rydb., *Hookeri* T. u. G. und eine von den amerikanischen Subspezies von *Oe. biennis*. Bemerkenswert ist, daß im Gegensatz zu der Tatsache, daß twins mit *Oe. biennis* und *muricata* nur zustandekommen, wenn *Lamarckiana* ♂ ist, *strigosa* auch mit *Lamarckiana* ♀ twins hervorbringt.

Die Triplets bestehen nun in allen Fällen aus den beiden auch als twins auftretenden Formen: *laeta* und *velutina*, indessen nun mit den Merkmalen von *scintillans* und *lata* und drittens aus *lata* bzw. *scintillans*-Individuen, welche indessen Merkmale von den zugehörigen andern Eltern erhalten und so Intermediärformen zwischen beiden Eltern darstellen. Alle drei Formen treten zumeist in ungefähr gleichen Dritteilen auf.

Bemerkenswert ist dann weiterhin, daß der Verf. auch in zwei Fällen eine vierte differente Form in der Nachkommenschaft je einer Kreuzung von *lata × biennis* bzw. *lata × Hookeri*, im ersten Fall in einem, im zweiten in zwei Exemplaren fand, so daß wir es hier mit „quadruple hybrids" zu tun hätten, ein Fall, der indessen noch weiterer Aufklärung bedarf.

Jedenfalls zeigen die Untersuchungen des Verf. die außerordentlichen Komplikationsmöglichkeiten bei der Bastardierung so nahe verwandter Arten, und es sei dem Ref. gestattet, noch eine Bemerkung in etwas anderer Richtung anzuschließen. In seiner Kritik der Winklerschen Pfropfbastarde führte Strasburger (Ber. d. Deutsch. bot. Ges. **27**, 1909, S. 519) ganz kürzlich aus, daß Winkler aus den Verwachsungsstellen seiner dekapitierten Versuchspflanzen bereits nicht weniger als fünf unterscheidbare Pfropfbastarde hervorgehen sah, die verschiedene Kombinationen von *Solanum nigrum* und *Lycopersicum* aufweisen. „Derartiges ist für sexuelle Bastarde nicht bekannt und macht eben die Hilfshypothesen der Vielgestaltigkeit für Pfropfbastarde nötig." Mir scheint, als liege hier in den *Oenothera*-Bastarden ein Fall vor, wo die Merkmale der Eltern in der verschiedensten Weise in den Nachkommen kombiniert sind und wenn der Fall vielleicht auch keinen direkten Vergleich aushält, so zeigt er doch, daß bei genauerer Untersuchung wohl auch bei sexuellen Bastarden sich solche Verhältnisse wie bei den Winklerschen Pfropfbastarden werden aufdecken lassen. Hiermit soll indessen die Diskutierbarkeit des Strasburgerschen Vorschlages, die Pfropfbastarde quasi als Hyperchimären zu bezeichnen, nicht eingeschränkt werden, ein Vorschlag, der dem Ref. besonders im Anschluß an eine genauere anatomische Untersuchung der Baurschen Periklinalchimären von *Pelargonium* und der neuen Pfropfbastarde selbst, wohl zu erörtern zu sein scheint.   E. Lehmann.

Biffen, R. H. On the inheritance of strength in wheat. Journ. agric. sc. **3** 1908. p. 87—102.

Es hat sich gezeigt, daß manche Weizenvarietäten beim Anbau in England ihre gute Backfähigkeit behalten, z. B. Red Fife, der in dieser Hinsicht besonders ausgezeichnet ist. Zu geringe Erträge bei dieser Sorte (wenigstens in manchen Lokalitäten) im Vergleich mit den besten englischen Sorten und ungenügende Lagerfestigkeit haben indessen Kreuzungen nötig gemacht, um die hohe Backfähigkeit des Red Fife mit den guten Eigenschaften der allgemein gebauten englischen Sorten zu kombinieren.

Bei Kreuzungen zwischen Sorten mit ausgesprochen glasigem, hartem, transluzentem Korn von. guter Backfähigkeit („strong wheat") wie Red Fife und dessen schärfsten Gegensätzen wie der Riveteweizen und Rough Chaff, die in ärmeren Böden fast ausschließlich mehlige, weiche, opake Körner bilden („weak wheat"), waren die Körner der F_1-Pflanzen sämtlich „strong". In F_2 war die Spaltung in die beiden Typen „strong" und „weak" offenbar, in manchen Fällen nach einfachem Mendelschem Verhältnissse, z. B. bei Rough Chaff × Red Fife 3 „strong" : 1 „weak". In anderen Fällen war keine sichere Aufteilung mögich: bei Red Lammas × Red Fife zeigte F_2 zwischen den beiden Extremen „strong" und „weak" eine lange Reihe von Pflanzen, die nicht mit Sicherheit klassifiziert werden konnten. F_2-Individuen der Kreuzung Rough Chaff × Red Fife vom Typus „strong" erwiesen sich in F_2 teils konstant „strong", teils spalteten sie. Die intermediären F_2-Individuen der Kreuzung Red Lammas × Red Fife ergaben in F_2 größtenteils Spaltung. — Direkte Backversuche zeigten ferner, daß aus den Kreuzungen neue Varietäten mit ebenso guter Backfähigkeit wie der betreffende Elter erhalten wurden.

Bei Kreuzungen zwischen Red Fife und solchen englischen Sorten, die weniger ausgesprochen „weak" als Rivete und Rough Chaff sind, wurde das Verhalten dieser Eigenschaft, wegen der nur schwierigen Klassifizierung, nicht näher in theoretischer Hinsicht untersucht.

Das Verhalten des Stickstoffgehalts wurde bei *Tr. polonicum* (2.2%) × *Tr. turgidum* (1.6%) untersucht. Die Bestimmung des Sticksoffgehalts der F_2-Individuen ergab deutliche Spaltung dieser Eigenschaft. Nach Untersuchung der F_3 erschien aber eine mehr komplizierte Spaltung als die einfache 1 : 2 : 1 hier nicht ausgeschlossen.

Verf. hält es nach seinen Versuchen für wenig zweifelhaft, daß hohe Ertragsfähigkeit und hohe Backfähigkeit bei derselben Varietät kombiniert werden können. N i l s s o n - E h l e.

Barfurth, Dietrich (Rostock), „Experimentelle Untersuchung über die Vererbung der Hyperdaktylie bei Hühnern. I. Mitteilung: Der Einfluß der Mutter", Arch. f. Entw.-Mech., XXVI. Bd., S. 632—650, Taf. X, XI, 1908.
— „II. Mitteilung: Der Einfluß des Vaters," ebenda, XXVII. Bd., S. 653 bis 661, Taf. XXIII, 1909.

Die rein experimentellen Ergebnisse — beider Arbeiten zusammen — sind folgende: Beim vierzehigen Orpingtonhuhn tritt sporadisch eine fünfte Zehe auf, welche sich auf die Nachkommen vererbt. Während bei der ersten Besichtigung eines Geheges unter 220 Hühnern nur sieben hyperdaktyle Hennen gefunden wurden, ergab deren Zucht mit einem normalzehigen Hahn gleicher Rasse unter 152 erbrüteten Hühnchen 80 normalzehige und 72 überzehige. Die nach Auslese der hyperdaktylen Hennen im Gehege verbliebenen normalzehigen Hennen lieferten unter 116 Kücken nur ein hyperdaktyles. Kreuzung eines hyperdaktylen Hahnes mit normalzehigen Hennen ergab 53 hyperdaktyle, 120 normale Kücken. Väterlicher und mütterlicher Einfluß war im Endresultat also nicht wesentlich verschieden, es traten aber in den einzelnen Bruten erhebliche Schwankungen dieses Einflusses hervor, deren Ursache noch dunkel ist. Unter der Nachkommengeneration finden sich alle Varianten des Hyperdaktyliegrades, die auch in den Elterngenerationen vorkommen; aber nicht in der Weise, daß der besondere Grad der Hyperdaktylie, welchen bestimmte Elternindividuen aufwiesen, an deren direkten Nachkommen ausschließlich zur Geltung kommt; sondern es wird nur die Mißbildung im allgemeinen übertragen.

aber in der Nachkommenschaft jedes einzelnen Paares können sich verschiedene Varianten derselben manifestieren. Ein beiderseitig und deutlich hyperdaktyler Hahn vererbte z. B. schwach und stark ausgebildete, beiderseitige und einseitige Hyperdaktylie. — Amnionanomalien als mutmaßliche Entstehungsursache der Hyperdaktylie wurden nicht gefunden; auch kann diese Ursache nicht in der unzulänglichen Größe der Keimscheibe liegen, da in den Versuchen der zweiten Mitteilung die Eier von normalzehigen Hennen stammten und normale Größe hatten.

Soweit des Verfassers eigene Zusammenfassungen, an welche ich mich, soweit im Interesse der gleichzeitigen Übersicht über beide Mitteilungen gelegen, auch im Wortlaut möglichst angelehnt habe. Zu diesen Zusammenfassungen, sowie zu den in beiden Arbeiten vertretenen Kapiteln „Diskussion der Versuchsergebnisse" möchte ich aber nun einige kritische Bemerkungen machen. Außer durch die Zitierung der Arbeiten von Hurst, Davenport usw., welche auf die Mendelschen Regeln eingehende Rücksicht nehmen, findet sich nämlich in Barfurths Arbeiten keine Stelle, welche darauf hindeutete, daß er auch in seinen eigenen Resultaten das Mitspielen der Spaltungsregel erwogen hätte. Aber auch, wenn diese Vererbungsregel nicht bekannt wäre, könnte man nicht ohne weiteres voraussetzen, daß ein dem morphologischen Anschein nach, d. h. somatisch, normalzehiges Huhn dies auch germinal sein müsse. . Der beste Beweis liegt ja in Barfurths eigenen Angaben, wonach erstens beim vierzehigen Orpingtonhuhn überhaupt bisweilen fünfzehige Exemplare auftauchen, zweitens in Verfassers eigener Zucht, wo er normalzehige mit normalzehigen paarte, trotz vorausgegangener Auslese der nicht normalzehigen ein hyperdaktyles Exemplar auftrat. In einer Kreuzung von normalzehigem Hahn mit hyperdaktyler Henne braucht deshalb nicht notwendigerweise nur der mütterliche Einfluß bei Vererbung der Anomalie zum Vorschein zu kommen und umgekehrt. Mit dieser Erwägung sind auch die theoretischen Erörterungen S. 657 betroffen: „Es ist nur die Annahme möglich, daß jeder Elter virtuell die die ganze Anlage (nämlich auch die Extremitätenanlage überhaupt — Ref.) liefert, aber bei Vereinigung dieser Anlagen im ersten Furchungskern das Erbmaterial des einen Elters energischer zur Geltung gebracht wird und dadurch dem Keim die besondere Eigentümlichkeit dieses Elters — die Mißbildung — einimpft." Aus den genau geführten Versuchen des Verfassers scheint vielmehr der Schluß erlaubt, daß die Hyperdaktylie bei der von ihm verwendeten Hühnerrasse das rezessive Merkmal darstellte (in analogen Versuchen anderer hatte sie sich als dominant herausgestellt) und daß die „normalzehigen" Exemplare meist oder durchweg keine wirklich normalen Tiere, keine Homozygoten, sondern Heterozygoten waren, woraus sich dann auch das Verhältnis 1 : 1, von welchem nur innerhalb der Versuchsfehlergrenzen fallende Abweichungen vorkommen, im Endergebnis der reziproken Kreuzungen aufs beste erklärt.

Für die genetische Ursache der Hyperdaktylie ist das Ergebnis überaus wertvoll, daß sich nur die Mißbildung als solche, nicht aber ausschließlich der bei den jeweiligen Eltern vorhandene Grad vererbt. Denn auch in den meisten der bisher berichteten Fälle von Vererbung von Verletzungen oder Verletzungsfolgen tritt die nämliche Erscheinung zutage, daß bei den Nachkommen der Defekt an denselben, aber auch an ganz anderen, etwa benachbarten Körperteilen und in verschiedenem Grade auftreten kann als bei den Eltern (vgl. Brown-Sequards Meerschweinchenversuche). Man ist bisher so ziemlich gewohnt, die Hyperdaktylie, welche nachgewiesenermaßen durch Superregeneration entsteht, und diejenige, welche ein Rassen-

merkmal darstellt, trotz ihres oft übereinstimmenden Bildes als ätiologisch
verschieden zu betrachten, da man die erstere nicht vererblich sah. Sollten
fortgesetzte Versuche diese Sachlage nicht doch modifizieren? Doch Barfurth kündigt eine eigene Diskussion über die Entstehung der Hyperdaktylie
an, welcher man, da sie sich auf experimenteller Grundlage bewegen wird,
mit großem Interesse entgegensehen darf.

Kammerer, Wien.

D. H. Scott, Studies on fossil botany. 2^d edit. 2 vol. I—XX, S. 1—353;
    I—XIII, S. 354—676. 213 Fig., 1 Taf. 1908—1909.

Nichts vermag die gewaltigen Fortschritte der Phytopaläontologie im
letzten Jahrzehnt besser zu illustrieren, als ein Vergleich dieser zweiten
Auflage des ganz vortrefflichen Buches mit der ersten aus dem Jahr 1900.
Wie die erste beschränkt sich auch diese Auflage auf diejenigen Abteilungen
der fossilen Pflanzen, die auch ihrer Struktur nach gut bekannt sind, und
die zugleich vom botanischen Standpunkt aus besonders wichtig erscheinen.
So enthält der 1. Band ausschließlich Gefäßkryptogamen, der 2. nur Gymnospermen und die Bennettiteen. Überall finden wir die gleiche klare Darstellungs-
art, durch zahlreiche, z. T. neue, vorzüglich erläuterte Abbildungen gehoben, die
aus der 1. Auflage her rühmlich bekannt ist. Am Schlusse jeder Gruppe
wird eine knappe, klare Zusammenfassung der Merkmale und Beziehungen
gegeben und den Schluß des 2. Bandes bilden die General Results auf
50 Seiten. Kein Abschnitt ist ungeändert geblieben, die meisten haben
beträchtliche Erweiterungen und Klärungen erfahren, aber die Abschnitte
über die Farne und Pteridospermen sowie über die Bennettiteen sind entsprechend den beträchtlichen Fortschritten erheblich umgearbeitet oder fast
ganz neu geschrieben. An diese heftet sich das Hauptinteresse, und da es
nicht möglich ist, im Rahmen dieser Besprechung den Zuwachs an Kennt-
nissen während des letzten Jahrzehnts vollständig wiederzugeben, so wollen
wir aus diesen Abschnitten das Wichtigste herausheben und den Inhalt der
,,Allgemeinen Ergebnisse" kurz besprechen.

Die farnartigen Gewächse der paläozoischen Zeiten werden nach der
Art der Fortpflanzung in Farne und Pteridospermen getrennt. Durch den
Nachweis der Spermophytennatur für einen sehr erheblichen Teil .der
früheren Farne sind diese aus der überwiegenden Stellung, die ihnen früher
zuzukommen schien, erheblich zurückgetreten. Aber auch was an echten
Farnen übrig bleibt, erweist sich doch nur zu einem Teil als mögliche Vorfahren der vom Mesozoikum bis zur Gegenwart reichenden modernen Farne.
Denn die sog. *Primofilices Arbers*, deren bestgekannte Vertreter die Botryo-
pterideen mit monostelischer Stammstruktur sind, besitzen zwar habituell
und auch bezüglich der Sporangienbildung viel Ähnlichkeit mit den lepto-
sporangiaten Farnen, aber der Verf. vermag in ihnen wegen der hohen
Spezialisation ihrer Sporophylle doch nicht die Ahnen jener zu erblicken,
sondern führt beide nur auf eine nicht spezialisierte unbekannte Stammgruppe zurück. Aber selbst die zweite große Gruppe, die Palaeo-Marattia-
ceen, sind nicht ganz über den Verdacht erhaben, daß ihre Fruktifikationen
gewissen Pteridospermeen oder Cycadeen ähnlicher waren, als den heutigen
und nachpaläozoischen Marattiaceen. Der eusporangiate Typus hat sich
nach den fossilen Funden als der allgemein ältere erwiesen, aber der vielfach
vertretenen Annahme, daß das Marattiaceen-Sporangium den Ausgangspunkt
für die freien Sporangien gebildet hätte, kann der Verf. nicht beistimmen,
da die meisten altkarbonischen Farne freie oder nur unvollkommen ver-
wachsene Sporangien aufweisen.

Wenn es heute auch noch nicht möglich erscheint, den Umfang der Samenfarne oder Pteridospermeen genau zu begrenzen, so läßt sich doch sagen, daß die meisten Vertreter der Neuropteriden und Sphenopteriden, ein beträchtlicher Teil der Pecopteriden, sowie die Gattungen *Aneimites* und *Eremopteris* dazu gehören. Als Unterschied von den übrigen paläozoischen Samenpflanzen wird folgende provisorische Diagnose gegeben: „Männliche und weibliche Sporophylle wenig von der vegetativen Beblätterung verschieden; keine Zapfen. Die Anatomie des Stammes oder Blattes oder beider farnartig wie auch der Habitus." Die ihrem anatomischen Bau nach sehr gut bekannten Samen *Lagenostoma* und *Trigonocarpus* (zu *Alethopteris-Medullosa* gehörig) sind radial-symmetrisch gebaut, die nur ihrer Form nach bekannten Samen von *Aneimites* und *Pecopteris Pluckeneti* dagegen bilateral abgeplattet, ähnlich den *Cordaites*-Samen. Wie bei allen bisher bekannten paläozoischen Spermophyten fehlt ein Embryo im Samen noch; die Befruchtung fand allgemein erst nach dem Abfallen statt.

Nächst den Pteridospermeen haben die *Cycadophyta*, speziell die Bennettiteen die größte Erweiterung erfahren, besonders durch die Arbeiten Wielands über die amerikanischen Reste. Wie die Samenfarne überwiegend farnartige Merkmale aufweisen, aber durch die Art der Fortpflanzung von den Farnen erheblich abweichen, so stehen die Bennettiteen zu den Cycadeen. Sie sind alle, wie sich jetzt herausgestellt hat, zweigeschlechtlich, und da an einem Stamme bis zu 61 gleichmäßig entwickelte Fruchtstände gefunden wurden, so meint Wieland, sie seien monokarpisch gewesen, wie manche Palmen- und Bambusarten. Während aus Europa nur die „Frucht" bekannt war, haben die amerikanischen Reste auch die „Blüte" geliefert. Diese besteht außer dem schon früher bekannten kegelförmigen Samenträger und den zahlreichen Hüllblättern aus einem einfachen, zwischen beide hypogyn eingeschalteten Kranze von gefiedert zusammengesetzten Mikrosporophyllen, zwischen 10 und 20 an Zahl. Setzt man jedes Sporangium einem Fiederblättchen gleich, so ist das Mikrosporophyll doppelt gefiedert. Sie sind an der Basis scheidig verwachsen und umwölben den weiblichen Blütenstand. Die Sporangien stehen sublateral an den Fiederblättern auf kurzen Stielen und ähneln in vieler Beziehung den Sporangien von Marattia. So gleicht die Blüte mit ihrer Gliederung in ein mittleres oberes Gynaecium, einen Wirtel von hypogynen Staubblättern und einer Blütenhülle der typischen Angiospermenblüte. Von den verschiedenen Deutungen, die das Gynaecium erfahren hat, neigt der Verf. derjenigen zu, wonach die Samenträger als reduzierte Megasporophylle, die sterilen, zwischen den Samen verteilten Schuppen wie die Hüllblätter als veränderte Blätter aufgefaßt werden. So vereinigen die Bennettiteen die Merkmale von sehr verschiedenen Pflanzengruppen: Die Staubblätter besitzen Marattia-Charakter, die Befruchtung ist gymnosperm, der Embryo ausgesprochen dikotyledon, die Anordnung der Blütenteile angiosperm, die Frucht und die Stammstruktur haben sie mit den Cycadeen gemein.

Diese Tatsachen werden nun zusammen mit den früher bekannten in dem Schlußabschnitte zu folgendem phylogenetischen Bilde vereinigt. Im Vergleich mit den Angiospermen kommt den Gefäßkryptogamen und Gymnospermen ein sehr hohes Alter zu. Drei große Gruppen stehen sehr früh gesondert nebeneinander; sie werden vorläufig geschieden wie folgt:

I. *Sphenopsida*: 1. *Equisetales*, 2. *Pseudoborniales*, 3. *Sphenophyllales*, 4. *Psilotales*.
— 1.-3. = *Articulatae*.
II. *Lycopsida*: *Lycopodiales*.

III. *Pteropsida:* 1. *Filicales,* 2. *Pteridospermeae,* 3. *Gymnospermeae,* 4. *Angio-spermeae.* — 2.-4. = *Spermophyta.*

Das Bemerkenswerte dieser Gruppierung liegt in der Vereinigung von Pteridophyten und Spermophyten in der gleichen Hauptgruppe, wie sie durch die Pteridospermeen notwendig wird.

I. *Sphenopsida.* Die *Sphenophyllales* mit solider Stele werden als die primitivere Gruppe angesprochen gegenüber den *Equisetales* mit Mark und getrennten Bündeln. Die zahlreichen, schmalen Quirlblätter der *Calamariae* werden entstanden gedacht durch Teilung einer geringen Zahl mega-phyllischer Blätter, wofür das Verhalten der *Spenophyllales* und die geteilte Natur der älteren *Calamariae (Archaeocalamites)* und der *Pseudoborniales* sprechen. Auch in ihren Fruktifikationen erscheinen die *Sphenophyllales* primitiver; sie sind nach S c o t t auch keine Wasserpflanzen gewesen, sondern haben sich an andere Pflanzen angelehnt. Nur ein Teil der *Sphenopsida* ist bis zur Heterosporie vorgedrungen.

II. *Lycopsida.* Der Name wird nur für die *Lycopodiales,* nicht im Sinne J e f f r e y s gebraucht, der darunter die *Sphenophyllales* und *Equisetales* mit einbegreift. Durch ihre Kleinblättrigkeit sowie durch die Stellung der Sporangien auf ein Sporophyll oder in dessen Axe trennen sie sich von vornherein ziemlich scharf von den beiden andern Gruppen; doch wird durch ihre exarchische Protostele, die sie mit einigen Farnen und *Sphenophyllales* teilen, vielleicht ein gemeinsamer Ursprung angedeutet. Heterosporie schon bei den ältesten Vertretern vorhanden. Im Karbon haben sowohl baumartige *(Lepidocarpon)* wie krautige Vertreter *(Miadesmia)* samenartige Organe ent-wickelt, die aber morphologisch weniger differenziert sind und den Makro-sporen näher stehen, als bei den Pteridospermeen.

III. *Pteropsida.* Für die Pteridospermeen und die Marattiaceen möchte Verf. einen gemeinsamen Ursprung annehmen; auch zwischen letzteren und den *Primofilices (Botryopteroidea)* bestehen Beziehungen. Anderseits erscheinen die Pteridospermeen mit den Cycadophyten eng verknüpft, wenn auch der nähere Nachweis dafür noch fehlt; ihre Samen, z. B. *Trigonocarpus* zeigen weitgehende Übereinstimmung mit den Samen der Cycadeen, z. T. aber auch mit denen der Cordaiten, so daß beide Gruppen wohl aus gemein-samer, aber weit zurückliegender Wurzel entsprungen sind. Da nun die Koniferen in vielfacher Beziehung Ähnlichkeit mit den Cordaiten aufweisen, so werden auch sie auf Pteridophyten zurückgeführt, und zwar in ihrer Gesamtheit, da eine Teilung dem Verf. unmöglich erscheint. Freilich müßte eine lange Reihe unbekannter, über die Cordaiten führender Bindeglieder dazwischen liegen. Der mikrophyllische Charakter der Koniferen wird als Reduktion infolge zunehmender Verzweigung und der Anpassung an das Leben auf trockenem Lande erklärt.

Verf. versucht ausführlich die entgegenstehende Ansicht, wie sie von C a m p b e l l, P o t o n i é und S e w a r d vertreten wird, zu entkräften, wonach die Koniferen gesondert aus den *Lycopodiales* entstanden sind. Er findet nur in den weiblichen Zapfen eine Stütze für diese Auffassung, und erklärt die sonstige Ähnlichkeit nur für äußerlich, wenn auch für verführerisch. Aber die Unterschiede scheinen ihm diese aufzuwiegen. Denn die Holzstruktur der Coniferen stimmt bekanntlich am besten mit der der Cordaiten überein; beide besitzen Tracheiden mit vielreihigen Tüpfeln an den radialen Wänden, während bei den *Lycopodiales* Leitertracheiden auftreten. Die Wurzeln der Koniferen weisen kaum Übereinstimmung mit den *Stigmarien* auf, und die doch primären, vielnervigen *Araucaria*-Blätter lassen sich mit denen der

Cordaiten, nicht aber mit denen der *Lycopodiales* vergleichen. Dasselbe gilt von den männlichen Zapfen.

Trotzdem der Angiospermen-Charakter der Bennettiteen-Blüte offenkundig ist und auch eine gewisse Ähnlichkeit mit den Blüten der Magnoliaceen, Ranunculaceen, Nymphaeaceen hat, wie W i e l a n d betont, gehören die Bennettiteen doch nicht in die direkte Abstammungslinie der Angiospermen, weil die Staubblätter zu kompliziert gebaut sind, weil das Perikarp nicht durch die Karpelle selbst, sondern durch die sterilen Schuppen gebildet wird. Sicher aber sind die Vorfahren der Ang. unter den Cycadophyten zu suchen. Die Monocotyledonen faßt S c o t t mit andern Forschern als einen Zweig der Dicotyledonen auf, der aber schon sehr früh entstanden sein muß, da beide Abteilungen ungefähr gleichzeitig in der Kreide erscheinen. So wird die Gesamtheit der Gymnospermen und Angiospermen in letzter Linie auf megaphyllische, farnartige Vorfahren zurückgeführt und mit diesen sollen auch die übrigen Gefäßkryptogamen zusammenhängen. Die ursprünglichen Sporophyten sind aber aus einem verzweigten Thallus entstanden, und es liegt kein historischer Beleg dafür vor, daß sich die Moospflanze in diese Entwicklungsreihe einschiebt.

Ungeachtet der mannigfaltigen Beziehungen, die in den letzten Jahren zwischen den verschiedenen fossilen Pflanzengruppen aufgedeckt sind, klingt das phylogenetische Resümee doch recht pessimistisch aus; überall Ähnlichkeiten und Andeutungen von Zusammenhängen, und doch kein eigentlich greifbares Ergebnis. Nach S c o t t war der Vorgang der Phylogenese selbst da, wo er anscheinend offen vorliegt, viel zu verwickelt, um begriffen zu werden. Unsere Vorstellungen vom Verlaufe der Abstammung sind daher notwendig diagrammatisch, und wir können nur ein vereinfachtes Schema aufstellen, wobei wir uns aber vorzusehen haben, daß wir durch unsere Vorstellungen nicht irregeleitet werden. Mit S o l m s erblickt S c o t t in dem Studium der fossilen Pflanzenrest vor allem eine Vervollständigung des natürlichen Systems. Das heißt, wir besitzen ein solches schon und wollen es nun erst auf der Grundlage des fossilen Materials aufbauen. Allein ein weniger optimistischer und mehr kritischer Standpunkt scheint dem Ref. mindestens ebenso berechtigt zu sein. Denn schon D a r w i n schließt seine Darlegungen über die Methode phylogenetischer Forschung mit den Worten: ,,Den wenigen, aber bedeutsamen Unterschieden großes Gewicht beizulegen, erscheint als der nächstliegende und vielleicht sicherste Weg, obgleich es korrekter erscheint, den vielen kleinen Ähnlichkeiten größere Aufmerksamkeit zu schenken, als Andeutungen einer wahren, natürlichen Klassifikation." Wie mir scheint, ist die Wissenschaft bis jetzt fast immer nur den nächstliegenden Weg gegangen, und dieser hat wie im Tierreiche so auch jetzt im Pflanzenreiche zu einer gewaltigen Enttäuschung geführt. Unter der reichen karbonischen und devonischen Pflanzenwelt findet sich kaum eine Pflanze, die mit Fug und Recht als ein Glied der zahlreichen und mannigfaltigen Abstammungsreihen angesprochen werden könnte, die zu den höheren Pflanzen führen müssen, und auch die Bennettiteen fallen aus diesen Reihen ganz heraus. Alle sind nur Parallelerscheinungen zu den w i r k l i c h e n Stämmen, von denen wir so gut wie gar nichts finden können. Sollten diese vielleicht nur eingebildet sein und sollte nicht der korrektere Weg vielleicht besser zum Ziele führen? S t e i n m a n n.

Neue Literatur.

Unter Mitwirkung von

E. M. East-Cambridge Mass. (Harvard University), H. Gerth-Bonn
Th. Roemer-Jena, W. Schleip-Freiburg, O. Wilckens-Bonn

zusammengestellt von

E. Baur-Berlin, G. Steinmann-Bonn.

(Im Interesse möglichster Vollständigkeit der Literaturlisten richten wir an die Autoren einschlägiger Arbeiten die Bitte, an die Redaktion Separate oder Zitate einzusenden, vor allem von Arbeiten, welche an schwer zugänglicher Stelle publiziert sind.)

I. Arbeiten allgemeineren Inhalts.

1. Theoretisches über Artbildung und über Vererbung. Lehrbücher. Zusammenfassende Darstellungen. Sammelreferate.

Arnim-Schlagenthin. Der Kampf ums Dasein und züchterische Erfahrung. Berlin (Parey) 1909. 8⁰. VIII + 108 S.

Bateson, W. Heredity and variation in modern lights. Darwin and modern Science. Cambridge 1909. S. 85—101.

Becher, E. Der Darwinismus und die soziale Ethik. Leipzig 1909. 67 S.

Becher, S. Zentroepigenese? Bemerkungen zu einigen Problemen der allgemeinen Entwicklungsgeschichte. Biolog. Centralbl. 29 1909. S. 506—522 u. S. 555—564.

Bryce, J. Personal reminiscence of Charles Darwin and of the reception of the Origin of Species. Proc. Americ. Philos. Soc. 48 1909.

Cattaneo, G. Sull' applicabilità alla zoologia della teoria delle mutazioni periodiche. Monitore zool. ital. 20 1909. S. 84—88.

Cholodenko, D. Die teleologische Betrachtung in der modernen Biologie (Reinke, Driesch, Cossmann). Bremer Stud. z. Philos. u. ihrer Geschichte 68 1909.

Cook, O. F. Telegony as induced reversion. Science, N. S. 30 1909. S. 241—243.

Cox, Ch. F. Charles Darwin and the mutation theory. Ann. New York Ac. Sc. 18 1909. S. 431—451.

Cuénot, M. L. Les idées nouvelles sur l'origine des espèces par mutation. Rev. gén. des Sciences pur. et appl. 19 1908. S. 860—871. 8 Fig. i. T.

Darbishire, A. D. Recent advances in the study of heredity III. The New Phytolog. 7 1909. S. 157—181, 237—248.

Darwin, Ch. The foundations of the origin of species, a sketch written in 1842. Edited by his son Francis Darwin. Cambridge (Univ. Press) 1909. 8⁰. 53 S., 1 Portr.

— The foundations of the origin of species. Two essays written in 1842 and 1844. Ed. by his son Francis Darwin. Cambridge (Univ. Press.) 1909. 8₀. 263 S., 1 Portr.

Davenport, C. B. The factor hypothesis in its relation to plumage color. Rpt. Americ. Breeders' Assn. 5 1909. S. 382.

Davenport, G. P. and **Davenport, C. B.** Prepotency in pigment colors. Rpt. Americ. Breeders' Assn. 5 1909. S. 221—222.

Dewar, D. and **Finn, F.** The making species. London (John Lane) 1909. XIX+400 S.

Drude, O. Die Theorie der Entstehung der Arten als Markstein im Lebensbilde Darwins. Stzgsber. u. Abh. Ges. Isis Dresden 1909. S. 11—22.

Duffell, H. Tables of the ⌐-function. Biometrica 7 1909. S. 43—47.

Eccles, R. G. Parasitism and natural selection. A medical supplement to Darwin's Origin of Species. Medic. record 1909.

Fruwirth, C. Spaltungen bei Folgen von Bastardierung und von spontaner Variabilität. Arch. Rass. Ges. Biologie 6 1909. S. 433—469.

Gallardo, A. Las investigaciones modernas sobre la herencia en biologia. Buenos Aires 1908. 8⁰. 70 S. (Libro de homenaji al Prof. R. Wernicke).

Gibson, R. J. H. Biology. London 1909. 128 S.

Goldschmidt, R. Die Fortpflanzung der Tiere. „Aus Natur und Geisteswelt" 253. Band, Leipzig 1909. 8⁰ 77 Abbildungen.

Goldscheid, R. Darwin als Lebenselement unserer modernen Kultur. Wien und Leipzig 1909. III S.

Goodale, G. L. The influence of Darwin on the natural sciences. Proc. Americ. Philos. Soc. 48 1909.

Guenther, K. Der Kampf um das Weib in Tier- und Menschenentwicklung. Stuttgart 1909. 113 S.

Headley, F. W. Life and evolution. London 1909. 288 S.

Herlant, M. L'evolution des idées transformistes. Rev. Univ. Bruxelles 14 1909. S. 527—550.

Hertwig, O. Allgemeine Biologie. 3. umgearb. u. erweit. Aufl. Jena 1909. 728 S.

Hertwig, R. Fünfzig Jahre Darwinismus. Umschau 1909. 11 S.

Holmes, G. J. The categories of variation. Amer. naturalist. 43 1909. S. 257—285.

Kammerer, P. Allgemeine Symbiose und Kampf ums Dasein als gleichberechtigte Triebkräfte der Evolution. Arch. Rass. Ges. Biologie 6 1909. S. 585—608.

Landrieu, M. Lamarck le fondateur du transformisme. Sa vie, son oevre. Mém. soc. zool. France 21 1909.

Lanessan, J. L. de. El transformismo. Evolucion de la materia y de los seres vivos. Traducido y annotado par M. Potó. Madrid 1909. 405 S.

Lang, A. Über Vererbungsversuche. Verhandl. Deutsch. zool. Gesellsch. 1909. S. 17—84, 3 Fig. i. T., 2 Taf.

Lock, R. H. Recent progress in the study of variation, heredity and evolution. 2. Ed. London (Murray) 1909. 8⁰. XIV + 334 S., 4 Taf., 45 Fig. i. T., 5 Portr.

Macallum, A. B. On the origin of the life on the globe. Trans. Canadian Instit. **8** 1909. S. 423—441.

MacDougal, D. T. Darwinism and experimentation in botany. The Plant World **12** 1909. S. 97—101, 121—127.

Martini, E. Darwinismus und Zellkonstanz. Stzgsbr. Natf. Ges. Rostock 1909. 10 S.

May, W. Die Ansichten über die Entstehung der Lebewesen. 2. Aufl. Leipzig 1909. 8⁰. 81 S.

Medigreceanu, F. Eine allgemeine Übersicht der Mendelschen Vererbungsgesetze (Übers.-Ref.). Med. Klinik **5** 1909. S. 703—706.

Morgan, Th. H. Experimentelle Zoologie. Übersetzt von H. Rhumbler. Leipzig und Berlin 1909. 570 S.

Morgan, T. H. What are „Factors" in Mendelian explanations? Ann. Rpt. American Breeders' Assn. **5** 1909. S. 365—368.

Ostenfeld, C. H. Nogee Arvelighedsforhold hos Planter med hvid- eller gulbrogede Blade. Naturen 1909. S. 269—285.

Pauly, A. Wahres und Falsches an Darwins Lehre. München 1909. 18 S.

Pearl, R. The frequency constants of a variable $z = f(X_1, X_2)$. Biometrica **6** 1909. S. 437, 438.

Pearson, K. The theory of ancestral contributions in heredity. Proc. Roy. Soc. London B. **81** 1909. S. 129—224.

— Determination of the coefficient of correlation. Science, N. S. **30** 1909. S. 23—25.

— On the ancestral gametic correlations of a mendelian population mating at random. Proc. Roy. Soc. London B. **81** 1909. S. 225—229.

— On a new method of determining correlation between a measured character A and a character B, of which only the percentage of cases wherein B exceeds (or falls short of) a given intensity is recorded for each grade of A. Biometrica **7** 1909. S. 96—105.

Poulton, E. B. Darwin and the Origin of species. 8⁰ 302 S. London (Longmans, Green and Cie.) 1909.

Prochnow, O. Die Hauptpunkte der Theorien der aktiven Anpassung Schopenhauers und der Lamarckianer und Neuvitalisten. Annal. Naturphilosophie **8** 1909. S. 362—370.

Rhind, A. Tables to facilitate the computation of the probable errors of the chief constants of skew frequency distributions. 2 Fig. i. T. Biometrica **7** 1909. S. 127—147.

Rignano, E. Das biologische Gedächtnis in der Energetik. Ostwalds Ann. Naturphilosophie **8** 1909. S. 333—361.

— Un botaniste mnémoniste. Scientia, Riv. di scienza **5** 1909. 7 S.

— La mémoire biologique en énergétique. Scientia, Rivista di scienza **6** 1909. 28 S.

Ruthven, A. S. A contribution to thet heory of orthogenesis. American Naturalist **43** 1909. S. 401—409.

Schultz, I. Die Maschinen-Theorie des Lebens. Göttingen 1909. IV u. 258 S.

Scott, D. H. Natural selection and plant evolution. Nature **81** 1909. S. 188—189.

Seber, M. Moderne Blutforschung und Abstammungslehre. Frankfurt a. M. 1909. 61 S.

Semon, R. Die mnemischen Empfindungen in ihren Beziehungen zu den Originalempfindungen. Erste Fortsetzung der Mneme. Leipzig 1909. 392 S.

Seward, A. C. Darwin and modern science. Cambridge 1909. 395 S.

Shull, G. H. The presence and absence hypothesis. The Americ. Naturalist. **43** 1909. S. 410—419.

Spillman, W. J. A case of nonmendelian heredity. American Naturalist **43** 1909. S. 437—448. (Critical reviews of recent work.)

— Recent advancement in our knowledge of the laws of heredity. Ann. Rpt. American Breeders' Assn. **5** 1909. S. 78—93.

Strasburger, E. The minute structure of cells in relation to heredity. Darwin and modern science, Cambridge 1909. S. 102—111.

Thöle. Vitalismus und Teleologie in den Naturwissenschaften. Berliner klin. Wochenschr. **46** Nr. 33. 1909, S. 1532—1534.

Vries, H. da. Specie e varietà e loro origine per mutazione. Trad. d. ingl. du F. Raffaele. 2. Vol. Palermo 1909. 8°. 827 S.

— Variation. Darwin and modern science. Cambridge 1909. S. 66—84.

Wagner, A. Die drei Elemente der Lamarckschen Lehre. Zschr. Ausbau Entw. Lehre **3** 1909. S. 44—60.

Waldeyer, W. Darwins Lehre, ihr heutiger Stand und ihre wissenschaftliche und kulturelle Bedeutung. Berlin u. Leipzig 1909. 52 S.

Weismann, A. Die Selectionstheorie. 1 Taf., 3 Fig. i. T. Jena (Fischer) 1909. 8°. 70 S.

— The selection theory. Darwin and modern science. Cambridge 1909. S. 18—65.

— Charles Darwin und sein Lebenswerk. Jena 1909. IV u. 32 S.

II. Botanische Literatur.

2. Phylogenie von einzelnen Familien, Gattungen und Arten und von einzelnen Organen auf Grund vergleichend-anatomischer, morphologischer, systematischer oder historischer Untersuchungen.

Aaronsohn, A. Contribution à l'histoire des céréales. Le Blé, l'Orge et le Seigle à l'état sauvage. Bull. Soc. Botan. France **56** 1909. S. 196—203, 237—245, 251—258.

Campbell, D. H. The embryo-sac of Pandanus. Bull. Torr. bot. club **36** 1909. S. 205—221.

Coulter, John M. Evolutionary tendencies among Gymnosperms. Bot. Gazette **48** 1909. S. 81—97.

Fischer, E. Genea Thwaitesii (B. et Br.) Petch und die Verwandschaftsverhältnisse der Gattung Genea. (Mit Tafel XII.) Ber. Deutsch. Bot. Gesellsch. **27** 1909. S. 264—270.

Gatin, M. C. L. La morphologie de la germination et ses rapports avec la phylogénie. Revue générale Botanique **21** 1909. S. 147—158.

Harris, J. Arthur. The leaves of Podophyllum. Bot. Gazette **47** 1909. S. 438—444.

Lotsy, J. P. Vorträge über botanische Stammesgeschichte, gehalten an der Reichsuniversität zu Leiden. Ein Lehrbuch der Pflanzensystematik. 2. Band: Cormophyta zoidogamia. Jena (Fischer) 1909. Mit 553 Abbildungen im Text. gr. 8°. 902 S.

Lovell, John H. The color sense of the honey bee: Is conspicuousness an advantage to flowers? American Naturalist **43** 1909. S. 338—349.

Ottley, A. M. The development of the gametophytes and fertilization in Juniperus communis and Juniperus virginiana. Plates I—IV. The Botan. Gaz. **48** 1909. S. 31—46.

Pelourde, F. Recherches comparatives sur la structure des Fongères fossiles et vivantes. Ann. des Sciences Natur. Botan. 9. Ser: **10** 1909. S. 115 —147.

Trabut. Contribution à l'étude de l'origine des avoines cultivées. C. R. Ac. Sc. Paris **149** 1909. S. 227—229.

Tuzson, J. Zur phyletisch palaeontologischen Entwicklungsgeschichte des Pflanzenreiches. 1 Fig. i. T. Englers Jahrb. System. Pflanzengesch. **43** 1909. 461—473.

Wittmack, L. Die Stammpflanze unserer Kartoffel. Arbeiten der Kgl. landw. Hochschule zu Berlin. Landwirtsch. Jahrbücher **38** 1909. Ergänzungsband V. S. 551—605, Tafel III—VIII.

— Studien über die Stammpflanze der Kartoffel. (Mit 6 Abbild. im Text.) Ber. d. Deutsch. Botan. Gesellsch. **27** 1909. S. (28)—(42).

3. Arbeiten über Polymorphismus einzelner „großer" Arten, über Elementararten.

Hy, F. Sur une forme sterile de Cardamine hirsuta. Bull. Soc. Botan. France **56** 1909. S. 210—213.

Krok, Th. O. B. N. Ytterligare fyndorter i Sverige för „hvita blåbär". Svensk Botan. Tidskr. **3** 1909. S. (70)—(71).

Lehmann, E. Einige Mitteilungen zur Kenntnis der Gattung Veronica. 1 Taf., 7 Fig. i. T. Oester. botan. Zeitschr. 1909, Nr. 7. 13 S.

Osswald, L. Beobachtungen über Saisondimorphismus in der Flora des Harzes. Mitt. Thüring. Botan. Ver. N.F. **25** 1909. S. 40—49.

Trow, A. H. Forms of Senecio vulgaris. Journ. of Botany **47** 1909. S. 304 —306.

4. Modifizierung von Form und Bau der Pflanzen durch Außenbedingungen. Variationsgesetze. Variationsstatistiken. Anpassung. Vererbung erworbener Eigenschaften.

Boas, Franz. Determination of the coefficient of correlation. Science N. S. **29** 1909. S. 823, 824.

Brinkmann, W. Über die Veränderlichkeit der Arten aus der Familie der Telephoreen. Botan. Zeitung **67** 1909. S. 225—229, 241—245, 257—261.

Harris, A. Note on variation in Adoxa. Biometrica **7** 1909. S. 218—222.

Harries, J. Arthur. „Variation in the number of seeds per pod in the broom, Cytisus scoparius. American Naturalist **43** 1909. S. 350—355.

Helguero, F. de. Variazione del numero dei fiori ligulari del Bellis perennis. Bull. Orto botan. Univ. Napoli **2** 1909. S. 133.

Holmes, S. J. The categories of variation. American Naturalist **43** 1909. S. 257—285.

Ledoux. Sur les variations morphologiques et anatomiques de quelques racines consécutives aux lésions mécaniques. Rev. génér. Botanique **21** 1909. S. 225—240.

Lefèvre, J. De l'influence de divers milieux nutritifs sur le développement des embryons de Pinus Pinea. C. R. Ac. Sc. Paris **148** 1909. S. 1533—1536.

Lehmann, E. Über Zwischenrassen in der Veronica-Gruppe agrestis. 1 Taf., 12 Fig. i. T. Zschr. i. Abst. u. Vererbgslehre **2** 1909. S. 145—209.

Mc. Alpine, D. and **de Castella, F.** Bud-variation in Corinth currant vine. Journ. Dpt. Agricult. Victoria **7** 1909. S. 145—149.

Maynard, G. D. Variability in shirley poppies from Pretoria. 3 Fig. i. T. Biometrica **7** 1909. S. 227—231.

Perriraz, J. Etude biologique et biométrique sur Narcissus angustifolius. Bull. Soc. Vaud. sc. nat. **45** 1909. S. 153—176.

Ritter, G. Über discontinuierliche Variation im Organismenreiche. Beih. Botan. Centralbl. **25** 1. Abt. 1909. S. 1—29.

Seyot, P. M. Etude biometrique des pépins d'un Vitis vinifera franc de pied et greffé. Compt. Rend. Ac. Sc. Paris **149** 1909. S. 53—56.

Sperling, E. Die Grenzen der Variation unter den Nachkommen einzelner Pflanzen. Diss. Halle 1909. 59 S.

Stevens, F. L. and **Hall, J. S.** Variation of fungi due to environment. Bot. Gazette **48** 1909. S. 1—30, Textf. 37.

Woodruffe-Peacock, E. A. Heredity of acquired characters. Journ. of Botany **47** 1909. S. 320—321.

5. Beobachtungen und experimentelle Untersuchungen über Entstehung neuer Arten.

Brown, H. B. A peculiar species of Arctium. Plant World **12** 1909. S. 135—138.

Fischer, H. Über Aspidium remotum Al. Br.: Kreuzung oder Mutation? — Ein neuer Fall von Apogamie. Ber. d. Deutsch. Botan. Gesellsch. **27** 1909. S. 495—501.

6. Experimentelle Erblichkeits- und Bastardierungsuntersuchungen. Spaltungsgesetze.

Aikman, P. J. A. On some hybrid tuberous Solanums. Journ. Roy. Hortic. Soc. **35** 1909. S. 53—55.

Emerson, R. A. Inheritance of color in the seeds of the common bean, Phaseolus vulgaris. Ann. Rpt. Nebrasca Agric. Expt. Stat. **22** 1909. S. 67—101.

Emerson, G. A. Factors for mottling in beans. Ann. Rpt. American Breeders'
Assn. **5** 1909. S. 368—376.
Fyson, P. F. Some experiments in the hybridising of indian cottons. Mem.
Dpt. Agric. India Bot. Ser. 1908. 29 S.
Rolfe, R. A. and **Hurst, C. C.** The orchid stud-book. Enumeration of hybrid
orchids of artificial origin, with their parents, raisers, rate of first
flowering etc. Kew. 1908. 8°. XLVI + 325 S., 121 Fig.
Shoemaker, D. N. A study of leaf characters in cotton hybrids. Ann. Rpt.
American Breeders' Assn. **5** 1909. S. 116—118.
Shull, G. H. The presence and absence hypothesis. American Naturalist
43 1909. S. 410—419.
— A pure-line method in corn breeding. Rpt. Americ. Breeders' Assn. **9**
1909. S. 51—59.

7. Wild gefundene Bastarde.   Bedeutung spontaner Bastardierung für die Artbildung.

Almquist, S. Något om Calamagrostis-hybrider. Svensk Botan. Tidskr.
3 1909. S. (65)—(68).
Becker, W. Viola elatior ✕ pumila. Allg. Botan. Zschr. **15** 1909. S. 98—100.
Benedict, R. C. New hybrids in Dryopteris. Bull. Torrey botan. Club. **36**
1909. S. 41—49.
Blomqvist, Sv. G. I Bergielunds botaniska trädgård iakttagna Verbascum-
hybrider, särskildt V. longifolium Ten. ✕ speciosum Schrad. Acta horti
Bergiani **5** 1909. S. 105.
Brainerd, E. Another hybrid between a white and a blue violet. Rhodora
11 1909. S. 115, 116.
Erdner, E. Salix caprea L. ✕ daphnoides Villars ✕ purpurea L. nov. hybr. =
Salix neoburgensis Erdner. Allg. Bot. Zeitschr. **15** 1909. S. 65—67.
Jepson, W. L. Spontaneous hybrids of native Californian trees. Rpt. Americ.
Breeders' Assn. **5** 1909. S. 259—262.
Khek, E. Cirsium lanceolatum (L.) Scop. ✕ pauciflorum (W. K.) Spr. = C.
Zapalowiczii Khek. Allg. botan. Zeitschr. **15** 1909. S. 54—55.
Knuth, R. Über Bastardbildung in der Gattung Pelargonium. 4 Fig. i. T.
Engler's Botan. Jahrbücher, **44** 1909. S. 1—35.
Schnetz, J. Die Geschichte eines Rosenbastardes. Mitt. bayer. Botan. Ges.
1909. S. 219—223.
Vollmann, F. Die Bedeutung der Bastardierung für die Entstehung von
Arten und Formen in der Gattung Hieracium. Ber. bay. botan. Ges.
12 1909. S. 29—37.
Wein, K. Nachträgliche Bemerkungen zu meiner Arbeit über Trifolium
alpestre ✕ medium. Allg. botan. Zeitschr. **15** 1909. S. 67—68.
— Poa compressa ✕ pratensis Aschers. et Graebn. Allg. Botan. Zeitschr.
15 1909. S. 81—82.
Zimmermann, W. Orchis coriophora ✕ morio. Allg. Botan. Zeitschr. **15**
1909. S. 150—151.

8. Vererbung und Bestimmung des Geschlechtes.

Blakeslee, A. F. Sexual condition in Fegatella. Bot. Gazette **46** 1908.
S. 384—385.

Blakeslee, A. F. Marchals aposporie et sexualité chez les mousses. Science, N. S. **27** 1908. S. 500—501.

Darling, Ch. A. Sex in doecious plants. Bull. Torr. Bot. Club. **36** 1909. S. 177—199, pls. 12—14.

Gregory, R. P. The forms of flowers in Valeriana dioica L. 1 Taf. Journ. Linnean Soc. Botany **39** 1909. S. 91—104.

Hill, E. J. Pollination in Linaria with special reference to cleistogamy. Bot. Gazette **47** 1909. S. 454—466.

Strasburger, E. Das weitere Schicksal meiner isolierten weiblichen Mercurialis annua-Pflanzen. Zeitschr. f. Botanik **1** 1909. S. 507—524.

9. Cytologisches. Vererbungsträger. Sterilität bei Bastarden.

Balls, Lawrence. Some cytological aspects of cotton breeding. Ann. Rpt. American Breeders' Assn. **5** 1909. S. 16—28.

Collins, S. N. Apogamy in the Maize plant. Contributions to the U. S. Nat. Herbarium **12** 1909. S. 453—455.

Ernst, A. Apogamie bei Burmania coelestis Don. Ber. Deutsch. Bot. Ges. **27** 1909. S. 158—168.

Gates, R. R. The behavior of chromosomes in Oenothera lata × O. gigas. 2 Taf. The Botan. Gazette **48** 1909. S. 179—199.

Rosenberg, O. Über die Chromosomenzahlen bei Taraxacum und Rosa. 7 Fig. i. T. Svensk Botan. Tidskr. **3** 1909. S. 150—162.

— Cytologische und morphologische Studien an Drosera longifolia × rotundifolia. 4 Taf., 33 Fig. i. T. Kungl. Svenska Vet. Ak. Handl. **43** 1909 No. 11. 65 S.

10. Pfropfbastarde.

Griffon, E. Troisième série de recherches sur la greffe des plantes herbacées. 2 Taf. Bull. Soc. Bot. France **56** 1909. S. 203—210.

Hirche, R. Pfropfhybriden bei Kartoffeln. Mitteilungen der Deutschen Landwirtschafts-Gesellschaft **26** 1909. S. 422—424.

Strasburger, E. Meine Stellungnahme zur Frage der Pfropfbastarde. Ber. Deutsch. Botan. Ges. **27** 1909. S. 511—528.

11. Züchtungsbestrebungen und sonstige „angewandte" Vererbungs- und Bastardierungslehre.

Aikmann, D. J. Notes on some hybrid tuberous Solanum. Journ. Roy. Hortic. Soc. **35** 1909. S. 53—55.

Albrecht, K. Untersuchungen über Korrelationen im Aufbau des Weizenhalmes, welche für die Lagerfestigkeit von Bedeutung sind. Landwirtsch. Jahrbücher **37** 1908. S. 617—672. 1 Abbildung.

Allard, H. A. Notes on cotton breeding in Northern Georgia. Rpt. Americ. Breeders' Ass. **5** 1909. S. 119—130.

Arnim-Schlagenthin. Kartoffelzüchterische Fragen und Beobachtungen. Jahresbericht d. Vereinigung für angewandte Botanik **6** 1908. S. 118—130.

— Der Kampf ums Dasein und züchterische Erfahrung. Berlin (Parey) 1909. 8°. X u. 108 S.

Beach, S. A. The present status of apple breeding in America. Rpt. Americ. Breeders' Assn. **5** 1909. S. 28—36.

Beseler, O. Erfahrungen in der Getreidezüchtung. Jahrbuch der deutschen Landwirtschafts-Gesellschaft **24** 1909. S. 189—196.

Böhmer, G. Über die Systematik der Hafersorten, sowie über einige züchterisch wichtige Eigenschaften der Haferrispe. Giessen 1908. 88 S.

Briem, H. Über moderne Zuckerrübenzüchtung. Deutsche landw. Presse **79** 1909. S. 838.

Burbank, L. Another mode of species forming. Rpt. Americ. Breeders' Ann. **5** 1909. S. 40—43.

Burt-Dary, J. Mendelism in maize. Transvaal Agric. Journal **7** 1909. S. 461—462.

Carleton, M. A. Field methods in wheat breeding. Ann. Rpt. American Breeders' Assn. **5** 1909. S. 185—207.

Chambliss, Ch. E. A note on rice breeding. Rpt. Americ. Breeders' Assn. **5** 1909. S. 182—185.

Collins, G. N. The importance of broad breeding in corn. U. S. Bureau Plant Industry, Bull. **14** 33, 34, 1909.

Cook, O. F. Superiority of line-breeding over narrow-breeding. Bull. Dept. Agric. Washington 1909. 45 S.

—, Mc. Lachlan, A. and Meade, R. M. Study of diversity in Egyptian cotton. Bull. Dpt. Agric. Washington 1909. 60 S.

De Loach, R. J. H. The problem of fixation in cotton hybrids. Ann. Rpt. American Breeders' Assn. **5** 1909. S. 130—138.

Dix, W. Untersuchungen über das Auseinanderfallen der Fruchtstände bei den Stammpflanzen unserer echten Getreide. Landwirtsch. Jahrbücher. **38** 1909. S. 841—855, 3 Tafeln.

Dodson, W. R. Seedling sugar canes in Louisiana. Ann. Rpt. American Breeders' Assn. **5** 1909. S. 274—283.

Dolley, H. L. Some results and observations noted in breeding cereals in a specially prepared disease garden. Rpt. Americ. Breeders' Assn. **5** 1908. S. 177—182.

Ewerti. Neuere Untersuchungen über Parthenokarpie bei Obstbäumen und einigen anderen fruchttragenden Gewächsen. Landwirtsch. Jahrbücher **38** 1909. S. 767—839, 1 Tafel u. 7 Textabbild.

Fernekess, C. Die Haferrispe nach Aufbau und Verteilung der Kornqualitäten. Dissertation, München 1908. 106 S. und Fühlings landw. Zeitung 1909. S. 229.

Freeman, G. F. Methods of alfalfa breeding. Ann. Rpt. American Breeders' Assn. **5** 1909. S. 148—166.

Frölich, G. Beiträge zur Züchtung der Erbsen und Feldbohnen. Fühlings landw. Zeitung 1909. S. 713—726.

Frölich. Erfahrungen und Beobachtungen bei der Züchtung von Winter-getreide. Illustr. landwirtsch. Zeitung **72** 1909. S. 684—685.

Fruwirth, C. Die Entwicklung der Auslesevorgänge bei den landwirtschaft-lichen Kulturpflanzen. Progressus rei botanicae 3. Band, 2. Heft. Jena 1909. S. 259—330.

— Referate über neuere Arbeiten auf dem Gebiete der Pflanzenzüchtung. Journal für Landwirtschaft **57** 1909. S. 149—169.

Fruwirth, C. 1. Wesen und Bedeutung der einzelnen Züchtungsarten. 2. Durchführung der Ausleseverfahren. Arbeiten der Landwirtschaftskammer für die Provinz Sachsen **15.** Heft. S. 67—78.

— Fortschritte in der Erkenntnis der wissenschaftlichen Grundlagen der züchterischen Verbesserung landwirtschaftlicher Kulturpflanzen. Arbeiten der Landwirtschaftskammer für die Provinz Hannover **25.** Heft. S. 25—44, 4 Tafeln.

— Spaltungen bei Folgen von Bastardierung und von spontaner Variabilität. Archiv f. Rassen- u. Gesellschaftsbiologie **4** 1909. S. 433—469.

Garner, W. W. Breeding tobacco for high and low nicotine content. Rpt. Americ. Breeders' Assn. **5** 1909. S. 299—303.

Hillmann, P. Entwicklung und Stand der deutschen landwirtschaftlichen Pflanzenzüchtung. Jahrbuch der deutschen Landwirtschaftsgesellschaft **24** 1909. S. 1—9.

Holdefleiss, P. Bastardierungsversuche mit Mais. Berichte des landwirtsch. Instituts Halle a. S. **19.** Heft 1909. S. 178—198, 1 Tafel.

— 1. Untersuchungsmethoden der Züchtung des Getreides. 2. Züchtung der Rüben. 3. Züchtung der Kartoffel. Arbeiten der Landwirtschaftskammer f. d. Provinz Sachsen **15.** Heft. S. 21—32.

Howard, A. and **G. L. C.** The varietal characters of indian wheats. Mem. Dpt. Agric. India Botanic, Series **2,** 1909. No. 7. 66 S.

Hummel, A. Über die Verwendung von Stecklingen beim Runkelrüben-Samenbau. Fühlings landw. Zeitung **58** 1909. S. 404—409.

Jordan, D. S. and **Kellog, V. L.** The scientific aspects of Luther Burbanks work. San Francisco 1909. 8°. 115 S.

Körnicke, F. Entstehung und Verhalten neuer Getreidevarietäten. Herausgegeben von M. Körnicke. Arch. Biontol. 1908. 49 S.

Kraus, C. Züchtungen von Gerste und Hafer 1899—1908. Fühlings landwirtschaftl. Zeitung 1909. S. 466.

— und **Kiessling.** Bericht der Kgl. Saatzuchtanstalt in Weihenstephan **6** 1908. Freising 1909. 59 S.

Kühle, L. Fortschritte in der Zuckerrübenzüchtung. Jahrbuch d. deutschen Landwirtschafts-Gesellschaft 1909. S. 379—392.

Leake, H. M. Studies in the experimental breeding of indian cottons 2. On buds and branching. Journ. Asiat. Soc. Bengal. N. S. **5** 1909. S. 23—30.

Lee, F. E. Report of wheat improvement committee. Journ. Dpt. Agric. Victoria **7** 1909. S. 239—254.

Lehmann, C. Über Leistungszucht. Jahrbuch der deutschen Landwirtschafts-Gesellschaft **24** 1909. S. 198—211.

Lewis, C. J. and **Vincent, C. C.** Pollination of the apple. Oregon Agr. Exp. Station Bull. **104** 1909. S. 1—40.

Macoun, W. T. Characteristics of wealthy apple seedlings. Ann. Rpt. American Breeders' Assn. **5** 1909. S. 37—40.

Möller, J. Korrelative Eigenschaften der Zuckerrübe und deren Bedeutung für die züchterische Praxis. Blätter f. Zuckerrübenbau **16** 1909. S. 209—213.

— Die Bedeutung der Familienzucht für die praktische Zuckerrübenveredelung. Blätter für Zuckerrübenbau **16** 1909. S. 227.

Nilsson-Ehle, H. Redogörelse för arbetena med höstvhete under år 1908. Sveriges Utsädesfor. Tidskr. **19** 1909. S. 192—206.

Ortlepp. Über Vererbung und Pflanzenzüchtung. Der Zeitgeist **3** 1909.

Pammer, G. Die Degeneration des Roggens und die Maßnahmen zu ihrer Verhütung. Monatshefte f. Landwirtschaft **1** 1909. S. 12—19. 2 Abbild.

Pflanzenzüchtung. Arbeiten der Landwirtschaftskammer für die Provinz Sachsen **15** 1908. Halle a. S. Neun Vorträge.

Piper, C. V. Alfalfa and its improvement by breeding. Rpt. Americ. Breeders Assn. **5** 1909. S. 94—114.

Raum. Zur Systematisierung der Hafersorten. Fühlings landwirtschaftl. Zeitung 1909. S. 496—501.

v. Rümker, K. Methoden und Organisation der Pflanzenzüchtung. Mitt. d. Deutschen Landwirtschafts-Gesellschaft **6** 1909. S. 65.

Scholz, W. Ein Beitrag zur Züchtung in reinen Linien. Landwirtschaftl. Wochenschrift für die Provinz Sachsen **44** u. **45** 1909. S. 414 ff.

Shoemaker, D. N. A study of leaf characters in cotton hybrids. Rpt. Americ. Breeders' Assn. **5** 1909. S. 116—118.

Shull, G. H. A pure-line method in corn breeding. Ann. Rpt. American Breeders' Assn. **5** 1909. S. 51—59.

Sperling, E. Die Grenzen der Variation unter den Nachkommen einzelner Pflanzen. Dissertation, Halle a. S. 1909. 85 S.

Spillman, W. J. The effect of different methods of selection on the fixation of breeds. Ann. Rpt. American Breeders' Assn. **5** 1909. S. 341—347.

Stewart, J. B. The production of a new strain of tobacco and its development. Rpt. Americ. Breeders' Assn. **5** 1909. S. 291—299.

Tedin, H. Redogörelse för arbetena' med Korn 1908. Sveriges Utsädes-for. Tidskr. **19** 1909. S. 211—220.

Townsend, C. O. Breeding Sorghum. Ann. Rpt. American Breeders' Assn. **5** 1909. S. 269, 274.

v. Tschermak, E. Über Kreuzungszüchtung der Getreidearten. Arbeiten der Landwirtschaftskammer f. d. Prov. Sachsen. 15. Heft S. 9—20. und Nachrichten aus d. Klub der Landwirte zu Berlin 1908. S. 4781.

Urban, J. Die Veredelung der Zuckerrübe. Blätter für Zuckerrübenbau **16** 1909. S. 177.

— Wie äußert sich die Vererbung des Zuckergehaltes bei der Zuckerrübe. Blätter für Zuckerrübenbau **16** 1909. S. 33—35.

Webber, H. J. Clonal or bud variation. Ann. Rpt. American Breeders' Assn. **5** 1909. S. 347—357.

Westgate, J. M. Methods of breeding alfalfa (Medicago sativa) by selection. Ann. Rpt. American Breeders' Assn. **5** 1909. S. 144—147.

Wettstein, R. v. Die Entstehung der Kulturpflanzen. Das Wissen für Alle **9** 1909. S. 161—165.

Williams, C. S. Progress in cereal breeding at the Ohio Experiment Station. Rpt. Americ. Breeders' Assn. **5** 1909. S. 171—176.

Witte, H. Årsredogörelse for förädlingsarbetena med vallväxter under år 1908. Sveriges Utsädesfor. Tidskr. **19** 1909. S. 221—230.

Wittmack, L. Die Stammpflanze unserer Kartoffel. 2. Taf., 39 Fig. i. T. Landw. Jahrbücher **38** 1909. S. 551—605.

Zaleski, E. Beobachtungen über die Begrannung des Weizens. (Polnisch, deutsches Resumé.) Roczniki Nauk Rolniczych **4** 1909. S. 297—304.

Zavitz, Z. A. Foundation stock in plant breeding. Rpt. Americ. Breeders' Assn. **5** 1909. S. 167—171.

III. Zoologische Literatur.

12. Phylogenie von einzelnen Familien, Gattungen und Arten und von einzelnen Organen auf Grund vergleichend-anatomischer, morphologischer, systematischer oder historischer Untersuchungen.

Emery, C. Über den Ursprung der dulotischen parasitischen und myrmekophilen Ameisen. Biol. Centralbl. **29** 1909. S. 352—362.

Ewart, J. C. The possible ancestors of the horses living under domestication. Science, N. S. **30** 1909. S. 219—223.

Friedenthal, H. Haarparasiten und Haarbau als Hinweise auf Blutsverwandtschaft. Stzgsber. Ges. Naturf. Freunde Berlin 1909. S. 379—383.

Haller. Die phyletische Entfaltung der Sinnesorgane der Säugetierzunge. Arch. f. mikrosk. Anat. **74** 1909.

Hinton, M. A. C. On the fossil hare of the Ossiferous Fissures of Ightham, Kent, and on the recent hares of the Lepus variabilis group. Scient. Proc. Roy. Dublin Soc. **12** 1909. S. 225—265, 1 Taf.

Hueppe, F. Über die Herkunft und Stellung der Albanesen. Arch. Rass. Ges. Biologie **6** 1909. S. 512—529.

Lehrs, Ph. Studien über Abstammung und Ausbreitung in den Formenkreisen der Gattung Lacerta und ihrer Verwandten. 2. Taf., 11 Fig. i. T. Zoolog. Jahrbücher **28** 1909. S. 81—220.

Mordwilko, A. Über den Ursprung der Erscheinung von Zwischenwirten bei den tierischen Parasiten. Biol. Centralbl. **29** 1909. S. 369—381, 395—413, 441—457, 459—467.

Pira, A. Studien zur Geschichte der Schweinerassen, insbesondere derjenigen Schwedens. 52 Fig. i. T. Zoolog. Jahrbücher. Spl. **10** 1909. S. 233 bis 426.

Reuter, E. Zur Morphologie und Ontogenie der Acariden, mit besonderer Berücksichtigung von Pediculopsis graminum (E. Reut.). Acta soc. scient. fennicae, **36** Nr. 4, 1909. 4° 288 S. 6 Taf., 12 Fig. i. T.

— Merokinesis, ein neuer Kernteilungsmodus. Acta Soc. Scient. Fennicae **37** 1909. 4° 56 S., 40 Fig.

Ssinitzin, D. Th. Studien über die Phylogenie der Trematoden I. Biol. Centralbl. **29** 1909. p. 664—682.

Wasmann, E. Über den Ursprung des socialen Parasitismus, der Sklaverei und der Myrmecophilie bei den Ameisen. Biol. Centralbl. **29** 1909. S. 587—604, 619—637, 651—663, 683—703.

13. Experimentelle Untersuchungen und Beobachtungen über Vererbung, Bastardierung und Mutationen.

Arenander, O. E. Eine Mutation bei der Fiellrasse (Kularasse). Jahrb. f. wissenschaftl. und prakt. Tierzucht. Jahrg. 3. 1908.

Barfurth, D. Experimentelle Untersuchung über die Vererbung der Hyperdactylie bei Hühnern. II. Mitteilung. Der Einfluss des Vaters. Arch. f. Entwicklungsmech. d. O. **27** 1909. S. 653—661.

Bataillon, E. L'imprégnation hétérogène sans Amphimixie nucléaire chez les Amphibiens et les Echinodermes (à propos du recent travail de H. Kupelwieser). Arch. Entwicklgs-Mechan. d. Org. **28** 1909. S. 43—48.

Castle, W. E. in collab. with **Walter, H. E., Mullenix, R. C.** and **Corb, S.** Studies of inheritance in rabbits. 4 Taf., gr. 8°. 70 S. Carnegie Instit. Washington Publ., Nr. 114.

Ehrlich, P. Über die neuesten Ergebnisse auf dem Gebiete der Trypanosomenforschung. Arch. Schiffs- u. Tropenhygiene **13** 1909. Beiheft 6. S. 93 bis 116.

Frets. Über die Varietäten der Wirbelsäule und ihre Erblichkeit. Verhandl. anat. Gesellsch. 1909.

Gates, R. R. A litter of hybrid dogs. Science, N. S. **29** 1909. S. 744—747.

Galloway, R. Canary breeding. A partial analysis of records from 1891—1909, 5 Taf., 4 Fig. i. T. Biometrica **7** 1909. S. 1—42.

Hagedoorn, A. L. Inheritance of yellow color in rodents. Univ. of California Publ. in Physiol. **3** 1909. S. 95—99.

Herbst, C. Vererbungsstudien VI. 1 Taf. Arch. Entwicklgsmech. **27** 1909. S. 266—308.

Jennings, H. S. Heredity and variation in the simplest organisms. American Naturalist **43** 1909. S. 321—337.

Kammerer, P. Vererbung erzwungener Fortpflanzungsanpassungen. III. Mitteilung. Die Nachkommen der nicht brutpflegenden Alytes obstetricans. 2 Taf. Arch. Entwicklgsmech. **28** 1909. S. 447—545.

Morgan, Th. H. Experimentelle Zoologie. Deutsche Ausgabe von L. u. H. Rhumbler. Leipzig 1909 (Teubner). gr. 8° X + 570 S.

— Recent experiments on the inheritance of coat colors in mice. American Naturalist **43** 1909. S. 494—510.

Pearl, R. and **Surface, F. M.** Data on the inheritance of fecundity obtained from the records of egg production of the daughters of „200—egg" hens. 13 Fig. i. T. Bull. 166. Maine Agric. Expt. Stat. 1909. 34 S.

Schmidt, Br. Über Vererbungserscheinungen beim Rinde. Dissertation Königsberg 1909. 56 S.

Standfuss, M. Einige Ergebnisse aus Zuchtexperimenten mit Lepidopteren-Mutationen (Aglia tau). Etudes de Lepidopterologie comparée, de Charles Oberthür. 3. livraison. Rennes 1909. 35 S.

Stockard, Charles R. Inheritance in the „walking stick", Aplopus mayeri. Biol. Bull. **16** 1909. S. 239—245.

Woltereck, R. Weitere experimentelle Untersuchungen über Artveränderung, speciell über das Wesen quantitativer Artunterschiede bei Daphniden. 18 Fig. i. T. Verhandl. deutsch. zool. Gesellsch. 1909. S. 110, 177.

14. Modifizierung von Form und Bau durch Außeneinflüsse. In das Gebiet einschlagende Arbeiten über Entwicklungsmechanik. Variationsgesetze. Variationsstatistiken. Vererbung erworbener Eigenschaften.

Bardeen. Variations in susceptibility of Amphibian ova to the X-rays at different stages of development. The anat. record. **3**, Nr. 4, 1909.

Beebe, C. W. Abstract of a series of experiments upon living birds to determine the effect of humidity on the coloration of the plumage. Ann. Rpt. American Breeders' Assn. 5 1909. S. 392—394.

Carraro, A. Über Hypophysisverpflanzung. Arch. Entwicklgsmech. 28 1909. S. 169—180, 1 Taf.

Child, C. M. Factors of form regulation in Harenachis altenuata. I. Wound reaction and restitution in general and the regional factors in oral restitution. Journ. Expt. Zoology 6 1909, Nr. 4.

Fage, L. Etude de la variation chez le rouget (Millus barbatus L. M. Surmuletus L.). Arch. zool. expér. et gén. 5. Sér. 1 1909. S. 389—445.

Fischel, A. Über die Entwicklung des Echinodermeneies unter dem Einfluss chemischer Agentien. 45 Fig. i. T. Arch. Entw.-Mech. d. Org. 27 1909. S. 465—506.

Grochmalicki, J. Über Missbildungen von Salamanderlarven im Mutterleibe. 3 Fig. i. T., 2 Taf. Arch. Entwicklgsmech. 28 1909. S. 181—209.

Haecker, V. Die Radiolarien in der Variations- und Artbildungslehre. Zeitschr. indukt. Abstamm.- u. Vererbungslehre 1 1909. p. 1—17.

Harvey, W. F. and **McKendrick.** The Opsonic Index — A medicostatistical enquiry. Biometrica 7 1909. S. 64—95.

Jenkinson, J. W. On the relation between the symmetry of the egg, the symmetry of segmentation and the symmetry of the embryo in the frog. 7 Fig. i. T. Biometrica 7 1909. S. 148—209.

Kupelwieser, H. Entwicklungserregung bei Seeigeleiern durch Molluskensperma. 3 Taf., 3 Fig. i. T. Arch. Entw.-Mech. d. Org. 27 1909. S. 434—462.

Laqueur, E. Über Teilbildungen aus dem Froschei und ihre Postgeneration. 8 Fig. i. T., 3 Taf. Arch. Entwicklgsmech. 28 1909. S. 317—367.

Love, H. H. Influence of food supply on variation. Ann. Rpt. American Breeders' Assn. 5 1909. S. 357—364.

Mayrhofer, F. Farbwechselversuche am Hecht. (Esox lucius.) 1 Taf. Arch. Entwicklgsmech. 28 1909. S. 546—560.

Morgulis, S. Contributions to the physiology of regeneration. II. Experiments on Lumbriculus. 3 Fig. i. T. Arch. Entwicklgsmech. 28 1909. S. 396 bis 440.

Morgan, T. H. and **Spooner, G. B.** The polarity of the centrifuged egg. 9 Fig., 1 Taf. Arch. Entw. Mechan. d. Org. 28 1909. S. 104—117.

Mühlmann, M. (Millman). Über Bindegewebsbildung, Stromabildung und Geschwulstbildung (Die Blastocytentheorie). 3 Fig. i. T., 2 Taf. Arch. Entwicklgsmech. 28 1909. S. 210—259.

Pearl, R. and **Surface, F. M.** A biometrical study of egg production in the domestic fowl. 1. Variation in annual production. Bull. 110. U. S. Dep. Agric. Bur. Anim. Industry. 1909. 80 S.

Pearl, R. Studies on the physiology of reproduction in the domestic fowl. I. Regulations in the morphogenetic activity of the oriduct. 2 Taf. Journ. esept. Zoolog. 6 1909. S. 339—360.

— Biometrics. Some recent studies on growth. The Americ. Natural 43 1909. S. 302—316.

— and **Surface, F. M.** The nature of the stimulus which causes a shell to be formed on a birds egg. Science N. S. 29 1909. S. 428—429.

Przibram, H. Aufzucht, Farbwechsel und Regeneration der Gottesanbeterinnen (Mantidae). III. Temperatur- und Vererbungsversuche. 3 Taf. Arch. Entwicklungsmech. **28** 1909. S. 561—628.

Rodewald, H. Mathematische Beschreibung der Milchleistung der Milchkuh. Fühlings landwirtschaftl. Zeitung 1909. **9** S. 313, 342.

Schuckmann, W. v. Über die Einwirkung niederer Temperaturen auf den Fortgang der inneren Metamorphose bei der Puppe von Vanessa urticae. 2 Taf., 4 Fig. i. T. Arch. Ent.-Mech. d. Org. **27** 1909. S. 513—559.

Secerov, S. Farbenwechselversuche an der Bartgrundel (Nemachilus barbatula L.). 2 Taf. Arch. Entwicklungsmech. **28** 1909. S. 629—660.

Sumner, F. B. Some effects of external conditions upon the white mouse. Journ. Exp. Zoölogy **7** 1909. S. 97—155, 14 Textfig.

Thomson, E. Y., Bell, J. and **Pearson, K.** A second cooperative study of Vespa vulgaris. Comparison of queens of a single nest and queens of a general population. 3 Fig. i. T. Biometrica **7** 1909. S. 48—63.

15. Vererbung und Bestimmung des Geschlechtes.

Arend. Mendelian Inheritance of sex. Arch. f. Entwicklungsmech. d. Org. **28** 1909.

Andrews, E. A. A male crayfish with some female organs. American Naturalist **43** 1909. S. 461—471.

Goodale, H. D. Sex and its relation to the barring factor in poultry. Science, N. S. **29** 1909. S. 1004.

Gutherz, S. Weiteres zur Geschichte des Heterochromosoms von Gryllus domesticus L. Stzgsbr. Ges. Naturf. Freunde Berlin 1909. S. 410—418.

Hagedoorn, A. L. Mendelian heredity of sex. 3 Fig. i. T. Archiv Entwicklungsmechanik d. O. **28** 1909. S. 1—34.

Hart, D. B. Mendelian action on differentiatet sex. Abstract. Proc. Roy. Edinburgh **29** 1909. S. 607.

Meisenheimer, J. Experimentelle Studien zur Soma- und Geschlechtsdifferenzierung. 1. Beitrag. Über den Zusammenhang primärer und sekundärer Geschlechtsmerkmale bei den Schmetterlingen und den übrigen Gliedertieren. Jena (Fischer) 1909. 8⁰. 150 S., 2 Taf., 55 Fig. i. T.

Newman, H. H. and **Patteison, J. T.** A case of normal identical quadruplets in the nine-banded armadills, and its bearing on the problems of identical twins and of sex determination. Biol. Bull. **17** 1909. S. 181—187.

Orton, J. H. On the occurence of protandric hermaphroditism in the mollusc Crepidula fornicata. Proc. Roy. Soc. **81** B. 1909. S. 468—484.

Punnett, R. C. On the alleged influence of Lecithin upon the determination of sex in rabbits. Proc. Cambr. Philos. Soc. **25** 1909. S. 92—93.

Russo, A. Studien über die Bestimmung des weiblichen Geschlechtes. Jena. 1909. 105 S.

Schöner, O. Bestimmung des Geschlechts am menschlichen Ei vor der Befruchtung und während der Schwangerschaft. Zeitschr. für Geburtshilfe und Gynäkologie **14** 1909. S. 454, 3 Fig.

Whitney, D. D. Effect of a centrifugal force upon development and sex. Journ. expt. Zoology **6** 1909. No. 1.

16. Cytologisches. Vererbungsträger. Sterilität bei Bastarden.

Baltzer, F. Über die Entwicklung der Echiniden-Bastarde mit besonderer Berücksichtigung der Chromatinverhältnisse. Zool. Anz. 35 1909. S. 5—15.

Foot, Katherine and Strobel, E. C. The nucleoli in the spermatocystes and germinal vesicles of Euschistus variolarius. Biol. Bull. 16 1909. S. 215 —238. Pl. 3.

Lillie, Frank R. Karyokinetic figures of centrifuged egg; an experimental test of the center of force hypothesis. Biol. Bull. 17 1909. S. 101—119.

Lillie R. S. The general biological significance of changes in the permeability of the surface layer or plasma-membrane of living cells. Biol. Bull. 17 1909. S. 188—208.

Pentimalli, F. Influenza della corrente elettrica sulla dinamica del processo cariocinetico. 1 Fig. i. T., 1 Taf. Arch. Entwicklungsmech. 28 1909. S. 260—276.

Smallwood, W. M. A reëxamination of the cytology of Hydractinia and Pennaria. Biol. Bull. 17 1909. S. 209—240, Pl. 4.

17. Angewandte Vererbungs- und Bastardierungslehre. Vererbungslehre in der Medizin und Soziologie.

Ammon, O. Der Ursprung der Homosexualität und die Deszendenzlehre. Arch. Rass. Ges. Biol. 6 1909. S. 649—678.

Brentano, L. Die Malthus'sche Lehre und die Bevölkerungsbewegung der letzten Dezennien. Abh. bayer. Akad. Wiss. (hist. Kl.) 24 1909.

Büchner, L. Die Macht der Vererbung und ihr Einfluß auf den moralischen und geistigen Fortschritt der Menschheit. 2. Aufl. Leipzig 1909. 75 S.

Cockerell, T. D. A. Some experiments in breeding slugs. American Naturalist 43 1909. S. 510—512.

Crzellitzer, A. Methoden der Familienforschung. Mit Fragebogen und Schema zu einer Sippschaftstafel. Zeitschr. f. Ethnologie 1909. S. 181—198.

Coffey, W. C. Report of the committee on breeding sheep and goats. Rpt. Americ. Breeders' Assn. 5 1909. S. 249—250.

Davenport, C. B. The factor hypothesis in its relation to plumage color. Ann. Rpt. American Breeders' Assn. 5 1909. S. 382—385.

Dietrich, W. Fundamental principles of successful swine breeding. Ann. Rpt. Americ. Breeders' Assn. 5 1909. S. 12—14.

Elderton, E. M. On the association of drawing with other capacities in school children. Biometrica 7 1909. S. 222—226.

Fruwirth, C. Tier- und Pflanzenzüchtung. Jahrbuch für wissenschaftliche und praktische Tierzucht 4 1909. S. I—XXVI.

Gaumnitz, D. A. A plan for breeding svine. Ann. Rpt. Americ. Breeders Assn. 5 1909. S. 8—12.

Griggs, J. W. Hybridizing the Virginia deer. Rpt. Americ. Breeders' Assn. 5 1909. S. 212—214.

Hansemann, D. v. Descendenz und Pathologie, vergleichend-biologische Studien und Gedanken. Berlin 1909. 488 S.

Holterbach. Welche Rolle spielt die Vererbung bei der Ausbreitung der Tuberkulose. Deutsche landw. Tierzucht 31 1909. S. 368—369.

Hilzheimer, M. Aus der Geschichte des Pferdes. Deutsche landwirtschaftl. Presse 1909. Nr. 87 u. 89.

Hink, A. Über schwere Pferde im alt- und mittelpersischen Reich. Eine archäologisch-hippologische Studie. Zeitschr. für Gestütkunde und Pferdezucht 10 u. 11 1909. S. 217 ff.

— Die Lehre Lamarcks und die Tierzucht. Mitteil. der Deutschen Landwirtschafts-Gesellschaft 45 1909. S. 678—682.

Kellogg, V. L. Man and the laws of heredity. Rpt. Americ. Breeders' Assn 5 1909. S. 241—243.

Koch, R. Beitrag zur Frage: Bestehen Korrelationen zwischen Exterieur und Nutzleistung? Diss. Giessen 1908. 258 S.

Kohlbrugge, J. H. F. Stadt und Land als biologische Umwelt (I. Teil). Arch. Rass. Ges. Biol. 6 1909. S. 493—511, 631—648.

Krämer, H. u. Müller, R. Jahrbuch für wissenschaftliche und praktische Tierzucht einschließlich der Züchtungsbiologie. Herausgegeben von der Deutschen Gesellschaft für Züchtungskunde. 4. Hannover (Schaper) 1909. 8°. CLXVII u. 188 S., 8 Tafeln u. 1 Tabelle.

Kronacher, C. Körperbau und Milchleistung. Untersuchungen über die Beziehungen von Körperbau und Milchleistung beim großen Fleckvieh. Arbeiten der deutschen Gesellschaft für Züchtungskunde. Heft 2. Hannover (Schaper) 1909. 8°. 162 S., 5 Tabellen.

v. Lützow, K. Vergleichende anatomische und physiologische Untersuchungen bei Lauf- und Schrittpferden. (Ein Beitrag zur Kritik der Pferdemessungen.) Landwirtsch. Jahrbücher 37 1908. S. 731—855, Tafel XXII bis XXV.

Martius, Fr. Das pathogenetische Vererbungsproblem. 4. Heft d. Pathogenese d. inneren Krankh. Wien und Leipzig 1909.

v. Oettingen. Über Inzucht. Deutsche landwirtsch. Tierzucht 12 1909. S. 133—138.

Pearl, Raymond and Surface, Frank M. Selection index numbers and their use in breeding. American Naturalist 43 1909. S. 385—400.

— — Apparate und Methoden, die bei experimentellen Untersuchungen über Vererbung beim Geflügel gebraucht werden. Zeitschr. f. biolog. Technik u. Methodik 1. S. 285—299.

Peters, J. Über Blutlinien und Verwandtschaftszuchten, nach Erhebungen der „Ostpreußischen Holländer Herdbuchgesellschaft". Hannover 1909. 8°. Arbeiten der deutschen Gesellschaft für Züchtungskunde. Heft 3. 13 S., zahlreiche Abb. u. Stammtafeln.

Prochaska, L. Mutationstheorie und Tierzucht. Monatshefte für Landwirtschaft 6 1909. S. 195—199.

— Der Rassebegriff in der Tierzucht. Monatshefte für Landwirtschaft 2 1909. S. 50—54.

Rice, J. E. Some principles of poultry breeding. Ann. Rpt. Americ. Breeders' Assn. 5 1909. S. 376—378.

Rietz, H. L. On inheritance in the production of butter fat. Biometrica 7 1909. S. 106—126.

Schlub, H. O. Über Geisteskrankheit bei Geschwistern. Allg. Zeitschr. Psychiatrie 66 1909. S. 514—541.

Schmidt, J. Beziehungen zwischen Körperform und Leistung bei den Milchkühen. Dissertation Bonn 1908. 131 S. u. Arbeiten der Deutschen Gesellschaft für Züchtungskunde Heft 1. Hannover (Schaper) 1908.

Schrewe, H. Über Leistungszucht. Jahrbuch der deutschen Landwirtschaftsgesellschaft **24** 1909. S. 211—239.

Seeberger, A. Über äußere Körpermaße und deren Beziehungen zu Größe und Entwicklung von Lunge und Herz bei zwei verschiedenen Schafrassen. Jahrbuch für praktische und wissenschaftl. Tierzucht **4** 1909. S. LXXIV—CXV.

Simpson, Q. I. and **Simpson, J. P.**, Genetic laws applied. Rpt. Americ. Breeders' Assn. **5** 1909. S. 250—254.

v. Strebel, V. Die Tauglichkeit der Zwillingskälber zur Zucht. Deutsche landw. Presse 1909. Nr. 84. S. 897—898.

Titcomb, J. W. Report of the committee on breeding fish. Rpt. Americ. Breeders' Assn. **5** 1909. S. 397.

von den Velden, Fr. Aussterbende Familien. Arch. Rassen- u. Ges.-Biolog. **6** 1909. S. 340—350.

Weinberg, W. Die Anlage zur Mehrlingsgeburt beim Menschen und ihre Vererbung. Arch. Rassen- u. Gesellsch.-Biologie **6** 1909. S. 322—339, 470—482, 609—630.

Woods, F. A. Some desiderata in the science of eugenics. Rpt. Americ. Breeders' Assn. **5** 1909. S. 244—248.

— The birthplaces of leading americans and the question of heredity. Science N. S. **30** 1909. S. 17—21.

— American men of science and the question of heredity. Science N. S. **30** 1909. S. 205—209.

18. Verschiedenes.

Hilzheimer, M. Neigen inselbewohnende Säugetiere zu einer Abnahme der Körpergröße? Arch. Rassen- u. Gesellsch.-Biolog. **6** 1909. S. 305—321.

Holmgren, N. Zur Frage der Inzucht bei Termiten. Biol. Centralbl. **29** 1909. S. 125—128.

Japha, A. Die Trutzstellung des Abendpfauenauges. Zool. Jahrb. Abt. Biol. u. Syst. **27** 1909. S. 321—328.

Riddle, Oscar. Our knowledge of melanin color formation and its bearings on the Mendelian description of heredity. Biol. Bull. **16** 1909. S. 316—351.

Weismann, A. Über die Trutzstellung des Abendpfauenauges. Naturwiss. Wochenschr. N. F. **8** 1909. S. 721—726.

IV. Paläontologische Literatur.
20. Allgemeines.

Abel, O. Die Paläontologie als Stütze der Descendenzlehre. Vortrag, gehalten im wissensch. Klub Wien, Dezember 1908.

— Das Zeitalter der Reptilienherrschaft. Schr. d. Ver. z. Verbreit .naturw. Kenntn. Wien **49**. 1909. S. 451—481.

— Konvergenz und Deszendenz. Verh. zool. botan. Gesellsch. Wien 1909. 221—230.

Abel, O. Was verstehen wir unter monophyletischer und polyphyletischer Abstammung? Verh. zool. botan. Ges. Wien 1909. 243—256.

Depéret, Ch. Die Umbildung der Tierwelt. Deutsch von R. Wegner. Stuttgart (Schweizerbart) 1909. 330 S.

Diener, C. Der Entwicklungsgedanke in der Paläontologie. Schr. d. Ver. z. Verbreit. naturw. Kenntn. Wien **49.** 1909. S. 23—58.

Gürich, G. Leitfossilien. 2. Lieferung: Devon. Berlin (Bornträger) 1909. S. 97—199. Taf. 29—52.

Osborn, H. F. The four inseparable factors of Evolution. Theory of their distinct and combined action in the transformation of the Titanotheres. Science, N. S. **27** 1908. S. 148—159.

— Coincident evolution through rectigradations. Science, N. S. **27** 1908. S. 749—752.

Scott, D. H. Adaptation in fossil plants. Nature **81** 1909. S. 115—118.

Stromer v. Reichenbach, E. Lehrbuch der Paläozoologie. 1. Teil. Wirbellose Tiere. Leipzig (B. G. Teubner) 1909. 342 S.

Woods, H. Paleontology: Invertebrate. 4. Aufl. Cambridge 1909.

Woodward, A. S. Address to the geological section of the British Association for the Advancement of Science. Geol. Mag (5) **6** 1909. S. 413—420.

21. Faunen.

Canestrelli, G. Revisione della fauna eocenica di Laverda nel Vicentino. Atti Soc. Ligustica Sci. Nat. e geogr. (Genova) **19** 1908. S. 1—108, 2 Taf.

Clarke, J. M. Early devonic history of New York and Eastern North America. New York State Museum Memoir **9** 1908. 48 Tafeln.

Conzatti, M. C. Les gisements fossilifères de Vallée de Oaxaca. Mem. Soc. Cient. „Antonio Alzate" **26** Mexico 1908. S. 353—358, Taf. XV.

Doncieux, L. Catalogue descriptif des fossiles nummulitiques de l'Aude et de l'Héraultt. Ann. Univ. Lyon, nouvelle sér. I, fasc. 22.

Foerste, A. F. Fossils from the Silurian Formations of Tennessee, Indiana and Illinois. Bull. Denison Univ. 1909. S. 61—107. Taf. 1—4.

Girty, H. The Guadalupian Fauna. U. S. Geolog. Surv. Prof. Paper 58. Washington 1908. S. 1—512, T. 1—31.

Haas, O. Bericht über neue Aufsammlungen in den Zlambachmergeln der Fischerwiese bei Altaussee. Beitr. Paläont. u. Geol. Oesterr.-Ung. u. Orients. **22.** 1909. S. 143—167, Taf. 5—6.

Holub, K. Beitrag zur Kenntnis der Bande Dd_{17} des böhmischen Untersilurs. Bull. intern. Accad. Sci. Cl. Sci math. natur. méd. Prague 1908. S. 1—8, Taf. I.

Jarosz, J. Stratigraphie des Kohlenkalks in der Umgebung von Krakau. Bull. intern. Acad. Sci. Cracovie 1909. S. 689—704, Taf. 11 u. 12.

Lecointre, Comtesse P. Essai de comparaison entre la faune des faluns du miocène de Touraine et la faune du miocène des Etats-Unis. Blois, 1909. 69 S.

Lee, G. W. A carboniferous fauna from Nowaja Semlja, collected by Dr. W. S. Bruce. Trans. Roy. Soc. Edinburgh **47.** 1909. S. 143—186, 2 Taf.

Lemoine, P. Contributions à la connaissance géologique des colonies françaises. 8. Sur quelques fossiles du · Tilemsi (Soudan). Bull. Soc. philomath. Paris 1909. S. 101—109, Taf. 2.

Leriche, M. Sur les fossiles de la craie phosphatée de la Picardie à Actinocamax quadratus. Compt. Rend. Ass. franç. avanc. Sci. 1908. S. 494—503.

Maillieux, E. Etude comparative de la répartition des espèces fossiles dans le Frasnien inférieur du bord méridional du bassin dinantais etc. Bull. Soc. belge Géologie, Pal. et Hydrol. 23 1909. S. 115—151.

Merciai, G. Fossili dei Calcari Grigio-Scuri di Monte Malbe presso Perugia. Atti. Soc. tosc. Sci. nat. Pisa 24 1908. S. 218—245. Taf. 7.

Newton, R. B. On some fossils from the Nubian Sandstone series of Egypt. Geol. Mag. (5) 6 1909. S. 388—397, Taf. 20 u. 21.

Oppenheim, P. Über eine Eocänfaunula von Ostbosnien und einige Eocänfossilien der Hercegowina. Jahrb. k. k. geol. Reichsanst. 58 1908. S. 311—344, 5 Taf.

Parona, C. F. Nuovi dati paleontologici sui terreni mesozoici dell'Abruzzo. Boll. R. Com. geol. Ital. 9. 1908. S. 263—272.

Pavlovic, P. S. Beiträge zur Fauna der Tertiärablagerungen in Altserbien. Ann. géol. Péninsule balkanique 6 1908. 31 S., 6 Taf.

Ralph, A. Description of new cretaceous and tertiary fossils from the Santa Cruz Mountains · California. Proc. U. S. Nat. Mus. 34. 1908. S. 345—390, Taf. 31—37.

Reed, F. R. C. New fossils from the Bokkeveld beds. Ann. South Afric. Mus. 8 1908. S. 381—406, Taf. 47 u. 48.

Rzehak, A. Vorlage neuer Fossilien aus Mähren. Verh. naturf. Vereins. Brünn 46 1908. S. 15.

Sherzer, W. H. u. **Grabau, A. W.** New upper siluric fauna from southern Michigan. Bull. geol. soc. America 19 1909. S. 540—553.

Siemiradzki, J. v. Neue Beiträge zur Fauna der jurassischen Klippen des Penninischen Klippenzuges. Verh. k. k. geol. Reichsanst. 1908. S. 291—293.

Vadasz, E. (Die Unterliasfauna von Alsorakos). Ungarisch. Jahrb. ungar. geol. Anstalt. 16 1908. S. 279—367. 6 Taf.

Vaillant, L. Observations paléontologiques faites dans les sables éocènes landeniens aux environs d'Arras. C. R. Soc. géol. France 1909, No. 10. S. 57—58

Weller, St. Kinderhook faunal studies, 5. The fauna of the fern glen formation. Bull. Geol. Soc. America 20 1909. S. 265—332, Taf. 10—15.

Wollemann, A. Erwiderung auf Menzels Mitteilung über die Quartärfaunen im nördl. Vorlande des Harzes u. die Nehringsche Steppenhypothese. Zentralbl. f. Mineral. etc. 1909. S. 317—318.

Zelizko, J. V. Faunistische Verhältnisse der untersilurischen Schichten bei Pilsenetz in Böhmen. Verh. k. k. geol. Reichsanstalt 1909. S. 63—67.

— Diluviale Fauna von Wohn in Südböhmen. Bull. intern. Ac. Sci. de Bohême 14 1909. S. 1—16.

— (Bericht über die diluviale Fauna von Wohn in Südböhmen.) Tschechisch. Anzeiger. d. 4. Vers. tschech. Naturf. Ärzte. Prag 1908. S. 428.

22. Protozoen.

Foraminiferen.

Checchia-Rispoli, G. La serie nummulitica dei dintorni di Termini-Imerese. II. La regione Cacasacco. Giorn. Sci. Nat. et Econ. ' Palermo **27** 1908. S. 177—207, 2 Taf.

Deprat, J. Sur la présence de Pellatispira dans l'Eocène de Nouvelle-Calédonie. C. Rend. somm. Soc. géol. France 1909. S. 76.

Douvillé, R. Sur la question des argiles écailleuses des environs de Palerme. C. Rend. Séanc. Soc. géol. France 1909. S. 53.

Egger, J. G. Foraminiferen der Seewener Kreideschichten. Sitzgsber. bayr. Akad. Wiss. math. phys. Kl. 1909. 11. Abh. 52 S., 6 Taf.

Heim, Arn. Die Nummuliten u. Flyschbildungen der Schweizeralpen. Abh. schweiz. pal. Ges. **35** 1908. 301 S., 8 Taf.

Heron-Allen, E. On the recent and fossil Foraminifera of the Shoresands at Selsey Bill, Sussex. Journ. R. Micr. Soc. London 1909. S. 306—336. Taf. 15 u. 16.

Pavlovic, P. S. Beitrag zur Kenntnis der Foraminiferen aus den II. Mediterranschichten in Serbien. Ann. géol. Péninsule balkanique. Belgrad **6** 1908. S. 1—26.

Prever, P. L. Le Nummuliti e la Orthophragmine di due località dell' Appennino pavese. Rendic. R. Istit. lomb. (2) **38** S. 478—482.

Rovereto, G. Sur la distribution chronologique des Lépidocyclines dans l'Oligocène liguricn. Bull. Soc. géol. France (4) **8** 1908. S. 454—455.

Schellwien, E., Dyhrenfurth, G. u. v. Staff, H. Monographie der Fusulinen. Teil II. Die asiatischen Fusulinen v. G. Dyhrenfurth. Palaeontographica **56** 1909. S. 137—176, Taf. 13—16.

Silvestri, A. Osservazioni ad uno scritto di G. Rovereto „Sur le Stampien à Lépidocyclines des environs de Varazze". Atti Pont. Acc. Nuov. Lincei **62** 1908. S. 17—25.

23. Spongien.

Gerth, H. Timorella permica n. g. n. sp. eine neue Lithistide aus dem Perm von Timor. Centralbl. f. Min. etc. 1909. S. 695—700.

24. Coelenteraten.

Bassler, R. S. Dendroid Graptolites of the Niagaran Dolomites at Hamilton, Ontario. Bull. U. S. Nation. Mus. **65** 1909. S.1—64, Taf. 1—5.

Felix, J. Über eine untertertiäre Korallenfauna aus der Gegend von Barcelona. Palaeontographica **56** 1909. S. 113—136, Taf. 12.

— Beiträge zur Kenntnis der Korallenfauna des syrischen Cenoman. Beitr. zur Pal. u. Geol. Oesterr.-Ung. u. Orients **22** 1909. S. 169—175, Taf. 7.

Jaccard, F. Un nouveau Chaetetes du Gault de la Plaine Morte, Chaetetes Lugeoni nov. sp. Bull. Soc. vaud. sci. nat. **44** 1908. S. 23—25, 1 Taf.

Lang, W. D. Growth-Stages in the british species of the Coral Genus Parasmilia. Proc. Zool. Soc. London 1909. S. 285—307.

Lapworth, C., Elles, G. L. u. Wood, E. M.' R. A'monograph of British graptolites. Teil 7: S. 273—358, Taf. 32—35. Palaeontographical Society London 1908.

Moberg, J. C. u. Törnquist, S. L. Retioloidea frân Skânes Colonusskiffer. Sver. geol. undersökn. 2 1908. 21 S., 1 Taf.

Pocta, F. Neues über Graptolithen. Sitzgsber. Böhm. Ges. Wiss. math. nat. Kl. 1908. 9 S., 1 Taf.

25. Echinodermen.

Airaghi, G. Revisione degli Asteroidi e degli Echinidi lombardi. Rendic. R. Ist. Lomb. Sci. e lett. (2) **41** 1908. S. 247—259.

Bather, F. A. A Crinoid (Tetracrinus? felix) from the Red Crag. Geol. Mag. (5) **6** 1909. S. 205—210, Taf. 8.

Checchia-Rispoli, G. Gli Echinidi viventi e fossili della Sicilia. Parte II: Bacino di Palermo. Palaeont. ital. **13.** 16 S., 4 Taf.

Clark, A. H. The genus Encrinus. Ann. Mag. Nat. Hist. (8) **3** 1909. S. 308—310.

Cottreau, J. Echinides du Soudan. Bull. Soc. géol. France (4) **8** 1908, S. 551—553. Taf. 12.

Faas, A. To the knowledge of the fauna of the Echinoids from the Cretaceous deposits in Russian Turkestan. 1. Description of some forms found in the province of Fergana. (Russisch mit engl. Resumé.) Mém. Com. géol. St. Petersburg, neue Serie, Lief. 49 1908. S. 1—14 Russ., 15—22 Englisch, 1 Taf.

Fritsch, A. Über eine Echinodermenlarve aus dem Untersilur Böhmens. Zool. Anz. **33** 1909. 2 S.

Hawkins, H. L. On the jaw Apparatus of Discoidea cylindrica (Lamarck). Geol. Mag. (5) **6** 1909. S. 148—152, Taf. 6.

Lambert, J. Note sur un échinide du massif du Pelvoux. Grenoble 1909. 9 S.

Leuthardt, F. Sur des colonies d'animaux fossiles et leur transformation dans un laps de temps très court. Arch. Sci. phys. et nat. Genève **26** 1908. S. 554—555.

Ralph, A. Description of a new Brittle Star from the upper Miocene of the Santa Cruz Mountains, California. Proc. U. S. Nat. Mus. **34.** Washington 1908. S. 403—406, Taf. 40.

Schöndorf, Fr. Paläozoische Seesterne Deutschlands. I. Die echten Asteriden der rheinischen Grauwacke. Palaeontographica **56** 1909. S. 37—112. Taf. 7—11.

Sladen, W. P. u. Spencer, W. K. A monograph on the British fossil Echinodermata from the cretaceous formations. Palaeontographical Society London **2** 1908. S. 133—138.

Springer, F. A new american jurassic Crinoid. Proc. U. S. Nat. Mus. **36** 1909. S. 179—190.

26. Bryozoen.

Brydone, R. M. New or imperfectly known Chalk Polyzoa. Geol. Mag.
(5) 6 1909. S. 337—339 u. 398—400, Taf. 14, 22 u. 23.

Canu, F. Etude sur la répartition géologique des Bryozoaires. C. R. Ac.
Sci. 148 1919. S. 532—534.

— Les Bryozoaires fossiles du miocène moyen de Marsa-Matrouh en Marmarique
C. R. Ac. Sci. 148 1909. S. 959—960.

Filliozat, M. Nouveaux bryozoaires cheilostomes de la craie. Bul. Soc. géol.
France (4) 8 1908. S. 554—560, Taf. 13.

27. Brachiopoden.

Gröber, P. Karbon und Karbonfossilien des nördlichen und zentralen Tian-
Schan. Abh. K. bayer. Ak. Wiss., 2. Kl. 24, 2. Abt. 1909. S. 341—384,
Taf. 1—3.

Jaccard, F. Brachiopodes trouvés dans les calcaires de St.-Triphon. Arch.
Sci. phys. et nat. de Genève 25 1908. S. 397—399.

Maillieux, E. Note sur les Pentamères frasniens de la bordure méridionale
du bassin dinantais. Bull. Soc. belge de géol. 23 1909. S. 226—234.

— Note sur les Cyrtina dévoniennes du bord Sud du bassin de Dinant. Bull.
Soc. belge géol. 23 1909. S. 256—260.

— Sur une cause fréquente d'erreurs dans la détermination de certains
Brachiopodes de l'Infradévonien. Bull. Soc. belge géol. 23 1909. S. 314
bis 315.

Mickwitz, A. Vorläufige Mitteilung über das Genus Pseudolingula Mickwitz.
Bull. Acad. Imp. Sci. St.-Petersburg 1909. S. 765—772.

Müller, L. Beiträge zur Kenntnis der Craniiden unter besonderer Berücksichtigung der Kreideformen. Dissertation Halle 1908.

Yakowlew, N. Die Anheftung der Brachiopoden als Grundlage der Gattungen
und Arten. (Russisch mit deutschem Résumé.) Mém. Com. géol. St.
Petersburg, neue Serie Lief. 48 1908. S. 1—32, 2 Taf.

28. Mollusken.

Cossmann et **Pissarro.** Iconographie complète des coquilles fossiles de
l'Eocène des environs de Paris 2 Heft 1 1909. Taf. 10—25.

Dall, W. H. Contributions to the tertiary Paleontology of the Pacific Coast.
U. S. Geol. Surv. Professional Paper 39 1909. 278 S., 23 Taf.

Dal Piaz, G. Nuovo giacimento fossilifero del Lias inferiore dei Sette Com-
muni. Mém. Soc. pal. Suisse 35 1908. 10 S., 1 Taf.

Dollfus, G. Etude critique sur quelques coquilles fossiles du Bordelais. Actes
Soc. Linn. de Bordeaux 62 1908. S. 355—380, Taf. 11—15.

Douvillé, R. Sur les Céphalopodes et les Lamellibranches rapportés du territoire
de Neuquen (Argentine) par M. Récopé, ingén. d. mines. C. R. somm.
Séances Soc. géol. France 1909. S. 89—91.

Gaal, St. Die geologischen Verhältnisse der Umgebung von Rakosd und die
sarmatischen Land- und Süßwassermollusken von Rakosd. Mitt. ungar.
geol. Ges. Budapest 1908, Juni.

Jodot, P. Note sur la faune conchyliologique des tufs quaternaires de La Celle-sous Moret (Seine-et-Marne). A. F. A. S. Clermont-Ferrand, 1908.

Lomnicki, A. M. (Die Mollusken im pleistocänen Ton des Mammutschachtes in Starunia.) Polnisch. Lemberger „Kosmos" **33** 1908. S. 73—76.

Newton, R. B. Cretaceous Gastropoda and Pelecypoda from Zululand. Trans. Roy. Soc. South Africa **4** 1909. S. 1—106, Taf. 1—9

Raymond, P. E. The fauna of the upper devonian in Montana. Ann. Carn. Mus. **5** 109. S. 141—158, Taf. 3—8.

Rogala, W. Beiträge zur Kenntnis der obersenonen Fauna der Karpaten. (Polnisch mit deutschem Resumé.) Kosmos Lemberg **34** 1909. S. 739 bis 748.

Toula, F. Eine jungtertiäre Fauna von Gatun am Panamakanal. Jahrb. k. k. geol. Reichsanstalt Wien **58** 1908. S. 673—760, Taf. 25—28.

Trauth, F. Die Grestener Schichten der Oesterreichischen Voralpen und ihre Fauna. Beitr. Pal. u. Geol. Oesterr. Ungarns u. Orients **12** 1909. 142 S., 4 Taf.

a) Lamellibranchiaten.

Borissjak, A. Die Pelecypoden der Jura-Ablagerungen im Europ. Rußland. 4. Aviculidae. (Russisch mit deutschem Résumé.) Mém. Com. géol. St. Petersburg. Nouv. Série, Lieferg. 44, 1909. S. 1—16 russ., 17—26 deutsch, Taf. 1—2.

Brandes, Th. Gibt es Hippuritiden, welche durch Knospung Kolonien bilden? N. Jahrb. f. Min. 1909 I. S. 93—96, Taf. 18.

Cisneros, J. de. Noticia acerca del hallazgo de un gran Hippurites en Rabasa (immediaciones de Alicante). Boll. R. Soc. esp. de Hist. nat. **9** 1909. S. 100—102.

Cossmann, M. Pélécypodes du Montien de Belgique. Mém. Mus. Roy. Hist. nat. belg. **5** 1908. 76 S., 8 Taf.

Dollfus, G. F. Etude critique sur quelques coquilles fossiles du Bordelais. Actes Soc. linn. Bordeaux **62** 1909 (7. ser., 2). S. 355—360, Taf. 11—15.

Healey, M. The fauna of the Napeng beds or the Rhaetic beds of Upper Burma. Palaeont. indica. N. S. **2** 1908. 88 S., Taf. 1—9.

Jukes-Browne, A. J. The application of the names Gomphina, Marcia, Hemitapes and Katelysia. Proc. Mal. Soc. London **8** 1909. S. 233 bis 246, Taf. 10.

Monterosato, Marquis de. Note sur l'Erycina Cuenoti. Journ. Conch. Paris **56** 1909, 253.

Niedzwiedzki, I. (Über eine neue miocäne Austernart: Ostrea Leopolitana.) Polnisch. Anzeiger Akad. Wiss. Krakau math. nat. Kl. 1908. S. 1073 bis 1074, Taf. 32.

Schroeder, H. u. Boehm, J. Geologie u. Paläontologie der subhercynen Kreidemulde. Abh. preuß. geol. Landesanst. Neue Folge Heft 56. 64 S., 16 Taf.

Sokolov, D. N. Aucellen vom Timan u. v. Spitzbergen. (Russisch mit deutsch. Résumé.) Mém. com. géol. St. Petersburg, nouv. série. Liefg. 36. 1908. S. 1—25, Taf. 1—3

Toucas, A.   Sur les formes primitives des Hippurites dans les Préalpes vénitiennes. Bull. Soc. géol. France, (4) **8** 1908. S. 452—453.
— Sur les Rudistes de la Serbie. Bull. Soc. géol. France (4) **8** 1908. S. 453.
— Sur la classification des Radiolitidés. Bull. Soc. géol. France (4) **8** 1908.
S. 466—469.

b) Gastropoden.

Boettger, O.   Noch einmal die Verwandtschaftsbeziehungen der Helix-Arten aus dem Tertiär Europas. Nachrichtsblatt deutsch. malakozool. Ges. 1909. S. 97—118.

Boussac, J.   Du caractère périodique de la mutabilité chez les Cérithes mésonummulitiques du bassin de Paris. C. R. Ac. Sci. Paris 26. April 1909. 3 S.

Bush, K. J.   Notes on the family Pyramidellidae. Amer. Journ. Sci. **27.** 1909. S. 475—484.

Cossmann, M.   Essais de Paléoconchologie comparée, 8. Lief. Paris 1909. 248 S., 4 Taf.

Dall, W. H.   Another large Miocene Scala. Nautilus **22** 1908. S. 80—81.

Fischer, H.   Notes sur quelques coquilles fossiles des terrains jurassiques. Journ. Conchyl. Paris **56** 1909. S. 256—270, Taf. 9—11.

Friedberg, W.   Beschreibung der Gattung Turritella im Miozän von Polen. Polnisch u. deutsch. Bull. Intern. Acad. Sci. Cracovie 1909. S. 253 bis 266, Taf. II u. III.

Gemmellaro, M.   Nuove osservazioni paleontologiche sul Titonico inferiore della provincia di Palermo I. Gasteropodi. Giornale Sci. Nat. ed Econ. di Palermo **27** 1908. S. 241—257, Taf. 1 u. 2.

Hilber, V.   Zwei neue miocäne Pleurotomarien. Jahrb. k. k. geol. Reichsanstalt Wien **58** 1908. S. 621—626. Taf. 23 u. 24.

Kennard, A. S.   On Pomatias Harmeri, from the Pliocene (Redcrag) of Little Oakley, Essex. Proc. Mal. Soc. London **8** 1909. S. 316—317.

Longstaff, J.   The genotype of Loxonema, Phill. Geol. Mag. (5) **6** 1909. S. 329—330.

Monterosato, Marq. de.   Note sur l'Eulima ptilocrinicola. Journ. Conch. **56** 1909. S. 116—118.

Raspail, J.   Note sur le gisement du Vouast, prés Montjavoult, faune de la couche à Helix. Feuille des jeunes naturalistes **39** 1909. S. 195—202, Taf. 4.

Remes, M.   Nachträge zur Fauna von Stramberg. VIII. Über Gastropoden der Stramberger Schichten. Beitr. Geol. u. Pal. Oesterr.-Ung. u. Orients **22** 1909. S. 177—191, Taf. 8 u. 9.

Rollier, L.   Notes paléontologiques sur les Nérinées du Crêt-de-l'Anneau, prés Travers. Bull. Soc. neuchât. Sci. nat. **36** 1909. S. 39—49, Taf. 1.

Zelizko, J. V.   Vorläufiger Bericht über einige neue Pteropoden des älteren Paläozoikums Mittelböhmens (Tschechisch). Ber. böhm. Ges. Wiss. Prag 1909.

c) Cephalopoden.

Boehm, G.   Über Absoluti u. ihre paläogeographische Verwendbarkeit. Centralbl. f. Min. etc. 1909. S. 563—566.

Chudeau, R. Ammonites du Damergon (Sahara méridional). Bull. Soc. géol. France (4) 9 1909. S. 67—71, Taf. 1—3.

Crick, G. C. Two Cephalopods from the Tarnthaler Köpfe in Tyrol. Geol. Mag. (5) 6 1909. S. 434—446, Taf. 26.

Diener, C. Zur Frage der Rassenpersistenz bei Ammoniten. Centralbl. f. Min. etc. 1909. S. 417—427.

Favre, F. Sur la coexistence d'Oppelia subradiata Sow. et d'Oppelia aspidoides Opp. dans le Bajocien et dans le Bathonien. C. Rend. somm Soc. géol. France 1909. S. 70—71.

Fischer, H. Über ein Vorkommen von Jugendformen des Ceratites compressus (Sandb.) E. Phil. bei Würzburg. Geogn. Jahreshefte 19. S. 187 bis 189.

Horn, E. Die Harpoceraten der Murchisonae-Schichten des Donau-Rhein-Zuges. Mitt. großh. bad. geol. Landesanstalt 6 1908. S. 251—323. Taf. 9—16.

Illustrations of type specimens of inferior Oolite Ammonites in the Sowerby Collection. Edited by the secretary. Palaeontographical Society London 1908, Taf. 1—7.

Kilian, W. et Reboul, P. Sur une faune néocrétacée des régions antarctiques. A. F. A. S. Clermont-Ferrand, 1908. S. 440—453.

Krafft, A. v. und Diener, C. Lower triassic Cephalopoda from Spiti, Malla Johar and Byans. Calcutta 1909. 31 Tafeln.

Nowak, J. Über einige Cephalopoden und den Charakter der Fauna aus dem karpathischen Campanien. (Polnisch mit deutschem Resumé.) Kosmos Lemberg 34 1909. S. 765—787, 1 Taf.

Pocta, F. (Die Anfangskammer der Gattung Orthoceras.) Tschechisch. Anzeiger d. 4. Vers. tschech. Naturf. u. Ärtze. Prag 1908. S. 241.

Rollier, L. Jacobella Lugeoni A. Jeannet est un Paroniceras du lias supérieur. Arch. Sci. phys. et nat. (4) 27 1909. S. 283—290.

Roman, F. Revision de quelques espèces de Bélemnites du Jurassique moyen du Gard et de l'Ardèche. Bull. S. étude des Sci. nat. Nimes 36 1908. 8 S., 1 Taf.

Sayn, G. Sur les Desmoceras de l'Hauterivien et le groupe de Desm. Sayni Paquier. C. R. somm. Séances Soc. géol. France 1909. S. 92—93.

Steinmann, G. Die Abstammung der Gattung Oppelia Waag. Centralbl. f. Min. etc. 1909. S. 641—646.

Till, A. Die fossilen Cephalopodengebisse. II. Jahrb. k. k. geol. Reichsanst. Wien 58 1908. S. 573—608. Taf. 19 u. 20. III. Ebenda 59 1909. S. 407—426, Taf. 13.

— Über fossile Cephalopodengebisse. Verh. k. k. zool. botan. Gesellsch. Wien 59 1909. S. 123—133.

Vadasz, E. Über anormale Ammoniten. Földtani Közlöny 34 1909.' S. 215 bis 219.

Wegner, R. N. Übersicht der bekannten Astieriaformen der Ammonitengattung Holcostephanus nebst Beschreibung zweier neuer Arten. N. J. f. Min. etc. 1909 I. S. 77—92, Taf. 16—17.

29. Würmer und Arthropoden.

Cockerell, T. D. A.   The Dragon-fly Puzzle and its solution.   Entom. News 1908.   S. 455—459.

— Another fossil Tsetse Fly.   Nature 80 1909.   S. 128.

— Descriptions of tertiary insects VI.   Am. Journ. Sci. (4) 27 1909.   S. 381 bis 387.

— Descriptions of Hymenoptera from Baltic Amber.   Schrift. physik. ökonom. Gesellsch. Königsberg 50 1909.   S. 1—25.

— A Catalogue of the generic names based on american Insects and Arachnids from the tertiary rocks.   Bull. Amer. Mus. Nat. Hist. 25 1909.   S. 77—86.

— Fossil Diptera from Florissant, Colorado.   Bull. Amer. Mus. Nat. Hist. 26 1909.   S. 9—12.   1 Taf.

Enderlein, G.   Zur Kenntnis frühjurassischer Copeognathen u. Coniopterygiden und über das Schicksal der Archipsylliden.   Zoolog. Anzeiger 34 1909.   S. 770—776.

Jaekel, O.   Über die Agnostiden.   Ztsch. dtsch. geol. Ges. 61 1909.   S. 380—401.

Lake, P.   A monograph of the British Cambrian Trilobites, Teil 3 ,S. 49—64, Taf. 5—6.   Palaeontographical Society London 1908.

Lecointre, P.   Les formes diverses de la Vie dans les faluns de la Touraine. Annélides.   Feuille jeunes naturalistes 1909. 8. S., 2 Taf.

Meunier, F.   Les Phoridae et les Leptidae de l'ambre de la Baltique.   Ann. Soc. Sci. Bruxelles 1908.

— Nouveaux insectes du Stéphanien de Commentry.   Bull. Muséum Hist. nat. Paris 1909.   S. 37—49.

— Sur deux Mymarinae du copal récent de Madagascar et de Zanzibar. Bull. Soc. Entom. France 1909.   S. 145—149.

Remes, M.   Nachträge zur Fauna von Stramberg. VII. Weitere Bemerkungen über Palaeosphaeroma Uhligi u. die Asseln von Stramberg. Beitr. zur Geol. u. Pal. Oesterr.-Ung. u. des Orients 22 1909. S. 177—181, Taf. 8 u. 9.

Rohwer, S. A.   On the Tenthredinoidea of the Florissant shales.   Bull. Amer. Mus. Nat. Hist. 24 1908.   S. 521—530.

— The Tertiary Tenthredinoidea of the expedition of 1908 to Florissant Colo.   Bull. Amer. Mus. Nat. Hist. 24 1908.   S. 591—595.

— A fossil mellid wasp.   Bull. Amer. Mus. Nat. Hist. 24 1908.   S. 597.

Smith, G.   On the Anaspidacea, living and fossil.   Quart Journ. microscop. Sci. 53 1909, Mai.

Thomas, J.   A note on Phacops (Trimerocephalus) laevis Muenst. Geol. Mag. (5) 6 1909.   S. 167—169.

Wickham, H. F.   New fossil Coleoptera from Florissant.   Am. Journ. Sci. 28 1909.   S. 126—130.

30. Wirbeltiere.

Abel, O.   Angriffswaffen und Verteidigungsmittel fossiler Wirbeltiere.   Verh. zool. botan. Gesellsch. Wien 1908.   S. 208—217.

Broom, R.   On the Origin of Mammallike Reptiles.   Proc. Zool. Soc. London 1908.   S. 1047—1061.

Broom, R. Contributions to South African Palaeontology. Ann. South Afric. Museum **7** 1909, Teil 3.

Fucini, A. Sopra alcuni resti di vertebrati delle argile plioceniche dei dintorni di Empoli. Atti Soc. tosc. sci. nat. **17** 1908. S. 36—39.

Hickling, G. British permian footprints. Mem. a. Proc. Manchester litterary a. philosophical. Soc. **53**. 1909. S. 1—30, Taf. 1—4.

Jaekel, O. Über die Beurteilung der paarigen Extremitäten. Sitzgsber. preuß. Ak. Wissensch. **26** 1909. S. 707—724.

— Über die Klassen der Tetrapoden. Zoolog. Anzeiger **34** 1909. S. 193—212.

Lambe, L. M. Contributions to Canadian palaeontology. The Vertebrata of the Oligocene of the Cypress Hills, Saskatchevens. Ottawa 1908. 8 Taf.

Leriche, M. Les Vertébrés· du nummulitique de l'Aude. Ann. Univ. Lyon, nouv. série, I. 22. 1908. S. 1—19, Taf. 1.

31. Fische.

Airaghi, C. Di un Pholidophorus del Retico lombardo. Rendic. R. Istit. Lomb. Sci. e Let: (2) **41** 1908.

Branson, E. B. Notes on Dinichthys terrelli Newberry, with a restoration. Ohio Naturalist **8** 1908. S. 363—369. 2 Taf.

— Dinichthys intermedius Newberry from the Huron shales. Science (N. S.) **28** 1908. 94 S.

— Cladodus compressus, a correction. Science (n. S.) **27** 1908. S. 311—312.

Braus, H. Über neuere Funde versteinerter Gliedmaßenknorpel und -Muskeln von Selachiern. Verh. phys. med. Ges. zu Würzburg. N. F. **34**.

Chapman, F. On the Occurrence of the Selachian Genus Corax in the lower Cretaceous of Queensland. Proc. Roy. Soc. Victoria (neue Serie) **21** 1908. S. 452—453.

Cockerell, T. D. A.[1] Some results of the Florissant Expedition 1908. Americ. Natur. **42** 1908. S. 569—581.

Darton, N. H. Discovery of fish-remains in Ordovician of the Black Hills, South Dakota. Bull. Geol. Soc. Americ. **19** 1909. S. 567—568.

Dean, B. Studies on fossil Fishes (Sharks, Chimeroids and Arthrodires). Mem. Amer. Mus. Nat. Hist. **9**. 1909.

Douglass, Earl. Vertebrate fossils from the Fort Union beds. Carnegie Mus. Annals **5** 1908. S. 11—26, 2 Taf.

Hoffmann, G. Asterolepis Rhenanus (Pterichthys Rhenanus Beyrich, Traquair, Smith-Woodward). Centralbl. f. Min. 1909. S. 491—495.

Hussakof, L. A new Goblin Shark, Scapanorhynchus Jordani from Japan. Bull. Amer. Mus. Nat. Hist. **26** 1909.

— The systematic relationship of certain American Arthrodires. Bull. Am. Mus. Nat. Hist. **26** 1909. S. 263—272. Taf. 45.

Jaekel, O. Neue Funde von Wirbeltieren aus Deutschlands Urzeit (Devonische Fische). Aus der Natur **4** 1908. S. 424—429.

Johnston, M. S. On a new specimen of the jurassic Ganoid fish Pleuropholis laevissima, Egerton. Geol. Mag. (5) **6** 1909. S. 309—311. Taf. 13.

Lambe, L. M. The fish fauna of the Albert Shales of New Brunswick. Am. Journ. Sci. **28** 1909. S. 165—174.

Leriche, M. Observations sur les squales néogènes de la Californie. Ann. Soc. géol. Nord. **37** 1908. S. 302—306.

— Observations sur les poissons du tertiaire supérieur de Madagascar. Ann. Soc. géol. Nord. **38** 1909. S. 5—6.

— Sur la présence du genre Amia dans les „Hamstead beds" (Oligocène inférieur) de l'île de Wight. Bull. Soc. belge de géol. pal. et d'hydr. **22** 1908. S. 121—123.

— Note préliminaire sur des poissons nouveaux de l'Oligocène belge. Bull. Soc. belge de géol. pal. et d'hydr. **22** 1908. S.378—384.

Mc.Clung, C. E. Ichthyological notes of the Kansas Cretaceous. Kansas Univ. Sci. Bull. **4** 1908. S. 233—243, 4 Taf.

Missunianka, A. Eine neue Art von Edestus aus dem Kohlenkalk von Kolomna, Gouv. Moskau. (Polnisch mit deutschem Résumé.) Kosmos Lemberg **33** 1908. S. 604—624.

Priem, F. Sur les poissons fossiles des Phosphates de Tunisie et d'Algérie. C. R somm. Séances Soc. géol. France, 1909. S. 97.

Rychlicki, J. Beitrag zur Kenntnis der Fischfauna aus den karpathischen Melinitschiefern. Kosmos Lemberg **34** 1909. S. 749—764.

Smith, B. Note on the Miocene Drum-fish Pogonias multidentatus Cope. Am. Journ. Sci. **28** 1909. S. 275—282.

Woodward, A. S. The fossil fishes of the English Chalk. Teil 4. S. 129—152, Taf. 27—32. Palaeontographical Society London, 1908.

— On some fish remains from the Lameta-beds Dongargoron. Mem. Geol. Surv. India 1908. S. 205 ff., Taf. 71.

32. Amphibien und Reptilien.

Abel, O. Neuere Anschauungen über den Bau und die Lebensweise der Dinosaurier. Verh. k. k. zool. botan. Gesellsch. **59** Wien 1909. S. 117 bis 123.

Andrews, C. W. On some new Stenosaurs from the Oxford Clay of Peterborough. Ann. Mag. Nat. Hist. (8) **3** 1909. S. 299—308 u. 384, Taf. 8 u. 9.

Arldt, Th. Die Stegocephalen und ihre Stellung unter den Wirbeltieren. Naturw. Rundschau **24** 1909. S. 353—355.

Bogolubow, N. N. Sur quelques restes de deux reptiles (Cryptoclidus simbirskensis n. sp. et Ichthyosaurus steleodon n. sp.), trouvés par Mr. le Prof. A. P. Pavlow sur les bords de la Volga dans les couches mésozoïques de Simbirsk. Ann. Géol. Minéral. Russie **11**. Novo Alexandria 1909. S. 42—64. T. 2.

— Sur les restes de mosasauriens trouvés dans le gouvernement d'Orenbourg. (Russisch mit franz. Résumé.) Annuaire géol. et min. de la Russie **12** 1909. S. 1—7, Taf. 1.

Broili, F. Neue Ichthyosaurierreste aus der Kreide Norddeutschlands und das Hypophysenloch bei Ichthyosauriern. Palaeontographica **55** 1909. S. 295—202, Taf. 27.

Broom, R. On the Pareiosaurian genus Propappus. Ann. South. African Mus. **4** 1908. S. 351—359, Taf. 45.

Broom, R. On some new Therocephalian Reptiles. Ann. South. Afric. Mus. **4** 1908. S. 361—367.

— On the Inter-relationships of the known Therocephalian genera. Ann. South African Museum **4** 1908. S. 369—372.

— On a new Labyrinthodont Rhinosuchus Whaitsi, from the Permian beds of South Africa. Ann. S. Afric. Mus. **4** 1908. S. 373—378, Taf. 46.

— Note on a species of Mesosaurus. Ann. South Afric. Museum **4** 1908. S. 379—380.

— On the skull of Tapinocephalus. Geol. Mag. (5) **6** 1909. S. 400—402.

Clayden, A. W. On the Occurrence of footprints in the Lower Sandstones of the Exeter District. Quart. Journ. Geol. Soc. **64** 1908. S. 496—500.

Fraas, E. Funde von Dinosauriern in Deutsch-Ostafrika. Ztschr. deutsch. geol. Ges. **60** 1908. Monatsber. 172.

— Rana Hauffiana aus den Dysodilschiefern des Randecker Maares. Mttlg. kgl. Naturalienkabinetts Stuttgart, Nr. 63, 1909.

Gilmore, Ch. W. Osteology of the Jurassic Reptile Camptosaurus, with description of two new species. Proc. U. S. Nation. Mus. **36** 1909. S. 197—332. 15 Taf.

Hay, O. P. Dr. W. J. Holland on the skull of Diplodocus. Science **28** 1908. S. 517—519.

— On the habits and the pose of the sauropodous Dinosaurs, especially of Diplodocus. Amer. Naturalist **42** 1909. S. 672—681.

— On the Skull and the brain of Triceratops with notes on the brain cases of Iguanodon and Megalosaurus. Proc. U. S. Nat. Museum **36** 1909. S. 95—108, 3 Taf.

— Description of two species of fossil turtles. Proc. U. S. Nat. Mus. **36** 1909. S. 191—196, 1 Taf.

Heritsch, F. Jungtertiäre Trionyxreste aus Mittelsteiermark. Jahrb. k. k. geol. Reichsanstalt **59** 1909. S. 333—382, Taf. 9—11.

Huene, F. v. Vorläufige Mitteilung über einen neuen Phytosaurus-Schädel aus dem schwäbischen Keuper. Centralbl. f. Min. 1909. S. 583—592.

Joleaud, L. Sur un reptile fossile du Djebel Nador (Algérie). C. R. Soc. géol. France 1909. No. 10. 62.

Loomis, F. B. Turtles from the Upper Harrison Beds. Amer. Journ. Sci. **28.** 1909. S. 17—26.

Matthew, W. D. Review of Case's „Revision of the Pelycosauria of North America". Science. N. S. **27** 1908. S. 816—818.

Merriam, John C. Notes on the Osteology of the Thalattosaurian Genus Nectosaurus. Univers. California Public. Geology **5.** 1908. S. 217—223, Taf. 17—18.

Moodie, R. L. A contribution to a monograph of the extinct amphibia of North America. New forms from the Carboniferous. Journ. of Geology **17** 1909. S. 38—82.

— The relationship of the turtles and Plesiosaurs. Kansas Univers. Sc. Bull. **4** 1908, S. 319—327.

— The clasping organs of extinct and recent Amphibia. Biol. Bull. of Marine biol. Labor. Woods Hall **14** 1908. S. 249—259.

Moodie, R. L.   The ancestry of the caudate Amphibia.   Amer. Nat. **42** 1908.
S. 361—374.

— The lateral line system in extinct Amphibia.   Journ. of Morphology **19**
1908.   S. 511—540, 1 Taf.

— The Microsauria, ancestors of the Reptilia.   Geol. Mag. (5) **6** 1909.
S. 216—220.

Osborn, H. F.   The upper cretaceous iguanodont Dinosaurs.   Nature **81** 1908.
S. 160—162.

Palmer, W.   Description of a new species of Leatherback turtle from the
Miocene of Maryland.   Proc. U. S. Nation. Mus. **36** 1909.   1 Taf.

Riabinin, A.   Zwei Plesiosaurier aus den Jura- und Kreideablagerungen
Rußlands. (Russisch mit deutschem Résumé.) Mém. comit. géol. Petersburg, neue Serie Lief. 43, 1909.   49 S., 5 Taf.

Sauvage, H. E.   Les reptiles trouvés dans le Gault du Boulonnais.   Bull. Soc.
Ac. Boulogne-sur-mer. **8** 1908.   10 S.

Stechow, E.   Neue Funde von Iguanodon-Fährten.   Centralbl. f. Min. etc.
1909.   S. 700—705.

Tornier, G.   Wie war der Diplodocus Carnegii wirklich gebaut?   Sitzgsber.
Gesellsch. naturf. Freunde.   Berlin 1909.   S. 193—209, Taf. 2.

Versluys, J.   Die Salamander und die ursprünglichsten vierbeinigen Landwirbeltiere.   Naturw. Wochenschr., neue Folge **8** 1909.   28 S.

Watson, D. M. S.   On some reptilian remains from the Trias of Lossiemouth
(Elgin) and reptilian tracks from the Trias of Runcorn (Cheshire).   Quart.
Journ. Geol. Soc. **65** 1909.   S. 440—441.

33. Vögel.

Pycraft, W. P.   On a fossil bird from the lower Pliocene.   Proc. Zool. Soc.
London 1909.   S. 368—370.

34. Säugetiere.

Abel, O.   Cetaceenstudien.   1. Das Skelett von Eurinodelphis Cocheteuxi aus
dem Obermiocän von Antwerpen.   Sitzgsber. Kais. Ak. Wissensch.
Wien **118** 1909.   S. 241—253, 1. Taf.   2. Der Schädel von Saurodelphis
argentinus aus dem Pliocän Argentiniens.   Ebenda S. 255—272, 1 Taf.

— The genealogical history of the marine Mammals.   (Übersetzung.)
Smithsonian Report, 1908.   S. 473—496.

Andrews, C. W.   Note on the mandible of a new species of Tetrabelodon from
the Loup Fork Beds of Kansas.   Geol. Mag. (5) **6** 1909.   S. 347—349.

Arcelin, F.   Découverte de mammifères quaternaires à Solutré.   Ann. Soc. Linn.
Lyon **55**. 1909.   S. 151—153, 1 Taf.

Bate, D. M. A.   Preliminary note on a new Artiodactyle from Majorca, Myo-
tragus balearicus, gen. et sp. n.   Geol. Mag. (5) **6** 1909.   S. 385—388.

Belar, A.   Ein Renntiergeweih aus Oberlaibach in Krain.   Carniola **1** 1908.
S. 62—65.

Budinszky, K.   Felis spelaea bei Solymár.   Mitt. ungar. geol. Ges. Budapest
1908.   Dezember.

Capellini, G.   Mastodonti del Museo geologico di Bologna.   Memorie R. Acc.
Sci. Ist. Bologna (6) **5** 1908.   12 S., 2 Taf.

Cayeux, L. Découverte de l'Elephas antiquus à l'île de Délos (Cyclades). C. R. Ac. Sci. Paris **147** 1908. S. 1089—1090.

Cook, H. J. A new Rhinoceros from the lower Miocene of Nebrasca. Amer. Naturalist. **42** 1908. S. 543—545.

Deninger, K. Über Babirusa. Berichte naturf. Gesellsch. Freiburg **17** 1909. S. 179—200, Taf. 1—3.

Depéret, Ch. The evolution of tertiary mammals and the importance of their migration. Amer. Nat. **42** 1908. S. 303—307.

Dietrich, W. Neue Riesenhirschreste aus dem schwäbischen Diluvium. Jahreshefte Ver. vaterl. Naturk. Stuttgart 1909. S. 132—162, Taf. 3—5.

Douglass, Earl. Vertebrate fossils from the Fort Union beds. Ann. Carnegie Mus. **5** 1908. S. 11—26, 2 Taf.

E. G. Mammutfunde im Ozokerit von Starunia in Galizien. Allgem. österr. Chem. u. Techn. Zeitg. **25** 1908. S. 127.

Gaudry, A. Fossiles de Patagonie Le Pyrotherium. Ann. de Paléont. **4** 1909. 28 S., 7 Taf.

Glauert, L. A new species of Sthenurus. Quart. Journ. geol. Soc. **65** 1909. S. 462.

Harlé, E. Fauna de la grotte Das Fontainhas (Portugal). Bull. Soc. géol. France (4) **8** 1908, 460—466.

— u. **Stehlin, H. G.** Une nouvelle faune de mammifères des phosphorites du Quercy. Bull. Soc. géol. France (4) **9** 1909. S. 39—52.

Haupt, O. Elephas primigenius Blbch., aus den Diluvialschottern von Mainflingen a. M. Notizblatt Ver. Erdkunde u. Geol. Landesanstalt. Darmstadt **4** 1908. S. 95—104.

Hescheler, K. Reste von Ovibos moschatus Zim. aus der Gegend des Bodensees. Vierteljahrschr. naturf. Gesellsch. Zürich **52** 1908. S. 283—288, Taf. 13.

Hilzheimer, M. Wisent und Ur im K. Naturalienkabinett zu Stuttgart. Jahreshefte Ver. vaterl. Naturk. Stuttgart 1909.

Kafka, J. Die rezenten und fossilen Huftiere Böhmens. Ungulata. 1. Abt. 1. Proboscidea, 2. Perissodactyla. (Tschechisch.) Archiv f. naturw. Durchforschg. Böhmens **14**. No. 5. 1909.

La Baume, W. Beitrag zur Kenntnis der fossilen und subfossilen Boviden, mit bes. Berücksichtigung der im westpreuß. Provinzialmuseum Danzig befindl. Reste. Schriften naturf. Ges. Danzig N. F. **12** 1909. S. 45—80, Tabelle 1—8, Taf. 1—7.

Lambe, L. M. The Vertebrata of the Oligocene of the Cypress hills, Saskatchewan. Contrib. to Canad. Paleontology **3** 1908. Teil 4, 82 S., 8 Taf.

Laville. La marmotte d'Eragny. Bull. Soc. Anthrop. 1908. 16. Juli.

Lecointre, P. Les formes diverses de la Vie dans les faluns de la Touraine. Mammifères. Feuille jeunes natural. 1909. 11 S.

Leriche, M. Sur un appareil fononculaire de Cetorhinus trouvé à l'état fossile dans le pliocène d'Anvers. C. Rend. Ac. Sci. **146** 1908, S. 875—878.

Loczy, L. (Ursäugetierfunde aus der Umgebung des Plattensees.) Ungarisch. Mitt. Ung. geol. Ges. Budapest 1908. Mai.

Lomnicki, A. M. Über den Mammut- und Rhinocerosfund von Starunia (Polnisch.) Lemberger „Kosmos". **33** 1908. S. 63—72.

Maska, K. J. (Der diluviale Hund in Böhmen und Mähren.) Tschechisch. Anzeiger der 4. Vers. tschech. Naturf. u. Ärzte. Prag 1908. S. 426.

Mayet, L. et **Lecointre,** Comtesse **P.** Etude sommaire des Mammifères fossiles des faluns de la Touraine proprement dite. Ann. Univ. Lyon. N. S. Heft **26.** 72 S.

McClung, C. E. Restoration of the Skeleton of Bison occidentalis. Bull. Kansas Univ. Sci. **4** 1908. S. 247—252, 1 Taf.

Mecquenem, R. de. Contribution à l'étude du gisement de Vertébrés de Maragha. Ministère de l'Instr. publ. Délégation en Perse. Paris 1908. 86 S., 9 Taf.

Osborn, H. F. New or little known Titanotheres from the Eocene and Oligocene. Bull. Amer. Mus. Nat. Hist. **24** 1908. S. 599—617.

— The feeding habits of Moeritherium and Palaeomastodon. Nature **81** 1909. S. 139—140.

— and **Matthew, W. D.** Cenozoic Mammal horizons of Western America with faunal lists of the tertiary Mammals of the West. Bull. U. S. Geolog. Surv. No. 361 1909. 138 S., 3 Taf.

Pilgrim, G. E. The tertiary and post tertiary freshwater deposits of Baluchistan and Sind, with notices of new Vertebrates. Rec. Geol. Surv. India **27** 1908. S. 139—166, 3 Taf.

Pohlig, H. Über Elephas trogontherii in England. Zeitsch. deutsch. geol. Ges. Monatsber. **61** 1909. S. 242—249.

— Über zwei neue altplistocäne Formen von Cervus. Zeitschr. deutsch. geol. Ges. Monatsber. **61** 1909. S. 250—253.

Puccioni, N. Dell' Elephas lyrodon Weith. del Valdarno. Riv. ital. di Paleont. **11.** S. 74—78.

Riabinin, A. Les restes des dauphins du pliocène de l'île Celeken dans la mer caspienne. (Russisch mit franz. résumé.) Bull. Com. géol. St. Petersburg **27** 1908. S. 517—521.

Roman, F. Sur un crâne de Rhinocéros conservé au musée de Nérac (Lot-et-Garonne). Soc. linn. Lyon **56** 1909. 16 S., 1 Taf.

— et **Joleaud L.** Le Cadurcotherium de l'Isle-sur-Sorgues et révision du genre Cadurcotherium. Arch. Hist. nat. Lyon 1908. 48 S., 3 Taf.

Rutten, L. Die diluvialen Elefantenarten der Niederlande. Ztschr. dtsch. geol. Ges. **61** 1909. Monatsber. 396—401.

Staudinger, W. Vergleichende Untersuchungen am Skelett der quartären und rezenten Wildrinder Europas. Dissert. Halle 1909. 35 S.

Stehlin, H. G. Die Säugetiere des Schweizerischen Eocäns. 5. Tl. Abhandl. Schweiz. paläont. Ges. **35** 1908. S. 691—837, 2 Taf.

Steinmann, G. Zur Abstammung der Säuger. Ztschr. f. induktive Abstammgs- u. Entwicklgsl. **2** 1909. S. 65—90.

True, F. W. The fossil Cetacean, Dorudon serratus Gibbes. Bull. Mus. Comp. Zool. Harvard Coll. **52** 1908. S. 65—78.

— Remarks on the fossil Cetacean Rhabdosteus latiradix Cope. Proc. Ac. Nat. Sci. Philadelphia **60** 1 1908. S. 24—29. 1 Taf.

Zdarsky, A. Die miocäne Säugetierfauna von Leoben. Jahrb. geol. Reichsanstalt Wien **59** 1909. 245—288. Taf. 6—8.

Zschokke, F. Die Beziehungen der mitteleurop. Tierwelt zur Eiszeit. Verh. dtsch. zool. Ges. 1908. S. 21—77.

35. Mensch.

Adloff, P. Zur Frage der systematischen Stellung des Menschen von Krapina. Anatom. Anz. **34** 1909. S. 105—110.

Alsberg, M. Ein neuentdeckter fossiler menschlicher Unterkiefer. Globus **95** 1909. S. 37—41.

— Neu aufgefundene fossile Menschenreste und ihre Beziehungen zur Stammesgeschichte des Menschen. Globus **95** 1909. S. 261—267.

Ameghino, Fl. Le Diprothomo Platensis. Anales Museo Nacional Buenos Aires **19** 1909. S. 107—209, Taf. 1.

Anderson, W. u. Stanley, G. H. Some remarks on the intimate relations between archaeology and geology in South Africa; with a description of caves containing human and other mammalian remains on the farms Wonderfontein and Rosipoort. Trans. Geol. Soc. South Africa **12** 1909. S. 54—66, Taf. 7 u. 8.

Babor, J. (Der diluviale Mensch in Böhmen.) Tschechisch. Anzeiger 4. Versammlg. tschech. Naturf. u. Ärzte. Prag 1908. S. 426—427.

Bonarelli, G. Palaeanthropus (n. g.) Heidelbergensis (Schoet). Riv. Ital. di Paleantologia 1909. 8 S.

Boule, M. Sur la capacité crânienne des hommes fossiles du type dit de Neandertal. C. Rend. Ac. Sci. Paris **148** 1909. S. 1352—1355.

— Le squelette du tronc et des membres de l'Homme fossile de la Chapelle-aux-Saints. C. R. Ac. Sci. Paris **148** 1909. S. 1554—1556.

Capitan, Breuil, Bourrinet et Peyrony. La grotte de la mairie à Teyjat (Dordogne). Rev. Ecole d'Anthropologie. Paris **18** 1908. Heft 5 u. 6.

Czekanowski, J. Zur Differentialdiagnose der Neandertalgruppe. Korrespondenzbl. dtsch. anthrop. Gesellsch. **40** 1909. S. 44—47.

Delisle, F. Sur un crâne négroide trouvé au carrefour de Revelon prés d'Epéhy (Somme). Bull. Soc. d'Anthropol. de Paris **10** 1909. S. 13—18.

Deniker, J. A propos d'un squelette néanderthaloide du quaternaire. Bull. Soc. d'Anthrop. Paris **9** 1908. S. 736—738.

Dubois, E. Das geologische Alter der Kendeng- oder Trinilfauna. Tijdschr. Nederl. Aardrijkk. Gen. **25** 1908. S. 1235—1270.

Eichhorn, G. Die paläolithischen Funde von Taubach in den Museen zu Jena u. Weimar. 84 S., 39 Taf. Festschr. Universitätsjubiläum Jena, G. Fischer 1909.

Elbert, J. Dubois' Altersbestimmung der Kendengschichten. Centralbl. f. Miner. etc. 1909. S. 513—520.

— Über prähistorische Funde aus den Kendengschichten Ostjavas. Korrespondenzbl. deutsch. Gesellsch. f. Anthrop. **39** 1908. S. 126.

— Prähistorische Funde aus den Kendengschichten Ostjavas. Korrespondzbl. dtsch. anthrop. Gesellsch. **40** 1909. S. 33—34.

Favrand, A. La station moustérienne du Petit-Puymoyen (Charente). Revue Ecole d'Anthrop. Paris 1908. Februar.

Frassetto, F. Sull' origine e sull' evoluzione delle forme del cranio umano (forme eurasiche). Atti Soc. romana di antropol. **14** 1908. Heft 2.

Fürst, C. M. Das Skelett von Viste auf Jäderen. Ein Fall von Skaphocephalie aus der älteren skandinavischen Steinzeit. Christiania 1909.

Gorjanovic-Kramberger. (Der Urmensch von Krapina-Kannibale) Tschechisch. Anzeiger 4. Vers. tschech. Naturf. u. Ärzte. Prag 1908. S. 288—289.

— Anomalien u. pathologische Erscheinungen am Skelett des Urmenschen von Krapina. Korrespondenzbl. deutsch. Gesellsch. f. Anthropol. **39** 1908. S. 108.

Hamy, E. T. Crânes des tourbières de l'Essonne. Bull. Soc. d'anthrop. Paris **9** 1908. S. 723—725.

Hoernes, M. Die praehistorischen Menschenrassen Europas, besonders in der jüngeren Steinzeit. Schr. d. Ver. z. Verbreit. naturw. Kenntn. Wien **49**. 1909. S. 133—176, 1 Taf.

— Natur- u. Urgeschichte des Menschen. Wien u. Leipzig. A. Hartleben. 2 Bde. 1909.

Hoernes, R. Über Eolithen. Mitteil. naturw. Ver. f. Steiermark **45** 1908. S. 372—402.

Klaatsch, H. Mensch und Affe vom Standpunkte der vergl. Anatomie. Der Monismus 1908. S. 485—490.

— Preuves que l'Homo mousteriensis Hauseri appartient an type du Néandertal. L'homme préhistorique **8** 1909. S. 10.

— Die Fortschritte der Lehre von der Neandertalrasse (1903—1908). Ergebnisse d. Anat. u. Entwicklungsgesch. **17** 1909. S. 431—462, 6 Taf.

— Die neuesten Ergebnisse der Paläontologie des Menschen und ihre Bedeutung für das Abstammungsproblem. Vortrag mit Diskussion. Ztschr. f. Ethnologie **41** 1909. S. 537—584, Taf. 7—10.

MacCurdy, G. G. Eolithic and paleolithic man. Amer. Anthrop. **11** 1909. S. 92—100.

Outes, F. El nuevo tipo humano fosil de Grimaldi. Ann. Soc. Cient. Argentina **66**. 1908. S. 253—270.

Pervinquière, L. Le Pithécanthrope et l'Homme fossile de la Chapelle-aux-Saints. Rev. Sci. 1909. S. 39—41.

Reinhardt, L. Die weitaus ältesten bisher gefundenen Menschenreste. Naturwissensch. Wochenschrift, neue Folge **8** 1909. S. 323—329.

— Das jüngst entdeckte älteste menschliche Skelett. Münch. mediz. Wochenschrift **56** 1909. S. 810—813.

Schmidt, R. R. Die vorgeschichtlichen Kulturen der Ofnet. Ber. naturw. Ver. f. Schwaben u. Neuburg. Augsburg 1908.

— Die neuen paläolithischen Kulturstätten der schwäbischen Alb. Archiv f. Anthrop. **7** 1908.

Schwalbe, G. Kohlbrugge, die morphologische Abstammung des Menschen. Globus **93** 1908. S. 341—346.

Selenka, M. Die fossilen Zähne von Trinil. Tijdschr. Nederl. Aardrijkskd. Genotsch. **26** 1909. S. 398—401.

Sergi, G. Intorno a due recenti scoperte dell' uomo preistorico. Atti Soc. Rom. Anthropolog. **14** 1908. S. 285—291.

Smith, W. G. Dewlish „Eoliths" and Elephas meridionalis. Man **68** 1909. S. 113—114.

Stolyhwo, K. Le crâne de Nowosiolka considéré comme preuve de l'existence ä l'époque historique de formes apparentées à H. primigenius. Anzeiger Ak. Wiss. Krakau. math. nat. Kl. 1908. S. 103—126.

Thibon, F. Die Hominiden und Anthropomorphiden als Angehörige einer besonderen Ordnung. Anales Soc. Cientif. Argentina Buenos Aires 1908. S. 148—155.

Ungar, K. Die tierische Abstammung des Menschen. Verh. Mittlg. Siebenbürg. Ver. Naturw. 57 1908. S. 27—41.

Zanolli, V. Studi di antropologia bolognese. Omeri e femori. Atti Accad. sci. veneto-trentino (3) 1 1908.

36. Pflanzen.

Almera, J. Descubrimiento de una des las antiguas|floras triassicas. Bull. Inst. Cat. nat. Barcelona 1909. 4 S.

Andrews, K. Note sur la flore fossile du Soleil-Levant, Lausanne. Bull. Soc. Vaud. Sci. nat. 44 1908. S. 219—221.

Arber, E. A. N. Fossil plants. Gowan's Nature Books, No. 21. London and Glasgow 1909.

— and **Thomas, H. H.** A note on the structure of the cortex of Sigillaria mamillaris Brongn. Ann. of Botany 23 1909. S. 513—514.

Berry, E. W. Additions to the pleistocene flora of North Carolina. Torreya 9 1909. S. 71—73.

— Juglandaceae from the pleistocene of Maryland. Torreya 9 1909. S. 96—99.

— A miocene flora from the Virginian costal plain.| Journ. of Geol. 17 1909. S. 19—30.

— Contributions to the mesozoic flora of the atlantic costal plain. III. New Jersey. 2 Taf. Bull. Torrey Botan. Club. 36 1909. S. 245—264.

— Pleistocene swamp deposits in Virginia. The Americ. Naturalist 43 1909. S. 432—436.

Bertrand, P. Etudes sur la fronde des Zygoptéridées. Lille 1909. Texte 8°. 286 S., Atlas 4°, 35 T.

— Note sur la flore des venies de Liévin. Ann. Soc. géol. Nord 37 1908. S. 296—302.

Bogolubow, N. N. Neue Facta aus der unterglazialen Flora des mittleren Rußland. Ann. Géol. et Min. Russie 10 1908. S. 1—4.

Brabenec, B. Systematische Zusammenstellung der Flora der böhmischen Tertiärformation. 1. Teil. (Tschechisch.) Archiv f. naturw. Landesdurchfrschg. Böhmens 14 1909. 144 S.

Brakenhoff, H. Der untergegangene Eibenhorst zu Thorstermoor. Abh. naturf. Verein Bremen 19 1908. S. 276—279.

Brockmann-Jerosch, H. Neue Fossilfunde aus dem Quartär und deren Bedeutung für die Auffassung des Wesens der Eiszeit. Vierteljahrsschr. naturf. Ges. Zürich 54 1909. S. 7—15 u. 101—105. Taf. 2.

Brues, Ch. T. and **B. B.** A new fossil grass from the Miocene of Florissant, Colorado. Bull. Wisconsin Nat. Hist. Soc. 6 1908. S. 170—171.

Carpentier, A. Sur quelques graines et microsporanges de Pteridospermées trouvés dans le bassin houillier du Nord. C. R Ac. Sc. Paris 148 1909. S. 1232—1234.

Chodat, R. Les Ptéridopsides des temps paléozoiques. Arch. Sci. phys. et nat. Genève **26** 1908. S. 279—300 u. 394—416.

Clerici, E. Analisi microscopica del calcare farinoso di S. Demetrio nei Vestini Boll. Soc. geol. Ital. **26** 1908. S. 557—566, 1 Taf.

Cockerell, T. D. A. Some results of the Florissant Expedition 1908. Amer. Naturalist **42** 1908. S. 569—581.

— Fossil Euphorbiaceae with a note on Saururaceae. Torreya **9** 1909. S. 117—119.

— Amber in the Laramie cretaceous. Torreya **9** 1909. S. 140—142.

Davis, C. A. Peat deposits as geological records. Rpt. Michigan Ac. Sc **10** 1908. S. 107—112.

Diller, J. S. Strata containing the jurassic flora of Oregon. Bull. geol. Soc. Amer. **19** 1908/09. S. 367—402.

Fiori, A. La flora d'Italia nelle epoche geologiche. Fiori e Paoletti, Flora analitica d'Italia **1** 1908. S. 3—11.

Foslie, M. Remarks on two fossil Lithothamnia. Kgl. Norske Vidensk. Selskab. Skr. 1909. S. 1—5.

Fourmarier, P. Quelques fossiles du Houiller des environs d'Andenne. Ann. Soc. Géol. Belgique **25** 1908. S. 65—67.

Fritel, P. H. Note sur trois Nymphéacées nouvelles du Sparnacien des environs de Paris. Bull. Soc. géol. France (4) **8** 1908. S. 470—476, Taf. 10.

— et **Viguier, R.** Les Equisetum fossiles et leur structure. Rev. gén. botan. **21** 1909. S. 129—143.

— — Sur un champignon des Equisetum fossiles. Rev. gén. botan. **21** 1909. S. 143—147.

Gordon, Wm. T. On the prothallus of Lepidodendron Veltheimianum. Trans. and proc. botan. soc. Edinburgh **23** 1908. S. 330—333.

Gothan, W. Die sogenannten „echten Versteinerungen" (Intuskrustate) und die Konkretionen (Inkrustate). Naturw. Wochenschr. **8** 1909. S. 25—61.

— Die Entwicklung der Pflanzenwelt im Laufe der geologischen Epochen. Die Natur **6** Osterwieck a. H. 1909.

— Weiteres über floristische Differenzen (Lokalfärbungen) in der europäischen Carbonflora. Zeitschr. dtsch. geol. Ges. **61** 1909. Monatsber. 313—25.

Hollick, A. und **Jeffrey, E. C.** Studies of Cretaceous coniferous remains from Kreischerville, N. Y. Mem. N. Y. bot. garden **3** 1909. 138 S., 29 Taf.

Kindle, E. M. Diatomaceous dust on the Bering Sea Ice floes. Am. Journ. Sci. **28** 1909. S. 175—179.

Krasser, F. Die Diagnosen der von Dionysius Stur in der obertriadischen Flora der Lunzer Schichten als Marattiaceenarten unterschiedenen Farne. Sitzgsber. kais. Akad. Wiss. Wien **118** 1909. Abt. 1. S. 13—43.

— Zur Kenntnis der fossilen Flora der Lunzer Schichten. Jahrb. k. k. geol. Reichsanst. Wien **59** 1909. S. 101—126.

Kukuk. Über Einschlüsse in den Flözen des niederrheinisch-westfälischen Steinkohlenvorkommens. Ber. Vers. niederrh. geolog. Ver. Bonn 1909. S. 25—36.

Nathorst, A. G. Ueber die Gattung Nilssonia Brongn. mit besonderer Berücksichtigung schwedischer Arten. K. Svenska Vet.-Akad. Handl. 43 1909. 40 S., 8 Taf.

Neger, F. W. Die untergegangene Pflanzenwelt der Antarktis. Globus 93 1908. S. 366—368.

Niedzwiedski, J. (Bernstein aus den galizischen Karpathen) (polnisch). Kosmos, Lemberg 1908. S. 529—535.

Platen, P. Die fossilen Wälder am Amethyst Mount im Yellowstone-National-park u. die mikroskopische Untersuchung ihrer Hölzer. Prometheus 20 1909. S. 241—246.

Potonié, H. Die rezenten Kaustobiolithe und ihre Lagerstätten. Bd. I. Sapropelite. Abh. geol. Landesanst. Berlin 1908. 8° 266 S.

Raciborski, M. Über eine fossile Pangiumart aus dem Miocän Javas. Bull. Acad. Sci. Krakau 1909. S. 280—284.

Renier, A. Un sol de végétation du Dévonien supérieur. Ann. Soc. géol. Belg. 35 1908. S. 327—330.

Richter, P. B. Beiträge zur Flora der unteren Kreide Quedlinburgs. II. Die Gattung Nathorstiana Richter u. Cylindrites spongioides Goeppert. Leipzig, Engelmann 1909. 12 S., 6 Tafeln.

Salfeld, H. Beiträge zur Kenntnis jurassischer Pflanzenreste aus Norddeutschland. Palaeontographica 56 1909. S. 1—36, Taf. 1—6.

— Die Flora des Palaeozoikum, speziell die des Carbon, im Lichte der neuesten Forschung. 2. Jahresber. niedersächs. geol. Ver. zu Hannover 1909, S. 59—64.

Schuster, J. Paläobotanische Notizen aus Bayern. Ber. bayr. botan. Ge-sellsch. 12 1909. S. 44—61, 2 Taf.

Scott, D. H. Studies in fossil botany. Vol. I Pteridophyta. 1908. Vol. II Spermophyta. London 1909.

Stainier, H. Un gisement de troncs d'arbres-debout. dans le Landénien supérieur. Bull. Soc. belge géol. 23 1909. S. 270—280.

Stark, P. Pflanzenreste im Buntsandstein des südwestl. Kraichgau. Berichte Versamml. Oberrhein. geol. Vereins 1909. S. 129—141.

Stopes, M. C. Plant-containing nodules from Japan. Proc. Geol. Soc. London, Febr. 1909. Ref. Ann. Mag. Nat. Hist. (8) 3 1909. S. 383.

Sukatscheff, W. Über das Vorkommen der Samen von Euryale ferox Salisb. in einer interglazialen Ablagerung Rußlands. Ber. deutsch. botan. Ges. 26a 1908. S. 132—137.

Thomas, H. H. On a cone of Calamostachys binneyana (Carruthers) attached to a leafy shoot. 1 Taf., 5 Fig. The New Phytologist. 8 1909. S. 249 bis 260.

Tuszon, J. Monographie der fossilen Pflanzenreste der Balatonseegegend. In: Resultate der wiss. Erforsch. des Balatonsees. I. Bd. Budapest 1909. 64 S., 2 Taf., 29 Fig.

— Vorschläge zur Regelung der palaeobotanischen Nomenclatur. Zur Beratung au dem Brüsseler Congress 1910 vorgeschlagen. Budapest 1909. 6 S. f

Watson, D. M. S. On Mesostrobus, a new genus of Lycopodiaceous cones from the Lower Coal Measures, with a note on the systematic position of Spenerites. 1 Taf., 6 Text. Annals of Botany 23 1909. S. 379—398.

Watson, D. M. S. On the anatomy of Lepidophloios laricinus Sternb. Quart. Journ. geol. Soc. **65** 1909. S. 441.

Weber, C. A. Hypnum surgescens Schimp. nicht auf der kurischen Nehrung fossil. Englers bot. Jahrb. **42** 1908. S. 239—240.

Weiß, F. E. The primary wood of Lepidodendron and Stigmaria. Rep. Brit. Ass. for 1908. London 1909. S. 914—915.

Zalessky, M. Végétaux fossiles du terrain carbonifère du bassin du Donetz. 2. Étude sur la structure anatomique d'un Lepidostrobus. (Russisch mit franz. Résumé.) Mém. Com. géol. St. Petersbourg, nouv. série, Livr. 46 1908. 18 Seiten, 9 Taf.

— On the identity of Neuropteris ovata Hoffmann and Neurocallipteris gleichenioides Sterzel. (Russisch mit englischem Résumé.) Mém. Com. géol. St. Petersburg, nouv. sér. Livr. 50 1909. S. 1—22, Taf. 1—4.

37. Problematica.

Basedow, H. Kritische Bemerkungen zu Dr. Noetlings Erklärungsversuch der Warrnambool-Spuren. Centralbl. f. Min. 1909. S. 495—499.

Beasley, H. C. Report on tracks of Invertebrata, casts of Plants and markings of uncertain Origin from the Lower Keuper. Teil I. Rep. Brit. Assoc. for 1908. London 1909. S. 269—274, Taf. 5 u. 6.

Lucas, F. A. Is Alabamornis a bird? Science (N. S.) **27** 1908. S. 311.

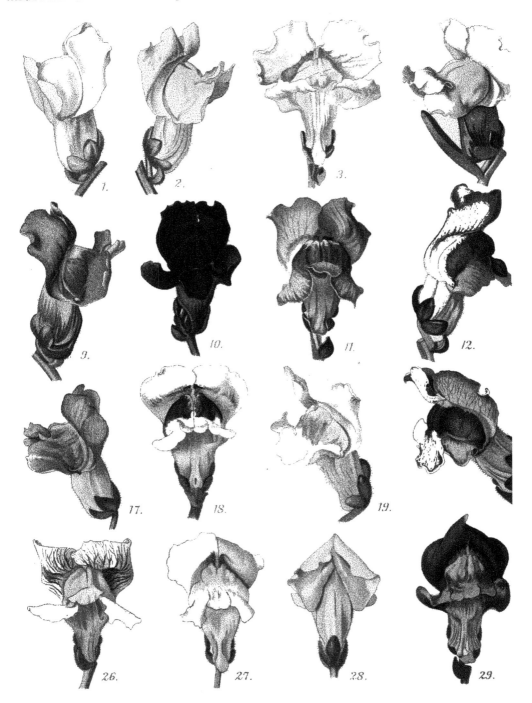

Antirrhinum.

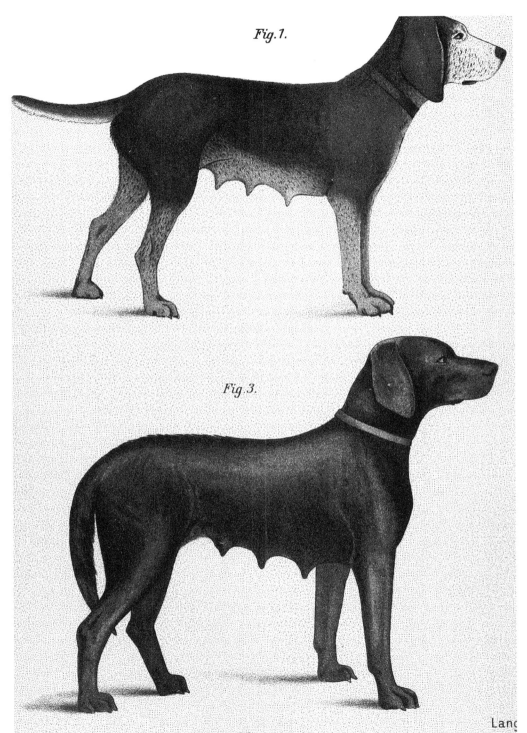

Fig. 1.

Fig. 3.

Lang

Fig. 1. 3. 4., Farbenskizzen nach der Natur von A. Lang.
Fig. 2. Photographische Aufnahme von Dr. Arnold Heim.

Fig.2.

Fig.4.

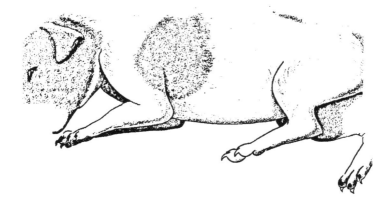

Über Bestimmungsmethoden der Cellulose

Herausgegeben von **Dr. E. P. Meinecke.** Mit 610 Textabbildungen.
In Ganzleinen gebunden 18 Mk.

Botanisches mikroskopisches Praktikum

Auflage. Mit 15 Abbildungen. Gebunden 3 Mk. 20 Pf.

Jahresbericht der Vereinigung für angewandte Botanik

Sechster Jahrgang 1908. Mit 2 Tafeln und 7 Textabbildungen.
Geheftet 16 Mk.

Inhalt

Die »Zeitschrift für induktive Abstammungs- und Vererbungslehre« erscheint
in zwanglosen Heften, von denen vier bis fünf einen Band von 25 Druckbogen
bilden. Der Preis des Bandes beträgt 20 Mark.

Manuskripte, zur Besprechung bestimmte Bücher und Separata, sowie alle
auf die Redaktion bezüglichen Anfragen und Mitteilungen sind an Dr. E. Baur,
Berlin NW 7, Dorotheenstraße 5, zu senden; alle geschäftlichen Mitteilungen an
die Verlagsbuchhandlung Gebrüder Borntraeger in Berlin W 35, Schöneberger
Ufer 12a.

Die Mitarbeiter erhalten für Originalabhandlungen und Kleinere Mitteilungen
ein Bogenhonorar von 32 Mk., für Referate 48 Mk., für Literaturlisten 64 Mk.

Die Abhandlungen und Kleineren Mitteilungen können in deutscher,
englischer, französischer oder italienischer Sprache verfaßt sein. Referiert wird
im wesentlichen in deutscher Sprache.

Von den Abhandlungen werden den Autoren 50 Separata ohne besonderen
Titel auf dem Umschlag gratis geliefert. Werden weitere Sonderabzüge gewünscht,
so ist die Anzahl rechtzeitig, spätestens bei Rücksendung der ersten Korrektur,
zu bestellen. Die über 50 Expl. hinaus gewünschte Anzahl der Separata wird
mit 15 Pfg. für jeden Druckbogen berechnet. Ein besonderer Titel auf dem
Umschlag verursacht 4 Mk. Extrakosten. Etwa gewünschte Änderungen der
Paginierung werden besonders in Ansatz gebracht. Bei mehr als 50 Separata
gelangt stets ohne besonderen Auftrag ein Extra-Umschlag mit besonderem
Titel zur Verwendung.

BAND III HEFT 3

MÄRZ 1910

ZEITSCHRIFT

FÜR

INDUKTIVE ABSTAMMUNGS-

UND

VERERBUNGSLEHRE

HERAUSGEGEBEN VON

C. CORRENS (MÜNSTER), V. HAECKER (HALLE), G. STEINMANN (BONN),
R. v. WETTSTEIN (WIEN)

REDIGIERT VON

E. BAUR (BERLIN)

BERLIN

VERLAG VON GEBRÜDER BORNTRAEGER

W 35 SCHÖNEBERGER UFER 12a

1910

Über Jacobsons Züchtungsversuche bezüglich des Polymorphismus von *Papilio Memnon* L. ♀ und über die Vererbung sekundärer Geschlechtsmerkmale.

Von J. C. H. de Meijere (Hilversum).

(Mit Tafel 3.)

Eine der merkwürdigsten Erscheinungen in der Lepidopterologie ist wohl der bald beim ♂, bald beim ♀ einiger tropischer Schmetterlinge sich zeigende Polymorphismus. Sehr stark ausgesprochen findet sich diese Erscheinung beim ♀ von *Papilio Memnon* L., und dieser Fall ist in weiteren Kreisen bekannt geworden, nicht nur wegen seiner Auffälligkeit, sondern wohl noch mehr durch die von W a l l a c e für ihn gegebene Erklärung. W a l l a c e behauptete nämlich, daß eine der Formen (die *Achates*-Form) sich als Nachahmer des seiner Ansicht nach von Vögeln verschmähten *Papilio Coon* herausgebildet hatte, eine Behauptung, deren Richtigkeit jetzt von mancher Seite aus guten Gründen bestritten wird.

Der Hauptsache nach lassen sich bei *P. Memnon*, wenigstens auf Java, drei weibliche Formen unterscheiden, welche wegen ihrer größeren Verschiedenheiten früher als gesonderte Arten beschrieben worden sind, indem sie sich nicht nur in der Farbe sehr unterscheiden, sondern auch durch die Flügelform: eine der drei Formen besitzt Schwänze an den Hinterflügeln, welche den beiden andern abgehen. Alle drei sind auch von dem ♂ verschieden. Schon seit etwa 70 Jahren ist bekannt, daß diese Formen aus gleichartigen Raupen erzogen wurden und auch wohl nebeneinander aus einem und demselben Gelege hervorgehen können. W a l l a c e s bezügliche Mitteilung, daß ein und dasselbe Weibchen geschwänzte und ungeschwänzte Weibchen hervorbringt, stützt sich auf Züchtungen von P a y e n und B o c a r m é, welche auf Java angestellt

wurden[1]). Seitdem wurde stillschweigend angenommen, daß jedes ♀
nicht nur ♀ ♀ von diesen beiden Flügelformen, sondern auch die beiden
verschieden gefärbten ungeschwänzten Formen, also alle drei weiblichen Formen, gleichzeitig hervorbringen könnte; so schreibt z. B.
D ö d e r l e i n [2]): Die Kinder der gleichen Mutter treten ohne ersicht-
lichen äußeren Anlaß mehr oder weniger regelmäßig in verschiedener
Gestalt auf, und zwar gleichzeitig nebeneinander. Jede dieser fakul-
tativ polymorphen Formen hat wieder die Fähigkeit, Nachkommen verschiedener Form zu erzeugen, sowohl solche von der eigenen Gestalt,
wie solche von der Gestalt der Geschwister und so fort". Dennoch ist
dieser Schluß weder aus den Angaben B o i s d u v a l s zu ziehen, noch
ist er durch spätere Zuchtversuche nachgewiesen worden. Es ist deshalb sehr erfreulich, daß Herr E d w. j a c o b s o n , der sich um die
Kenntnis der javanischen Fauna schon in so verschiedenartiger Weise
verdient gemacht hat, sich auch dieser Sache angenommen hat. Die
merkwürdigen Resultate dieser zuverlässigen, sehr mühevollen Zuchten
verdienen es, das Interesse weiter Kreise auf sich zu ziehen. Indem er

---

[1]) Die Originalmitteilung findet sich bei B o i s d u v a l , Histoire naturelle des
insectes, Lepidoptères I, 1836, p. 194. Man findet dort folgendes: Nous n'eussions
jamais songé à regarder comme des femelles de *Memnon* des individus aussi dissem-
blables, sans les renseignements précieux que nous a fournis, il y a quelques années,
M. de H a a n , conservateur du Musée de Leyde, et plus récemment, M. P a y e n de
Bruxelles, qui a habité longtemps différentes contrées de l'Archipel Indien. Voici ce
que ce dernier nous écrit sur ce sujet: „ . . . . Voici un fait que je puis vous garantir,
les *P. Laomedon* Cram., *Agenor* Cram. sont les femelles du *P. Memnon*. Ayant élevé
à plusieurs reprises des chenilles de ce Papillon, que l'on trouve très communément
sur les diverses espèces de *Citrus* à Java, elles ont constamment produit des *Memnon*
et des femelles précitées. M. de B o c a r m é , un de mes amis, a répété cette expérience
dans les mêmes localités, et de plus, ces mêmes chenilles lui ont donné le *P. Achates*.
Effectivement tous les individus que j'ai vus de ce dernier sont des femelles; un entre
autres, que j'ai pris aux Moluques, n'a point de queue aux ailes inférieures". Es geht
hieraus nicht einmal hervor, daß P a y e n und B o c a r m é die Raupen, welche sich aus
dem Gelege eines und desselben Weibchens entwickelten, auf das Erscheinen der verschiedenen Formen gezüchtet haben. In T e m m i n c k , Verhandelingen over de natuur-
lijke Geschiedenis der Nederlandsche Overzeesche Bezittingen, Zoölogie 1840, p. 24, 37
erwähnt d e H a a n das Zusammengehören von *Memnon*, *Agenor* und *Achates* als eine
bekannte und genügend bestätigte Tatsache, ohne weitere Zuchtversuche zu erwähnen.
Dahingegen findet sich bei J o r d a n , Novit. Zool. III, 1896 p. 452, die Angabe, daß
Dr. M a r t i n in Sumatra geschwänzte und ungeschwänzte Weibchen aus dem Gelege
eines und desselben Weibchens erhalten hat. R o t h s c h i l d war 1895 (Novit. Zool. II,
1895, p. 313) noch keine solche Zucht bekannt.

[2]) L. Döderlein, Über die Beziehungen nahe verwandter „Tierformen" zueinander. Zeitschr. f. Morphol. u. Anthropol. IV, 1902, p. 416.

sich selbst fast darauf beschränkt hat, die Resultate seiner Zuchten mitzuteilen[1]), hat er mir freundlichst erlaubt, dieselben einer näheren Betrachtung zu unterziehen.

Zunächst möge hier zur Orientierung noch einiges über die verschiedenen *Memnon*-Formen folgen.

Die Männchen sind immer gleichartig, schwarz, die Adern im distalen Teil jederseits von einem Streifen bläulicher Schuppen begleitet, die Hinterflügel ungeschwänzt, die Unterseite schwärzlich, an der Wurzel beider Flügel rotgefleckt, die Vorderflügel ebenfalls mit bläulichweißen Schuppenstreifen längs den Adern, die Hinterflügel im distalen Teil mit zerstreuten, weißlichblauen Schuppen und mit zwei Reihen schwarzer Flecken, beide dem Flügelrande parallel. Der schwarze Streifen, welcher sich an der Oberseite je zwischen zwei Längsadern befindet, ist je zwei dieser Flecken, von welchen der eine der inneren, der zweite der äußeren Reihe zugehört, homolog, was sich bei einigen Stücken noch in einer Einschnürung unweit des Randes kundgibt.

Die Weibchen zeigen alle in der Basis der Mittelzelle der Vorderflügel einen dreieckigen roten Flecken, welcher den ♂♂ fast immer fehlt, Im übrigen finden sich drei Hauptformen[2]):

1. Forma *Laomedon.*

Dem ♂ am ähnlichsten, aber im allgemeinen weniger tiefschwarz, die bläulichen Schuppen schwach entwickelt, dahingegen längs der Adern die Farbe überhaupt heller .Die Hinterflügel auch oben mit zwei getrennten Fleckenreihen, die äußeren Flecke groß, die inneren schmäler und wurzelwärts schmal mit dem schwarzen Basalteil des Flügels zusammenhängend.

2. Forma *Agenor* (= *javanus* Haase)[3]).

Hinterflügel wie bei der vorigen Form ungeschwänzt, oben und unten bis zum Ende der Mittelzelle schwärzlich, dann größtenteils

---

[1]) Edw. Jacobson, Beobachtungen über den Polymorphismus von *Papilio Memnon* L.   Tijdschr. voor Entomologie LII, 1909, p. 125—157.
Hierin auch Näheres über Wallaces Angaben.   Bezüglich der von Jacobson zum Vergleich herangezogenen Mitteilungen von Vosseler über *Papilio Demoleus* möchte ich darauf hinweisen, daß dieser afrikanische *Papilio* jetzt als *P. Demodocus* Esp. bezeichnet wird.   Der richtige *P. Demoleus* L. ist die sehr ähnliche asiatische Art (syn. *P. Erithonius* Cram.).

[2]) Farbige Abbildungen dieser drei Formen und des Männchens finden sich in Wallaces Abhandlung, Transact. Linn. Soc. XXV, 1865 Taf. I.

[3]) Diese Form enthält die von Rothschild (Nov. Zool. II, 1895, p. 314) unter f² bis k² aufgeführten Farbenstufen.

weiß mit einer einzigen (äußeren) Reihe meistens braun eingefaßter
schwarzer Flecken am Flügelrande.

3. Forma *Achates*.

Hinterflügel geschwänzt, in der Basalhälfte größtenteils weiß,
also die Mittelzelle und große Flecke in der Basis der übrigen Zellen
von dieser Farbe. Distal findet sich eine breite schwarze Binde, welche
durch das Zusammenfließen der hier sehr großen und wurzelwärts
nicht gerundeten Flecken der äußeren Reihe zustande kommt.

Jede dieser Formen unterliegt sekundärer Variation, so kann das
Rot durch Gelb ersetzt sein, die weißen Striemen längs der Adern
können besonders breit erscheinen usw., und einige dieser Variationen
treten als Lokalformen auf und sind mit besonderen Namen belegt
worden. So sind z. B. *Esperi* Butl., *Anceus* Cram., solche leichte
Abänderungen von *Laomedon*; *Phoenix* Dist. und *Cilix* Dist. ebensolche von *Agenor*; *Alcanor* Cram. (China) und *Mayo* Atkins.
(Andamanen) ebensolche von der *Achates*-Form. Von P i e p e r s sind
diese verschiedenen Formen in einer Tabelle zusammengestellt [1]).
Wenn er in derselben fünf weibliche Formen aufführt, so scheint
mir *Esperi* nur sehr wenig von *Laomedon* verschieden zu sein und
zum Variabilitätskreise derselben zu gehören [2]). Als vierte Form führt
er Exemplare von Borneo auf, welche Übergänge von *Achates* zu den
übrigen sein sollen. Das eine Exemplar (von Kinibalu): *Achates* sans
appendice, d'un jaune orangée, se rapprochant de la forme *Agenor*
ist demnach wohl besser als Aberratio letzterer zu betrachten, obgleich
die Ausdehnung der weißen Färbung an das Verhalten von *Achates*
erinnern mag, was aus der Beschreibung jedoch nicht hervorgeht.
Die von M ü l l e r (in: de H a a n: Verh. Nat. Geschied. Ned. Overz.
Bezitt. 1840 Taf. 3 Fig. 3.) gegebene Abbildung des Exemplars von Band-
jermasin habe ich vergleichen können. Auch dieses scheint mir, nicht
nur in Schwanzlosigkeit, sondern auch in der Färbung sich *Agenor*
sehr anzuschließen, nur ist das Weiß weit in die Mittelzelle eingedrungen,
was bei typischen *Agenor* garnicht oder doch nur wenig der Fall ist,
distalwärts dahingegen dürftiger entwickelt, wodurch es sich dem
Verhalten bei *Achates* nähert. Die schwarzen Randflecke sind aber

---

[1]) M. C. P i e p e r s, Mimétisme. 3ᵐᵉ Congrès internat. Zoologie (Leyde, 1895),
p. 476.

[2]) Die var. *Esperi* kommt auch auf Java vor, ist dort jedoch sehr selten. Dahingegen gibt es nach brieflicher Mitteilung von Dr. P i e p e r s unter den *Laomedon*-
Stücken dieser Insel oft Exemplare, welche mehr oder weniger zu *Esperi* hinneigen.

in der Gestalt, obgleich etwas größer als gewöhnlich, dem Verhalten bei *Agenor* ähnlich, die für *Achates* charakteristischen hellen Säume an den Einbuchtungen des Flügelrandes fehlen. Die Verdunkelung rings um die Randflecken ist deutlicher und breiter als gewöhnlich, aber bei vielen *Agenor*-Stücken ebenfalls schon ziemlich entwickelt. Einen Übergang zu *Laomedon* wie P i e p e r s meint, kann ich auch darin nicht erblicken, auch weil die zweite Reihe der Randflecken ganz fehlt. Im ganzen halte ich dieses Exemplar für eine seltene Aberration der *Agenor*-Form, jedoch nicht für eine Zwischenform zwischen dieser und *Achates*. R o t h s c h i l d ist offenbar von derselben Ansicht, weil er l. c. p. 314 diese Abbildung unter *javanus* Haase (= die *Agenor*-Form) zitiert. Auch nach j a c o b s o n waren die drei Formen in seinem Material leicht auseinander zu halten und nicht durch Zwischenstufen verbunden.

J a c o b s o n hat sich besonders zum Ziele gestellt nachzuforschen, ob die ♀ ♀ im allgemeinen imstande sind, jede der drei oben aufgeführten Formen zu erzeugen und welche Resultate die Kreuzung von ♂ ♂ und ♀ ♀ von bekannter Abstammung ergibt. Dafür war es nötig, die Art in mehreren Generationen zu züchten, derweise, daß eine genaue Registrierung des Stammbaums möglich war, eine bei der überhaupt schwierigen Zucht von Tagfaltern, namentlich von solcher Größe, sehr schwierige Aufgabe, deren Beschwerden er jedoch in glänzender Weise überstanden hat. Er züchtete die Tiere in eigens dafür angefertigten Käfigen auf *Citrus*-Bäumchen, wie es in seiner Abhandlung ausführlich erörtert wird.

Aus dem Aufsatze J a c o b s o n s geht hervor, daß es ihm gelang, drei Familien von *Papilio Memnon* in mehreren, eine bis in die fünfte, Generationen zu züchten; die erhaltenen Resultate sind von ihm in ausführlicher Weise angegeben worden. Ich möchte dieselben hier in knappster Form wiederholen, wie es für meine Ausführungen genügend ist. (Siehe Tabelle S. 166.)

Was nun die Deutung der Ergebnisse anlangt, so möchte ich zunächst darauf hinweisen, daß J a c o b s o n sich bis dahin mit eben solchen Kreuzungsversuchen und dem Studium der dabei auftretenden Verhältnisse nicht näher beschäftigt hatte. Seine Versuche mit *P. Memnon* tragen davon natürlich die Spur, was den Nachteil hat, daß gewisse, zur Entscheidung bestimmter Fragen erwünschte Kombinationen nicht erprobt sind, weil die Versuche nicht ganz zielbewußt ausgeführt sind. Andererseits sind seine Ergebnisse eben deshalb um so weniger

♂ ♀	♂	♀		
		L.	Ag.	Ach.
Familie A. I¹) ⋈ 1 (Ach.) 2te Gen.	11		10	10
VI ⋈ 5 (Ach.) 3te Gen.	3		1	4
VI ⋈ 6 (Ag.) ,, ...	1			
VI ⋈ 7 (Ach.) ,, ...	7		3	2
VIII ⋈ 8 (Ach.) ,, ...	2			1
Familie B. II ⋈ 2 (Ag.) 2te Gen.	32	19	17	
VII ⋈ 9 (L.) 3te Gen.	4		5	
IX ⋈ 10 (L.) ,, ...	1	1		
X ⋈ 11 (L.) ., ...	3	3		
XI ⋈ 12 (L.) ,, ...	3	11		
XVI ⋈ 16 (Ag.) 4te Gen.	17			30
XVIII ⋈ 17 (L.) ., ...	20	4		8
XVIII ⋈ 18 (L.) ,, ...	9	1		3
XX ⋈ 21 (L.) 5te Gen.	10	4		
Familie D. V ⋈ 4 (Ach.) 2te Gen.	29			36
XV ⋈ 15 (Ach.) 3te Gen.	10			8
XIX ⋈ 20 (Ach.) 4te Gen.	14		4	15

Die Herkunft der zu den Zuchten benutzten Exemplare ergibt sich an folgender genealogischer Tabelle:

Familie A:
$$I \bowtie 1$$
VI   VII   5 (× VI)   7 (× VI)   8 (× VIII)
XVI   XVII   XVIII

Familie B:
$$II \bowtie 2$$
VIII   IX   X   XI   9 (× VII)   10 (× IX)   11 (× X)   12 (× XI)
XV   16 (× XVI)   17 (× XVII)   18 (× XVIII)
XIX   21 (× XX)   XX

Familie D
$$V \bowtie 4$$
15 (× XV)
20 (× XIX)

---

¹) Die Nummern sind die von Jacobson seinen Exemplaren gegebenen. Jedes ♂ erhielt von ihm eine römische, jedes ♀ eine arabische Nummer. Das Kleid des ♀ ist je in Klammern angegeben; L. = *Laomedon*-, Ag. = *Agenor*-, Ach. = *Achates*-Form.

anfechtbar und den in der Natur stattfindenden Verhältnissen mehr gleichartig.

Ein Blick auf die Tabelle lehrt schon, daß die Annahme, jedes ♀ bringe gewöhnlich die drei Formen hervor, unrichtig ist. Es sind eben in keinem einzigen Fall die drei verschiedenen Formen in der Nachkommenschaft eines und desselben Weibchens vertreten, manchmal findet sich sogar nur eine einzige Form. Dahingegen fällt es sofort auf, daß öfters eine Spaltung stattgefunden hat, welche die Mendelsche Regel ins Gedächtnis ruft.

Bald findet man unter den ♀ ♀ *Agenor* und *Achates*, bald *Agenor* und *Laomedon*, bald *Achates* und *Laomedon* vertreten; es findet sich jedoch nie eine Reihe von Zwischenformen. Das Resultat zeigt sich somit insoweit in Übereinstimmung mit der Mendelschen Spaltungsregel. Danach läßt sich erwarten, daß die ♀ ♀ entweder rein einer Form angehören oder, in anderen Fällen, die Merkmale zweier Formen in sich tragen, von welcher je die Dominanz das äußere Kleid bestimmt. Es tut sich hier jedoch eine besondere Schwierigkeit auf, nämlich die, daß die äußere Verschiedenheit nur bei dem einen Geschlecht auftritt. Bei jeder Zucht treten auch eine Anzahl Männchen auf und diese sind alle von gleicher Farbe. Trotzdem sind sie für unsere Frage nicht als indifferent zu betrachten. Schon die Tatsache, daß Weibchen von einer und derselben Form oft sehr verschiedene Töchter hervorbringen, weist darauf hin. Es muß eben angenommen werden, daß bei geschlechtlicher Verschiedenheit die Eigenschaften der ♀ ♀ auch in den ♂ ♂ derselben Art vorhanden sein müssen und umgekehrt. Erscheinungen wie Hahnenfiedrigkeit, das Auftreten von Männchen nach mehreren parthenogenetischen Generationen, die Vererbung von reichlicher Milchabsonderung bei bestimmten Rinderrassen durch die männlichen Tiere usw. deuten alle darauf hin. Namentlich in Darwins Werken findet sich die Sache schon oft berührt und in verschiedentlicher Weise begründet. Im besonderen ist hier jedoch noch manches sehr unklar, doch ist die Annahme berechtigt, daß wenigstens jede besondere Eigenschaft des ♀ beim ♂ durch Determinanten vertreten ist. Es bleibt nur fraglich, ob ein Merkmal wie die Flügelfärbung des ♀ im ♂ durch zwei besondere Determinanten vertreten ist, oder ob es nur als korrespondierender Determinant desjenigen, welcher die männliche Farbe bestimmt, vorhanden ist. Später wird sich ergeben, daß mit letzterer Annahme die Tatsachen nicht im Einklang zu bringen sind, und ich möchte also von der Voraussetzung ausgehen, daß das erstgenannte Verhalten richtig sei und den Versuch machen, ob

dieses sich mit den Resultaten der Zuchten deckt. Das Männchen einer
sexuell dimorphen Falterart wird zwei gleiche Determinanten für die
weibliche Färbung besitzen. Kommen bei der Art zwei weibliche Formen
vor, so brauchen diese Determinanten nicht einander gleich zu sein[1]).

Die Männchen von *P. Memnon* werden also, in Übereinstimmung mit
der Mendelschen Spaltungsregel, neben ihrem eigenen Kleide die Merkmale zweier weiblicher Formen in sich tragen, welche beide latent
bleiben. Welcher Art diese zwei Formen sind, das hängt davon ab,
in welcher Kombination er diese von seinen beiden Eltern ererbt hat.
Sind diese beiden weiblichen Formen einander gleichartig, dann vertritt
das ♂ eben rein eine einzige weibliche Form, in vielen Fällen werden
sie jedoch ungleichartig sein. Das Verhalten ist also demjenigen der
Weibchen gleich, mit der Ausnahme, daß bei diesen wenigstens auf
die Anwesenheit einer, nämlich der an diesem Weibchen äußerlich
hervortretenden, mit Sicherheit zu schließen ist, während bei dem ♂ sich
aus seinem Kleide in dieser Hinsicht nichts herleiten läßt. Die bei
der Mendelschen Regel so wichtigen Prozentzahlen der verschiedenen
Formen sind hier also eben deshalb für die Männchen nicht zu ermitteln.
Aus weiteren Zuchten mit diesen Männchen ließe sich allerdings ihr
Charakter erschließen, aber diese sind hier, wenn es sich um eine größere
Anzahl von Männchen handelt, wohl außerordentlich schwierig.

Beim Vorhandensein dreierlei weiblicher Formen sind nun folgende
Kombinationen möglich, falls man diese als I, II und III bezeichnet:

a) I I × I I = I I.
b) I I × II II = I II.
c) I I × I II = ½I I + ½I II.
d) I II × I II = ¼I I + ½I II + ¼II II.

Weitere Kombinationen ergeben sich durch Änderung der Zahlen,
die möglichen Arten der Kombinationen sind jedoch mit den obigen
nahezu erschöpft, nur fehlt noch eine Kombination wie:

e) I II × II III = ¼I II + ¼ II II + ¼I III + ¼II III.

---

[1]) Man wird bemerken, daß meine weiteren Ausführungen von der Vorstellung,
welche Jacobson sich von der Sache gemacht hat, bedeutend abweichen, namentlich
darin, daß ich in Übereinstimmung mit den Mendelschen Regeln in ♂ und ♀ je
zwei Determinanten für die weibliche Farbe annehme. Beide Geschlechter können also
die Charaktere zweier verschiedener weiblicher Formen in sich tragen und die Männchen
können nur in ganz bestimmten Fällen, welche sich nach meinen Ausführungen leicht
ableiten lassen, zum Auftreten eines neuen Kleides Veranlassung geben. Den Umständen, welche in jedem einzelnen Falle das definitive Kleid bestimmen, habe ich
als geschulter Biologe bedeutend näher treten können als Jacobson.

Nach den Zuchtergebnissen ergeben sich die drei Formen als jede mit den zwei anderen kombinierbar; die drei bilden also zusammen eine allelomorphe Reihe, sie sind Stufen einer und derselben Leiter; demgemäß entstehen bei der Kreuzung untereinander nur drei verschiedene Formen, und nicht vier, wie bei den Dihybriden-Kreuzungen.

Wieviel äußerlich verschiedene Formen entstehen werden, das hängt jedesmal von dem Verhalten der Formen, was die Dominanz anlangt, ab. Im Falle b z. B. ist das Resultat I II wie I gefärbt, wenn I die dominante Färbung hat, im anderen Falle wie II; ist in c I dominant, dann sehen alle weiblichen Falter wie I aus, ist II dominant, dann gehört die Hälfte der Falter zu I, die andere Hälfte zu II. Ist in d I dominant, dann kann höchstens $\frac{1}{4}$ wie II aussehen.

Im Falle e kann II dominant sein über die beiden anderen Färbungen; dann ist höchstens die Kombination I . III nicht wie II gefärbt; und ihre Färbung hängt dann lediglich von der Dominanz von I über III, oder umgekehrt ab.

Ist in e I dominant über die beiden anderen, dann ist wenigstens in der Hälfte der Falter diese dominante Färbung vorhanden (bei den Männchen jedoch latent), das $\frac{1}{4}$ II II zeigt, wenn weiblich, die Färbung II; vom $\frac{1}{4}$ II III sind die Weibchen wie II gefärbt, wenn II dominant über III ist, wie III, wenn III dominant ist über II. Falls also I dominant ist über die beiden anderen und III über II, so können im Resultat der Züchtung die drei Farbenkleider I, II und III alle vertreten sein. Entsprechendes Ergebnis ergibt sich, wenn in e III die über die beiden anderen dominierende Färbung ist.

Aus dem Aufgeführten geht hervor, daß, wenn die Zucht nur eine einzige Form von Weibchen ergibt, wir es mit einem der Fälle a, b oder c zu tun haben; sind zwei Formen vorhanden, dann kann der Fall c, d oder e vorliegen; nur im Falle e sind drei verschiedene Formen möglich. In Jacobsons Zuchten findet sich letzteres nicht vertreten.

Bei der Deutung der Ergebnisse ist zunächst darauf zu achten, daß jeder Versuch mit unbekannten Größen anfängt. A priori wissen wir nichts bezüglich der Dominanz der verschiedenen Formen, so daß wir, auch was die Weibchen anlangt, nicht sicher sind, es mit reinen Formen zu tun zu haben, und die Männchen lassen wegen ihres immer gleichen Kleides noch größere Unsicherheit. Für die Weibchen können wir wenigstens schließen, daß das von denselben getragene Kleid entweder rein vorhanden ist oder doch dominiert. Weil wir es hier mit drei Stufen zu tun haben, ist indessen auch hier die Entscheidung ziemlich schwierig; es sind sechs verschiedene Kombinationen bei den Weibchen möglich (Ach. Ach.; Ag. Ag.; L. L.; Ach. L.; Ach. Ag.; Ag. L.), für jede Farbe also, so lange die Dominanzregel nicht bekannt ist, drei verschiedene. Wir müssen alles weitere aus den Zuchtresultaten abzuleiten versuchen.

Zunächst ist es jetzt von Interesse, die Tabelle der Züchtungen auf die Erscheinung der Dominanz zu untersuchen. Betrachten wir die Zucht B, welche in erster Generation die weiblichen Formen L. und Ag. lieferte, so können bei derselben zunächst folgende Kombinationen vorgelegen haben:

1. L. L. × L. Ag. = ½ L. L. + ½ L. Ag.
2. L. Ag. × Ag. Ag. = ½ L. Ag. + ½ Ag. Ag.
3. Ag. Ag. × L. Ag. = ½ Ag. Ag. + ½ L. Ag.
4. L. Ag. × L. Ag. = ½ L. Ag. + ¼ L. L. + ¼ Ag. Ag.

Die Kombination 3 liefert jedoch nur dann zwei verschiedene Formen, wenn L. dominant ist über Ag.; dann müßte aber das Mutterweibchen die Farbe des L. getragen haben. Die Kombination 2 würde nur dann zwei verschiedene weibliche Formen ergeben, wenn L. dominiert; bei dieser Zucht finden sich keine reine L. im Erzeugnis. Hätte 2 stattgefunden, dann würde die Zucht XI × 12 der zweiten Generation nur folgenden Kombinationen entsprechen können, weil bei dieser Annahme nur L. Ag. und Ag. Ag. vertreten sein können und letztere nur eben beim ♂, weil das Weibchen 12 der Form L. angehört.

1. Ag. Ag. × L. Ag. = ½ L. Ag. + ½ Ag. Ag.
2. L. Ag. × L. Ag. = ¼ L. L. + ½ L. Ag. + ¼ Ag. Ag.

Beide Kombinationen würden auch reine Ag. geliefert haben, was dem Resultat nicht entspricht. Es bleiben also nur die Fälle 1 und 4 übrig, welche jedoch nur unter der Voraussetzung den Tatsachen entsprechen, daß Ag. dominant ist über L.

Die Möglichkeit, daß in II × 2 die drei verschiedenen Formen vertreten seien, haben wir zuletzt noch zu erwägen. Weil die weiteren Zuchten dieser Familie auf das Vorhandensein mehrerer reiner L. hinweisen, so kommt hier besonders die Kombination Ach. L. × L. Ag. in Betracht, weil nur bei dieser reine L. auftreten können nach der Formel ¼ Ach. Ag. + ¼ Ag. L. + ¼ Ach. L. + ¼ L. L. Falls Ag. dominant über L. ist und ebenfalls über Ach., und L. ebenfalls über Ach., so würde es den Tatsachen nicht widersprechen, doch würde die große Zahl der reinen L., welche aus der weiteren Zucht wahrscheinlich sind, nicht gut stimmen. Auch die Dominanz von L. über Ach., welche nötig wäre, um das Fehlen der *Achates*-Form zu erklären, ist mit anderen Zuchten nicht gut in Einklang zu bringen.

Wir kämen also zum Resultat, daß mit großer Wahrscheinlichkeit die Kombination L. Ag. oder L. L. × L. Ag. vorliegt und Ag. also dominiert über L. Dann sind auch die L.-Weibchen der weiteren Zuchten dieser Familie alle reine *Laomedon* und können die Kopulationen der zweiten Generation IX × 10, X × 11, XI × 12 alle folgendem Schema entsprechen.

1. L. L. × L. L. = L. L.
2. L. Ag. × L. L. = ½ L. Ag. + ½ L. L.
3. Ag. Ag. × L. L. = L. Ag.

Weil Ag. dominant ist und dennoch in den Zuchtergebnissen fehlt, liegt vielleicht überall der Fall 1 vor; doch sind die gezüchteten Exemplare meistens nicht zahlreich.

In derselben Weise findet man für die Familie A folgende Möglichkeiten der Kombination zweier Formen:

1. Ach. Ach. × Ag. Ach. = ½ Ach. Ach. + ½ Ach. Ag.
2. Ach. Ag. × Ach. Ach. = ½ Ach. Ach. + ½ Ach. Ag.
3. Ag. Ag. × Ach. Ag. = ½ Ag. Ag. + ½ Ach. Ag.
4. Ag. Ach. × Ag. Ach. = ½ Ach. Ag. + ¼ Ach. Ach. + ¼ Ag. Ag.

Die Kombination 1 liefert nur dann zweierlei Weibchen, wenn Ag. dominant ist; dann müßte aber auch das Mutterweibchen dieses Kleid getragen haben. 2 stimmt nur, wenn Ag. dominant ist, 3 nur, wenn Ach. dominiert, während nach 4 sowohl Ach. wie Ag. dominieren können, in letzterem Fall aber das ♀ Nr. 1 wie Ag. aussehen müßte.

Die weiteren Kopulationen dieser Familie VI × 5 und VI × 7 würden denselben vier Möglichkeiten wie oben entsprechen können, von welchen jedoch nur 3 und 4 beide weibliche Formen ergeben würden, falls Ach. dominiert. Wenn Ag. dominieren möchte, so müßte in beiden Zuchten die Kombination 2 vorliegen, wegen des Kleides der Mutter. VI × 6 lieferte nur ein einziges Männchen, woraus sich leider nichts erschließen läßt.

Nehmen wir die Dominanz von der *Achates*-Form an und prüfen jetzt, ob auch die weiteren Zuchtresultate damit in Einklang sind. Die Kopulation VIII × 8 entspricht L. L. oder L. Ag. oder Ag. Ag. × Ag. Ach. oder Ach. Ach., kann also die *Achates*-Form liefern.

In der Familie B haben wir noch die Kopulation VII × 9; diese kann nach dem vorhergehendem nur folgendem entsprechen:

1. Ag. Ag. × L. L. = Ag. L.
2. Ag. Ach. × L. L. = ½ Ag. L. + ½ Ach. L.
3. Ach. Ach. × L. L. = Ach. L.

Nach dem Resultat ist nur die erste Kombination möglich, woraus
hervorgeht, daß die Abkömmlinge XV und 16 als Ag. L. zu betrachten
sind.

XVI × 16 ist Ag. Ag. oder Ach. Ag. oder Ach. Ach. × Ag. L.
Nach dem Resultat ist nur letztere Kombination, welche ½ Ach. Ag. +
½ L. Ach. liefern würde, die bei der Dominanz alle wie *Achates* aussehen, möglich.

Was XVII × 17 und XVIII × 18, einander gleiche Kombinationen,
anlangt, so läßt sich aus den Eltern wenig bezüglich den ♂ ♂ entscheiden; sie können L. Ag., L. Ach., Ag. Ag. oder Ag. Ach. sein, die
Weibchen sind wohl beide reine L., so daß folgende Möglichkeiten vorliegen:

L. Ach. × L. L. = ½ L. L. + ½ L. Ach.
L. Ag. × L. L. = ½ L. L. + ½ L. Ag.
Ag. Ag. × L. L. = Ag. L.
Ag. Ach. × L. L. = ½ L. Ag. + ½ L. Ach.

Nach dem Resultate zu urteilen, ist ersteres der Fall gewesen,
denn nur so können wir bei Dominanz von *Achates*, die beiden Formen
Achates und *Laomedon* erhalten.

XX × 21: XX ist L. L. oder L. Ach.; 21 desgleichen.

Wir haben also: L. L. × L. Ach. = ½ L. Ach. + ½ L. L.
L. L. × L. L. = L. L.
oder L. Ach. × L. Ach. = L. Ach.

vor uns. Die Zucht lieferte nur L., was nur der Kombination L. L. ×
L. L. entsprechen würde.

Betrachten wir jetzt die Familie D, so wissen wir zunächst über
die erste Generation V und 6 nichts Bestimmtes; die aus derselben
hervorgehenden *Achates*-Weibchen, also auch 15, können Ach. Ach.
oder Ach. Ag. oder Ach. L. sein.

Was die folgende Generation XV × 15 anlangt, so ist XV oben
als Ag. L. erkannt worden; wir erhalten also die Möglichkeiten:

Ag. L. × Ach. Ach. = ½ Ach. Ag. + ½ Ach. L.
Ag. L. × Ach. Ag. = ¼ Ach. Ag. + ¼ Ag. Ag. + ¼ Ach. L. +
¼ Ag. L.
Ag. L. × Ach. L. = ¼ Ach. L. + ¼ L. L. + ¼ Ach. Ag. + ¼
L. Ag.

Das gänzliche Fehlen von reinen Ag. oder L. spricht für erstere Kombination.

Dann bleibt nur noch die letzte Generation XIX × 20 zu deuten. XIX ist Ach. Ag. oder Ach. L.; 20 ist nach dem Kleide Ach. Ach. oder Ach. Ag. oder Ach. L.; das Resultat würde also sein:

1. Ach. Ag. × Ach. Ach. = ½ Ach. Ach. + ½ Ag. Ach.
2. Ach. Ag. × Ach. Ag. = ¼ Ach. Ach. + ¼ Ag. Ag. + ½ Ach. Ag.
3. Ach. Ag. × Ach. L. = ¼ Ach. Ach. + ¼ Ach. L. + ¼ Ag. L. + ¼ Ach. Ag.
4. Ach. L. × Ach. Ach. = ½ Ach. Ach. + ½ Ach. L.
5. Ach. L. × Ach. Ag. = ¹/₄ Ach. Ag. + ¼ Ach. Ag. + ¼ L. Ach. + ¼ L. Ag. oder
6. Ach. L. × Ach. L. = ¼ Ach. Ach. + ¹/₄ L. L. + ½ L. Ach.

Die Zucht ergab Ag. und Ach., was nur bei den Kombinationen 2, 3, 5 stattfinden könnte, und von diesen ist 2 der einfachste Fall.

Wir ersehen also, daß bei der Voraussetzung der Dominanz von Ach. über Ag. sich alle Zuchten erklären lassen, ohne daß jedoch in allen Fällen das vorliegende Verhalten mit aller Sicherheit zu deuten ist.

Umgekehrt gibt nun noch in einigen Fällen der mutmaßliche Charakter der Kinder einige Entscheidung über die Eltern. Weil z. B. XVII und XVIII sich als wahrscheinlich L. Ach. entpuppt haben, so kann das ♂ Nr. VIII nicht Ag. Ag. sein, sondern nur L. L. oder L. Ag. Ebenso ergibt sich aus der Tatsache, daß in der Familie D Nr. 15 = Ach. Ach. ist, daß ihre Eltern V × 4 einem der folgenden Schemen ·entsprechen müssen:

Ach. Ag. × Ach. Ach. = ½ Ach. Ach. × ½ Ach. Ag.
Ach. L. × Ach. Ach. = ½ Ach. Ach. × ½ Ach. L.
Ach. Ach. × Ach. Ag. = ½ Ach. Ach. × ½ Ach. Ag.
Ach. Ach. × Ach. L. = ½ Ach. Ach. × ½ Ach. L.
Ach. Ach. × Ach. Ach. = Ach. Ach.

Denn nur in diesen Fällen finden sich einerseits reine *Achates* unter den Nachkommen und zeigen diese andererseits sämtlich das Kleid der *Achates*-Form.

Bei der Annahme der Dominanz von *Achates* ist also das Erhaltene erklärbar; es erübrigt noch darzutun, daß wir bei der Annahme, daß *Agenor* über *Achates* dominiert, auf Schwierigkeiten stoßen. Betrachten wir die Kopulation VII × 9, so würde das Resultat derselben auch in diesem Falle nur als Ag. Ag. × L. L. zu verstehen sein, weil die

Achates-Form ganz fehlt. XV und 16 sind demnach auch dann = L. Ag.
Für XVI × 16 würden wir dann Ag. Ag. oder Ach. Ag. oder Ach. Ach. ×
Ag. L. finden, so daß folgende Möglichkeiten vorliegen.

Ag. Ag. × L. Ag. = ½ Ag. L. + ½ Ag. Ag.

Ach. Ag. × L. Ag. = Ach. L. + Ach. Ag. + Ag. L. + Ag. Ag.

Ach. Ach. + L. Ag. = ½ Ach. L. + ½ Ach. Ag.

Keins von diesen würde den Tatsachen entsprechen, denn immer
wäre ein Teil *Agenor*-Weibchen zu erwarten.

Desgleichen würde in der Familie D XV × 15 nichts anderes als
Ag. L. × Ach. Ach. oder Ach. L. sein können, was ergeben würde

Ag. L. × Ach. Ach. = ½ Ag. Ach. + ½ L. Ach. oder

Ag. L. × Ach. L. = Ag. Ach. + Ag. L. + Ach. L. + L. L., also bei
Dominanz von Ag. auch wieder einen Teil Ag.

Es liegt jetzt noch nahe zu untersuchen, ob die Zahlenverhältnisse
trotz ihrer meistens geringen Größe und das Fehlen irgendwelcher
charakteristischen Merkmale bei den Männchen noch mit den nach
M e n d e l s Regel zu erwartenden einige Übereinstimmung zeigen.
Da ist zunächst folgendes zu betrachten: J a c o b s o n fand, daß im
allgemeinen bei *P. memnon* die Zahl der ♂ ♂ sich zu derjenigen der ♀ ♀
verhält wie 45,9 : 54,1 oder wie 84,8 : 100; es findet sich also ein kleiner
Überschuß von Weibchen, und es ergibt sich aus seinen Zuchten,
daß diese Erscheinung schon bei relativ geringer Zahl von gezüchteten
Exemplaren zutage tritt.   Wenn wir also aus den kleinen Zahlen der
einzelnen Zuchten einen Schluß ziehen wollen, so haben wir es offenbar
dann mit den zuverlässigsten Fällen zu tun, wenn jedenfalls die Prozentzahl zwischen ♂ ♂ und ♀ ♀ obigem Ergebnis entspricht. Was ferner
das Kleid der ♂ ♂ anlangt, so dürfen wir voraussetzen, daß, da doch
beide Geschlechter in gleicher Weise von jedem ihrer Eltern einen männlichen und einen weiblichen Determinantenkomplex für die Flügelfarbe
ererben, die Chance zur Erhaltung einer bestimmten Kombination für
beide Geschlechter die nämliche ist, woraus hervorgeht, daß die Prozentzahl der erhaltenen Formen dieselbe ist, ob man sie bei der ganzen
Zucht, bei den ♂♂ allein oder bei den ♀ ♀ allein berechnet. Es liegt
jedenfalls a priori kein Grund vor zu meinen, daß die Inhaber einer
bestimmten Kombination des weiblichen Kleides sich gerade zu Männchen
entwickeln würden.   Akzeptieren wir also diese Voraussetzung, dann
haben wir es nur mit den Ziffern der Weibchen zu tun.

Wenn wir dann noch einmal die verschiedenen Zuchten betrachten,
so haben wir zunächst:

Fam. A.

I × 1 = 11 ♂ + 10 Ag. + 10 Ach., ♂ ♂ : ♀ ♀ wie 11 : 20, also • die Männchen in etwas zu kleiner Anzahl.

Die möglichen Fälle wären hier nach S. 171:

Ach. Ag. × Ach. Ag. = $1/4$ Ag. Ag. + $1/2$ Ach. Ag. + $1/4$ Ach. Ach. oder Ag. Ag. × Ach. Ag. = $1/2$ Ach. Ag. + $1/2$ Ag. Ag.

Nur im letzteren Falle würde die Zahl der *Achates*- und *Agenor*-Weibchen die nämliche sein, wie es mit dem Zuchtergebnisse stimmt. so daß dieses hier offenbar die richtige Interpretation ist.

VI × 5 = 3 ♂ + 1 Ag. + 4 Ach.

♂♂ : ♀ ♀ wie 3 : 5, also normal.

Mögliche Kombinationen dieselben wie oben; das Verhalten Ag. : Ach. = 1 : 4 weist hier jedoch auf die Kombination Ach. Ag. × Ach. Ag. hin, denn in dem Falle wären $1/4$ Ag. Ag. zu erwarten neben $1/2$ Ach. Ag. und $1/4$ Ach. Ag., alle mit dem *Achates*-Kleide, das Verhalten wäre also wie 1 : 3.

VI × 6 = 1 ♂, läßt keinen weiteren Schluß zu.

VI × 7 = 7 ♂ + 3 Ag. + 2 Ach.

♂♂ : ♀ ♀ wie 7 : 5, also zu wenig Weibchen; indessen in Übereinstimmung mit VI × 5 wohl ebenfalls Ach. Ag. × Ach. Ag.

VIII × 8 = 2 ♂ + 1 Ach., läßt keine weiteren Schlüsse zu.

Fam. B.

II × 2 = 32 ♂ + 19 L. + 17 Ag.

♂♂ : ♀ ♀ wie 32 : 36, also normal.

Nach dem Obigen (S. 171) wäre dies

L. Ag. × L. Ag. = $1/4$ L. L. + $1/2$ Ag. L. + $1/4$ Ag. Ag.

oder L. L. × L. Ag. = $1/2$ Ag. L. + $1/2$ L. L.; nur letzteres entspricht der fast gleichen Anzahl von Ag. und L. im Zuchtergebnis.

VII × 9 = 4 ♂ + 5 Ag., also normales Verhalten zwischen ♂ ♂ und ♀ ♀, ist Ag. Ag. × L. L. = Ag. L.

IX × 10; X × 11, XI × 12 sind L. L. × L. L., stimmen also ohne weiteres.

XVI × 16 = 17 ♂ + 30 Ach., also ein zu großer Überschuß an Weibchen,

ist Ach. Ach. × Ag. L. = $1/2$ Ach. Ag. + $1/2$ Ach. L.; alles also mit dem *Achates*-Kleide; weitere Schlüsse sind nicht zu ziehen.

XVII × 17 = 20 ♂ + 4 L. + 8 Ach.,

ist L. Ach. × L. L. = $1/2$ L. L. + $1/2$ Ach. L., wurde also eine gleichgroße Anzahl von L. und Ach. voraussetzen; die Zahl der ♂♂ : ♀ ♀

ist hier jedoch 20 : 12, also sind die Weibchen in zu geringer Anzahl vorhanden.

XVIII × 18 = 9 ♂ + 1 L. + 3 Ach., dieselbe Kombination wie im vorigen Fall, auch hier sind die ♀ ♀ in zu geringer Zahl vorhanden.

XX × 21 : 10 ♂ + 4 L.

ist L. L. x L. L., läßt also keine Schlüsse zu, die Zahl der entwickelten ♀ ♀ ist aber sehr gering.

Fam. D.

V × 4 = 29 ♂ + 36 Ach., läßt keine Schlüsse zu.

XV × 15 = 10 ♂ + 8 Ach., desgleichen.

XIX × 20 = 14 ♂ + 4 Ag. + 15 Ach.

ist Ach. Ag. × Ach. Ag. = ¼ Ach. Ach. + ½ Ach. Ag. + ¼ Ag. Ag.

♂ ♂ : ♀ ♀ wie 14 : 19, also fast normal; Ag. : Ach. wie 6 : 15 = 1 : 3,75; nach der Formel wäre es als 1 : 3, was also bei so geringen Zahlen genügend stimmt.

Im ganzen finden wir die Mendelsche Regel richtig bestätigt und nur dann entsprechen die Zahlen derselben nicht, wenn die Zahl der Weibchen überhaupt geringer ist, als wir nach der Anzahl der Männchen erwarten durften. Wir sehen also, daß auch die Weibchen, gesondert betrachtet, der Mendelschen Regel folgen und das muß dann ebenfalls bei den Männchen der Fall sein. Obgleich wir die von ihnen getragenen weiblichen Determinanten nicht wahrnehmen können, so können wir dennoch nicht nur voraussagen, welche Kombinationen vertreten sein werden, sondern sogar in welcher Prozentzahl diese vorhanden sind. So wird z. B. in der Zucht I × 1 die eine Hälfte als Ach. Ag., die andere als Ag. Ag. zu betrachten sein. Ziehen wir alles Obige in Betracht, so läßt sich das mutmaßliche Verhalten der verschiedenen Kopulationen so zusammenstellen, wie es in folgender Tabelle in Klammern eingefügt ist.

Familie A.

I (Ag. Ag.) × 1 (Ach. Ag.)	: 11 ♂ ;		10 Ag. + 10 Ach.
VI (Ach. Ag.) × 5 (Ach. Ag.)	: 3 ♂ ;		1 Ag. + 4 Ach.
VI (Ach. Ag.) × 6 (Ag. Ag.)	: 1 ♂ ;		
VI (Ach. Ag.) × 7 (Ach. Ag.)	: 7 ♂ ;		3 Ag. + 2 Ach.
VIII (L. L. od. L. Ag. od. Ag. Ag.) × 8 (Ach. Ag. od. Ach. Ach.)	: 2 ♂ ;		1 Ach.

Familie B.

II (L. L.) × 2 (Ag. L.)	: 32 ♂ ;	19 L.	+ 17 Ag.
VII (Ag. Ag.) × 9 (L. L.)	: 4 ♂ ;		+ 5 Ag.
IX (L. L.) × 10 (L. L.)	: 1 ♂ ;	1 L.	

X (L. L.) × 11 (L. L.)	: 3 ♂ ; 3 L.	
XI (L. L.) × 12 (L. L.)	: 3 ♂ ; 11 L.	
XVI (Ach. Ach.) × 16 (Ag. L.)	: 17 ♂	30 Ach.
XVII (Ach. L.) × 17 (L. L.)	: 20 ♂ ; 4 L.	+ 8 Ach.
XVIII (Ach. L.) × 18 (L. L.)	: 9 ♂ ; 1 L.	+ 3 Ach.
XX (L. L.) × 21 (L. L.)	: 10 ♂ ; 4 L.	
Familie D.		
V (Ach., ?) × 4 (Ach., ?)	: 29 ♂ ;	+ 36 Ach.
XV (Ag. L.) × 15 (Ach. Ach.)	: 10 ♂ ;	+ 8 Ach.
XIX (Ach. Ag.) × 20 (Ach. Ag.)	: 14 ♂ ;	+ 4 Ag. + 15 Ach.

Zur Bestätigung wäre es sehr erwünscht, weitere Zuchten auszuführen. Besonders wäre zu versuchen, Reinzuchten von einer der
Formen in mehreren Generationen fortzusetzen. Am leichtesten würde
dies mit der *Laomedon*-Form auszuführen sein, weil diese, als die am
m e i s t e n r e z e s s i v e , immer rein ist, wenn ihre Farbe vom ♀
sichtbar getragen wird. Dann würde es auch sehr interessant sein,
den Versuch zu machen, die dreierlei Formen aus einer Brut zu züchten.
Wie S. 69 erörtert wurde, ist dies theoretisch ganz gut möglich. Wir
brauchen dafür nur mit der Kombination Ach. L. × L. Ag. zu experi-
mentieren; dann ergibt sich als Resultat ¼ Ach. Ag. + ¼ Ach. L.
+ ¼ Ag. L. + ¼ L. L., von welchen die beiden ersteren wie Ach., die
dritte wie Ag., die vierte wie L. aussehen.

Im obigen haben wir angenommen, daß das männliche und das
weibliche Kleid durch ganz voneinander gesonderte Determinanten-
komplexe vertreten werden, von welchen also in beiden Geschlechtern
je zwei von den Eltern ererbt werden. Jedes Exemplar besitzt also
zwei des männlichen und zwei des weiblichen Kleides, und, je nach dem
Geschlecht, veranlaßt entweder einer der ersteren (welche indessen einander gleich sind) oder einer der letzteren (welcher dies ist, darüber ent-
scheidet die Dominanz) das sichtbare Kleid. Falls man sich denken
wollte, daß für die Flügelfärbung jedes Exemplar nur zwei (einen das
weibliche, einen das männliche Kleid vertretenden) Komplexe besäße,
so würden alle Männchen dem Schema M. L., M. Ag. oder M. Ach. entsprechen, wenn M. das männliche Kleid darstellt, und die Weibchen
desgleichen, weil dann auch bei diesen nur zwei Komplexe anzunehmen
wären und einer derselben der männliche sein müßte, weil auch dieser
Charakter aller Wahrscheinlichkeit nach vom ♀ übertragen wird. Dann
würde also ein jedes ♂ nur e i n e ♀ -Form übertragen können, auch
würde ein *Achates*-♀ nie das *Agenor*-Kleid übertragen können usw.
Die Kopulation würde dann z. B. folgendes Ergebnis liefern: . . .

M. L. × M. L. = M. M. + L. L. + M. L., von denen die beiden ersteren
unhaltbare Größen sind, weil sie den Tatsachen der Übertragung der
Merkmale des anderen Geschlechts nicht entsprechen; der betreffende
Teil (die Hälfte) der abgelegten Eier durfte also nicht zur Entwicklung
gelangen, wovon sich nichts ergeben hat. Auch würde die Deutung der
J a c o b s o n schen Resultate dann auf unüberwindliche Schwierigkeiten stoßen. So würde dann z. B. das ♂ Nr. XVI M. Ag. oder
M. Ach. entsprechen, das ♀ Nr. 16 M. Ag., das Resultat würde sein
M. Ag. × M. Ag. = M. Ag. (die übrigen Kombinationen sind unhaltbar),
oder M. Ach. × M. Ag. = M. Ag. + M. Ach. (die übrigen Kombinationen
sind unhaltbar), was den Tatsachen nicht entsprechen würde, denn
hier hat die Zucht nur *Achates*-Weibchen ergeben, und so ist es in
mehreren Fällen.

Über andere Fälle von in einem und demselben Geschlechte polymorphen Schmetterlingen scheinen wenige Züchtungsversuche vorzuliegen, und wohl überhaupt keine, welche sich in Vollständigkeit und
Bedeutsamkeit mit denen Jacobsons vergleichen lassen. Was *Papilio
Polytes* anlangt, so finde ich bei R o t h s c h i l d[1]) die Mitteilung, daß
auch bei dieser Art zweierlei verschiedene Formen aus einem Gelege
gezüchtet worden sind. Umfassender sind die Beobachtungen L e i g h s
bezüglich des ebenfalls im weiblichen Geschlechte polymorphen *Papilio
Dardanus* Brown (= *Merope* Cram)[2]). Auch L e i g h hat jedoch gar
keine verschiedenen Generationen gezogen, sondern sich darauf beschränkt, sechs verschiedene Paare zu züchten; jede der drei weiblichen Formen ist zweimal vertreten; seine Resultate sind kurz folgende :

	♂	*Cenea*	*Hippocoon*	*Trophonius*
a) ♂ × ♀ (*Cenea*-Form)	18	24	3	—
b) ♂ × ♀ (*Trophonius*-Form)	3	2	—	—
c) ♂ × ♀ (*Trophonius*-Form)	6	6	—	1
d) ♂ × ♀ (*Hippocoon*-Form)	14	8	3	3
e) ♂ × ♀ (*Cenea*-Form)	15	16	1	—
f) ♂ × ♀ (*Hippocoon*-Form)	17	13	—	—

Obgleich hieraus über die Vererbungsgesetze wenig zu entnehmen
ist, so ergibt sich doch offenbar eine große Ähnlichkeit mit den Resultaten J a c o b s o n s. Auch hier findet eine deutliche Spaltung in

---

[1]) Rothschild, W., Nov. Zool. Tring. II, 1895, p. 345.
[2]) Poulton, E. B., Heredity in six families of *Papilio Dardanus* Brown, subsp.
Cenea Stoll, bred at Durban, by Mr. G. F. Leigh, Transact. Entom. Soc. London
1908, p. 427—445.

die drei, alle vom ♂ sehr verschieden weibliche Formen statt; in einem Falle entstanden die drei Formen gleichzeitig, wie es theoretisch auch bei *P. Memnon* möglich ist. Nach dem für letzteren Fall gegebenen Schema muß in dieser Paarung d folgende Kombination vorgelegen haben: C. T. × H. T., woraus sich ergibt als Resultat ¼ C. H. + ¼ C. T. + ¼ H. T. + ¼ T. T., also ½ mit dem Kleide C. (= *Cenea*), ¼ mit dem Kleide H. (= *Hippocoon*), ¼ mit dem Kleide T. (= *Trophonius*), woraus folgen würde, daß die Reihenfolge der Dominanz *Cenea-Hippocoon-Trophonius* ist. Damit stimmen auch die übrigen Zuchten. Auf die Zahlen ist nicht zuviel Gewicht zu legen, weil von den Eiern nur eine relativ geringe Anzahl zur Imagoform gezüchtet werden konnte. Es wäre möglich, daß die *Hippocoon-* und *Trophonius*-Form, wenigstens im Klima Südafrikas, schwerer zur vollständigen Entwickelung zu bringen sind, als die *Cenea*-Form, und deshalb die beiden ersteren in geringerer Anzahl vorhanden sind, als man erwarten dürfte.

Ich möchte hier zum Schluß noch einen Vergleich ziehen zwischen den *P. Memnon*-Zuchten und den von B a t e s o n und G r e g o r y [1]) bei *Primula sinensis* erhaltenen Ergebnissen. Diese Pflanze zeigt bekanntlich einen Dimorphismus in den weiblichen Geschlechtsteilen, indem lang- und kurzgrifflige Exemplare zu unterscheiden sind. Die genannten Forscher fanden auch hier bei der Kreuzung gleicher oder verschiedener Formen die M e n d e l sche Regel bestätigt; somit zeigte sich hier der Einfluß des Pollens in derselben Weise, wie bei den *Memnon*-Faltern der Einfluß des Männchens. Zum Unterschied mit *P. Memnon* finden sich hier jedoch die beiden Geschlechter auf einem und demselben Individuum, so daß auch vom Pollen angegeben werden kann, welche weibliche Form es übertragen wird. Weil die kurzgrifflige Form dominiert, kann nur höchstens, wenn der Pollen einer solchen Pflanze entnommen wurde, diese Eigenschaft rein (K. K.) oder heterozygotisch (K. L.) vorhanden sein. Der Fall ist also wesentlich leichter zu studieren als *P. Memnon*. Auch betreffen bei letzterem die geschlechtlichen Unterschiede dasselbe Organ, nämlich die Flügel, während sich bei *Primula* der Dimorphismus in den primären weiblichen Geschlechtsorganen befindet, sodaß es hier nicht fraglich ist, ob es sich um besondere Determinanten handelt. Die dreierlei Individuen dieser Pflanze entsprechen also je einer der Formeln M. M., K. L.; M. M., K. K. oder M. M., L. L., wie ich ebensolche auch für *P. Memnon* annehme, jedoch ist hier bei jedem Individuum nur je nach dem Geschlecht ent-

---

[1]) W. B a t e s o n and R. P. G r e g o r y. On the inheritance of Heterostylism in Primula. Proc. r. Soc. London B. LXXVI, 1905, p. 581.

weder die vordere oder die hintere Hälfte sichtbar. Meine Ansicht hat also das Besondere, daß ich dasselbe Verhalten auch auf weitere, ein und dasselbe Organ betreffende sekundäre Geschlechtsmerkmale ausdehne.

Gerade der Polymorphismus bei den ♀ ♀ von *Papilio Memnon* ließ die Gesetze der Vererbung hier sehr deutlich zutage treten; es liegt aber kein Grund vor zu meinen, daß sich die Sache in einfacheren Fällen anders verhalten wird. Falls wir es mit einer einfach geschlechtlich dimorphen Art, also mit nur einer einzigen weiblichen Form zu tun haben, so entsprechen alle Exemplare einer Formel, wie M. M., Ach. Ach., und die Vererbung findet in gleicher Weise für jedes Geschlecht ganz getrennt statt, nach dem Schema:

Männliche Farbe: M. M. × M. M. = M. M.
Weibliche Farbe: Ach. Ach. × Ach. Ach. = Ach. Ach.

Demgemäß ist anzunehmen, daß auch in anderen Fällen geschlechtlicher Verschiedenheit, so z. B. für die Bildung der Hinterleibsspitze und seiner Anhänge, gesonderte Determinanten für beide Geschlechter vorhanden sind. Man darf also auch bei den Männchen von *P. Memnon* nicht, wie seinerzeit Castle[1]) reden von einer Dominanz des männlichen Kleides über das weibliche, denn die Dominanz ist eine ganz andere Erscheinung, welche sich nur zwischen den zwei Determinanten eines und desselben allelomorphen Paares äußern kann. Wenn wir also sagen, daß bei den Männchen die *Agenor*-Farbe latent vorhanden ist, so hat das auch eine ganz andere Bedeutung als ihre Latenz bei vielen Weibchen, und nur darin stimmen beide überein, daß in beiden die Farbe nicht sichtbar getragen wird. Zu den von Shull[2]) unterschiedenen Latenzformen wäre also noch die geschlechtliche Latenz hinzuzufügen. Die sekundären Geschlechtsmerkmale des einen Geschlechts sind also in dem anderen unsichtbar vorhanden, aber dennoch, wie jede sichtbare Eigenschaft, durch je zwei Determinanten vertreten, welche nicht gleich zu sein brauchen und sich bei der Vererbung in ganz derselben Weise benehmen, wie die Determinanten der sichtbar getragenen Eigenschaften. Das Männchen enthält nicht eben im allgemeinen die Anlagen der weiblichen Eigenschaften, sondern, wie aus dem Verhalten von *P. Memnon* hervorgeht, diejenigen eines ganz bestimmten Weibchens.

---

[1]) Castle, The heredity of sex. Bull Mus. Comp. Zool. Harvard Coll. XL, 1903.
[2]) Shull, Americ. Natural. 42, 1908, p. 433.

Ergebnisse und Ausblicke in der Keimzellenforschung.

Von V. Haecker (Halle a. S.).

I. Die Hypothese von der Parallelkonjugation. Diejenige Hypothese, welche zurzeit in der Reifungslehre die größte Anhängerschaft und Werbungskraft 'besitzt, ist unstreitig die Annahme einer Parallelkonjugation (Parasyndesis) der Chromosomen während der Synapsis - Periode und Präreduktion (Junktionshypothese). Offenbar spielt bei dieser Bevorzugung der Umstand mit eine Rolle, daß die genannte Hypothese, in Verbindung mit den Theorien von dem idioplasmatischen Charakter und der Individualität der Chromosomen, mit Boveri's weiterer Lehre von der qualitativen Ungleichheit der Chromosomen und mit Montgomery's Hypothese von der Konjugation je eines väterlichen und eines mütterlichen Chromosoms zu einer gefälligen und auf den ersten Anblick befriedigenden cytologischen Erklärung der Mendelschen Spaltungsvorgänge führt. In der Tat gewährt sie in dieser Hinsicht fast noch größere Vorteile als die aus den Befunden bei Orthopteren und Hemipteren abgeleitete Hypothese von der end-to-end-Konjugation (Metasyndesis) und Präreduktion (Agglutinationshypothese), insofern auch die immer zahlreicher werdenden Beobachtungen über „unreine" Gameten durch die Annahme einer Parallelkonjugation und eines hierdurch ermöglichten Substanzaustausches der väterlichen und mütterlichen Chromosomen verhältnismäßig einfach erklärt werden könnten.

Die Beobachtungen und Annahmen, welche der Junktionshypothese und der von ihr ausgehenden Chromosomentheorie der Vererbung zugrunde liegen, sind in kurzem folgende (Fig. 1):

Während der der Reifungsperiode vorangehenden (ovogonialen und spermatogonialen) Teilungen besteht noch die somatische (normale, nichtreduzierte) Chromosomenzahl (*a*, *b*). In den Prophasen der ersten Reifungsteilung, speziell in der Synapsis-Phase (*c*), legen sich je zwei

Chromosomen, und zwar nach einer weitverbreiteten Ansicht je ein väterliches und ein mütterliches, nebeneinander (Parallelkonjugation, Parasyndesis), so daß Chromosomenpaare (Doppelfäden, Doppelstäbe, Gemini, Syndetenpaare) entstehen (*d*). Die Einzelchromosomen dieser Paare lassen in vielen Fällen eine verfrühte, auf die zweite Teilung bezügliche („sekundäre‟) Längsspaltung erkennen (*d, e*). Beim ersten Teilungsschritt erfolgt eine Zerlegung der durch Konjugation entstandenen Chromosomenpaare derart, daß das väterliche Einzelchromosom in die eine, das mütterliche in die andere Tochterzelle geht (*f*), die erste Teilung ist also eine Reduktionsteilung (Präreduktion). Die zweite Teilung trennt die durch den sekundären Längsspalt gebildeten Tochterschleifen oder Spalthälften (*g, h*) und ist also eine Äquationsteilung (Postäquation). Das Resultat aller Prozesse ist demnach die von Weismann postulierte Halbierung der somatischen Chromosomenzahl auf dem Wege einer Reduktionsteilung.

Nimmt man nun an, es handle sich um die Keimzellen eines monohybriden Bastards, welcher durch die Kreuzung zweier nur durch ein Merkmalspaar unterschiedenen Stammrassen entstanden ist (also z. B. einer pigmentierten und einer albinotischen Tierrasse, einer rot- und einer weißblühenden Pflanzenrasse), so würde die Junktionshypothese unter der Voraussetzung, daß bei der ersten Teilung eine rein väterliche und eine rein mütterliche Chromosomengruppe gebildet wird (Fig. 1 *e*), tatsächlich die Verteilung der antagonistischen Anlagen auf je die Hälfte der Keimzellen und damit die von der Mehrzahl der Mendelforscher als typisch angenommene „Reinheit der Gameten‟ verständlich machen (Fig. 1, *f*).

Handelt es sich nicht um Monohybriden, sondern um Di- oder Polyhybriden, deren Stammformen sich in mehr als einem Merkmalspaar unterscheiden, so würden nur noch die Hilfsannahmen heranzuziehen sein, daß die einzelnen Chromosomen im Sinne Boveris qualitativ verschiedenartig sind und demgemäß die Träger verschiedener Anlagen repräsentieren und ferner, daß die väterlichen und mütterlichen Chromosomen bei der ersten Teilung in verschiedenen Gruppierungen auf die Tochterzellen verteilt werden können. Man würde dann auch in den genannten Fällen imstande sein, vom Boden der Junktionshypothese aus die Bildung der verschiedenen, aus den Experimenten erschlossenen mit wechselnden Anlage-Kombinationen ausgestatteten Keimzellensorten zu erklären.

II. Einwände gegen die Junktionshypothese. So willkommen nun auch eine Hypothese sein müßte, welche in der an-

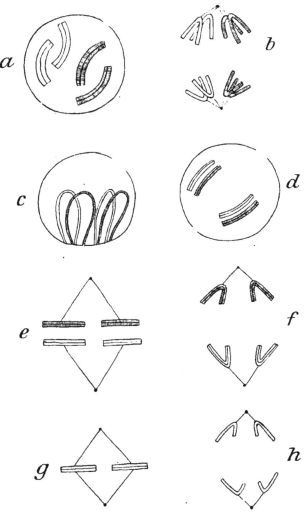

Fig. 1.

Schematische Darstellung des parasyndetisch-präreduktionellen
Reifungsmodus.

a) Prophasen einer ovogonialen oder spermatogonialen Teilung. b) Ovogoniale oder
spermatogoniale Teilung mit voller Chromosomenzahl. c) Synapsis und Parasyndesis
(Parallelkonjugation). d) Späte Diakinese mit Doppelstäbchen (verfrühte Längsspaltung der Einzelstäbchen). e u. f) Metaphase und Anaphase der ersten Reifungsteilung. g u. h) Metaphase und Anaphase der zweiten Reifungsteilung.

gedeuteten Weise die Vermittlerdienste zwischen der Experimental-
forschung und Zellenlehre leisten würde, so scheinen mir doch, wie
ich schon früher[1]) angedeutet habe, verschiedene Beobachtungen und
ebenso manche Verhältnisse allgemeiner Natur mit Entschiedenheit
gegen die Richtigkeit der Junktionshypothese zu sprechen. Ich gedenke an anderer Stelle eine ausführliche Begründung meines Stand-
punktes zu geben und möchte hier nur erwähnen, daß sich bei dem
mir geläufigsten Objekte, bei den Copepoden, keinerlei Bilder vor-
finden, welche die Junktionshypothese als die nächstliegende Auffassung erscheinen lassen oder gar mit Notwendigkeit zu ihrer Annahme zwingen[2]), daß im Gegenteil die unverkennbaren Querkerben
der Reifungschromosomen mit Entschiedenheit für eine Metasyndese
sprechen, und endlich daß speziell auch eine vergleichsweise Heranziehung der Bilder bei Aulacantha zu einer weit einfacheren Deutung
der kritischen Phasen der Reifungsperiode führt.

Was sodann die von den Begründern und Verteidigern der Hypothese ihrerseits herangezogenen Bilder anbelangt, so möchte ich hier
auf mein Referat (1907, S. 89), sowie auf die Einwände verweisen,
welche Meves, Fick und Goldschmidt speziell gegen die Beweis-
führung von A. u. K. Schreiner gerichtet haben. Auch in der
neuesten, die Ovogenese der Katze behandelnden Arbeit von Winiwarter und Sainmont[3]), welche wegen der augenscheinlich höchst
vollkommenen Technik der beiden Autoren und insbesondere wegen
der schwerlich anfechtbaren Seriirung der Bilder eine besondere Beachtung verdient, scheint mir kein wesentlich neues und inbesondere
kein ausschlaggebendes Argument beigebracht zu sein. Vielmehr hat
sich in mir beim Studium gerade dieser Arbeit die Überzeugung be-
festigt, daß der Eindruck einer Parallelkonjugation im wesentlichen
durch die teilweise Koinzidenz zweier voneinander unab-
hängiger Erscheinungen hervorgerufen werden kann, nämlich

---

[1]) 1907. Die Chromosomen als angenommene Vererbungsträger. Erg. u. Fortschr.
d. Zool., 1. Bd., 1907.
1909, Über die Chromosomenbildung der Aulacanthiden. Zur Kritik der
Hypothese von der Parallelkonjugation. Zool. Anz. Bd. 39. 1909.

[2]) Auch neuerdings wieder habe ich an der Hand der Präparate von Frl.
O. Krimmel, welche sich auf ein besonders schönes Objekt, Diaptomus coeruleus beziehen, die kritischen präsynaptischen, synaptischen und postsynaptischen (früh-
diakinetischen) Stadien untersucht, ohne mich von der Notwendigkeit der von Winiwarter, Lerat u. a. gegebenen Deutung überzeugen zu können.

[3]) Winiwarter, H. von, und Sainmont. G., Nouvelles recherches sur l'ovogénèse
et l'organogénèse de l'ovaire des mammifères (chat). Chap. IV. Arch. Biol., T. 24, 1908.

erstens eines mehr zufälligen oder, besser gesagt, selbstverständlichen teilweisen Parallelismus der Fäden, wie er durch die in der Synapsisphase bestehende polare Anordnung der Kernsubstanzen bedingt wird (Fig. 1, c), und zweitens einer verfrühten, bei den einzelnen Objekten und Individuen je nach dem physiologischen und Konservierungszustand bald früher, bald später, bald regelmäßiger, bald unregelmäßiger auftretenden primären Längsspaltung[1]).

Außer den eigenen Beobachtungen bei den Copepoden und bei Aulacantha und abgesehen von der Zweideutigkeit der von anderer Seite angeführten Bilder veranlassen mich noch apriorische Gründe, gegenüber der Hypothese von der Parallelkonjugation eine ablehnende Stellung einzunehmen.

Seit dem Jahre 1892 bin ich, unter teilweise nicht geringer Opposition, für die Anschauung eingetreten, daß die „heterotypische Teilung", wie sie im Salamanderhoden und überhaupt bei der ersten Reifungsteilung der Metazoen und Metaphyten beobachtet worden ist, nicht die isolierte Stellung einnimmt, welche ihr vielfach zugeschrieben wird, daß vielmehr dieser Modus oder wenigstens einige seiner charakteristischen Züge (Überkreuzungen der Doppelfäden, Ringfiguren, metakinetische Tonnenform, halbe Chromosomenzahl) auch bei anderen generativen (1892, 1892 a) und ebenso bei gewissen embryonalen Mitosen (1894) vorgefunden wird. Die heterotypische Teilung des Salamanderhodens stellt demnach nur einen Grenz- oder Spezialfall eines auch sonst weitverbreiteten, von der gewöhnlichen Mitose durch eine Reihe von Merkmalen unterschiedenen Teilungsmodus dar (1907, S. 109), und zwar darf das Auftreten dieses Modus im allgemeinen als Ausdruck eines nicht oder nur wenig differenzierten Zustandes der Zelle aufgefaßt werden (1904, S. 793)[2]). In ähnlicher

---

[1]) In der Tat läßt sich die Duplizität der Fäden in den von Winiwarter und Sainmont gegebenen Bildern bald mehr in dem einen, bald mehr in dem anderen Sinne leichter deuten. So scheint es sich mir in den Fig. 29—31, 40—41 eher um eine zufällige, durch polare Anordnung bedingte Polarität zu handeln (einige Figuren zeigen neben Doppelfäden auch dreifache Fäden!), in den Fig. 33—34 dagegen um eine verfrühte Längsspaltung.

[2]) (1892) Die Kernteilungsvorgänge bei der Mesoderm- und Entodermbildung von Cyclops. Arch. f. mikr. Anat., 39. Bd. S. 561.

(1892 a) Die heterotypische Kernteilung im Cyklus der generativen Zellen. Ber. Naturf. Ges. Freib., 6. Bd.

(1894) Ueber generative und embryonale Mitosen usw. Arch. f. mikr. Anat., 43. Bd.

(1904) Über die in malignen Neubildungen auftretenden heterotypischen Teilungsbilder. Biol. Centralbl., 24. Bd.

(1907) Die Chromosomen als angenomme Vererbungsträger. Erg. u. Fortschr. d. Zool., 1. Bd.

Richtung bewegen sich auch die Anschauungen von Moore und Walker (1905) und Bonnevie (1907—1908)[1]), und im Einklang damit konnte ich selbst und mein Schüler I. Schiller auf experimentellem Wege den Nachweis führen, daß auch die Furchungsteilungen unter der Einwirkung chemischer Agentien dem heterotypischen Teilungsmodus nähergebracht werden können.

Wenn nun wirklich zwischen dem in der ersten Reifungsteilung zutage tretenden Modus und den gewöhnlichen Mitosen keine scharfe Grenze zu ziehen ist, so ist von vornherein zu erwarten, daß erstere in bezug auf einen so fundamentalen Punkt, wie es die Entstehung und das Wesen der in den Prophasen auftretenden Chromosomenpaare ist, nicht von der typischen Mitose abweicht. Schon aus diesem Grunde würde ich es daher, auch wenn keine anderen Gründe vorlägen, für außerordentlich unwahrscheinlich halten, daß die Chromosomenpaare der Reifungsperiode auf dem Wege der Parallelkonjugation ihre Entstehung nehmen.

III. Neue Beobachtungen bei den Copepoden. Aus den hier vorgeführten Gründen muß ich mindestens für die Copepoden die

---

[1]) „Heterotypical" mitosis in Nereis. Biol. Bull., V. 13, 1907. Chromosomenstudien II. Arch. f. Zellf., 2. Bd., 1908. Bonnevie glaubt in ihrer letzten Arbeit (1908 S. 201, 209) wiederholt betonen zu müssen, daß meine 1907 gegebene Darstellung, wonach die Charaktere des heterotypischen Modus auch außerhalb der Reifungsperiode angetroffen werden, zeitlich auf ihre Nereis-Arbeit (1907) gefolgt sei, und scheint damit gewisse Prioritätsansprüche anzudeuten. Nachdem ich die geschätzte Autorin brieflich auf meine früheren Arbeiten hingewiesen hatte, schrieb sie mir am 20. 1. 09, daß sie in betreff unserer Auffassungen der heterotypischen Mitose weder früher noch jetzt nach aufmerksamem Durchlesen der zugesandten Arbeiten irgendwelche Ähnlichkeit habe finden können. Eine Halbierung der Chromosomenzahl, die für mich das Wesentlichste an der heterotypischen Mitose sei, habe sie an ihren Objekten außerhalb der Reifungsteilungen nie finden können und auf der anderen Seite sei ihre Analyse der heterotypischen Charaktere der Chromosomen in meinen Arbeiten ohne Parallele.
Demgegenüber möchte ich betonen, daß ich allerdings in meinen ersten Arbeiten die Scheinreduktion als einen besonders wichtigen Charakter des heterotypischen Modus betrachtet, daneben aber bereits 1892 (1892a, S. 165, und z. T. schon 1892, S. 563) für die Urgeschlechtszellen von Cyclops auch die Beschaffenheit des längsgespaltenen Spirems, die Tendenz der Schwesterfäden, mit den Enden zu verkleben und gleichzeitig den Parallelismus aufzuheben, sowie die Ring- und Tonnenfiguren als heterotypische Charaktere bezeichnet und mich in dieser Hinsicht vollends deutlich 1904 ausgesprochen habe. Nur die anaphasische Längsspaltung war mir außerhalb der Reifungsperiode früher entgangen. Auch hat Bonnevie erstmals versucht, einen Teil der Erscheinungen auf die dünnflüssige Konsistenz der Chromosomen zurückzuführen.

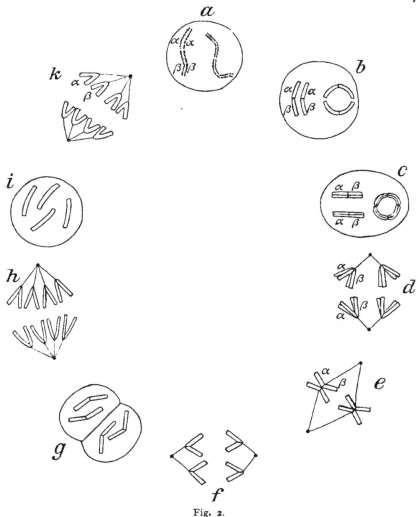

Fig. 2.

Schematische Darstellung des Keimzellenzyklus beim cumitotisch-teleutosyndetischen (metasyndetisch-eumitotischen) Modus.

a) Sehr frühe Diakinese: die primär längsgespaltenen Chromosomen in scheinreduzierter Zahl. b) Späte Diakinese: Kondensierung der primär längsgespaltenen, quergekerbten Chromosomen zu Doppelstäbchen *(Cyclops)* oder Ringen *(Diaptomus)*. c) Anordnung zur Äquatorialplatte (biseriale Anordnung): Auftreten des sekundären Längsspaltes. d) Erste Reifungsteilung: die anaphasischen Chromosomen sind deutlich sekundär längs-gespalten. e) Äquatorialplatte der zweiten Reifungsteilung (X-Figuren). f) Anaphase der zweiten Teilung. g) Kernkopulation. h) Furchungsteilung: bivalente Chromosomen in der Normalzahl. i) Diakinetische Phase aus der Gonadenbildung nach erfolgter Teleutosyndese. k) Ovogoniale Teilung mit normaler Chromosomenzahl.

Existenz einer Parallelkonjugation im Sinne Winiwarters und seiner Nachfolger in Abrede stellen. Ich gestehe aber auf der anderen Seite gern zu, daß mir die Ergebnisse, zu welchen ich im Laufe langer Jahre bei den Copepoden selbst gelangt war, ebenfalls keine Beruhigung gewährten. So klar und unzweideutig auch die Mehrzahl der Bilder war und so einwandfrei mir die einzelnen Verknüpfungen und Schlußfolgerungen zu sein schienen, so fühlte ich doch noch keinen sicheren Boden unter mir. Andererseits dürften aber aus verschiedenen Gründen gerade die Copepoden, wie wenig andere Tiergruppen geeignet sein, eine Basis für die Verbindung experimenteller und zytologischer Vererbungsforschung zu bilden[1]), und so entschloß ich mich vor einigen Jahren, in Gemeinschaft mit mehreren Mitarbeitern und von einer möglichst breiten, vergleichenden Basis aus die Keimzellengeschichte und speziell die Eibildung der Copepoden aufs neue in Angriff zu nehmen.

Unter Bezugnahme auf die bereits erschienenen und demnächst erscheinenden Veröffentlichungen meiner Mitarbeiter[2]) möchte ich von unseren Resultaten an dieser Stelle nur folgendes hervorheben: Der sehr frühzeitig, z. T. schon während der Synapsis hervortretende „primäre" Längsspalt" (Fig. 2, a) hat bei den Copepoden mit einer Parallelkonjugation nichts zu tun, sondern ist ein wirklicher Längsspalt (gegen Lerat). Die erste Teilung erfolgt nach diesem Längsspalt (a—d), ist also eine Äquationsteilung. Die bei dieser Teilung auseinanderweichenden Tochterelemente sind schon in den Prophasen der ersten Teilung sekundär längsgespalten und außerdem durch eine regelmäßig auftretende Querkerbe halbiert (c; gegen Lerat), sie dürfen also aus letzterem Grunde, entsprechend der älteren, von mir und Rückert vertretenen Auffassung als bivalent betrachtet werden. Da die Zahl dieser bivalenten, primär und sekundär gespaltenen Chromosomen in den Prophasen der ersten Teilung die Hälfte der Normalzahl beträgt (vgl. a—c mit i), in Wirklichkeit aber infolge der Bivalenz noch die volle Chromosomenzahl vorhanden

---

[1]) Vgl.: Über Axolotlkreuzungen. II. Mitteilung. Verh. Zool. Ges. 1908. S. 195.

[2]) Erschienen sind bisher die definitiven Arbeiten von E. Wolf (Zool. Jahrb., 22. Bd., 1905), I. Schiller (Arch. f. Entw. Mech., 27. Bd., 1909), H. Braun (Arch. f. Zellf., 3. Bd., 1909) und H. Matscheck (Arch. f. Zellf., 4. Bd., 1910). In letzteren beiden Arbeiten ist bereits auf das besondere Verhalten aufmerksam gemacht, welches mein spezielles Objekt, Cyclops viridis, während der Reifungsteilungen zeigt (X-Figuren; Verhalten der Chromosomen im ersten Richtungskörper) und welches mich zu einer irrtümlichen Deutung der Schlußphasen des Reifungsvorganges geführt hat.

ist, so würde also bei der ersten Teilung sowohl der Eikern als der erste Richtungskörper ebenfalls die volle Zahl der Chromosomen, wenn auch in verkappter (scheinreduzierter) Form, erhalten (*d, e*). Die erste Teilung zeigt also, von den frühesten Prophasen bis zu den Telophasen, hinsichtlich ihres allgemeinen Verlaufes und Erfolges keine wesentlichen Unterschiede gegenüber den typischen Mitosen, ein Ergebnis, welches vollkommen im Einklang steht mit der von mir vertretenen Auffassung des heterotypischen Teilungsmodus.

IV. Zweite Reifungsteilung. Während nun bis zu diesem Punkte unseren Beobachtungen zufolge sämtliche untersuchten Copepoden *(Cyclops, Diaptomus, Heterocope, Canthocamptus)* und, wie ich glauben möchte, sämtliche Metazoen und Metaphyten übereinstimmen, weisen verschiedene Befunde darauf hin, daß bezüglich des zweiten Teilungsschrittes je nach dem Grade der Rückbildung oder Zusammenziehung, welche der in den Reifungsteilungen mit so großer Zähigkeit festgehaltene Prozeß der Tetrasporenbildung erfahren hat, zwischen den einzelnen Gruppen Verschiedenheiten bestehen.

Daß der Prozeß der Reifungsteilungen schon in seinen groben Zügen die verschiedensten Abstufungen der Rudimentierung aufweist, geht aus einer Reihe unzweideutiger Tatsachen hervor. Ich erinnere an die neuen Befunde über die Spermatidenbildung der Honigbiene und Wespe (Meves, Mark u. Copeland, Doncaster); an die Bildung eines einzigen Richtungskörpers bei manchen parthenogenetischen Eiern; an die verschiedene Ausbildung bzw. Unterdrückung eines interkinetischen Ruhestadiums zwischen den beiden Teilungen usw. Es darf also nicht Wunder nehmen, wenn die Tendenz zur Abkürzung und Zusammenziehung des Vierteilungsprozesses auch den Teilungs- und Verteilungsmodus der Chromosomen berührt, wenn also in den einen Fällen auch die zweite Teilung noch den Charakter einer Äquationsteilung bewahrt und auf diese Weise eine numerische Reduktion der Chromosomenzahl im strengen Sinne des Wortes überhaupt nicht zustande kommt, in anderen Fällen dagegen die zweite Teilung nicht nach einem sekundären Längsspalt, sondern nach der Querkerbe erfolgt und also tatsächlich zu einer Reduktionsteilung im Sinne Weismanns wird.

Mindestens bei einigen *Cyclops*-Arten ist nun ersteres der Fall, wie Matscheck mit Sicherheit zeigen konnte: Die Chromosomen treten also hier nicht in reduzierter, sondern in scheinreduzierter Zahl in den befruchtungsfähigen Eikern (Fig. 2, *e—g*). Dagegen scheint eine wirkliche Reduktionsteilung (Postreduktion) in einem Falle Rückert vorgelegen zu haben[1]).

V. Teleutosyndese. Wenn nun, wie in den von Matscheck beobachteten Fällen, die endgiltige numerische Reduktion nicht durch die Reifungsteilungen hergestellt wird, so fragt es sich, wann eine solche überhaupt stattfindet? Falls wirklich, wie dies oben geschehen ist, die Querkerbe als ein Zeichen der Bivalenz zu betrachten ist, so wird es bei der Beantwortung dieser Frage wesentlich darauf ankommen, wie lange dieses Zeichen während der Entwicklung des Eies wahrzunehmen ist, in welchem Moment also das doppelwertige Element sich in ein äußerlich einheitliches umbildet. Nun können nach meinen und Schillers Untersuchungen mindestens noch während der frühen Furchungsstadien die Querkerben auf künstlichem Wege zum Vorschein gebracht werden; ferner weist bei der Teilung der Stammzelle der Urgeschlechtszellen die herzförmige Gestalt der Chromosomen[2]) deutlich auf einen bivalenten Aufbau hin und endlich konnte Herr Amma neuerdings zeigen, daß in den beiden Urgeschlechtszellen die Chromosomen nicht bloß auf Reizwirkungen hin (Schiller), sondern normalerweise ein Tetradenstadium mit deutlicher Querkerbe durchlaufen[3]). Dagegen haben wir bei der Entstehung der Gonaden und speziell in den ovogonialen und spermatogonialen Teilungen (Fig. 2, *i, k*) bis jetzt noch keine sichere Andeutung einer Querkerbe angetroffen und so läßt sich also vorläufig sagen, daß die endgültige Syndese oder Teleutosyndese, beziehungsweise wenn die Syndese die Paarung je eines väterlichen und mütterlichen Chromosoms bedeutet, die endgiltige Konjugation frühestens zu Beginn der Gonadenbildung stattfindet[4]).

VI. Scheinreduktion und Reduktionsteilung. Die Scheinreduktion findet bei der Eibildung der Copepoden, wie auch in vielen

---

[1]) J. Rückert, Erg. d. An. u. Entw., Bd. III, 1893, S. 547, Fig. 7.

[2]) 1892, Taf. 24, Fig. 6, bei A.

[3]) Nach den Befunden von Amma setzen die Urgeschlechtszellen von Cyclops noch im Embryo zu einer Teilung an, welche aber nach der diakinetischen Phase eine Rückbildung erfährt.

[4]) Ob dabei die zurückgebildete Mitose (s. Anm. 3) oder vielleicht die von mir (Arch. f. mikr. An., 46. Bd., 1896, Taf. 30, Fig. 78) bei Cyclops viridis beobachtete, neuerdings von Amma bei einigen Formen wiedergefundene Asymmetrie der Gonomeren der Urgeschlechtszellen eine Rolle spielt, müssen spätere Untersuchungen lehren.

anderen Fällen, auf Grund einer paarweisen Endverbindung der Chromosomen (Metasyndesis) statt, wobei sich allerdings noch nicht sicher entscheiden ließ, ob die Paarung noch in den Telophasen der letzten ovogonialen Mitose oder in den frühesten Prophasen der ersten Reifungsteilung erfolgt[1]). Im letzteren Fall könnte die scheinreduzierte Zahl der diakinetischen Phase·auf ein Unterbleiben des letzten Segmentierungsschrittes zurückgeführt werden und es würde also hier der schon 1892 von mir und vom Rath angenommene Modus der Scheinreduktion vorliegen.

Nun weisen ferner manche Beobachtungen bei verschiedenen Objekten[2]) darauf hin, daß unter gewissen z. T. abnormen Umständen (auf verschiedenartige Reizwirkungen hin) auch außerhalb der Reifungsperiode, sei es in Keimbahn-, sei es in Somazellen, eine Scheinreduktion oder wenigstens in den Prophasen der Teilung eine vorübergehende Metasyndese zutage treten kann[3]). Es ergibt sich daraus, daß, ebenso wie die übrigen Charaktere der heterotypischen Teilung da und dort in embryonalen und generativen Zellen zum Vorschein kommen können, auch die Bivalenz der Elemente außerhalb der Reifungsperiode sich einzustellen vermag, und man wird also schließlich zu der Vorstellung geführt, daß die Scheinreduktion nur deshalb normaler- und regelmäßigerweise mit den Prophasen der ersten Reifungsteilung verbunden ist, weil hier überhaupt die Charaktere der heterotypischen Mitose, d. h des für nicht- und wenigdifferenzierte Zellen typischen Teilungsmodus, in der konzentriertesten und ausgeprägtesten Form zutage treten[4]).

Scheinreduktion und Reduktionsteilung würden danach Erscheinungen sein, welche an und für sich gar nichts miteinander zu tun haben. Der ersterern liegt einer der Charaktere der heterotypischen Teilung, die Neigung zur Agglutination[5]), zugrunde, eine Tendenz, die bekanntlich auch bei verschiedenen niederen Organismen (Bakterien, Gregarinen) verbreitet ist, letztere hängt mit der verschieden abgestuften Ineinanderschiebung zusammen, welche die Reifungsteilungen als augenscheinliche Homologa der

---

[1]) Vgl. 1907 (Chromos. als Vererbungsträger), S. 119, unten.
[2]) Mit der Zusammenstellung und Revision dieser Beobachtungen ist zur Zeit Frl. O. Krimmel beschäftigt.
[3]) 1907, S. 74, 113.
[4]) Vgl 1907, S. 109.
[5]) 1907, S. 113.

Sporenbildungsprozesse niedriger Organismen, insbesondere der Kryptogamen[1]) erfahren habe.

VII. Symmixis. Es mag als ein eigentümlicher Zufall erscheinen, daß gerade bei *Cyclops*, also bei einem der ersten Objekte, für welche der Nachweis einer Reduktionsteilung versucht worden ist, die auf beinahe 20 Jahre sich erstreckenden Untersuchungen zu dem Ergebnis geführt haben, daß hier eine Reduktionsteilung noch nicht zur Ausbildung gelangt ist, daß vielmehr die numerische Reduktion in den Prophasen der ersten Reifungsteilung durch die Metasyndese eingeleitet (Fig. 2, *a*), und während der Entwicklung des jungen Organismus durch die endgültige Verschmelzung je zweier Chromosomen (Teleutosyndese) beendet wird (2, *i*), ein Vorgang, wie er in etwas einfacherer Form zuerst wohl von Boveri (1892) als denkbar bezeichnet worden ist. Inwieweit der eumitotisch-teleutosyndetische Modus, wie man den beschriebenen Reifungs- und Reduktionsprozeß nennen könnte, auch bei anderen Organismen verbreitet ist, läßt sich natürlich vor weiteren Untersuchungen nicht sagen[2]). Dagegen möchte ich schon hier auf die eingangs erwähnten Vererbungsprobleme zurückkommen und die Frage behandeln, ob auch bei solchen Organismen, welche den beschriebenen Reduktionsmodus aufweisen, die Reifungsteilungen im Sinne Weismanns für die Neukombination der Anlagen in Betracht kommen oder überhaupt in vererbungsgeschichtlicher Hinsicht eine Bedeutung haben können.

Nach der von Weismann begründeten Amphimixis-Hypothese würden bekanntlich die Reifungsteilungen insofern eine Quelle der individuellen Variation darstellen können, als die Chromosomen (Idanten) und damit die eigentlichen Vererbungseinheiten (Ide) eben mittels dieser Teilungsprozesse in verschiedenen Kombinationen auf die reifen Geschlechtszellen verteilt werden. Nach Weismann ist dabei das bevorzugte Mittel die Reduktionsteilung, doch wird in seinen Schriften (vgl. Amphimixis, 1891), auch schon ein anderes Mittel, die Umgestaltung der Chromosomen durch Auswechslung ihrer Teile, nach meiner Terminologie die Symmixis, hervorgehoben.

---

[1]) Vgl. Über weitere Übereinstimmungen zwischen den Fortpflanzungsvorgängen der Tiere und Pflanzen. Biol. Cbl., Bd. 17. 1897, S. 691. Über vorbereit. Teilungsvorgänge b. Tieren u. Pflanzen. Verh. Deutsch. Zool. Ges., 1898, S. 112.

[2]) Eine Reihe von Objekten, für welche eine Parallelkonjugation mit darauffolgender Praereduktion beschrieben worden ist, würde, wenn sich die Hypothese von der Parallelkonjugation als allgemein unhaltbar erweisen sollte, von selber in den Bereich des eumitotisch-teleutosyndetischen Modus fallen.

Wenn nun, wie bei *Cyclops*, das erste Mittel nicht in Betracht kommt, so fragt es sich, inwieweit das zweite, die Symmixis, eine Rolle spielt.

Da nun bei den Copepoden nach unseren Befunden eine Parallelkonjugation nicht in Frage kommt, so ist auch nicht anzunehmen,

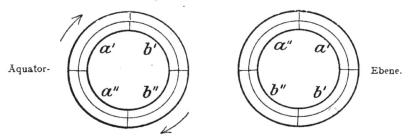

Äquator- Ebene.

Fig. 3.

Schematische Darstellung der Symmixis durch Rotation.

daß ein Austausch kleinster Substanzteilchen zwischen je zwei der Länge nach verbundenen Chromosomen, eine interfusionelle Symmixis in der von Rückert, de Vries, Vejdovski u. a. gedachten Weise, stattfindet, wenn natürlich auch andere Formen des Stoffaustausches zwischen den Chromosomen denkbar wären. Dagegen könnte sehr wohl bei *Diaptomus* und *Heterocope* mit ihren vierteilig-ringförmigen Chromosomen eine Symmixis durch Rotation, d. h. eine Drehung der Ringe (der Idenkränze Weismanns) in der Äquatorebene um 90 % und damit eine Neugruppierung ihrer Komponenten (Fig. 3) in Betracht kommen und ebenso möchte ich es auch heute noch für möglich halten, daß die bei *Cyclops viridis* auftretenden X-Figuren auf eine Symmixis durch Permutation oder Auswechslung (Versetzung) der Chromosomenhälften hindeuten[1]) (Fig. 4).

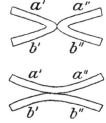

Fig. 4.

Schematische Darstellung der Symmixis durch Permutation.

Die Reifungsprozesse könnten dann trotz des Fehlens einer Reduktionsteilung die wichtige Bedeutung haben, welche ihnen Weismann zuschreibt, insbesondere wäre es auch möglich, unter Heranziehung der oben aufgezählten Hilfshypothesen, den Mendelschen Vererbungserscheinungen eine zytologische Auslegung zu geben. Andrerseits würde allerdings für solche

[1]) Vgl. 1907, S. 88.

Fälle, in denen eine Reduktionsteilung noch nicht zur Ausbildung gelangt ist, die von Weismann begründete Anschauung, wonach den letzten Vererbungseinheiten oder Ideen eine Art von unverletzlicher Individualität oder Unsterblichkeit zukommt, keine Gültigkeit haben können. Vielmehr ist hier der Schluß nicht zu umgehen, daß die endgültige numerische Reduktion in der Teleutosyndese durch eine Verschmelzung der beiden metasyndetisch verbundenen Chromosomen, also ! durch den Übergang aus der Zweiheit in die Einheit, zustande kommt und daß dabei innerhalb der Chromosomensubstanzen Assimi-lations-, Absorptions- oder vielleicht auch nur Rudimentations-prozesse eine Rolle spielen[1]). Eine Protoplasmachemie der Zukunft würde sich sicher mit diesen Konsequenzen nicht schwerer abfinden als mit den Vorstellungen von der Zweiteilung eines Protoplasma-molekuls[2]).

VIII. Eumitotisch-teleutosyndetischer Typus ohne Symmixis (Fig. 2). Erheblich größere Schwierigkeiten würden sich für die zytologische Erklärung der Vererbungserscheinungen in solchen Fällen ergeben, in denen eine Symmixis nicht vorliegt, wo vielmehr auf Grund der vorangegangenen Scheinreduktion und doppelten Äquation der volle Bestand der elterlichen Chromosomen in jede Keimzelle gelangt (Fig. 2, a—f), und die endgültige Verschmelzung (Teleutosyndese) der beiden in der Reifungsperiode metasyndetisch verbundenen Elemente frühestens bei der Weiterentwicklung der Urgeschlechtszellen eintritt (Fig. 2, i). Ob dies für *Cyclops* zutrifft, ist, wie gesagt, noch nicht ganz sicher, wenn auch bei einigen Arten sehr wahrscheinlich. Manche von anderen Autoren gegebenen Beschreibungen scheinen mir darauf hinzuweisen, daß dieser Modus auch sonst vorkommt und zwar gerade bei vererbungsphysiologisch zugänglichen Objekten[3]), und so mag vielleicht eine Diskussion weder allzu verfrüht noch ganz unfrucht-bar sein.

Auf den ersten Anblick scheint nun ein derartiges zytologisches Verhalten auf der gleichen Linie zu liegen, wie diejenigen experimentell ermittelten Tatsachen, welche für eine „Unreinheit der Gameten"

---

[1]) Homologa im großen würden im letzteren Falle die Heterochromosomen sein, die, wie ich mit immer größerer Bestimmtheit glauben möchte, mindestens zum Teil rudimentär werdende, im Abbau begriffene Chromosomen darstellen dürften. Vgl. 1907. S. 52.

[2]) 1907, S. 63, sowie E. Giglio-Tos, Les problèmes de la vie. 1re Partie. Turin, 1900, S. 17 ff.

[3]) Eine Besprechung dieses Materials wird an anderer Stelle erfolgen.

sprechen (Morgan, Castle, Tschermak u. a.)[1]). Denn es ist ohne weiteres zu erkennen, daß beim Auftreten des eumitotisch-teleutosyndetischen Typus die Keimzellen hinsichtlich ihrer Kernsubstanz weder rein väterlich, noch rein mütterlich sein können, sondern durchweg die Deszendenten von sämtlichen väterlichen und sämtlichen mütterlichen Chromosomen enthalten, also „unrein" sind.

Damit wäre allerdings nur eine Seite der Mendelprozesse verständlich gemacht und zwar gerade diejenige Erscheinung, welche von der Mehrzahl der Forscher als ein weniger bedeutsamer, mittels gewisser Hilfshypothesen leicht zu erklärender Ausnahmefall angesehen wird. Gerade die wichtigsten Eigentümlichkeiten der Vorgänge, die Alternanz der korrespondierenden Anlagen und die charakteristischen Zahlenverhältnisse, werden nicht erklärt, und während den bisherigen Anschauungen zufolge „die Ergebnisse über die Geschichte des Chromatins genau das darbieten, was die Mendelschen Tatsachen von den hypothetischen Anlageträgern fordern" (Boveri, 1909), würde, falls der eumitotisch-teleutosyndetische Typus bei mendelnden Formen vorkommen sollte, diese, physiologisch betrachtet, fast verdächtige Einfachheit der Beziehungen zwischen Bastardierungslehre und Keimzellen-Morphologie in Wegfall kommen.

Die Sachlage würde sich nicht günstiger gestalten, wenn man etwa die Annahme machen würde, daß die Reifungsteilungen erbungleiche Kernteilungen im Sinne Weismanns[2]) darstellen. Man müßte eben in diesem Fall, genau wie bei der von Rückert, de Vries u. a. geforderten interfusionellen Symmixis, auf einen unkontrollierbaren, zwischen unsichtbaren Kernteilchen wirksamen Mechanismus zurückgreifen, um die Regelmäßigkeiten der Spaltungsvorgänge verständlich zu machen.

Vielleicht bleibt aber doch ein Weg übrig, um die erhoffte Verbindung wiederherzustellen. In Übereinstimmung mit den Anschauungen, welche neuerdings immer mehr zur Anerkennung gelangen und nach denen neben dem Kern auch dem Zellplasma eine Rolle bei der Vererbung zufällt[3]), liegt es nahe, die inäqualen Zellteilungsprozesse heranzuziehen, welche auf beinahe allen Etappen der Keimbahn nachgewiesen werden können. Besonders auffallend sind ja die inäqualen Teilungen, welche bei *Ascaris* und *Cyclops* im ersten

---

[1]) Vgl. Über Axolotlkreuzungen. II. Mitt. S. 202.
[2]) A. Weismann, Die Kontinuität des Keimplasmas, Jena 1885.
[3]) Vgl. 1907 S. 2 ff., sowie E. Godlewski, Das Vererbungsproblem im Lichte der Entwicklungsmechanik betrachtet. Leipzig 1909.

differentiellen (somato-germinativen) Abschnitt der Keimbahn zur
Reinigung der letzteren von ekto-, ento- und mesodermalen Elementen
und zur Entstehung der Mutterzelle der Urgeschlechtszellen führen.
Aber auch in der zweiten, rein-germinativen Keimbahnstrecke sind
inäquale Teilungen häufig nachzuweisen. Bei den Copepóden muß
schon die Teilung der Urgeschlechtsmutterzelle in gewissem Sinne
einen inäqualen Charakter haben, da ihre Abkömmlinge, die beiden
Urgeschlechtszellen, mindestens in bezug auf den Teilungsrhythmus
ungleichwertig sind[1]). Ich erinnere ferner daran, daß bei *Dytiscus*
nach Giardina und Débaisieux die vier letzten, bei den *Cladoceren*
und bei *Apus* die zwei letzten ovogonialen Teilungen zur Bildung
ungleichwertiger Teilprodukte, der Ei- und Nährzellen, führen und
verweise endlich nochmals auf die Inäqualitäten bei der Richtungs-
körperbildung und bei der Samenreife *(Apis, Vespa)*[2]).

Während es nun bei den meisten inäqualen Teilungen der zweiten
Keimbahnstrecke im allgemeinen nur zur Bildung von Keimzellen
einerseits, von nutritiven und abortiven Elementen andererseits zu
kommen scheint, weisen gewisse Befunde mit Bestimmtheit darauf
hin, daß bei diesen Teilungen tatsächlich auch eine Spaltung von
vererbungsphysiologisch gleichwertigem (korrespondierendem) Anlagen-
material, also die Bildung verschiedener Sorten von Keimzellen
stattfinden kann. So führt bei *Dinophilus* einer der inäqualen Teilungsprozesse der ovogonialen Periode zur Entstehung der Männchen- und
Weibcheneier; bei seinen Maisbastarden ist Correns[3]) zu der Ansicht
gelangt, daß die „Spaltung" der Rassencharaktere spätestens bei
der ersten Teilung der Embryosackmutterzelle vor sich gehen müsse,
da beim Mais die 25% Keime mit rein rezessiven Anlagen schon an
der Beschaffenheit des Endosperms zu erkennen sind; und endlich
treten bei den Hemipteren die sichtbaren Verschiedenheiten der männlichen Geschlechtszellen erst bei der zweiten Reifungsteilung hervor.

Wie kann nun eine solche Anlagenspaltung ohne reduktionelle
Verteilung der Chromosomen verständlich gemacht werden?

---

[1]) Wenn bei den Copepoden die beiden Urgeschlechtszellen nach ihrem ersten
Versuche (s. oben S. 190, Anm. 3) und nach der darauf folgenden sehr langen Ruhe-
pause endgültig zur Gonadenbildung schreiten, so geht regelmäßig die eine oder
andere voran, so daß ein sehr typisches Dreizellenstadium entsteht.

[2]) Wenn man das Verhalten der Mutterzelle der Urgeschlechtszellen einerseits,
die Eireifung andererseits ins Auge faßt, so scheint es fast, als ob innerhalb der zweiten
Keimbahnstrecke die Tendenz zur Inäqualität eine allmähliche Steigerung erfährt.

[3]) C. Correns. Über den Modus und den Zeitpunkt der Spaltung der Anlagen usw.
Bot. Ztg., 60. Jahrg., 1902.

Einige Befunde zeigen, daß in der nämlichen Zelle nebeneinander mehrere korrespondierende Anlagen zur äußeren Entfaltung kommen können. Hierher gehört die Beobachtung Hilde-
brands[1]), wonach in den Zellen von *Oxalis*-Bastarden nebeneinander
die Haare vom väterlichen und vom mütterlichen Typus auftreten,
und in die gleiche Gruppe von Erscheinungen sind wohl auch die
„Transversionen" der Radiolarien, d. h. das abnorme Auftreten der
typischen Skelettcharaktere von mehreren (bis zu 4) verschiedenen
Familien innerhalb derselben Zelle, zu rechnen[2]).

Nehmen wir nun mit Weismann an, daß bei der Differenzierung
des Somas die Bestimmung der Zell-Charaktere durch Substanzteilchen
(Biophoren) erfolge, welche vom Kern in das Zellplasma abgeworfen
werden, so darf man im Hinblick auf die eben erwähnten Befunde erwarten, daß eine gewisse Zeitlang — nämlich ehe die Differenzierungen
äußerlich zum Vorschein kommen — in demselben Zellplasma
nebeneinander zweierlei Biophoren, beziehungsweise zweierlei
durch die Biophoren determinierte, aber noch unreife und unentfaltete
Gruppen von Plasmamolekülen (Determinaten) vorhanden sein
können. Während jenes Zeitraumes würde also die betreffende somatische Zelle nach zweierlei Richtungen hin determiniert, aber noch
nicht differenziert sein.

In ähnlicher Weise könnte man sich denken, daß auch schon
in einzelnen Zellgenerationen der germinativen Keimbahn-
strecken die Kerne mit der Abwerfung gewisser Biophoren beginnen, und daß insbesondere bei Bastarden erster Ordnung zweierlei
Biophoren („männliche" und „weibliche", „pigmentbildende" und
„pigmenthemmende" usw.) in das Zellplasma übertreten und hier mit
Plasmamolekülen in Verbindung treten können, so daß also während
einer gewissen Zeit beiderlei Biophoren, bzw. ihre Determinate
selbständig nebeneinander innerhalb derselben Keimbahn-
zelle bestehen können (Fig. 5, *a*).

Wenn dies aber der Fall ist, dann wäre es weiterhin denkbar,
daß bei der Vorbereitung zu einer der inäqualen Teilungen, wie sie in
der germinativen Keimbahnstrecke auftreten, eine Disgregation oder
polare Verteilung der beiderseitigen Biophoren, bzw. der unreifen

---

1) *F. Hildebrand*, Über einige Pflanzenbastardierungen. Jen. Zeitschr.,
B. 23, 1889.

2) Vgl.: Vererbungs- und variationstheoret. Einzelfragen. Diese Zeitschr. Bd. 1,
1909, S. 461; Die Radiolarien in der Variations- und Artbildungslehre. Diese Zeitschr.
Bd. 2, 1909, S. 101.

Determinate stattfindet in ähnlicher Weise wie in den Keimbahnzellen
von *Cyclops* die „Ektosomen" und in denjenigen von *Dytiscus* die
„chromatischen Massen" einseitig der einen Tochterzelle zugeteilt werden.
Diese Disgregation wird ihren Anfang nehmen, wenn die ersten Regungen
des Zellteilungsprozesses sich im Zelleib bemerklich machen (Teilung der
Centrosomen usw.), und sie wird sich namentlich dann in glatter Weise
vollziehen können, wenn die idioplasmatischen Teile des Kernes, die
Chromosomen, sich in der diakinetischen Phase[1]) zu kondensieren und
demnach in den inaktiven Zustaud einzutreten beginnen, wenn also
die Bildung und Abwerfung von Biophóren sistiert wird (Fig. 5, *b*).

Während also bei der folgenden Mitose der Kern eine äquationelle
Teilung erfährt und demnach die väterlichen und mütterlichen Kernsubstanzen gleichmäßig auf beide Tochterzellen verteilt werden, erhält das Zellplasma der letzteren vorwiegend nur je die
Biophoren bzw. Determinate der einen Sorte (Fig. 5, *c*).

Damit würde nun freilich noch nicht erklärt sein, weshalb die
betreffenden Keimbahnzellen und ihre Abkömmlinge, die reifen Gameten, sich in der Folge ausschließlich als Träger oder wenigstens als
Entfalter der dominierenden bzw. rezessiven Anlage erweisen[2]), insbesondere ist noch nicht erklärt, warum in den mit rezessiven
Biophoren oder Determinaten ausgestatteten Keimbahnzellen die die
dominierenden Anlagen (Determinanten) enthaltenden Kernteile nicht
schon im nächsten „Kernruhestadium" wieder das Übergewicht bekommen, so daß die während der Prophasen erfolgte rezessive Bestimmung des Zellplasmas rückgängig gemacht wird.

Um also die Entstehung der rezessiven Keime zu erklären, muß
noch die weitere Hilfsannahme gemacht werden, daß das infolge
eines inäqualen Teilungsprozesses quantitativ ins Übergewicht
gelangte rezessive Zellplasma seinerseits auf die dominierenden Kernteile zurückwirkt (Fig. 5, *d*), indem es letztere entweder mehr oder
weniger umprägt und sich assimiliert oder ihre Wirkungen durch
Agentien irgend welcher Art neutralisiert, in ähnlicher Weise, wie
das Blutplasma eines höheren Tieres sich gegen fremde Plasmasorten

---

[1]) Bei den Copopeden kommen ausgesprochene diakinetische Phasen (Verteilung der bereits kondensierten und verkürzten Chromosomen innerhalb des Kern-
raumes vor dem Schwund der Kernmembran) in der Keimbahn auch außerhalb der
Prophase der ersten Reifungsteilung vor. Hr. A m m a hat z. B. ausgesprochene Dia-
kinesen mit Vierergruppen in den Urgeschlechtszellen von *Cyclops* gefunden.

[2]) Vgl. auch B o v e r i s Einwände gegen die Prävalenzhypothese von F i c k u. a.
(B o v e r i, Die Blastomerenkerne von Ascaris usw., Arch. f. Zellf., 3. Bd., 1909, S. 262).

wehrt und sie unschädlich macht. Eine solche Umstimmung oder Hemmung der fremdartigen (dominierenden) Kernsubstanzen durch das einseitig rezessiv determinierte Zellplasma würde besonders dann

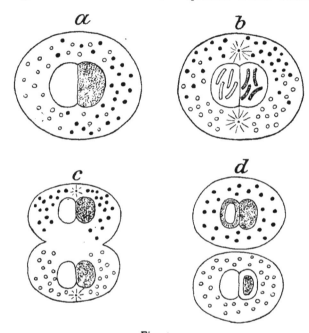

Fig. 5.

Schema einer kernplasmatischen Spaltung.

a) Abstoßung von antagonistischen Biophoren. *b*) Disgregation der Biophoren in den Prophasen der Teilung. *c*) Inäquale Zellteilung. *d*) Rückwirkung des Plasmas auf den Kern.

leicht zu verstehen sein, wenn die Anschauung richtig wäre, wonach die Rassenplasmen gewißermassen nur Isomerien oder physiologische Zustände des Artplasmas sind[1]).

Was schließlich die Unabhängigkeit der Merkmale bei polyhybriden Kreuzungen und die dabei auftretenden charakteristischen

---

[1]) Es ist zu erwarten, daß die Unterdrückung der dominierenden Kernteile durch das rezessiv bestimmte Zellplasma keine so ausgiebige sein wird, wie die Hemmung rezessiver Kernsubstanzen durch dominierendes Plasma. Dies würde einigermaßen mit dem Ergebnis im Einklang stehen, wonach rezessive Rassen speziell pigmentlose, albinotische Defektrassen sehr häufig als „kryptomer" erscheinen, d. h. das dominierende Merkmal in latentem Zustand mit sich führen. (Tschermak.)

Zahlenverhältnisse anbelangt, so könnte ihre Ursache darin liegen,
daß die beschriebenen Spaltungsvorgänge sich auf mehrere Zellgenerationen der germinativen Keimbahnstrecke verteilen, indem z. B.
die Spaltung der männlichen und weiblichen Anlage vorzugsweise auf
der einen, diejenige der Färbungscharaktere auf einer anderen Teilungs-
stufe vor sich geht, eine Annahme, welche im übrigen in der Diver-
genz der auf den Zeitpunkt der Anlagenspaltung bezüglichen Ergebnisse (s. oben S. 196) eine Stütze finden würde.

Die hier entworfene kernplasmatische Vererbungshypothese ist
ein Komplex von Arbeitshypothesen, so wie es, mindestens in demselben Maße, auch die reinen Chromosomentheorien der Vererbung
sind, mögen letztere von den Beobachtungen über die „*graded series*“
der Ovogonien und Spermatogonien, oder von der Vorstellung einer
Parallelkonjugation ihren Ausgang nehmen. Sie leidet wie die Chromosomentheorien an dem Mißstand, daß bisher noch für keinen Organismus gleichzeitig die Entwicklung der Keimzellen und die Vererbungserscheinungen genau bekannt sind[1]) und daß es im besonderen
noch nicht gelungen ist, an einem und demselben Objekte die beiden
Prozesse experimentell zu beeinflussen. Die kernplasmatische Hypothese steht der Chromosomentheorie bezüglich der Eleganz und schein-
baren Einfachheit der versuchten Lösung nach, sie kommt aber, wie
schon oben angedeutet wurde, neueren Anschauungen über die Rolle
des Kernes und Zellplasmas bei der Vererbung vielleicht etwas mehr
entgegen; sie läßt sich kaum weniger gut als jene mit der Boverischen
Hypothese von der qualitativen Ungleichwertigkeit der Chromosomen
in Einklang bringen und sie würde manche zurzeit schwer zu erklären-
den Ergebnisse, insbesondere das verschiedene zytologische Verhalten
parthenogenetischer Formen, verständlich machen. Auch bietet sie
vielleicht den Vorteil, daß sie das Arbeitsfeld für das experimentelle
Vorgehen noch etwas weiter ausdehnen hilft, als die bisherigen Chromosomentheorien, deren Nachprüfung sich im allgemeinen auf die
schwer zugänglichen Chromosomen und auf die verhältnismäßig kurze
Spanne der Reifungs- und frühen Furchungsperiode beschränken mußte.

---

[1]) Vgl. über Axolottkreuzungen, S. 195. Meine neueren Erfahrungen haben in
mir die Hoffnung bestärkt, daß, außer den Copopeden, die urodelen Amphibien ein
derartiges Objekt darstellen werden.

Kleinere Mitteilungen.

Atavismus! Die nachstehenden Ausführungen wurden veranlaßt durch eine neuerliche Publikation Arenanders[1]). Er sucht darin seine frühere Behauptung zu stützen, daß „das plötzliche Erscheinen von hornlosen Tieren in gehörnten Zuchten als Rückschlag und nicht als Mutation aufzufassen sei". Er stützt sich dabei hauptsächlich darauf, daß Schädel von ungehörntem Rindvieh schon in der Bronzezeit gefunden seien. Diese alten hornlosen Rassen sollen nach einer früheren Arbeit[2]) von ihm von einem ungehörnten Wildrind *(Bos akeratos)* abstammen. Aus diesem habe sich durch spontané Variation *Bos brachyceros* und aus diesem *Bos frontosus* und *Bos primigenius* entwickelt.

Nun besteht aber eine Schwierigkeit darin, daß ein *Bos akeratos* fossil bis jetzt noch nicht nachgewiesen ist. Hingegen sind massenhaft gehörnte Wildrinder gefunden. In Europa *Bos primigenius*, der hier schon von den ältesten pleistozänen Schichten an auftritt. In Asien scheint er noch älter zu sein. Nach Koken findet er sich im Pliozän von China, nach Martin im Pliozän von Java. Hier in Asien scheinen sich überhaupt die Rinder herausgebildet zu haben. In *Bos planifrons* tritt uns anscheinend die älteste Form der taurinen Gruppe entgegen. Sie liegt aber schon im Miozän der Siwal.khügel und besaß bereits Hornzapfen, die nach Duerst eine Länge von 48 cm und einen Umfang von 36 cm besaßen. Die hornlosen Vorfahren der Rinder müßten also noch früher, das heißt spätestens in den Anfang des Miozän, gesetzt werden.

Nun treten aber auch bei den beiden anderen domestizierten Zweigen der Rinderfamilie hornlose Individuen auf, beim Yak[3]) und beim Büffel[4]). Wollten wir diese auch durch Rückschlag erklären, so müßten wir auf eine gemeinsame ungehörnte Stammform sämtlicher Rinder zurückgreifen.

Noch komplizierter würde die Sache, wenn wir mit Zittel den Stammbaum der Kavikornier monophyletisch fassen. Denn, da auch bei Schafen

---

[1]) Arenander, E. O. Ist plötzliche Hornlosigkeit „Mutation" oder „Rückschlag". In Jahrbuch für wissensch. u. prakt. Tierzucht. 3. Jahrg., 1908. S. LLI—LLIV.

[2]) Arenander, E. O. Studien über das ungehörnte Rindvieh in Nordeuropa usw. XIII. Bericht d. landw. Inst. Halle. Dresden 1898.

[3]) Hahn, Eduard. Die Haustiere. S. 124 u. 126. Leipzig 1896.
    Arenander, l. c.

und Ziegen ungehörnte Individuen auftreten, würden wir bis zu dem noch
weiter entlegenen hornlosen Stammvater der *Ovinae* und *Bovinae* kommen.
Ich zweifle aber, ob es angängig erscheint, Rückschlag auf Vorfahren
anzunehmen, die in so weit zurückgelegenen Erdperioden gelebt haben.
Um dem aus dem Wege zu gehen macht Arenander die Annahme, sein
wilder *Bos akeratos* habe an einigen Stellen im Norden weitergelebt, während
sonst überall schon gehörnte Rinder aufgetreten seien. Dagegen spricht
einmal, daß solch ein wilder *Bos akeratos* bisher noch nicht mit Sicherheit
fossil nachgewiesen wurde, dann aber eine theoretische Erwägung, die zu
einem recht merkwürdigen Stammbaum für die Kavikornier führen würde.
Wenn wir einerseits bedenken, daß es hornlose Schafe, Ziegen, Yaks und
Büffel gibt, andererseits, daß der *Bos akeratos* Arenander schon ein echtes
taurines Rind war, würden wir die Abstammung der Kavikornier etwa
folgendermaßen zu denken haben. Von einem ungehörnten Urwiederkäuer,
denn wir können doch nicht annehmen, daß die Wiederkäuercharaktere
polyphyletisch entstanden seien, stammten ab ein ungehörntes Urschaf,
eine ungehörnte Urziege, ein ungehörnter Uryak, ein ungehörnter Urbüffel
und ein ungehörntes Urrind der taurinen Reihe, eben jener *Bos akeratos*.
Jedes dieser Stammtiere habe gehörnte Tiere in spontaner Variation hervorgebracht, wobei es merkwürdig ist, daß die Hörner immer an derselben
Stelle entstanden sind und den gleichen anatomischen Bau zeigen. Dann
haben sich die ungehörnten Stammarten neben ihren gehörnten Nachkommen,
die jene bis auf einige kleine Stellen überall verdrängten, so lange gehalten,
bis der Mensch beide in den Haustierstand übernahm.
Ich glaube, die Unhaltbarkeit dieser Ansicht wird jedem einleuchten.
Wenn daher gelegentlich überall ungehörnte Rinder auftreten, und sie
sind fast von der ganzen Welt bekannt, so werden wir darin wohl eher
eine bei Kavikorniern unter gewissen Verhältnissen leicht eintretende Keimes-
variation, eine Mutation sehen, als einen Rückschlag. Vielleicht haben
wir hier ein Beispiel für die kürzlich in dieser Zeitschrift von Häcker[1])
erwähnten analogen oder parallelen Variationen Darwins. Diese brauchen
nicht bloß in verschiedenen Arten aufzutreten, sondern können an zeitlich
und räumlich verschiedenen Stellen bei derselben Art eintreten. Gegen
die Annahme einer Variation spricht auch nicht die starke Durchschlagskraft.
Denn es kann heute wohl als erwiesen gelten, daß nicht immer die stammesgeschichtliche ältere Eigenschaft auch die dominierende sein muß. Liegt
aber eine solche Neigung zum Hornloswerden im Rinderstamme,
so ist es wahrscheinlich, daß sie auch einmal beim Wildrind,
Bos primigenius, ausgelöst worden ist, und es liegt die Gefahr vor, daß
ein solcher Fund als eine Stütze für Arenanders Lehre angesehen werden
könnte. Da möchte ich schon jetzt darauf hinweisen, daß auch bei

---

1) Häcker, V. Vererbungs- und variationstheoretische Einzelfragen. I. Über
Transversionen (Überschläge). Diese Zeitschr. Bd. I, Heft 5. S. 461—468. 1909.

unseren Cervikorniern, z. B. bei den Hirschen, gelegentlich geweihlose Männchen gefunden werden.

Welchen Zwang übrigens Arenanders Ansicht den Tatsachen antut, sehen wir am besten daraus, daß er nach Krämer[1]) die ungehörnten Rinder Ägyptens als künstlich enthornte ansieht. Diese Meinung ist aber wohl nach der sehr gewissenhaften Untersuchung Lortets et Gaillards[2]) an ungehörnten Mumien ägyptischer Rinder kaum aufrecht zu erhalten.

Auf alle Fälle wäre eine genaue Untersuchung, wann und unter welchen Umständen bei gehörnten Rassen plötzlich hornlose Individuen auftreten, sehr wichtig. Solche Beobachtungen sind nicht nur in einzelnen Gegenden gemacht, sondern von zahlreichen Orten liegen Nachrichten darüber vor, obwohl die Erscheinung in manchen Gegenden besonders häufig ist. Ferner müßte genau nachgeforscht werden, wo und unter welchen Bedingungen konstant hornlose Rassen leben. Dann würde man vielleicht die Ursache oder die Ursachen, welche den Verlust der Hörner bedingen, erkennen. Daß das Klima allein als wirkende Ursache zur Erklärung herangezogen werden könne, dagegen spricht das Vorkommen hornloser Einzelindividuen und -Rassen in den verschiedensten Ländern und das Vorkommen von ungehörnten Rindern neben gehörnten, teilweise riesenhörnigen Formen (Afrika).

Aber der Grund zu diesen Zeilen war nicht die Bekämpfung der Arenanderschen Ansicht, die außer ihrem Autor kaum noch einen Anhänger gefunden haben dürfte, sondern es scheint mir, als ob man heute viel zu schnell mit dem Schlagworte Atavismus bei der Hand wäre. Es ist zwar schon von verschiedenen Seiten vor der Überschätzung einer Erklärung durch Atavismus gewarnt worden. Zufällig liegt mir, um nur einen Namen zu erwähnen, eine sehr beachtenswerte kleine Schrift von Kohlbrugge vor: „Der Atavismus", Utrecht 1897, die speziell unserem Gegenstand gewidmet ist. Trotzdem scheint es mir wünschenswert, den Gegenstand hier nochmals eingehend zu erörtern, da man offenbar in zootechnischen Kreisen immer noch gern zu dieser Erklärung greift.

So hat Krämer bei seiner sehr dankenswerten kritischen Untersuchung einiger Fälle, die als sichere Beweise für Entstehung einer Rasse durch Mutation galten, wobei er auch die oben zitierte Ansicht Arenanders über die hornlosen Rinder Ägyptens inauguriert hat, die Entstehung der Mauchampschafe atavistisch aufgefaßt. Er kommt hierbei zu der Ansicht, daß ihr eigentümlicher Wollcharakter nicht durch Mutation, sondern durch Rückschlag, und zwar auf Schafrassen des klassischen Altertums entstanden sei. Es fielen nämlich plötzlich in verschiedenen reingezüchteten Merino-

---

[1]) Krämer, H. Mutationslehre und Tierzucht. In: Jahrbuch für wissensch. u. prakt. Tierzucht. 2. Jahrg., 1907. S. XX—XXXI.

[2]) Lortet et Gaillard. La faune mommifié de l'ancienne Égypte. 2. Teil. In: Archives du Muséum d'Histoire naturelle de Lyon. T. X. p. 59—68. 1907.

herden Frankreichs, unter anderen auch in der kaiserlichen Stammschäferei
von Rambouillet, Schafe, deren Vließ, abweichend von der gekräuselten
Merinowolle, sehr langhaarig, fast schlicht war und an Glanz und Sanftheit
dem der Kaschmirziege glich, so daß diese Schafe auch treffend als
„seidenhaarige Mauchamprasse" bezeichnet wurden. Letzterer Name kommt
von dem Gute Mauchamp im Departement de l'Aines. Mit der abweichenden
Wolle war auch ein abweichender Bau verbunden. Nun sind wir aber trotz
aller von Krämer sehr sorgfältig gesammelten Berichte aus dem Altertum
doch nicht über den Wollcharakter dieser Schafe so weit unterrichtet, als
daß wir uns ein genaues Bild davon machen könnten. Und Krämer
gesteht selbst zu, daß er einen Beweis nicht habe liefern können dafür, daß
wirklich Rückschlag vorliege. Trotzdem scheint es ihm weniger hypothetisch,
für die Entstehung der Mauchampschafe Rückschlag anzunehmen als
Mutation. Also auch hier sehen wir wieder den Atavismus eine Rolle spielen.

Noch weniger begründet ist die Erklärung durch Atavismus bei dem
Auftreten von überzähligen Zähnen, Fingern und Zehen, Zebrastreifung beim
Pferde usw. Fast möchte es merkwürdig erscheinen, daß noch niemand
darauf gekommen ist, das gelegentliche Auftreten von schwanzlosen Hunden
und Katzen als Atavismus zu erklären. Und doch zeigt es, zum Auftreten
der Hornlosigkeit beim Rinde und der anderen eben erwähnten Anomalien,
dieselbe Ähnlichkeit der häufigen und an verschieden Orten zugleich auftretenden Erscheinung.

Wo aber diese Erscheinungen genauer geprüft werden, pflegen sie meistens
einer atavistischen Erklärung nicht stand zu halten. Daß speziell bezüglich
der Überzahl von Zähnen für bestimmte Fälle ein Atavismus nicht vorliegen
kann, habe ich[1]) schon vor vier Jahren gezeigt. Inzwischen sind mir
weitere Fälle zu Gesicht gekommen, von denen einer der letzten besonders
instruktiv ist. Bei einem Schweineschädel der anatomischen Sammlung der
tierärztlichen Hochschule zu Stuttgart fand ich im Unterkiefer jederseits
acht Backenzähne statt sieben. Auf was sollte hier nun ein Rückschlag
stattfinden, da die Schweine so schon normalerweise der Zahnzahl nach
das primitive Gebiß eozäner Säugetiere haben?

Ein anderer Fall, der neuerdings eingehend anatomisch geprüft ist, ist
das Auftreten überzähliger Hufe beim Pferde, eine Erscheinung, die oft als
Rückschlag auf die mehrzehigen Vorfahren der Pferde angesehen worden ist.
Aber Reinhardt[2]) zeigte durch ein eingehendes anatomisches Studium von

---

1) Hilzheimer, M. Variationen des Kanidengebisses mit besonderer Berücksichtigung des Haushundes. In: Zeitschrift f. Morphologie u. Anthropologie. Bd. IX,
S. 1—40. Jahrg. 1905. Vgl. a. Anat. Anzeiger. Bd. XXXII, S. 442—445. Jahrg. 1908.

2) Reinhardt, R. Über Pleiodaktylie beim Pferde. In: Anatomische Hefte.
36. Bd. Heft 108, S. 1—68. Vgl. a. Tornier, G. Gibt es bei Wiederkäuern und
Pferden einen Zehenatavismus? (Vorl. Mittlg.) In: Sitzber. d. Gesellsch. nat. Fr.
Berlin 1908, S. 195.

vier Fällen, daß diese nicht atavistisch erklärt werden können. Zu demselben Resultat kommt er auch bezüglich der meisten in der Literatur erwähnten Fälle.

Was die Zebrazeichnung beim Pferde anbelangt, so scheint eine bis jetzt noch nicht beachtete Lücke in unserer bisherigen Schlußfolgerung vorzuliegen. Darwin hat eine ganze Reihe von Fällen gesammelt, wo Pferde und Pferdebastarde mehr oder weniger stark gestreift waren; besonders häufig fand er diese Streifung an den Beinen. Er zieht daraus, gestützt auf seine gleich zu besprechenden Untersuchungen bei Tauben den Schluß, daß der Stammvater unserer Hauspferde gestreift war. Wir schließen nun umgekehrt, daß, wenn bei einem Pferde Streifung auftritt, es sich um Rückschlag auf einen gestreiften Vorfahr handelt.

Wir nehmen also dabei stillschweigend an, daß es eine Zeit gab, wo kein Pferd mehr Streifen hatte, daß also im Auftreten der Streifen eine Unterbrechung eingetreten sei. Dies wird aber schwer zu erweisen sein. Nicht nur, daß es konstant gestreifte Rassen gibt wie die Kattywarasse[1]) oder die „sogenannten getigerten Kirgisenpferde"[2]) oder die „Norwegischen Ponys"[3]), scheint sich auch bei unseren Pferden Streifung oder wenigstens mehr oder weniger starke Spuren davon weit häufiger zu finden, als man gewöhnlich annimmt. Ich mache in diesem Zusammenhang besonders auch auf die neuen Untersuchungen von Kohn[4]) aufmerksam, der in 4½ % an der Schweifwurzel der Pferde einen Rest der Zebrastreifung fand und der darin „einen regelmäßigen Komponenten der Pferdefärbung" sehen will.

Wenden wir uns von den Hauspferden zu den Wildpferden. Das einzige noch lebende echte Wildpferd, das *Equus equiferus* Pall[5]), hat bekanntlich undeutliche Bänderung an den Beinen, einen Aalstreifen, bisweilen sogar ein Schulterkreuz. Also die Streifung ist auch hier nicht völlig verschwunden.

Über die Färbung des ausgestorbenen europäischen Wildpferdes scheint kaum eine Beschreibung vorzuliegen, obwohl sie von den Schriftstellern der Römer und Griechen an bis ins 16. Jahrhundert hinein häufig erwähnt werden. Und dennoch habe ich eine Nachricht gefunden, die anzudeuten scheint, daß wenigstens eine europäische Wildpferdeart relativ stark gestreift

[1]) Darwin, Ch. Entstehung der Arten. Reklam. S. 215.
[2]) Thiess. Turkestanische Pferderassen. In: Zeitschrift f. Gestütskunde und Pferdezucht, III. Jahrg. Heft 8, 1907.
[3]) Wrangel, G. Graf v. Die Rassen des Pferdes. Stuttgart 1908. I. S. 15, II. S. 65 ff.
Ein sehr schöner Kopf mit besonders ausgeprägter Streifung bei C. J. Ewart. In: Transactions of the Highland and Agricultural Society of Scotland. 5. series. Vol. XVI. 1904. p. 264.
[4]) Kohn, F. E. Dr. Über eine Besonderheit der Pferdezeichnung. In: Zoologische Jahrbücher, Abt. f. Systematik usw. Bd. 27, S. 211.
[5]) Dieser Name hat die Priorität von *Equus przewalski* Polj. Vgl. Hilzheimer. Was izt *Equus equiferus* Pallas? In: Naturwissenschaftl. Wochenschrift. Jhrg. 1909.

war. Herberstein schreibt in seiner 1557 erschienenen Moscovia:[1] „Wilde
Pferde find man auch, die nimmer zu der arbait mügen ertzogen werden;
der gemain man isst sie auch; seind gemainilich alle falb, mit Schwartzen
strichen nach dem ruckhen." (Sie müssen also eine dem Fjordpferd sehr
ähnliche Farbe gehabt haben. Und viele Forscher wollen dieses Hauspferd
ja bekanntlich als direkten Nachkommen eines europäischen Wildpferdes
ansprechen.)

Aus diesen allerdings etwas spärlichen Tatsachen scheint mir hervor-
zugehen, daß Darwin zwar im Rechte war, wenn er einen gestreiften
Vorfahr für die Pferde annahm. Der Irrtum bestand nur in der Annahme,
daß diese Streifen jemals völlig geschwunden waren. Richtiger scheint es
mir, zu sagen, daß die Tendenz der Pferdezeichnung dahin strebt, die Streifung
auszumerzen, daß dies aber noch nicht völlig erreicht ist. Und so bedeuten
mehr oder weniger starke Streifen beim Pferde nicht einen Rückschlag auf
eine phylogenetisch tiefere Stufe, sondern nur ein Stehenbleiben.

Ich möchte sagen, die Pferdezeichnung oszilliert um einen Nullpunkt
und die beiden Extreme sind erstens völliges Fehlen der Streifen. Das ist die
phylogenetisch vorgeschrittene Stufe. Dahin strebt offenbar die Pferdezeichnung, und der Durchschnitt mag dieser Stufe schon bedeutend näher
liegen als dem zweiten Extrem, wobei völlige Zebrastreifung auftritt.
Dieses mag dementsprechend seltener sein als das andere.

Aber auch, wenn man diese Erklärung nicht annehmen will, so zwingt
das Auftreten von Streifen bei den heutigen Hauspferden noch keinesfalls
zu einer Erklärung durch Atavismus. Streifenartige Zeichnung tritt auch
sonst bei Haustieren auf. Ich erinnere an die „gestromten" deutschen
Doggen, die „tigerstreifigen" Rinder[2]. Bei letzterer Tierklasse sah ich
solche Streifung auch bei Kreuzung entstehen. Mein Bruder, Ritterguts-
besitzer A. Hilzheimer auf Liebenfelde, hatte eine Kuh (¾ Blut schwarz-
buntes Niederungsvieh, ¼ rotbunte Simmentaler), die an den Keulen Anfänge von Streifen zeigte. Und doch hat noch niemand behauptet, daß die
Vorfahren der Rinder oder Hunde gestreift waren. Dies mag wohl daher
kommen, daß wir keine gestreiften Wildrinder kennen. Auch der Ur, der
Vorfahr mindestens eines Teiles der Hausrinder, ist nach uns überkommenen
Nachrichten, abgesehen von einem hellen Aalstreifen, einfarbig gewesen.

Wenn also auch Streifung auftritt, ohne daß wir eine solche bei den
Vorfahren voraussetzen dürfen, so muß es also noch eine andere Erklärung
als Atavismus dafür geben. Nun hat Häcker[3] gezeigt, daß in verschiedenen Tierklassen spontane Eigenschaften an Arten auftreten, die

---

[1] Zitiert nach Nehring. Die Herbersteinschen Abbildungen des Ur und Bison.
In: Landwirtschaftliche Jahrbucher 1896, Bd. 25. S. 932.

[2] Hahn, Ed. Die Wirtschaftstiere. Muller, R. Die geographische Verbreitung
der Wirtschaftstiere. Leipzig 1903.

[3] l. c.

eigentlich einer anderen Art zukommen. Er benennt diese Erscheinung mit einer sehr glücklichen Bezeichnung Transversionen oder Überschläge. (Vielleicht handelt es sich bei den Streifungen von Equus um solche Überschläge zu Zebra, wenn man meine obige Erklärung nicht gelten lassen will.) Wir müssen doch schließlich bedenken, wenn die Anlagen im Keimplasma auch sehr mannigfaltig sind, unbegrenzt sind sie auf unserer begrenzten Erde nicht. Nun hat aber kein Tier Längsstreifen an den Beinen; ein einzelner kann sich finden, aber nicht mehrere. Wenn mehr Streifen an den Beinen auftreten, so sind es immer Querstreifen. Sollte dies nicht auf ein Unvermögen der Natur hindeuten, zahlreiche Längsstreifen an den Beinen zu erzeugen. Dann aber erklärt sich leicht, warum beim Pferd, wenn Streifen auftreten, diese an das Zebra erinnern.

Es zwingt uns also das Auftreten gelegentlicher Streifung beim Pferde durchaus nicht, Rückschlag anzunehmen.

Es gibt nun allerdings Fälle, wo ein Atavismus unzeifelhaft ist. Am längsten bekannt ist er bei Tauben, wo ja schon D a r w i n aus Kreuzungen verschiedener Rassen von Haustauben Vögel erhielt, die der wilden Felstaube, *Columba livia*, der Stammutter sämtlicher Haustaubenrassen, in der Farbe genau glichen. Diese Tatsache hat auch der neueste Beobachter S l a p l e s - B r o w n[1]) wieder bestätigen können. Ferner sind neuerdings ähnliche Erscheinungen bei Kreuzungen verschiedener Mäuserassen, Kaninchenrassen und ebenso verschiedener Meerschweinchenrassen gemacht, daß nämlich die Bastarde in der ersten Generation plötzlich wieder Wildfarbe zeigten. Diese Fälle haben aber alle ein Merkmal gemeinsam, daß nämlich die betreffenden Haustierrassen, so verschieden sie auch sein mögen, aus einer Wildform monophyletisch entstanden sind. Bei polyphyletisch entstandenen Haustierrassen scheint ein Rückschlag auf eine wilde Stammform noch nicht beobachtet zu sein. So viel Hunde-, Ziegen- oder Schafkreuzungen auch vorgenommen sind, man hat niemals einen Wolf, eine Bezoarziege oder einen Mufflon erhalten.

Diese beiden verschiedenen Abstammungsverhältnisse bedingen natürlich auch eine verschiedene Herausbildung der Haustierrassen.

Wenn wir zunächst die monophyletischen Rassen betrachten, so können verschiedene Rassen bei gleichen äußeren Verhältnissen aus einer Stammform natürlich nur durch Zuchtwahl entstanden sein. Und indem der Mensch die sich ihm darbietenden Variationen einfach auslas und weiter züchtete, hat er die verschiedenen im Keimplasma der wilden Stammart liegenden Eigenschaften isoliert. Er hat bewußt oder unbewußt die reinen Linien im Sinne J o h a n s e n s ausgelesen. Durch Kreuzung der isolierten

1) S t a p l e s - B r o w n, R. On the Inheritance of Colour in Domestic Pigeons with Special Reference to Reversion. In Proc. of Zool. Soc. of Lond. 1908 (June), S. 67—104.

Linien kann dann wieder gewissermaßen als Mischrasse die
alte Stammform entstehen. Zu ähnlichen Resultaten scheint auch die
Bastardforschung gekommen zu sein. So folgern aus ihren Experimenten
Cuénot, Castle, Baur[1] u. a., daß an der Wildfarbe verschiedene Erbeinheiten beteiligt seien. Nehmen wir einmal an, es seien bei der wilden
Tierart drei, A, B, C. So ist es denkbar, daß daraus drei Haustierrassen
entstanden seien, von denen jede nur eine Erbeinheit enthält. Würde man
nun die Rasse, welche nur A enthält, mit der kreuzen, die nur B enthält,

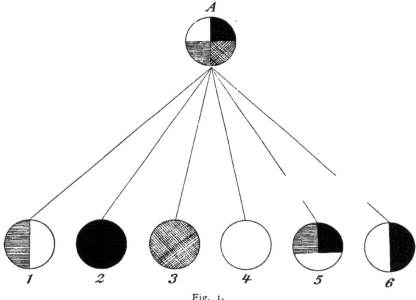

Fig. 1.

so könnte noch kein Rückschlag eintreten. Würde dann aber der Bastard
mit der dritten Rasse, die C enthält, gekreuzt, so sind alle Bedingungen
für Rückschlag in die Wildfarbe gegeben. Natürlich braucht die Isolation
der Erbeinheiten, in den einzelnen Rassen nicht so weit zu gehen, es ist
z. B. denkbar, daß eine Rasse die Erbeinheiten A B, die andere nur die
Erbeinheit C enthält, dann würde der Rückschlag schon in der ersten
Generation erfolgen. Solche Verhältnisse scheinen bei den Tauben vorzuliegen, da Darwin den Rückschlag schon in der ersten, Staples-Brown[2]
aber erst in der zweiten Generation erhielt. Da natürlich nicht nur für

[1] Baur, E. Einige Ergebnisse der experimentellen Vererbungslehre. In: Beihefte zur Medizinischen Klinik. 1908. IV. Jahrg. Heft 10.

[2] l. c.

Farben, sondern für alle vererbbaren Eigenschaften Erbeinheiten im Plasma vorhanden sein müssen, so sind auch abweichende Körperformen, Haarstellung usw. als durch Isolation gewonnen denkbar, so daß auch in dieser Beziehung Rückschläge zu erwarten.

Vielleicht wird es noch klarer, wenn wir uns das Gesagte an einem Schema erläutern (Fig. 1). Die wilde Stammform A von monophyletisch entstandenen Haustierrassen habe diesmal vier Erbeinheiten, durch deren Zusammenwirken die Wildfarbe hervorgebracht werde. In Fig. 1 stellt A die Stammform dar, durch die verschiedene Ausfüllung der Viertel, weiß, schwarz, horizontale Linien und gekreuzte Linien seien die vier Erbeinheiten angedeutet. Daraus gehen durch Isolation der Erbeinheiten sechs Rassen, 1—6 hervor, die wie die Figur 1 zeigt, die Erbeinheiten in verschiedener Anzahl enthalten. Die Kreuzung der Rassen 3 und 5 würde schon in der ersten Generation wieder die Wildfarbe hervorbringen. Bei einer Kreuzung der Rassen 2 und 3 kann der Bastard natürlich die Wildfarbe nicht zeigen. Würde ich jedoch den so entstandenen Bastard mit Rasse 1 paaren, so enthielte der Nachkomme wieder alle vier Erbeinheiten und würde wieder die Wildfarbe zeigen. Von einem plötzlichen Wiedererscheinen verloren gegangener Eigenschaften kann also in einem solchen Falle nicht die Rede sein, obwohl d e Wirkung unserem Auge etwas derartiges vortäuscht. Tatsächlich war ja gar keine Eigenschaft verloren, sondern die kombinierte Wirkung nur infolge Isolation aufgehoben.

Interessant wäre übrigens die Frage, ob bei einer Kreuzung des Bastards aus den Rassen 3 und 4 mit Rasse 2 wieder die Wildfarbe entsteht oder nicht. Theoretisch muß der Nachkomme die weiße Erbeinheit zweimal enthalten. Würde sich nun deren Wirkung summieren und ihre vereinte Wirkung nun auf die Entfaltung der anderen Erbeinheiten hemmend wirken, so daß wir doch die Wildfarbe nicht erhielten? Es sind aus der Literatur Fälle bekannt, wo vom Unterdrücken der einen oder Überwiegen einer anderen Eigenschaft gesprochen wird.

Diese vorstehenden Erörterungen scheinen mir geeignet zu sein, die scheinbar widersprechenden Beobachtungen zu erklären, daß bei manchen Kreuzungen monophyletisch entstandener Rassen Rückschläge eintreten, bei anderen nicht. Bei Hühnerrassen, die doch alle von *Gallus bankiva* abstammen sollen, sind z. B. meines Wissens nach keine beobachtet. Vielleicht sind eben noch nicht alle vorhandenen Erbeinheiten[1] in der ursprünglichen Weise wieder zusammengekommen. Vielleicht ist aber bei den Hühnern noch eine andere Annahme möglich, daß nämlich die Erbmaße der Haushühnerrassen derart verändert sei, daß ein Rückschlag ausgeschlossen ist. Da müssen wir eben noch weitere Untersuchungen abwarten.

---

[1] Daß diese Erbeinheiten sehr zahlreich sein können, zeigt Baurs Beobachtung (l. c.) bei einer Pflanze *Antirrhinum majus*, aus welchen nach seiner Berechnung 32 768 verschiedene Rassen gezogen werden könnten.

Wenn so bei monophyletisch entstandenen Haustierrassen ein Rückschlag auf die Stammform (jedoch nicht auf eine phylogenetische primitivere
Stufe) verständlich erscheint, so liegt die Sache bei polyphyletisch entstandenen Rassen ganz anders.

Bei letzteren scheint es mir, als seien wieder zwei Fälle zu unterscheiden. Im ersten handelt es sich um gelegentliche Einkreuzung, dann
aber reine Weiterzucht, im zweiten um eine Rasse, die durch Bastardbildung
entstanden ist, wobei die Bastarde dann unter sich rein weitergezüchtet
worden sind.

Beide Fälle haben das gemeinsam, daß wir zu einer Erklärung durch
Atavismus, einer Hilfshypothese bedürfen, nämlich der, daß eine Eigenschaft
Generationen hindurch latent vorhanden sein, daß sie plötzlich in einem
Individuum die Oberhand gewinnen und so den Rückschlag auf irgend
einen Stammvater verursachen kann. Die Schwierigkeit scheint mir nun
darin zu liegen, daß wir gar nicht wissen, ob eine Eigenschaft, die seit
Generationen verschwunden ist, noch latent vorhanden ist. Wir wissen
wohl, daß, wenn eine Rasse gekreuzt wurde, die Nachkommen die Neigung
zeigen, eine zeitlang zu den Kennzeichen der fremden Rasse zurückzukehren.
Wie lange diese Neigung vorhanden ist, wissen wir nicht. Darwin[1])
nimmt an, ein oder anderthalb Dutzend Generationen lang.

Einmal vorgenommene Kreuzungen, um zunächst diesen Fall zu besprechen, pflegen, abgesehen von jenen Rückschlägen für unser Auge,
vier bis fünf Generationen lang bei den Nachkommen sichtbar zu sein.
Aber dies liegt vielleicht an unserer Unfähigkeit im Erkennen der Kreuzungs-
nachkommen späterer Generationen, denn wir wissen, daß das geübte Auge
des Brasilianers noch Spuren einer ehemaligen Kreuzung zwischen Weißen
und Farbigen wahrnimmt, wo der Europäer schon längst nichts mehr
erkennt.

Ein anderes Beispiel entnehme ich Studer[2]). Dieser Forscher hatte
vermöge seiner ausgezeichneten Kenntnis des Haushundeschädels am
Schädel eines deutschen Schäferhundes, den jeder Kenner bei Lebzeiten
für rasserein gehalten hatte, einige Abweichungen erkannt, die ihn dazu
führten, anzunehmen, daß einmal einer Generation der Vorfahren dieses
Hundes Wolfsblut beigemischt sei. Eine genaue Prüfung des Stammbaumes
ergab dann, daß acht Generationen vorher mit einem Wolf gekreuzt
worden war.

Man könnte nun zwar annehmen, daß es sich auch in diesem Fall
schon um Rückschlag handele, aber nach dem, was wir über Kreuzungen
farbiger und weißer Menschen wissen, bin ich eher geneigt anzunehmen, daß
hier eine allmählich verklingende Wirkung der Kreuzung vorliegt, die

---

[1]) l. c. S. 211.
[2]) Studer, Th. Über den deutschen Schäferhund usw. In Mitteil. d. naturf.
Gesellsch. in Bern. 1903. S. 1—39.

nun schon so schwach geworden war, daß sie nur eine minutiöse Untersuchung noch feststellen konnte.

Wir sehen also wie außerordentlich schwach die Wirkung der Kreuzung nach 8 Generationen ist, bei 16 wäre sie wohl uberhaupt nicht mehr bemerkbar gewesen.

Vielleicht trägt es zum besseren Verständnis meiner Ausfuhrungen bei, wenn wir auch diesen Fall der Einkreuzung mit nachmaliger Reinzucht mit einer der beiden Elternrassen durch ein Schema (Fig. 2) graphisch darstellen.

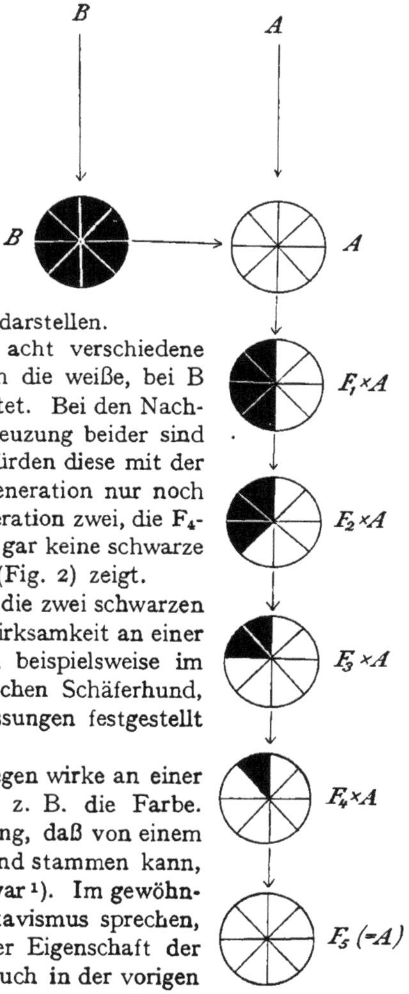

Zwei Rassen A und B haben je acht verschiedene Erbeinheiten. Diese seien bei A durch die weiße, bei B durch die schwarze Felderung angedeutet. Bei den Nachkommen der F_1-Generation aus der Kreuzung beider sind vier Einheiten schwarz, vier weiß. Würden diese mit der A-Rasse gepaart, so enthält die F_2-Generation nur noch drei schwarze Erbeinheiten, die F_3-Generation zwei, die F_4-Generation eine und die F_5-Generation gar keine schwarze Erbeinheit mehr, wie es das Schema (Fig. 2) zeigt.

Wir können uns nun denken, daß die zwei schwarzen Erbeinheiten der F_3-Generation ihre Wirksamkeit an einer Stelle äußern, die wenig auffällig ist, beispielsweise im Knochenbau, wie bei dem Studerschen Schäferhund, und daß sie hier nur durch exakte Messungen festgestellt werden kann.

Die einzige Erbeinheit in F_4 dagegen wirke an einer sehr augenfälligen Stelle, beeinflusse z. B. die Farbe. Dahin gehört wohl auch die Beobachtung, daß von einem Neger und einer Negerin ein weißes Kind stammen kann, wenn unter den Vorfahren ein Weißer war [1]). Im gewöhnlichen Leben würden wir dann von Atavismus sprechen, vom plötzlichen Wiedererscheinen einer Eigenschaft der B-Rasse, während doch die Kreuzung auch in der vorigen Generation noch wirksam war, vielleicht sogar noch stärker, nur in für uns nicht direkt wahrnehmbarer Weise. Von der F_5-Generation ab wird natürlich jedes Wiedererscheinen einer Eigenschaft der B-Rasse ausgeschlossen sein.

Fig. 2.

---

[1]) Hoernes. Natur und Urgeschichte des Menschen. Wien u. Leipzig 1909. Der umgekehrte Fall war schon im Altertum bekannt, s. Plinius. N. H. VII. 12. 2. von Luschan erwähnt ebenfalls einen. In: Ullsteins Weltgeschichte. Bd. I S. 70.

Was das Entstehen von Bastardrassen, d. h. Rassen die aus einer
ungefähr gleichen Blutmischung zweier anderer Rassen entstanden sind,
anbelangt, so ist darüber die Forschung noch nicht abgeschlossen, ja es
ist noch nicht einmal sicher gestellt, ob es überhaupt konstante Bastardrassen gibt.

Es ist bekannt, daß die Fruchtbarkeit bei Bastarden von Rasse-
kreuzungen sehr verschieden ist. Es lassen sich von vollständiger Unfrucht-
barkeit über die Entstehung unfruchtbarer Bastarde bis zu deren völliger
Fruchtbarkeit alle Übergänge aufstellen. So unterschied Broca[1]) schon
im Jahre 1838 fünf verschiedene Formen der Bastardierung, von denen uns
hier nur die „eugenetische" interessiert, da die „paragenetische" im ver-
erbungstheoretischen Sinne unter den eben behandelten Fall der gelegent-
lichen Einkreuzung gehören würde.

Um nun die Fruchtbarkeit der Bastarde zu prüfen, hat man sich
gewöhnlich damit begnügt, festzustellen, ob diese fruchtbar sind oder nicht.
Wenn dies der Fall ist, so ist aber der Bestand der Bastardrasse noch
nicht gesichert. So waren z. B. die Kinder von Weißen und Negerinnen
am Senegal fruchtbar, aber die Urenkel waren unfruchtbar[2]). Überhaupt
scheinen sich Mulattenrassen ohne fortwährende Rückkreuzungen nicht bilden
zu können, die scheinbare Ausnahme auf Martinique erklärt sich eben durch
fortgesetzte Rückkreuzungen.

Aber auch wenn Mulatten ausnahmsweise einmal mehrere Generationen
hintereinander fruchtbar sind, führt dies noch nicht zur Bildung einer
konstanten Bastardrasse: „Die Bastardrassen besitzen also nicht die zur
Erhaltung notwendige Unabhängigkeit von den Elternrassen, und bekanntlich
führen auch bei Tieren Kreuzungen zwischen Bastarden unfehlbar früher
oder später zu einer der Muttertypen zurück"[3]). In der Anthropologie ist
man sogar soweit gekommen, in dieser Beobachtung ein Gesetz zu erblicken,
das man das „Gesetz der Entmischung" nennt, ein Wort, das, ich für
diese und ähnliche Fälle unseren Zootechnikern empfehlen möchte. Es
sagt entschieden mehr als der sehr vielgestaltige Ausdruck „Atavismus".
Ich selbst glaube bei Tieren etwas ähnliches beobachtet zu haben.
Rauhaarige Hunde, ohne fortwährende Blutzufuhr rein weitergezüchtet,
werden in einigen Generationen lang- oder kurzhaarig, d. h. sie „entmischen"
sich zu reinen Typen.

---

1) Sur l'hybridité. Journal de Physiologie 1838, I. Die fünf hier unterschiedenen
Formen sind: 1. „abortive" (kein Ausreifen der Frucht), 2. „agenetische" (Bastarde
völlig unfruchtbar), 3. „dysgenetische" (Bastarde mit Eltern fruchtbar, zeugen aber
mit ihnen unfruchtbare Nachkommen), 4. „paragenetische" (Bastarde zeugen mit den
Eltern fruchtbare Nachkommen), 5. „eugenetische" (Bastarde unbegrenzt fruchtbar).

2) Dies und die folgenden Sätze nach Hoernes, Natur- und Urgeschichte des
Menschen. Wien u. Leipzig 1909. Bd. I, S. 122.

3) Vgl. von Kohlbrugge. Die morphologische Abstammung des Menschen.
Stuttgart 1908, S. 35.

Dem gegenüber 'ist aber oft in der Anthropologie sowohl wie in der Tierzucht die Ansicht von der Entstehung konstanter Bastardrassen geäußert worden. Man mag also in der Entmischung der Bastardrassen kein allgemeines Gesetz, sondern nur eine Regel sehen. Eine solche kann natürlich Ausnahmen haben, so daß vielleicht gelegentlich einmal konstante Bastardrassen entstehen können. Dies wäre aber doch nur dann denkbar, wenn die Verbindung der Erbmasse eine so innige ist, daß sie nicht mehr getrennt werden können.

Ein Beispiel möge das erläutern; die Erbmassen einer Bastardrasse, die sich später wieder entmischt, mögen sich etwa verhalten wie Öl und Wasser in einem Gefäß, d. h. beide Flüssigkeiten berühren sich zwar, aber mischen sich nicht und eine Trennung ist leicht möglich. Im Falle der konstanten Bastardrassen würden sich die Erbmassen verhalten wie Wasser

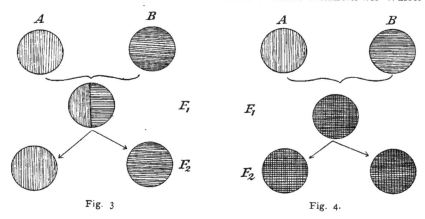

Fig. 3   Fig. 4.

und Wein, den man zusammenschüttelt. Beide Flüssigkeiten mischen' sich und eine Trennung ist unmöglich. Und je älter eine derartige Bastardrasse ist, um so unwahrscheinlicher wird die Trennung.

Graphisch mögen das Gesagte die beiden Figuren 3 und 4 erläutern. Die verschiedene Erbmasse bei den Rassen A und B sei durch senkrechte, bzw. horizontale Striche angedeutet. In Fig. 3 bleiben beim Bastard die Rassen getrennt, hierunter fallen z. B. die Mendelome, während in Fig. 4 eine innige untrennbare Durchmischung und Vereinigung eintritt.

Mag man also immerhin an der Möglichkeit von Bastardrassen festhalten, so scheint es mir auch in diesem Falle unglaublich, daß bei Reinzucht, wie im Falle des von Krämer geprüften Mauchampschafes, ein Rückschlag auf Jahrhunderte zurückliegende Kreuzungen stattfinden kann.

Selbst wenn die gleiche Abweichung nicht bei einem sondern bei verschiedenen Individuen und an verschiedenen Orten auftritt, kann das noch nicht den Atavismus beweisen. Denn wir haben genügend Beispiele von

gleichgerichteten Mutationen, die an verschiedenen Individuen und Orten
auftreten, wie Haarlosigkeit, Stummelschwänzigkeit, Überzahl von Zehen
oder Zähnen, ohne daß uns das berechtigen würde Atavismus als Erklärung
heranzuziehen.

Aus den vorstehenden Untersuchungen geht hervor, daß wir bei der
Entstehung von Rassen zwei Fälle unterschieden haben und bis jetzt
wenigstens nur bei einem mit Sicherheit von Rückschlägen[1]) sprechen
können.

Wenn wir die umbildende und züchterische Wirkung des Milieus
einmal außer acht lassen, so können wir, wie unsere Untersuchungen zeigten,
zwei Arten[2]) von Rassebildung unterscheiden.

1. **Monophyletisch entstandene Rassen.** Bei ihnen scheint es sich
um Isolation zu handeln. Bei der Kreuzung so entstandener Rassen
werden die isolierten Anlagen wieder gemischt. In diesem Falle sind
Rückschläge noch nach unendlich vielen Generationen denkbar.

2. **Polyphyletisch entstandene Rassen.** Dabei erscheint es mir
höchst unwahrscheinlich, daß nach einer größeren Anzahl von
Generationen noch Rückschläge möglich sind.

Ich habe also mit vorstehenden Ausführungen durchaus nicht die
Möglichkeit atavistischer Erscheinungen leugnen, sondern ich habe nur darauf
aufmerksam machen wollen, daß wir zur zurzeit über das Wesen des
Atavismus so ungenügend unterrichtet sind, daß wir damit gar nichts ge-
wonnen haben, wenn wir eine Erscheinung als Rückschlag bezeichnen.
Deshalb dürfte es sich vorläufig empfehlen, eine solche Erklärungsweise
einstweilen möglichst zu vermeiden oder wenigstens nur auf ganz sichere
Fälle zu beschränken.   Dr. M. Hilzheimer.

---

[1]) D. h. Rückschläge auf die Stammform, nicht auf eine phylogenetisch tiefere
Stufe.

[2]) Vgl. von Darwin. Variieren der Tiere und Pflanzen im Zustande der
Domestikation. Deutsch von Carus. Stuttgart 1868. Bd. II S. 38.

Referate.

Lock, R. H., Recent progress in the study of variation, heredity and evolution. London, John Murray, 1909.

In dem kurzen Zeitraum von zwei Jahren ist bereits eine neue Auflage von L o c k s zusammenfassendem Werk über die Fortschritte der Lehre von Variation, Vererbung und Entwicklung notwendig geworden: ein Zeichen, welches Interesse diese allgemeinen biologischen Fragen in weiten Kreisen wachgerufen haben und welchen Anklang die flüssige und geschickte Darstellungsweise des Verfassers gefunden hat. — Im Einleitungskapitel begrenzt L o c k die Aufgabe einer Darstellung der Evolutionstheorien und gibt eine Übersicht über die verschiedenen Ansichten und Methoden der Artbildungsforschung. Die geologischen und biologischen Grundlagen der Entwicklungsidee schildert das zweite Kapitel, das dritte die Theorie der natürlichen Zuchtwahl, dessen kritische, aber ruhige Würdigung wohltuend von der üblichen Behandlungsweise des „Darwinismus" absticht. In einer späteren Auflage würden vielleicht hier noch die Einwände gegen die Selektionshypothese eine passende Stätte finden, die sich auf die verschiedenen Formen der Latenz stützen und die an Bedeutung ständig gewinnen. „Biometry", die statischen, biometrischen Methoden der Eigenschaftsuntersuchungen und ihre mathematische Behandlung stellt Lock in Kapitel 4 dar. Hier werden die besonders wichtigen Untersuchungen von J o h a n n s e n und die Bedeutung für die „Selektion" gewürdigt: der „Phaenotypus" wird zwar der Sache nach, aber noch nicht in der klaren Nomenklatur des dänischen Forschers behandelt. Der Mutationslehre, in sehr übersichtlicher Klarheit zusammengefaßt, gilt das Kapitel 5: D e V r i e s', B a t e s o n s und G a l t o n s Ideen über diskontinuierliche Varietät, die verschiedenen Arten der Mutation, die Erhaltung nutzloser Gebilde, vor allem die Oenotheraexperimente werden geschildert. — Als Einleitung zu den wichtigsten Abschnitten des Buches über die Mendellehre gibt Verf. eine hübsche Zusammenfassung des Wirkens und Lehrens der älteren Kreuzungsforscher. Die Mendelfälle werden in der heute schon traditionell gewordenen Weise und an den klassischen Beispielen erörtert. Dann folgen die Erscheinungen der „Koppelung" der Charaktere, die Formen der Latenz und schließlich eine Hinweisung auf die praktische Bedeutung des Mendelismus. Die zytologischen Grundlagen, die Chromosomentheorie, schließen sich an, die Ergebnisse über Geschlechtsbestimmung werden berichtet. Über diese Punkte spricht sich der Verf. bemerkenswerterweise mit sehr angebrachter Reserve über die Allgemeingültigkeit und die endgültige Bedeutung der bisher erhobenen Befunde aus. Ganz neu eingefügt ist das Kapitel über „Eugenics": die P e a r s o nschen Bemühungen, die Bedeutung der Erblichkeit, die Wichtigkeit gesetzgeberischer Maßnahmen erörtert der Verf. hier wohl zum ersten Male in einem rein biologischen Werke im größeren Zusammenhang. Ein Schlußkapitel faßt den augenblicklichen Stand, die Fragen, das Erreichte und das Erstrebenswerte noch einmal zusammen. — Dem Werk gibt die unverkennbare Tendenz ein eigenes Gepräge, zwischen den sich scharf befehdenden Richtungen des „Galtonismus" und des „Mendelismus" eine mittlere Linie schaffen zu wollen. Wie weit der Verf. damit den Weg der zukünftigen Entwicklung richtig vorausgefühlt hat, bleibt abzuwarten. — Äußerlich ist zu betonen, daß L o c k s Buch jedem Gebildeten ohne weiteres verständlich ist, wenn es gleich auch dem Fachmann ein schätzbares Hilfsmittel für Vorlesung, Kursus und Nachschlagen bietet.   P o l l - Berlin.

Leavitt, R. G.   A vegetative mutant, and the principle of homœosis in plants. Bot. Gaz. 47. 1909. pp. 30—68.

The writer discusses at considerable length vegetable phenomena that are thought to be of the same type that Bateson has described so thoroughly in animals and to which he gave the name homœosis. Briefly, it may be said that the term is applicable to those cases in which characters originating in one part of an organism are translocated to other parts. The author was first led to this explanation by finding that the same complicated process of abscission that must have originated at the base of the petiole in *Aesculus hippocastanum* L. and other plants where the process is essential to the plants economy, also occurs in the petiolules, although such leaflet abjection is there apparently useless.

Later, his attention was attracted by changes that have occurred in the Boston fern. Several new sports from this wellknown species appeared in the greenhouses of F. R. Pierson & Co., Tarrytown-on-Hudson, N. Y., U. S. A. The changes which took place all may be classed as imitative or homœotic phenomena. The pinnae have divided again and the pinnules in every way represent the original pinnae even to disarticulation by the development of an absciss-layer. In certain cases the progression has continued one step further and even the pinnules have divided.

Facts such as these are believed to establish the important truth "that a character perfected in the course of evolution under one relation in the plant body may make its appearance suddenly under another relation and in a region of the body to which it is not native."

The varied data that the author has compiled to support this thesis are divided into ten categories, although several of these are merely partial phases, or explanatory of the others.

1. A c r o p e t a l t r a n s l o c a t i o n s. Cases where foliage details (toothing, hairing, etc.) have appeared on the floral leaves.

2. B a s i p e t a l t r a n s l o c a t i o n s. These are the opposite of the above. The change is among the floral parts, or from the floral parts to the involucre or even to the foliage.

3. L a t e r a l t r a n s l o c a t i o n s. These are illustrated by both regular and irregular peloria.

4. P a r t i a l i n v a s i o n o f m i g r a t i n g c h a r a c t e r s. These cases may be illustrated by carpels that approach a petiolate condition.

5. M i g r a t i n g c h a r a c t e r s t h a t t r a n s g r e s s t h e b o u n d a r i e s o f h o m o l o g y. This division includes changes where the fundaments of ovules develop into shoots, pistils, stamens, foliage, etc.

6. P a r t i a l i m i t a t i o n s o f n o n - h o m o l o g o u s o r g a n s.

7. H o m œ o t i c c h a n g e s t h a t p a s s f r o m o n e t o t h e o t h e r o f t h e a l t e r n a t i n g g e n e r a t i o n s. A sporophytic form may be imposed upon a gametophytic cell basis, or v i c e v e r s a. An example of the first

case is Yamanouchi's account of the phases in the apogamy of *Nephrodium molle.* Cases in which the opposite condition exists are cited from Bower, Druery and Wollaston.

8. The imitation of characters from another generation may be only partial, or both generations may be represented in the same body.

9. The exact nature of a homœotic change is often determined by the nature of the nearest normal organ.

10. A compound member may be changed in such a way that some or all of the parts exhibit the plan originally characteristic of the whole member.

The writer concludes that changes that may properly be classed as homœotic have too often been called reversionary, and states that „the antecedents of monstrous form are much more often to be sought in contemporary normal parts than in ancestral conditions".

Most botanists will probably agree with the last remark, but it might make the matter plainer if it were pointed out that homoeotic changes often seem to be abnormal cases of development having little to do with heredity. By this statement I mean that cell divisions have not taken place according to the normal plan. In the rarer instances where monstrous characters are transmitted the change is often the loss of the character or characters that in some way help to guide the normal development, and the plant forms in a more planless way than usual. On the other hand it seems as if the term reversion might well be limited to the recombination by crossing of the two or more factors necessary to produce a characteristic, the elements of which have become separated through mutation. Moreover it appears to the reviewer that an elementary distinction may be made between homœotic changes that are and are not hereditary.

In the concluding discussion the author presents reasons for believing that homœotic phenomena are valuable to botanic theory in at least three different relations; first, in estimating the true worth of teratological evidence in the solution of phylogenetic problems; second, in throwing light upon the method of evolution of certain normal structures; third, in furnishing data for one phase of morpho-genetics.

E. M. East. Harvard University.

Rosenberg, O. Cytologische und morphologische Studien an Drosera longifolia ✕ rotundifolia. K. Sv. Vetenskaps Akad. Handl. Bd. 43, No. 11. 63 S., 4 Taf., 33 Textfig. Stockholm 1909.

Nachdem Verfasser in einer Reihe kleinerer Mitteilungen auf die zur Beurteilung der Bastardcytologie so wichtigen Kernstrukturen der *Drosera longifolia ✕ rotundifolia* hingewiesen hat, folgt nunmehr seine ausführliche Darstellung in zusammenhängender Form. Sie ist jetzt gerade besonders erwünscht, da Fick in seinem letzten großen Sammelreferat die Hauptresultate des schwedischen Forschers in Frage gestellt hat.

Dem eigentlichen Thema schickt Verfasser eine Reihe von Bemerkungen über die äußere Morphologie des *Drosera*-Bastards voran. Besonders zu erwähnen ist dabei, daß die Einzelcharaktere nicht immer, wie von floristischer Seite behauptet war, intermediär zwischen den Eltern stehen, sondern zumeist auch der Mendel'schen Prävalenzregel folgen. Nur dominiert.

das eine Mal der eine, das andere Mal der zweite Elter. Die „Vegetationskraft" des Bastards ist auch hier wie bei so vielen Hybriden entschieden
stärker wie bei den beiden Eltern; es rührt dies wohl von den größeren
Blattflächen der ersteren her. Während Blüten und Pistille des Bastards
mehr denen von *Drosera longifolia* gleichen, nehmen die Antheren eine
Zwischenstellung zwischen den Eltern ein. Einige interessante blütenbiologische Beobachtungen müssen wir hier übergehen.

Im zweiten Teil der Arbeit wendet sich Verfasser, zunächst für die
beiden Eltern, zu den cytologischen Daten. Technisch von Bedeutung ist
die Angabe, daß für gewisse Stadien, wie z. B. für die „Prochromosomen",
das Carnoysche Gemisch ganz entschieden besser fixiert als das Flemmingsche.
Gerade diese sind ja von einer Reihe sehr tüchtiger Cytologen, wie z. B.
Grégoire, geleugnet. Verfasser bemüht sich demgegenüber und, wie
Referent nach eingehender Betrachtung der Figuren meint, mit Recht, ihre
Realität nachzuweisen. Wären sie, wie Grégoire will, immer nur die
Knotenpunkte der Waben, so könnte ihre Zahl nicht eine konstante und
noch dazu gleich der der Chromosomen sein. Die Prochromosomen nähern
sich in der von der Bonner Schule beschriebenen Weise einander
zu je zwei, sodaß wir der reduzierten Chromosomenzahl entsprechend, bei
Drosera longifolia 20, bei *Drosera rotundifolia* 10 solcher Doppelgebilde haben.
Sie ziehen sich dann zu Fäden aus, deren paarige Anordnung Verfasser
bis zur Synapsis gut verfolgen konnte, dann allerdings wird ihre Differenzierung undeutlich. Aus einigen offenbaren Kunstprodukten (Kernübertritte
in Nachbarzellen) sind Verfasser wie einigen Zoologen Zweifel an der
Natürlichkeit der Synapsis überhaupt gekommen. Referent möchte sich
hierin dem Verfasser nicht anschließen, da er neuerdings bei *Musa*, über
deren Cytologie er zur Zeit arbeitet, lebend außerordentlich deutlich die
charakteristischen Synapsis-Ballungen gesehen hat. Die folgenden Phasen
verlaufen nach dem heterohomöotypischen Schema wie es zu erwarten war.
Eine Umbiegung der Spiremschlingen im Sinne der Faltungstheorie ist
sicher nicht vorhanden.

Die Abweichungen der Bastard-Strukturen von denen der beiden
Eltern setzen schon in den somatischen Kernen ein, da hier bereits 2—10
paarige und 10 einfache Prochromosomen zu sehen waren. Erstere können
im Hinblick auf die späteren Stadien gut als zusammengesetzt aus beiden
Eltern, letztere als reine *longifolia*-Anteile gelten. Im übrigen wurden
während der somatischen Mitosen 30 Chromosomen aufgefunden. Während
der Teilungen der Pollen-Mutterzellen trat nun als größte Abweichung von
den Eltern die aus den früheren Arbeiten des Verfassers her bekannte
Doppelbildung von 10 *rotundifolia* und 10 *longifolia*-Chromosomen ein, während
die restierenden 10 *longifolia*-Chromosomen frei in der Zelle blieben und
nicht durch die Spindelfasern nach bestimmtem Schema in die Tochterkerne
einbezogen wurden. Verfasser bemühte sich dieses Mal noch besonders, die
Vorstadien dieser Paarung aufzudecken, speziell festzustellen, ob auch im
Spiremstadium schon zur Hälfte dicke bivalente, zur Hälfte dünne univalente
Fäden auftraten. Leider gelang es noch nicht, diese sehr wichtige Frage
zu entscheiden. Vollständige Angaben finden wir aber wieder für alle
Stadien nach der eigentlichen Reduktion. Interessant ist die wechselnde
Zahl von Chromosomen, die bei den Kernen der zweiten Teilung zu beobachten war — sie variieren von 11 bis 18, und wichtig ist der Satz, dem
sich Referent auch nach eigenen Beobachtungen an Hybriden völlig anschließen möchte, daß der Mechanismus der zweiten, der „Äquations"
Teilung, nicht durch die abnorme Chromosomenzahl wesentlich gestört ist.

Wirkliche Unregelmäßigkeiten zeigen sich genau wie bei den Hybriden, die Referent seinerzeit untersuchte, erst nach dem völligen Verlauf der Teilungen in der ungenügenden Plasmamenge der Tetraden. Trotzdem oft schon frühzeitig der Inhalt kollabiert und tot erschien, erwies sich die Exine der jungen Pollenkerne durchgängig als ganz normal, genau so wie dies auch Referent beschrieben hat. Vor der schließlichen Degeneration ist aber meist noch der Kern in eine Teilung eingetreten, zuweilen selbst die Bildung einer generativen Zelle zu Stande gekommen. Letzteres ist allerdings mehr eine Ausnahme:˙ für gewöhnlich bleiben die beiden Kerne gleich groß. Wirklich reife funktionstüchtige Pollenkörner werden fast niemals mehr ausgebildet.

Die Reduktionsteilung bei der Embryosackbildung verläuft entsprechend der bei der Pollen-Mutterzellteilung. In den Tetradenkernen variiert ebenso wie dort die Chromosomenzahl ziemlich stark. Der die 3 anderen Abkömmlinge der Embryosack-Mutterzelle verdrängende Embryosack beginnt, vor allem nach dem 4-Kern Stadium, plasmaarm zu werden, es treten auch sonst nicht beobachtete ölige Stoffwechselprodukte auf und die Kerne werden blaß, da sie ihr Chromatin aus dem Plasma nicht mehr zu regenerieren vermögen. Auch da, wo der Embryosack noch bis zur Ausbildung des Eiapparats und der Antipoden geschritten war, fanden sich oft Abnormitäten, so sah Verfasser einmal an Stelle der beiden Polkerne eine Menge Zwerg-Nuclei, die offenbar davon herrührten, daß sich die Chromosomen vakuolisiert hatten, bevor sie in einen Kern zusammengetreten waren.

Sehr selten bemerkte Verfasser wirklich normale typische Embryosäcke. In einigen Fällen konnten diese erfolgreich mit Pollen von *Drosera longifolia* befruchtet werden, während der Pollen von *Drosera rotundifolia* niemals eine Embryoanlage hervorgehen ließ und die Pollenkörner des Bastards ja degeneriert waren. Wo die Pollination überhaupt gelang, erwiesen sich jedes Mal gleich eine ziemlich beträchtliche Anzahl Samenanlagen im Fruchtknoten als befruchtet. In anderen Fällen kam es dagegen bei keiner Samenanlage zum Samenansatz. Diese Beobachtungen sprechen auch, wie Verfasser hervorhebt, für des Referenten These, daß die gewöhnliche Sterilität nicht in einer Unverträglichkeit der beiderelterlichen Chromosomen liegt.

Anhangsweise erwähnt Verfasser die auch theoretisch sehr interessante Tatsache, daß in einem Falle, in dem durch den Stich eines Insektes eine Anschwellung des parenchymatischen Gewebes und Zurückdrängung der Archesporzellen hervorgerufen war, auch in somatischen Zellen sich stellenweise die Bildung der eigenartigen bivalenten *longifolia* × *rotundifolia*-Chromosomen markierte.

Die beiden Schlußkapitel der Arbeit sind überschrieben: „Die Individualität der Chromosomen" und „Die Kopulation der Chromosomen in der Reduktionsteilung". Verfasser setzt sich hier eingehend mit Fick auseinander. Sowohl seine eigenen wie seinerzeit die Funde von Moenkhaus bei dem *Fundulus-Monidia*-Bastard lassen die seinerzeit von Boveri aufgestellte und dann von Montgomery u. a. für die Reduktionsteilungen theoretisch ausgebaute Hypothese völlig gerechtfertigt erscheinen. Sehr objektiv äußert sich Verfasser aber darüber, daß wir auch jetzt noch immer mit der Möglichkeit rechnen müssen, daß die Parallellagerung der Spiremfäden vor der Diakinese auf einer Längsteilung und nicht auf einer Konjugation beruhe. Indeß spricht für die Richtigkeit der ersteren Annahme, wie ja aus des Verfassers Gesamtausführungen hervorgeht, keine große Wahrscheinlichkeit.   G. Tischler.

Gates, R. R., 1. A study of Reduction in Oenothera rubrinervis. Bot. Gaz. 46. 1908. 1—34.

„   „   „   2. The Chromosomes of Oenothera. Science N. S. 27. 1908 193—195.

„   „   „   3. The behaviour of chromosomes in Oenothera lata ✕ gigas. Bot. Gaz. 48. 1909. 179—198.

„   „   „   4. Apogamy in Oenothera. · Science N. S. 30. 1909. 691—694.

„   „   „   5. The stature and chromosomes of Oenothera gigas, De Vries. Arch. f. Zellforschung. 3. 1909. H. 4.

Geerts, J. M., Beiträge zur Kenntnis der Cytologie und der partiellen Sterilität von Oenothera Lamarckiana. Récueil Trav. Bot. Néerl. 5. 1909.

Lutz, A. M., Notes on the first generation hybrid of Oenothera lata ✕ O. gigas. Science N. S. 29. 1909.

In den letzten Jahren hat man ein Bestreben in der beschreibenden Zytologie bemerkt, ihre Resultate mit denen anderer, mehr experimenteller und exakterer Zweige der biologischen Wissenschaft zu kombinieren. Es ist vornehmlich die Erblichkeitslehre, die seit Entdeckung der Koinzidenz zwischen der Mendelschen Regel und den Chromosomenverhältnissen bei der Geschlechtszellenbildung die Aufmerksamkeit der Zytologen gefesselt hat. Inwieweit eine solche Vergleichung der Resultate der Zytologie mit denjenigen der Erblichkeitsforschung berechtigt ist, mag vorläufig dahingestellt sein.

In den obigen Abhandlungen können wir einen derartigen Versuch verzeichnen, und zwar beschäftigen sich die Verff. mit den Chromosomenverhältnissen in der Mutterform und den Mutanten aus den berühmten De Vries'schen Versuchen, sowie mit denen eines Kreuzungsproduktes: *Oenothera lata ✕ gigas.*

In *Oe. Lamarckiana* haben Gates (1) und Geerts die Chromosomenzahl 14 (= 2 ✕) und 7 (= ✕) gefunden. Dieselben Zahlen gelten für die Mutanten, ausgenommen *Oe. gigas,* die nach Gates (5) 28 oder 29, nach Lutz etwa 30 Chromosomen in den somatischen Zellen enthalten soll.

In den ruhenden somatischen Kernen von *Oe. Lamarckiana* sind nach Geerts Prochromosomen zu unterscheiden, während Gates (1) bei *Oe. rubrinervis* nur eine variierende Chromosomenzahl gefunden hat.

Die Reduktionsteilung ist in *Oe. rubrinervis* und *Oe. Lamarckiana* von Gates (1) und Geerts studiert worden. Sie zeigt einen von unseren sonstigen Erfahrungen recht abweichenden Verlauf. In der Synapsis konnten die Verff. keine Paarung von Chromatinfäden entdecken. Erst im Spiremstadium findet Gates eine Parallelstruktur, die er jedoch als eine wahre Längsspaltung deutet. Eine Tendenz zur Paarung macht sich erst bemerkbar, wenn der Spiremfaden in 14 Chromosomen segmentiert ist, indem bei *Oe. rubrinervis* die Chromosomen kurz nach der Segmentierung, bei *Oe. Lamarckiana* erst in der Diakinese zu Paaren zusammentreten. Der Vorgang stimmt also weder mit der von Berghs-Grégoire, noch mit der von Farmer-Mottier gehegten Auffassung über den Reduktionsverlauf überein. Gates (1) hat gefunden, daß in *Oe. rubrinervis* die Paarungstendenz einiger Chromosomen in der Diakinese bisweilen sehr schwach sein kann, so daß bei der folgenden heterotypischen Teilung Unregelmäßigkeiten in der Chromosomenverteilung eintreten können, was zur Folge hat, daß der eine Pol mehr Chromosomen als der andere bekommt. Auch Lutz hat eine etwas variierende Chromosomenzahl bei verschiedenen Individuen gefunden, was vielleicht durch das ebengenannte Verhalten der Chromosomen erklärt werden kann.

Geerts hat in seiner Arbeit auch die Embryosackentwicklung und die partielle Sterilität von *Oe. Lamarckiana* studiert. Der Embryosack geht nach ihm aus der oberen Zelle der Tetrade hervor; bemerkenswert ist, daß derselbe nur bis zum 4-Kern-Stadium kommt, also keine Antipoden entwickelt. Daraus folgt auch, daß das Endosperm aus einem einzigen, befruchteten Polkern gebildet wird. Was die partielle Sterilität betrifft, so hat Geerts gefunden, daß etwa 50% der Samenanlagen und 50% der Pollenzellen steril sind. In beiden Fällen entsteht die Sterilität nach der Reduktionsteilung.

Die Abbildungen, womit Gates und Geerts ihre Befunde über die Reduktionsteilung stützen wollen, scheinen dem Ref. ziemlich mangelhaft und spärlich zu sein, inbesondere diejenigen der früheren Stadien. Aus eigener Erfahrung weiß jedoch Ref., daß das Objekt sehr schwierig zu bewältigen ist.

Ein sehr großes Interesse beanspruchen weiterhin die von Gates (3) und Lutz gemachten Chromosomenzählungen in Bastarden von *Oe. lata* und *gigas*.

Oe. lata hat nach Gates 14 Chromosomen, *Oe. gigas* 28, also doppelt so viel. Die Geschlechtszellen beider enthalten also resp. 7 und 14. Der Bastard müßte demnach 21 Chromosomen enthalten. Gates fand auch, daß diese Zahl vorherrschend war; nur in einem Individuum fand er konstant 20 Chromosomen. Miß Lutz fand bei der Untersuchung von etwa 40 Individuen etwas andere Zahlen und ziemlich verwickelte Chromosomenverhältnisse. Zwei Pflanzen waren mit *Oe. lata* identisch und hatten 15 Chromosomen, 6 Pflanzen ähnelten *Oe. gigas* und hatten etwa 30 Chromosomen; die übrigen 32 Pflanzen waren indermediär und hatten 21—23 Chromosomen. Die eigentümliche Erscheinung, daß in Lutz' Versuchen einige Bastardpflanzen die Chromosomenzahlen der Eltern zeigen, sowie eigene Versuche brachten Gates auf die Vermutung, daß *Oenothera lata* partiell apogam sei; wie Gates zugibt, sind aber noch weitere Untersuchungen nötig, um diese Auffassung zu begründen.

Bei dem von Gates untersuchten Bastard *Oe. lata × gigas* zeigte sich nun bei der Reduktionsteilung das unerwartete Verhalten, daß jede Tochterzelle bei der heterotypischen Teilung etwa die Hälfte der somatischen Chromosomenzahl, also 10, erhält. Es würde also hier nicht, wie in dem vom Ref. studierten Bastard *Drosera longifolia × rotundifolia*, eine Paarung und Separierung von Chromosomengruppen bestehen, die wohl von den beiden Eltern stammen, sondern vielmehr eine Tendenz zur Separation der ganzen Chromosomensumme (7 + 14) in numerisch gleiche Gruppen. In den Bastardindividuen, die 21 Chromosomen haben, bekommt die eine Tochterzelle also 10, die andere 11, selten 9 resp. 12 Chromosomen.

Was nun diese interessanten Befunde Gates' betrifft, so scheint es dem Ref. wünschenswert, daß die Figuren die wichtige heterotypische Metaphase zahlreicher wären; es kommt in der Arbeit des Verf. nur eine einzige, und dazu recht schematische Abbildung dieses Stadiums vor, und solche von früheren Stadien fehlen völlig. Zwar glaubt Verf. eine Erklärung des verschiedenen Verhaltens der Chromosomengruppen bei dem *Oenothera*- und dem *Drosera*-Bastard in der verschiedenen Ausbildungsweise der bivalenten Chromosomen zu finden, in *Oenothera* soll eine „end by end"-Konjugation, in *Drosera* eine parallele Konjugation bestehen. Es könnten aber die Verhältnisse doch auch so liegen, daß schon in den Prophasen eine sehr unregelmäßige Bindung oder „ungenügende Affinität" der Chromosomen vorhanden ist, und aus den Untersuchungen über den *Drosera*-Bastard geht hervor, daß trotz der eigentümlichen Bindung der Chromosomen, die im guten Einklang mit dem von Montgomery aufgestellten Satz steht; dennoch in den Tochterkernen für gewöhnlich die Chromosomenzahlen 14 und 16 vorkommen, also eine Separierung der Chromosomengruppen in numerisch ungefähr gleiche Gruppen. Nach der Ansicht des Ref. stehen also diese Befunde in *Oenothera*-Bastarden keineswegs im Gegensatz zu der genannten Auffassung des Reduktionsprozesses als einer Paarung und Separierung der Chromosomengruppen von der Vater- und der Mutterpflanze. Auffallend ist jedenfalls, daß die Halbierung der Chromosomengruppen in *Oenothera* so regelmäßig und mit nur geringer Variation vor sich geht.

Interessant und für die Zukunft recht viel versprechend ist der von Gates (5) nachgewiesene Zusammenhang zwischen Chromosomenzahl und Zellengröße in *Oenothera*; *Oe. gigas*, die ja doppelt so viel Chromosomen wie *Oe. Lamarckiana* hat, hat auch etwa doppelt so große Zellen, in Übereinstimmung mit Boveris Satz, daß die Zellengröße eine Funktion der Chromosomenzahl ist. Verf. äußert auch die Vermutung, daß die größeren Zellen die Ursache des im Verhältnis zu *Oe. Lamarckiana* hohen Wuchses von *Oe. gigas* sind. Da indessen die der Arbeit zugehörigen Tafeln noch fehlen, kann nicht näher auf diese Arbeit eingegangen werden.

Zum Schluß diskutiert Gates die eventuelle Bedeutung der Unregelmäßigkeiten in der Chromosomendistribution bei der Reduktionsteilung für das Auftreten von Mutationen. Wegen der bis jetzt nur spärlichen Untersuchungen und der zum Teil sich widersprechenden Angaben scheint es dem Ref. nicht angezeigt, hierauf einzugehen.   O. Rosenberg.

Wheldale, M. The colours and pigments of flowers, with special reference to genetics. Proc. Roy. Soc. B, **81**. 1909, S. 44—60.

Durch die Untersuchungen der letzten Jahrzehnte, in erster Linie die Arbeiten von Weigert, Overton und Molisch kam man zu dem Ergebnis, daß die als Anthocyan bezeichneten gelben, roten und blauen Farbstoffe, welche teils im Gallsaft gelöst, teils in kristallinischer oder amorpher Form in der Pflanze vorkommen, auf eine Reihe chemisch verschiedener Substanzen zurückzuführen sind und nicht, wie man früher annahm, nur Modifikationen ein und desselben Körpers darstellen. Auf ganz anderem Wege kommt nun die Verf. zu demselben Ziele, indem sie zeigt, daß auch vom Standpunkt der Erblichkeit und Variabilität mancherlei Verschiedenheiten dieser Farbstoffe zu konstatieren sind und daß sich interessante Parallelen zwischen ihren Befunden und den Ergebnissen chemischer Forschung ziehen lassen. Sie knüpft in erster Linie an an ihre Untersuchungen der Mendelschen Bastardierungen der *Antirrhinum*-Rassen an. Wenn man, was besonders mit den Overtonschen Untersuchungen übereinstimmt, annimmt, daß das Anthocyan ein glukosidähnlicher Körper ist, mit welchem bei *Antirrhinum* eine rote Substanz verbunden ist, so lassen sich die Mendelschen Faktoren bei den Kreuzungen der einzelnen Rassen darstellen durch Teilprodukte der angenommenen Farbsubstanz. Verlust der roten Substanz (Faktor M) gibt elfenbeinfarbene Blüten, welche noch die Glukosidreaktion geben. Verlust einer weiteren Substanz (I) gibt gelbe Blüten und Verlust des gelben Farbstoffes (Y) gibt Albinos. Es kann dann auch rot (M) mit der

Teilsubstanz Y allein vorhanden sein, woraus sich Karmin ergeben würde usw. Ähnliche Verhältnisse hat Verfasser in noch bei einer Reihe anderer Pflanzen beobachtet. Während aber in dem Beispiele von *Antirrhinum* die Zersetzung der glukosidartigen Substanz zu einem gelben Xantheïnfarbstoff führt, ist dies in anderen Fällen, z. B. bei dem von Bateson, Punnett und Saunders genau untersuchten *Lathyrus* nicht der Fall, woraus Verf. auf zwei Klassen von Anthocyan schließt, jenachdem Xantheïnformen vorhanden sind oder fehlen.

Des weiteren wird dann noch eine Einteilung der Anthocyane und Xantheïne nach chemischen Reaktionen usw. gegeben, der eine Aufzählung von zahlreichen, den verschiedensten Familien angehörigen, auf die Beschaffenheit des Anthocyan untersuchten Arten sich anschließt. Hierauf soll trotz des botanischen Interesses an dieser Stelle nicht weiter eingegangen werden, da hier ja vor allem nur der Versuch interessiert, die Mendelschen Faktoren bei Kreuzung von Farbenrassen auf das Vorhandensein oder Fehlen bestimmter chemischer Substanzen zurückzuführen.

E. Lehmann.

Winkler H., Über die Nachkommenschaft der Solanum - Pfropfbastarde und die Chromosomenzahlen ihrer Keimzellen. Zeitschr. für Botanik. 2. 1910. S. 1—38.

Schon in seiner letzten Mitteilung über die *Solanum*-Pfropfbastarde[1]) hat Winkler berichtet, daß *S. tubingense* keimfähige Samen bilde. Angaben über die Beschaffenheit dieser Sämlinge bringt der erste Abschnitt der jetzt vorliegenden Abhandlung. Alle aus Samen von geselbstetem *S. tubingense* gezogenen Keimlinge — über 1000 — erwiesen sich als völlig reines und typisches *S. nigrum* und blieben so, völlig konstant, auch in weiteren Generationen. Die Rückkreuzung von *S. tubingense* mit *S. nigrum* gibt in den beiden reziproken Kreuzungen reichlich Samen und weiterhin ebenfalls ausschließlich *S. nigrum*-Keimpflanzen. Alle Versuche, *S. tubingense* mit der anderen Stammart, *S. lycopersicum*, zu kreuzen, waren erfolglos, gaben keine keimfähige Samen.

Genau so wie *S. tubingense* verhält sich *S. Gaertnerianum*, einer der andern von Winkler hergestellten Pfropf-„Bastarde". *S. Proteus* dagegen schlägt geselbstet in reiner Deszendenz rein und konstant zu *S. lycopersicum* zurück und ist auch nur mit *S. lycopersicum* fertil rückzukreuzen.

Über die Deutung, die Erklärungsmöglichkeiten dieser Erscheinung, verhandelt Winkler in einem zweiten Abschnitte seiner Abhandlung. Sonderbarerweise neigt er hier sehr komplizierten, durch keinerlei Analogiefälle wahrscheinlich gemachten Hypothesen zu. Während er aber früher, in seiner vorigen Mitteilung, die Theorie des Referenten, daß die „Pfropfbastarde" Periklinalchimären seien, mit einer kurzen spöttischen Wendung als etwas ganz Unsinniges abfertigen zu können glaubte, gibt er jetzt wenigstens zu, daß sich alle diese Erscheinungen verhältnismäßig einfach für den verstehen lassen, der in den Pfropfbastarden Periklinalchimären erblickt. Trotzdem will er diese Erklärung nicht heranziehen.

Ref. sieht der Entwicklung der Dinge in aller Ruhe entgegen. Glücklicherweise hat nämlich Winkler, wie er in einem dritten Abschnitt seiner Arbeit berichtet, in der Zytologie der beiden Stammarten ein Mittel in die Hand bekommen, das eine definitive Entscheidung der Frage, ob die

---

[1]) Referat in Heft 1 des laufenden Bandes dieser Zeitschr. S. 111.

Pfropfbastarde Periklinalchimären sind oder nicht, ermöglicht. Eine Unter-
suchung von Quer- und Längsschnitten durch den Vegetationspunkt eines
Pfropfbastardes muß ohne weiteres zeigen, ob er eine Periklinalchimäre der
Stammarten ist, wenn es gelingt, schon an den einzelnen embryonalen Ve-
getationspunktzellen zu erkennen, ob sie Zellen der einen oder der andern
Stammart sind. Bei den bisher bekannten Pfropfbastarden, z. B: bei den
Crataegomespili, ist eine solche Unterscheidung nicht möglich; eine Vegetations-
punktzelle von *Crataegus monogyna* ist von einer solchen von *Mespilus ger-
manica* nicht zu unterscheiden, vor allem auch deshalb nicht, weil diese
beiden Stammarten genau oder fast genau die gleiche Chromosomenzahl
haben. Und das gleiche gilt für die Zellen von *Laburnum vulgare* und *Cytisus
pupureus*, die Stammarten des *Cytisus Adami*.

Die Winklerschen *Solanum*-Pfropfbastarde sind nun aber zur Entscheidung dieser Frage denkbar geeignet, weil hier, wie Winkler in der
vorliegenden Abhandlung mitteilt, die Stammarten sehr verschiedene Chromosomenzahlen haben: *S. nigrum* haplod 36, *S. lycopersicum* haplod 12. Damit
ist natürlich ein striktes Kriterium gegeben, die embryonalen Zellen der
beiden Arten zu unterscheiden. Es bleibt also jetzt nur noch übrig,
Vegetationspunkte der Winklerschen Pfropfbastarde daraufhin zu untersuchen, wie sich die Chromosomenzahlen in den verschiedenen einzelnen
Zellschichten verhalten. Wir dürfen ja wohl annehmen, daß Winkler in
in Bälde über das Resultat derartiger Untersuchungen berichten wird.

Als Anhang zu der hier besprochenen Abhandlung bringt Winkler eine
Entgegnung auf die (hier im letzten Hefte auch referierte) Arbeit Strasburgers: „Meine Stellungnahme zur Frage der Pfropfbastarde". Die Entgegnung ist in einem Tone geschrieben, wie er glücklicherweise sonst in der
wissenschaftlichen Literatur sehr selten ist. Irgend ein Anlaß zu derartig
schweren Verdächtigungen und persönlichen Angriffen, wie sie Winkler
gegen Strasburger richtet, liegt nach des Ref. Ansicht durchaus nicht
vor. Ref. hat diese Ausführungen Winklers nur mit Befremden und Bedauern gelesen.   Baur.

Reitsma, J. F. Correlative Variabiliteit by planten. Inaug. Diss. Amsterdam,
1907, 98 S.

In vorliegender Arbeit liefert Verf. einen Beitrag zur Kenntnis der
korrelativen Variation bei Pflanzen. Eingehend und kritisch werden die
über diesen Gegenstand publizierten Untersuchungen besprochen und deutlich
gezeigt, daß bisweilen durch die Anwendung einer unrichtigen Methode
zur Berechnung des Korrelationskoeffizienten oder durch unzweckmäßige
Wahl des Versuchsmaterials fehlerhafte Resultate erhalten sind. Die eigenen
Untersuchungen beziehen sich hauptsächlich auf die Korrelation der Merkmale von Blättern und Stengeln. Die wichtigsten Ergebnisse sind folgende.
Zwischen den Längen der verschiedenen Blättchenspreiten desselben Blattes
von *Trifolium pratense* und auch von *Trifolium repens* besteht eine fast vollkommene Korrelation; die Korrelation zwischen den Breiten der Blättchen
ersterer Pflanze ist etwas geringer, und noch etwas geringer, aber dennoch
sehr groß, ist diejenige zwischen der Länge und der Breite jedes Blättchens.
Auch zeigen die Längen der Blattspreite und des Nebenblattes von *Vicia
Faba* und von *Lathyrus odoratus*, die Längen der Blattspreite und der Ranke
letzterer Pflanze und ebenfalls die Länge des Blütenstieles und die der

Blumenröhre von *Crocus vernus* eine ziemlich große Korrelation. In allen diesen Fällen ist r positiv. Zwischen der Länge des Internodiums und der Länge der darangrenzenden Blätter besteht keine nennenswerte Korrelation. Ausführlich wird die Korrelation im Zusammenhang mit der Kompensation besprochen, d. h. mit der Erscheinung, bei welcher durch das Entfernen eines Organs ein anderes sich kräftiger entwickelt. Aus dem Vorhandensein einer bedeutenden, positiven Korrelation zwischen Blattspreite und Nebenblatt bei *Vicia Faba* und *Lathyrus odoratus* und der fast vollkommenen, positiven Korrelation zwischen den Blättchen des *Trifolium*-Blattes schließt Verf., daß bei diesen Organen unter normalen Verhältnissen keine Kompensation besteht. Bei seinen Berechnungen von r wendet Verf. die Galtonsche Methode an, er gibt aber am Ende der Arbeit auch die mittels der Bravaisschen Formel erhaltenen Werte für r an. Daß beide Werte nicht vollkommen miteinander übereinstimmen, schreibt Verf. mit Unrecht der geringeren Genauigkeit der Galtonschen Methode zu. Die Ursache ist, daß bei der Galtonschen Methode die Mediane, bei der anderen Methode das arithmetische Mittel den Ausgangspunkt für die Berechnung bildet, und gerade dadurch müssen beide Werte, ausgenommen bei fehlender und bei vollkommener Korrelation, einen Unterschied zeigen. In den untersuchten Fällen sind die Unterschiede aber so gering, daß die Berechnungsmethode keinen Einfluß ausübt auf die aus den Werten von r abgeleiteten Resultate. Tine Tammes, Groningen.

Wakefield, E. M. Die Bedingungen der Fruchtkörperbildung bei Hymenomyceten, sowie das Auftreten fertiler und steriler Stämme bei denselben. Mit Tafel II. Naturw. Zeitsch. für Forst- und Landwirtschaft. 7, 1909. Heft 11, S. 521—551.

Die Verf. stellt in der vorliegenden Arbeit fest, daß bei den von ihr untersuchten Basidiomyceten — *Schizophyllum commune* und *Stereum purpureum* — differente phyiologische Varietäten vorkommen. Sie züchtete aus einzelnen Sporen, die alle demselben Fruchtkörper entnommen waren, eine Anzahl Stämme, von denen die einen sehr stark zur Fruchtkörperbildung neigten, die anderen nur vegetativ wuchsen. Bei den ersteren entstanden Fruchtkörper unter den verschiedensten Bedingungen auf verschiedenen Nährböden immer fast gleich gut, während die vegetativen Stämme unter denselben Bedingungen nur äußerst selten zur Ausbildung von reduzierten Fruchtkörpern zu bringen waren. Sie bildeten dagegen sehr üppiges vegetatives Myzel, das den anderen Stämmen fast ganz fehlte. Von einem sporentragenden, in Reinkultur gewachsenen Fruchtkörper des leicht fruktifizierenden Stammes wurden dann wieder aus einzelnen Sporen neue Kulturen angelegt. Es zeigte sich, daß auch diese individuell verschieden voneinander waren, indem einige äußerst leicht fruktifizierende, andere nur sterile Stämme abgaben. Die Fruchtkörper dieser zweiten Generation kamen aber leider nicht mehr zur Sporenbildung, so daß es nicht möglich war, noch weiter zu untersuchen, ob sich in späteren Generationen auch stets solche erbliche Unterschiede zeigen würden. Die vegetativen Stämme ließen sich leicht durch Myzel fortpflanzen und behielten auch nach zahlreichen Abimpfungen ihre Sterilität.

Es wäre nunmehr von Interesse, zu versuchen, ob nicht doch Bedingungen existieren, unter denen die schlecht fruktifizierenden Stämme zu guter Fruktifikation zu zwingen wären und sodann, ob bei den leicht fruktifizierenden durch Generationen hindurch stets dasselbe Verhältnis in der Ausbildung von fertile und sterile Stämme liefernden Sporen erhalten bleibt. Natürlich müßten dazu auch erst die Bedingungen ausgefunden sein, unter denen die Fruchtkörper auch in Reinkultur dauernd zur Sporenbildung gelangten. Jedenfalls sind die Resultate der vorliegenden Arbeit sehr wohl in Einklang zu bringen mit denen, die Ref. bei eigenen Untersuchungen an *Xylaria Hypoxylon* erhielt, bei der in einigen Stämmen ebenfalls das stete Auftreten von Stromata beobachtet werden konnte, während sich in anderen keine Neigung zur Fruktifikation zeigte.   H a r d e r (Kiel).

Cesarina Chiti. Osservazioni sul dimorfismo stagionale in alcune ntità del ciclo di Galium palustre L. Nuovo Gorn. botan. italiano. (Nuova Serie) 16, N. 2. 1909, S. 146—178.

In der vorliegenden Arbeit gibt Verf. zuerst eine systematisch-geographische Übersicht über die drei zur Gesamtart *Galium palustre* L. gehörigen Unter-Arten: *G. palustre* L., *G. elongatum* Presl. und *G. constrictum* Chaub. in St.-Am. Weiter wird auf Grund eigener bei Padua ausgeführter Beobachtungen ebenso wie Floren- und Herbarnotizen festgestellt, daß *G. elongatum* und *palustre* zwei saisondimorphe Formen darstellen, allerdings nicht in so ausgesprochener Weise, wie manche der von W e t t s t e i n beschriebenen Arten, die aber dennoch in ihrer Blütezeit um 14 Tage differieren. Da nun das Studium der geographischen Verbreitung gezeigt hatte, daß das spätblühende *G. elongatum* eine südlichere Verbreitung, also ein Gebiet mit längerer Vegetationszeit, das früherblühende *G. palustre* im Gegensatz eine nördlichere Verbreitung, also ein Gebiet mit kürzerer Vegetationsperiode aufweist, so liegt hier ein Parallelfall vor zu verschiedenen von W e t t s t e i n erwähnten Beispielen, wie demjenigen von *Euphrasia tenuis* und *brevipila* (s. Ber. deutsch. bot. Ges. 1895, **13**, S. 312). Es soll demnach, nach Verf., hier ebenso das Klima die Spaltung in die beiden Parallelformen hervorgebracht haben, also äußere Einflüsse sollen nach und nach oder plötzlich (s. S. 175) die morphologischen und biologischen Differenzen hervorgerufen und fixiert haben, derart, daß die frühblühende Form nun auch in Gegenden mit langer Vegetationsperiode früher, die spätblühende in Gegenden mit kurzer Vegetationsperiode später blüht. Das in Kultur genommene Material von *G. elongatum* zeigte durch zwei Jahre die gleiche Blütezeit und dieselben morphologischen Merkmale, ohne Zwischenformen. Dagegen sollen in den Gegenden, wo die Verbreitungsareale beider Unterarten übereinandergreifen, Zwischenformen vorhanden sein, von denen die einen mehr zur einen, die anderen zur anderen Unterart hinweisen. Verf. beabsichtigt nun mit diesen Unterarten und Übergangsformen weitere Kulturversuche anzustellen, um ev. durch veränderte äußere Bedingungen ähnliche Übergänge oder fixierte Formen hervorzubringen. Wir sehen diesen Versuchen mit Interesse entgegen und heben hervor, daß nach unserer Ansicht nur auf diesem Wege ein B e w e i s für oder gegen die vorgetragenen Ansichten erbracht werden kann.   E. L e h m a n n.

D. T. Macdougal, A. M. Vail, and G. H. Shull. Mutations, variations, and relationships of the Oenotheras. Carnegie Inst. Washingt. Publ. 1907. 81, gr. 8° 92. S. 22 Taf.

Die hier vereinigten Untersuchungen beschäftigen sich unter einer ganzen Reihe verschiedener Gesichtspunkte mit den Arten der Gattung *Oenothera*, speziell mit den um *Oenothera Lamarckiana* sich gruppierenden Formen.

In der ersten Abteilung wird über Versuche berichtet, welche im großen und ganzen eine Wiederholung der bekannten Versuche von de V r i e s an

Oenothera Lamarckiana darstellen. Es wurden vier Individuen dieser Art, teils aus de Vries' Kulturen stammend, teils im New-Yorker Garten aus anderer Aszendenz erwachsen, isoliert und selbstbefruchtet und dann deren Deszendenz beobachtet. Es stellt sich heraus, daß die von de Vries beobachteten Mutanten sämtlich und zwar ungefähr in gleicher Menge auch hier zur Entwicklung kommen; dazu gesellt sich ein neuer Mutant. Für die Hauptmutanten werden nochmals eingehende Beschreibungen und Diagnosen angeführt. Von Interesse ist weiterhin, daß die Verf. aus einer anderen Samenprobe, die sie aus Lancashire in England bezogen, neben *Oe. Lamarckiana* zugleich *Oe. rubrinervis* und *lata* aufgehen sahen, woraus erhellt, daß auch an diesem Fundplatz die Mutanten schon neben· der Hauptart auftreten. Zudem bildeten diese *lata*-Pflanzen Pollen aus, was bekanntlich die de Vriesschen bisher nie getan hatten; sie brachten bei Selbstbestäubung eine Nachkommenschaft hervor, welche die gewöhnlichen Mutanten enthielt.

In einem weiteren ·Abschnitt wird die Variabilität der *Oenothera Lamarckiana* und zwei ihrer Mutanten einer eingehenden statistischen Betrachtung unterzogen. Es ergibt sich einmal, daß besonders die Knospenbeschaffenheit als zuverlässig trennendes Merkmal zwischen den einzelnen Sippen zu betrachten ist; sodann wird für die Mutanten eine größere Variabilität gefunden, als für die Stammart, woraus ganz allgemein geschlossen wird, daß phylogenetisch jüngere Arten eine größere Variabilität aufzuweisen haben, als ältere. Wenn dem Ref. ein derartig allgemeiner Schluß auch wohl noch sehr verfrüht erscheint, so ist doch nicht zu leugnen, daß eine vergleichende Untersuchung der Variabilitätsgröße der systematischen Betrachtung nach phylogenetisch älteren und jüngeren Verwandtschaftskreisen angehörende Arten ein interessantes Untersuchungsfeld abgäbe.

Es folgt die Mitteilung, daß in einer Stammbaumkultur von *Oe. biennis*, und zwar einer von der europäischen verschiedenen Rasse dieser Art, ein schmalblättriger und auch in der Blüte differierender Mutant hervorging, der indes nur zu 12% in der Nachkommenschaft sich wieder zeigte; ebenso gab *Oe. cruciata* einen Mutanten ab und *Oe. grandiflora* scheint den Verf. eine ähnlich komplexe Progenies aufzuweisen, wie *Lamarckiana*, doch soll darüber erst später gehandelt werden.

Aus einer Kreuzung von *Lamarckiana* × *cruciata* wird sodann ein konstanter Bastard beschrieben; dieser, gekreuzt mit *Lamarckiana*, bringt eine Anzahl verschiedener Typen hervor, von denen zwei sich nur durch die einmal breitblättrigen, *Lamarckiana*-ähnlichen, das andere Mal schmalblättrigen, *cruciata*-ähnlichen Blütenblätter unterscheiden. Ein aus einer selbstbefruchteten Blüte von dem zweiten Typus erstandenes Individuum trieb nun plötzlich einen Ast, welcher nur *Lamarckiana*-ähnliche Blüten zeigte, die, ihrerseits selbst befruchtet, wieder nur Pflanzen mit *Lamarckiana*-ähnlichen Blüten aus sich hervorgehen ließen, während der Hauptstamm zumeist *cruciata*-ähnliche Blüten tragende Pflanzen, hier und da aber auch solche mit breitblättrigen Petalen aufwies.

Hieran schließt sich die Darlegung der Versuche über künstliche Auslösung von Mutationen durch Injektion verschiedener Giftstoffe in den Fruchtknoten kurz vor der Befruchtung bzw. die Radiumbestrahlung desselben bei *Oenothera biemunis* und *Raimannia*. Daß die angeführten Resultate, nach denen infolge der Behandlung ein neuer Mutant, bzw. mehrere alte hervortraten, noch nicht völlig beweisend sind, wurde ja seitdem schon von Baur (Ref. Zeitschr. f. Bot. 1909, **1**, S. 138) und Johannsen (Elemente der exakt. Erblichkeitslehre 1909, S. 451) hervorgehoben. Es ist hier vor allem nicht genug das Verhalten der Nachkommenschaft aus nichtinjizierten Blüten beobachtet worden. Vielleicht wird aber doch die Zukunft auf diesem Wege noch sichere Ergebnisse zeitigen.

Endlich wird eine eingehende Beschreibung einer Anzahl *Oenothera*-Arten, deren Verbreitung usw. gegeben, worauf hier nicht des näheren eingegangen werden kann; nur soll hervorgehoben werden, daß auch *Oe. biennis* offenbar aus einem Schwarm verschiedener gut unterscheidbarer Rassen sich zusammensetzt.

Eine Diskussion der Resultate beschließt das reich mit Tafeln und Abbildungen ausgestattete Werk.   E. Lehmann.

Kraus, C. **Züchtungen von Gerste und Hafer 1899—1908.** Fühlings landw. Zeitung. 58. Bd., 13—15. Heft.

Die beschriebenen Züchtungen sind nach dem deutschen Ausleseverfahren, Nebeneinanderführung mehrerer Individualauslesen mit fortgesetzter Auslese von Individuen und Nachkommenschaften, durchgeführt. Ausgegangen ist in allen Fällen — böhmische Gerste ausgenommen — von Landsorten. Die Auslese zielte daher zunächst auf Isolierung der brauchbarsten Formen ab, die dann in Veredelungszüchtung genommen wurden. Aus Freisinger und niederbaierischer Gerste wurden Formen isoliert, deren Nachkommen sehr wenig gleichmäßig waren. Durch fortgesetzte Auslese gelang es eine große Gleichmäßigkeit zu erzielen, die sich weiterhin erhielt; trotzdem war aber die Tendenz zu verschieden starker Wüchsigkeit nach wie vor vorhanden. Eine Züchtungssorte, böhmische Gerste, verlor bei längerem Anbau die zuerst gezeilten guten Eigenschaften. Durch Auslese konnten nur Linien isoliert werden, die diesem Rückgange weniger rasch folgten, dagegen keine Linien, die diesen Veränderungen nicht unterworfen waren. Bei den steifrispigen Haferzuchten wurden in den einzelnen Nachkommenschaften einer Linie Unterschiede konstatiert, die als Linienmutationen aufzufassen sind. Bei den schlaffrispigen Zuchten treten mehrfach Abänderungen auf. Insbesondere bei dem Fichtelgebirgshafer verändert sich Rispenbau, Halmbeschaffenheit, Vegetationsverlauf und Kornausbildung. Diese Veränderungen waren zwar an der Ausgangspflanze der Linie beobachtet, erwiesen sich aber infolge fehlender Vererbung als Modifikationen; erst in dritter Generation wurden sie wieder sichtbar. Da in den einzelnen Nachkommenschaften völlige Konstanz dieser Veränderungen nicht beobachtet wurde, wird die mutative Entstehung abzulehnen sein. Für die Entstehung durch Bastardierungseinflüsse sind keine Anhaltspunkte vorhanden   Kraus hält daher die Erklärung, daß die klimatischen und örtlichen Verhältnisse diese Veränderungen bewirkt haben, für die wahrscheinlichste. Dafür spricht die Tatsache, daß die schlaffrispigen Zuchten je nach Reaktionsvermögen zwar verschieden, aber alle in gleicher Richtung abänderten. Die Auslese hatte demnach die Linien isoliert, welche auf die Lebenslage am stärksten reagierten und solche Veränderungen verhältnismäßig am besten vererbten. — In all diesen mehrjährigen Versuchen gelang es nicht nachweisbar neue Befähigungen hervorzurufen oder vorhandene Tendenzen wegzuzüchten, der Linientypus konnte in keinem Fall verschoben werden. Zwar konnte eine Verschiebung in Richtung der Zuchtziele erreicht werden, indem Unterschiede des persönlichen Charakters der Individuen Abweichungen der Nachkommenschaften im Rahmen der Linie verursachten, aber so sichere Vererbung, daß solche Verschiedenheiten ohne Auslese dauernd erhalten blieben, bestand nicht. Derartig „bessere" Nachkommenschaften stammen nicht nur von den besten Pflanzen, sondern auch von weniger guten Individuen.

Bemerkenswert ist endlich noch der Hinweis auf die verhältnismäßig starke Konstanz der Korngrößen verschiedener Formenkreise im Hinblick auf Johannsens Versuche.   Th. Roemer-Jena.

Graf Arnim Schlagenthin, Kartoffelzüchterische Fragen und Beobachtungen.
Jahresbericht der Vereinigung für angewandte Botanik, 6. Bd., S. 118—130.

Dieser Aufsatz verfolgt den Zweck, den der züchterischen Praxis ferner stehenden Botaniker für Fragen zu interessieren, die sich dem Züchter aufdrängen, deren Lösung ihm selbst aber nicht möglich ist. Bezüglich des Verhaltens der Kartoffel bei Vermehrung glaubt A. nicht an die bisher angenommene völlige Konstanz, da er ein häufigeres Auftreten der Knospenvariationen für nachgewiesen hält. A. erzielte nämlich aus 400 Stecklingspflanzen einer roten Kartoffelsorte, die im Warmhaus angetrieben wurde, etwa 1% weiße Knollen, die vegetativ konstant vererbten. Wenn A. beobachtete, das bei verschiedenen Individuen einer Sorte trotz starker fluktuierender Variabilität der Blattform, auch innerhalb einer Pflanze, die Tendenz zu einer Form besteht und durch Benutzung dieser Tendenz Typen zu isolieren sind, die sich relativ konstant vererben, so liegt hier die „verhältnismäßige Vererbung" Fruwirths vor. Diese Tatsache führt A. gegen die Auffassung völliger Konstanz bei Vermehrung an. — Nicht recht zu verstehen ist, was A. meint, wenn er im 3. Abschnitt schreibt: „Nach meiner Erfahrung entstehen, wenn man die Samen einer beliebigen wilden Beere, die z. B. 400 Kerne enthält, aussäet, regelmäßig 400 neue Sorten, die großenteils von der Mutterpflanze und unter sich so verschieden sind, daß es theoretisch wohl bedenklich ist, hier von Varianten zu reden. Vielleicht handelt es sich hier um eine überaus komplizierte Kombination von Variationen mit Mutation". Die Kartoffelsorten sind mit geringen Ausnahmen Kreuzungsprodukte. Die angebauten Kartoffeln sind daher vegetative Vermehrungen einerersten Generation nach Bastardierung. Wird von solchen Stauden Samen gewonnen, so erwächst aus diesen die zweite Generation nach Bastardierung, die bekanntlich spaltet. Wenn man bedenkt, daß zu dieser jüngsten Kreuzung sowohl väterlicher- wie mütterlicherseits die erste Generation einer früheren künstlichen Kreuzung verwendet wurde, so ist ein außerordentlich mannigfaltiges Bild einer solchen spaltenden zweiten Generation zu erwarten. Es kann daher nicht wundernehmen, wenn es A. nicht gelang, auf empirischem Wege irgend eine Gesetzmäßigkeit zu finden und daß „alle Teile ganz anders sind, als bei der Mutterpflanze".
                                                        Th. Roemer-Jena.

Morgan, T. H. Breeding experiments with rats. The American Naturalist 43 1909, p. 182—185.

This work was undertaken with a view of determining how far the Mendelian hypothesis would hold good in the case of wild species. With this idea crosses were made between the blackrat, *Mus rattus*, and the Alexandrian or roof rat, *M. alexandrinus*, which has a ticked coat not unlike that of the Norway rat, *M. decumanus* in general character. In this cross F_1 consisted of black animals. Black is then dominant to gray. In F_2 the Mendelian ratio of 3 black to one gray is approximated although the numerical results are too small to be absolutely conclusive.

The roof rat possesses a peculiar character in that the ventral hair is unticked instead of being ticked as in the gray Norway rat. In mice, however, there is a wild brown species with a white belly and ticked hairs.

Such a mouse crossed with a gray and white spotted mouse gives in F_1 all grays with white bellies, — the hair being ticked ventrally. When these are inbred there appear in F_2 among other classes some spotted mice. When in these animals the white spot extends across the belly, the region of the spot has hairs white to the base.

Theoretically the question of the origin of the black rat is one of interest. The dominance of such forms over the gray would seem to indicate that they originated by spreading black rather than by the loss of the pattern factor.

When the Norway rat is crossed with an albino having black as a latent character, we find the belly color deepened. This may be due to the action of the black-bearing germ cell which causes the further extension of black in the hairs. In nearly all of the individuals of the F_1 generation of this cross, a white streak occurs on the belly where the hair is unticked to the base. This is probably due to the incomplete dominance of the uniform coat.   C. C. Little-Harward University.

Kupelwieser Hans, „Entwicklungserregung bei Seeigeleiern durch Molluskensperma". — Arch. f. Entw.-Mech., XXVII. Bd.. S. 434—462, 3 Fig., Taf. XIV—XVI, 1909.

Bataillon, E., „L'imprégnation hétérogène sans amphimixie nucléaire chez les amphibiens et les echinodermes (à propos du récent travail de H. Kupelwieser)". — Arch. f. Entw.-Mech., XXVIII. Bd., S. 43—48, 1909.

Kupelwieser vermochte Eier des Seeigels *Echinus* mit Samen der der Miesmuschel *Mytilus*, Bataillon Eier zweier Arten von ungeschwänzten Amphibien, des Schlammtauchers *(Pelodytes punctatus)* und der Kreuzkröte *(Bufo calamita)* durch Samen eines geschwänzten Amphibiums, des Bergmolches *(Triton alpestris)* zur Entwicklung anzuregen. „Zur Entwicklung anregen" und nicht einfach „Befruchten" muß man sagen, denn in beiden Fällen ist es Befruchtung ohne Kernkopulation, und der anfängliche Chromosomenvorrat geht nur vom weiblichen Vorkern aus. Das Spermatozoon verliert zwar beim Eindringen Schwanzfaden und Spitzenstück, und der Spermakern rückt anfänglich, unter Heranwachsen des Spermozentrums bis zur Maximalgröße, an den Eikern heran, aber jener bleibt unverändert an einem der Spindelpole und wird bei der Zweiteilung in eine der Blastomeren transportiert, wo er allem Anschein nach zugrunde geht. Da beim Eindringen des ersten Spermakernes keine Membran entsteht, haben noch weitere Spermatozoen ins Ei Zutritt, und es findet daher häufig Polyspermie statt. Darauf lassen sich die vielen, in den Kulturen auftretenden pathologischen Entwicklungsstadien (verlangsamte, unregelmäßig verlaufende Furchung) zurückführen, während die wenigen normalen Larven von monosperm gebliebenen Eiern herrühren müssen. Ihre Charaktere sind selbstverständlich rein mütterlich; die Larven verraten keine Spur von Bastardnatur.

Die Verwandtschaft, ja prinzielle Übereinstimmung dieser Fälle, denen sich auch noch Loebs Arbeit „Über die Natur der Bastardlarve zwischen dem Echinodermenei und Molluskensamen", Arch. f. Entw.-Mech., Bd. 26, Heft 3[1]) und Przibrams Arbeit „Aufzucht usw. der Gottesanbeterinnen, III. Temperatur- und Vererbungsversuche", ebenda, Bd. 28, Heft 4[2]) anreihen, mit

---

[1]) Referiert in dieser Zeitschrift, Bd. 2, S. 209.
[2]) Wird an dieser Stelle referiert werden.

der künstlichen Parthenogenese ist eine offenkundige; nur daß statt eines der vielen Stoffe, welche jungfräuliche Entwicklung hervorzurufen vermögen, hier Spermastoff verwendet worden ist. Um in all diesen Fällen das Zustandekommen der Entwicklung zu erklären, will Bataillon lieber physikalische als chemische Veränderungen im Ei annehmen.

Kritisch wäre zur Arbeit von Bataillon zu bemerken, daß ein weiterer Analogiepunkt, den er zwischen künstlicher Parthenogenese und heterogener Bastardierung anführt, heute nicht mehr gültig ist: der Umstand nämlich, daß in beiden Fällen nur untergeordnete Entwicklungsstufen erreicht werden sollen. Delage ist es ja gelungen, aus künstlich befruchteten, nicht besamten Echinodermeneiern die fertig ausgebildeten Tiere zu erziehen.

Kammerer, Wien.

Heinroth, O. Ein lateral hermaphroditisch gefärbter Gimpel (Pyrrhula pyrrhula europaea Vieill). In: Sitzber. d. Gesellsch. Naturf.-Freunde. Nr. 6, Jahrg. 1909. S. 328—330 mit 1 Tafel.

Verf. erhielt einen lebenden Gimpel, dessen Unterseite links braungrau (weiblich), rechts rot (männlich) gefärbt war. Oberseits sind beide Seiten gleich (männlich) gefärbt. Das Tier war krank und ging bald ein, so daß aus seinem indifferenten Verhalten einem ihm beigesellten Weibchen keine Schlüsse gezogen werden konnten.

Der Sektionsbefund ergab rechts einen Hoden und Samenleiter in guter Ausbildung, links fand sich ein normaler Eierstock, der Eileiter war nur im oberen Drittel entwickelt. M. Hilzheimer-Stuttgart.

Kiesel. Über die Vererbung von Farben und Abzeichen beim Pferde. In: Arch. f. wissensch. u. prakt. Tierheilk. Bd. 34. Jahrg. 1908.

An der Hand der Aufzeichnungen von Hengstbüchern und Stutenverzeichnissen der beiden königlichen württembergischen Gestüte glaubt Verfasser für die Vererbung der Farbe beim Pferde folgende Gesetze nachweisen zu können:

1. Alle Abzeichen haben die Neigung, kleiner zu werden.

2. Zwischen Größe und Zahl der Abzeichen der Eltern und ihrer Nachkommen besteht ein gerades Verhältnis.

3. Haben beide Eltern homologe Abzeichen, so werden diese sicherer vererbt, als wenn ein Elterntier Abzeichen hat.

4. Die Konstanz der Abzeichen an den einzelnen Körperteilen ist verschieden. Abzeichen an den Beinen verschwinden leichter, als solche am Kopf, von denen namentlich der sogenannte „Stern" sehr konstant ist.

5. Die Kopfabzeichen haben Neigung zur Querteilung (Zebrastreifen!? D. Ref.), während sich Extremitätenabzeichen nicht teilen.

6. Mit der Vermehrung der Abzeichen geht an den Vorderbeinen eine Vergrößerung Hand in Hand, wogegen die Abzeichen der Hinterbeine zur Verkleinerung neigen.

7. Als Regel, nicht Gesetz, kann gesagt werden, daß die höchste Zahl der vergrößerten Abzeichen stets mit der stärksten Abdunkelung zusammenfällt, ihre Verkleinerung mit geringer Abdunkelung.

Für die Praxis zieht K. aus seinen Beobachtungen den Schluß, daß sich die Körperkonstitution mit Wachsen der Abzeichen und Dunklerwerden des Deckhaares verschlechtert, bei dem entgegengesetzten Vorgang verbessert.

M. Hilzheimer-Stuttgart.

Bataillon, M. E. Les croisements chez les Amphibiens au point de vue cytologique. C. R. acad. sc. Paris **147** 1908. S. 642—644.

— **Le substratum chromatique héréditaire et les combinaisons nucleaires dans les croisements chez les Amphibiens.** Ebenda S. 692—694.

Dem Verf. gelang es, durch Kreuzung von *Bufo*-Arten und von *Pelodytes punctatus* bei gewissen Kombinationen Bastardlarven zu erzielen. In andern Fällen, z. B. bei der Kreuzung *Bufo vulgaris* ♀ ⨯ *Rana fusca* ♂, trat zwar Furchung ein, sogar eine sehr regelmäßige, aber die Entwicklung hörte auf, bevor die Gastrulation erfolgte. Auch bei Bastardierung von Anuren mit Urodelen (*Triton alpestris* ♂ ⨯ *Pelodytes punctatus* ♀ bzw. *Tr. alp.* ♂ ⨯ *Bufo calamita* ♀) begann das Ei sich zu furchen. Es stellte sich aber heraus, daß es in diesen Fällen gar nicht zu einer Befruchtung kommt, sondern daß das Ei sich parthenogenetisch entwickelt und diese Entwicklung von dem eindringenden Sperma nur angeregt wird. Dabei zeigten sich Verschiedenheiten: Entweder wird der 1. und 2. Richtungskörper ausgestoßen, und der ♀ *Pronucleus* wird zum Furchungskern, oder die zur Zeit des Eindringens des Spermas stets noch vorhandene 2 Richtungsspindel wandelt sich in einen Ruhekern um, dieser wandert ins Eiinnere und wird zum Furchungskern. So ergibt sich also, daß die Besamung mit fremdem Sperma bei den Amphibien entweder eine Bastardierung zur Folge hat oder nur die parthenogenetische Entwicklung anregt. In der zweiten kurzen Mitteilung geht Verf. auf das Verhalten der Chromosomen ein; dabei zeigte es sich, daß die Kreuzung von Anuren mit verschiedenen Chromosomenzahlen Larven ergeben kann, während bei Bastarden zwischen Formen mit ähnlichen Chromosomenzahlen die Entwicklung früher aufhört. Verf. ist der Ansicht, daß eine normale Entwicklung nicht von dem Vorhandensein der normalen Chromosomenzahl abhängig ist. Bei der Kombination: *Pelodytes punctatus* ♂ ⨯ *Bufo calamita* ♀ hat Verf. ferner *Blastulae* mit zwei verschiedenartigen Hälften beobachtet, die sich durch die Größe ihrer Zellen und Kerne unterscheiden. Vielleicht beruht das auf einer partiellen Befruchtung, wie sie Boveri schon beschrieben hat. Eine Stellungnahme zu den Ergebnissen des Verf. ist erst möglich, wenn die Untersuchungen in ausführlicherer Form mitgeteilt sind.   Schleip-Freiburg.

Pearson, K. The theory of ancestral contributions in heredity. On the ancestral correlations of a Mendelian population mating at random. Proceedings of the Royal Society Nr. 547 B. S. 225 u. 229. 1909 London.

Pearson zeigt in der ersten Arbeit als Antwort auf eine Arbeit von Darbishire, daß mit der Zahl der Großeltern von einem bestimmten gametischen und somatischen Typus die Häufigkeit desselben Typus unter den Enkeln steigt oder sinkt, daß also das Galton-Pearsonsche Gesetz vom Ahnenerbe Geltung habe und führt Darbishires Ergebnis auf die besondere Art der Untersuchungsmethode zurück.

In der zweiten untersucht Pearson die Wirkung der Mendelschen Vererbungsregeln bei Panmixie auf die Ahnenkorrelationen auf weiterer Grundlage als früher und bestätigt damit die Ergebnisse des Referenten. Er findet keinen Widerspruch zwischen dem Gesetz vom Ahnenerbe und der Mendelschen Spaltungsregel, wenn man lediglich die g a m e t i s c h e Konstitution ins Auge faßt, in beiden Fällen erhält man eine g a m e t i s c h e A h n e n -

k o r r e l a t i o n = $\frac{1}{2^n}$ für den nten Ahnen. Bei vorhandener Praevalenz-regel erleidet jedoch die s o m a t i s c h e K o r r e l a t i o n eine Modifikation und erreicht den Wert $\frac{1}{2^n}$ nur bei absoluter Seltenheit des dominierenden Typus. Aus der nahen Übereinstimmung der beobachteten Werte mit dem Werte $\frac{1}{2^n}$ schließt daher Pearson, daß der Praevalenzregel nicht die ihr zugeschriebene allgemeine Bedeutung zukomme. Dies ist jedoch aus verschiedenen Gründen nicht richtig. Eine Reduktion des somatischen Korrelationswertes gegenüber dem gametischen kommt nur da mit Sicherheit in Betracht, wo weder zeitliche Einflüsse noch eine Erbschaft der sozialen Lage stattfinden. Letztere wirkt unter allen Umständen korrelationserhöhend und kann daher den Einfluß der Praevalenzregel mehr als ausgleichen. Außerdem ist aber auch das Vorhandensein der Panmixie bei Pearsons Material mehr als fraglich, anderswo hat er bei denselben Eigenschaften auf eine starke Tendenz zu gleichsinniger Gattenwahl hingewiesen. Die von Pearson beobachteten Werte beweisen in diesem Fall also nichts gegen die Praevalenzregel, und nicht diese bildet, wie er meint, den Stein des Anstoßes zwischen der Biometrik und experimentellen Vererbungslehre, sondern die Überschätzung der Tragweite der auf biometrischem Wege ohne Berücksichtigung aller Faktoren der Lebenslage erhaltenen Ergebnisse.

Im übrigen sei gleich hier bemerkt, daß bei Polyhybridismus das Gesetz vom Ahnenerbe im allgemeinen nicht den ihm von Galton und Pearson gegebenen Formen entspricht. hingegen auch hier die Wirkung der Praevalenzregel dieselbe ist wie bei dem von Pearson allein untersuchten Monohybridismus.

W e i n b e r g , Stuttgart.

v. Hansemann. Deszendenz und Pathologie. Vergleichend biologische Gedanken. Berlin. A. Hirschwald. 1909.

v. Hansemann geht bei allen seinen Betrachtungen davon aus, daß die physikalische Erklärung der Erscheinungen das Endziel aller Forschung auf biologischem Gebiet ist und stellt sich dadurch in striktem Gegensatz zu den immer wieder auftauchenden neovitalistischen Bestrebungen, setzt sich aber auch mit den nichtneovitalistischen Gegnern des Darwinismus auseinander. Er findet drei Ursachen der Bekämpfung des Darwinismus, nämlich daß die natürliche Zuchtwahl nicht die Entstehung der Variabilität erklärt, daß nicht alles Entstehende zweckmäßig ist und daß nützliche Eigenschaften im Anfang ihrer Entstehung noch keinen Selektionswert haben können. Hauptaufgabe ist daher, die Schwierigkeiten der Selektionstheorie zu beseitigen, um die sich im wesentlichen der Streit dreht, und er versucht dies durch Einführung des Begriffes des Altruismus. Hierunter versteht v. Hansemann die gegenseitigen Beeinflussungen der Zellen und Organe im Organismus. Im Gegensatz zur Korrelation und Kompensation zwischen Organen kommt den altruistischen Beziehungen der Charakter einer gegenseitigen Förderung und auch Schädigung zu, wie er namentlich in den Erscheinungen des Wachstums und in den pathologischen Erscheinungen der inneren Sekretion hervortritt. Auch den Erscheinungen der Regeneration kommt altruistische Bedeutung zu. Eine große Zahl von Erscheinungen, die durch das Selektionsprinzip allein nicht zu erklären waren, sind als altruistische Nebenprodukte aufzufassen, hierher gehören auch gleichgültige und direkt schädliche Eigenschaften wie unregelmäßige Größe einzelner Organe, z. B. des Geweihs und ganzer vorweltlicher Tierarten. Weiterhin bestehen aber auch altruistische Beziehungen zwischen verschiedenen Arten von Lebewesen, so daß der Untergang einer Art auch

den der andern zur Folge haben muß. Diese Beziehungen können jedoch
einen verschiedenen Grad der Festigkeit haben.

In der Frage Präformation oder Epigenese stellt sich v. Hansemann
auf die Seite der Präformation, und zwar wesentlich auf Grund der zu-
nehmenden Spezialisierung der Zellen, die sich insbesondere bei Metastasen
von Geschwülsten in der Weise zeigt, daß der veränderte Nährboden den
Charakter der Geschwulst nicht beeinflußt. Präformiert ist der Ablauf
der Evolution.

Die Variabilität ist die Grundlage, die erst eine Wirkung der Selektion
ermöglicht. Da das Bestehen der Variabilität nicht zu bestreiten ist, so
kann die Darwinsche Selektionstheorie bestehen, auch ohne daß die Ursachen der Variabilität bekannt wären. Auf die Unterscheidung zwischen
sprungweisen und fluktuierenden Variationen legt v. Hansemann keinen
prinzipiellen Wert, er hält es — wohl mit Recht — für möglich, daß auch
erbliche Variationen nur in kleinen, unmerklichen Sprüngen eintreten.
Eine Kritik der Ursachen der Variabilität führt zu dem Ergebnis, daß
weder Kreuzungen noch Atavismus etwas prinzipiell Neues schaffen, sie
ermöglichen nur die Verwirklichung bereits gegebener Kombinationsmöglich-
keiten. Fördernd für die Variabilität sind großer Verbreitungsbezirk, Klima-
wechsel. Der Konkurrenzkampf der Individuen und Isolation hingegen
erzeugen Monotonie. Besonders stark variieren Organe, deren Selektionswert aufgehoben ist, wie z. B. der Blinddarm; aber gerade dieser zeigt,
daß bei einer gewissen Ausdehnung wieder ein Selektionswert entstehen
kann, indem Individuen mit zu engem Eingang desselben leicht erkranken,
ebenso zeigt dies die Begünstigung der Lungentuberkulose durch Verkleinerung der ersten Rippe und damit der oberen Thoraxagentur. Aber
der mangelnde Selektionswert ist nicht die Ursache der großen Variabilität;
die Domestikation bewirkt nur deswegen eine größere Variabilität gegenüber dem Naturzustand, daß sie die Lebenslage stärker variiert, es können
daher aus ihr gezogene Schlüsse auf die Artenbildung im Naturzustand
nur in bedingter Weise gelten.

Es ist falsch, nach einer Ursache der Variabilität zu suchen, diese
liegt im Wesen der lebenden Substanz begründet; gesucht werden muß
vielmehr die Ursache der Konstanz und auf diesem Wege kommt man
auch weiter. Anpassung ist nichts weiter als Leben unter konstanten Bedingungen. Was unter diesen Bedingungen nicht leben kann, wird durch
die Selektion ausgemerzt. Die Tatsache der Vererbung spricht nicht gegen
den primären Charakter der Variabilität, denn sie tritt nur auf bei speziali-
sierten Eigenschaften, bei denen die Variationsfähigkeit verringert ist. Eine
wesentliche Ursache der Konstanz ist die Panmixie.

Eine Vererbung somatisch erworbener Eigenschaften im Sinne Lamarcks
gibt es nicht, alle Beweise in dieser Hinsicht sind nicht stichhaltig und
beruhen vielfach auf Verwechslung von Ursache und Wirkung. Vererbt
werden können nur Beeinflussungen des Keimplasmas. Funktionelle An-
passungen können nicht direkt vererbt werden, sie können aber auf dem
Wege des Altruismus der Organe und Organsysteme das Keimplasma beeinflussen. Weiterhin bespricht der Verfasser die Bedeutung der Epidemien,
d. h. des massenhaften Auftretens bestimmter Organismen und der wechselnden Widerstandskraft ihrer Gegner für das Auftreten und Verschwinden
bestimmter Arten. Der physiologische Tod ist ebenfalls eine Folge des
Altruismus und hängt zusammen mit dem Aufhören der Geschlechts-
funktion. Ebenso wie ein Beginn des Lebens auf der Erde anzunehmen
ist, ist auch ein Aufhören desselben zu erwarten.   Weinberg.

**Hink, A., Die abschüssige Kruppe. Eine rassegeschichtliche und vererbungs-
geschichtliche Untersuchung.** In: Zeitschrift für Gestütkunde und Pferdezucht. 1908, Heft 4, S. 73—81 mit 3 Fig.

Krämer, H. Die Kruppe der Diluvialpferde. ibidem. Heft 6, S. 123—130
mit 30 Fig.

Hink, Nochmals die abschüssige Kruppe. ibidem. Heft 7, S. 151—157.

Krämer, Die Kruppe der Diluvialpferde. ibidem. Heft 8, S. 169—178 mit
3 Figuren.

**Düerst, Ulrich. Anatomisch-mechanische Untersuchungen über die Ursache
der abschüssigen Kruppe bei Pferden.** Hannover 1909. 23 S. mit 7 Fig.

Bei den ersten vier Arbeiten handelt es sich um eine Kontroverse eines
Weismannianers (Hink) und eines Lamarckianers (Krämer), wie sich die
Autoren selbst bezeichnen. K r ä m e r ist der Meinung, daß das schwere
Diluvialpferd *(Equus robustus)* noch nicht die kurzabschüssige Kruppe
unserer schweren Zugpferde besessen habe, wofür er 30 Zeichnungen aus
der Höhle von Combarelles als Beweis anführt. Diese sei vielmehr durch
frühe Verwendung im Zugdienst hervorgerufen und stelle so eine durch
Anpassung erworbene, aber vererbbare Eigenschaft dar.

H i n k dagegen leugnet jede Vererbbarkeit erworbener Eigenschaften
und er glaubt die typische Kruppenform des Zugpferdes gleich an einem
Dutzend der von Krämer reproduzierten Zeichnungen erkennen zu können.
Das vorgebrachte Material scheint aber zur Entscheidung dieser Frage
ungenügend zu sein, wenn es immerhin auch auffallend ist, daß Krämer
selbst zugeben muß, daß eins seiner Bilder (Fig. 9) die Zugpferdkruppe zeige.
Aber auch sonst würden die Bilder, ihre absolute Zuverlässigkeit vorausgesetzt,
nicht genügen. Denn nach Nehring stammt das schwere Zugpferd von den
Diluvialpferden Norddeutschlands ab. Diese gehörten aber, nach dem was
wir heute über Tierverbreitung wissen, vermutlich zu einer ganz anders
gestalteten Rasse als die südfranzösischen. Klarheit kann in diesem Falle,
wie übrigens in der Diskussion betont wurde, nur eine eingehende anatomische Untersuchung der Becken von Diluvialpferden schaffen. Diesem
Zweck dient die Arbeit von

D u e r s t. Sie liefert dabei höchst wertvolles Material zur Beurteilung
der Kruppenform. Für uns sind aber augenblicklich von seinen in anderer
Richtung sehr bedeutsamen Schlußfolgerungen, nur wichtig 1. daß man
die Lage einer Kruppe aus Bildwerken nicht mit Sicherheit beurteilen kann,
und 2. daß es an prähistorischen Resten von Becken zurzeit nicht möglich
ist, absolut genau die Kruppenform zu erkennen.

M. H i l z h e i m e r - Stuttgart.

**Hinton, Martin A. C. On the fossil hare of the ossiferous fissures of Ightam,
Kent, and on the recent hares of the Lepus variabilis [1]) group.** In: The
scientific proceedings of the royal Dublin society. Vol. XII (N. S.) No. 23.

An der Hand eingehender osteologischer Untersuchungen führt Verfasser
den Nachweis, daß die pleistocänen Hasen Englands zu den Schneehasen gehören. Die Feldhasen haben England erst nach der Pleistocän-Periode erreicht;
Irland überhaupt nicht.

---

[1]) Verfasser wendet hier für den Schneehasen absichtlich den falschen Namen
L. variabilis an, an Stelle von L. timidus L.

Der Schneehase Irlands scheint ein Nachkomme des pleistocänen englischen Hasen zu sein. Diese beiden sind wie überhaupt die südlicheren
Formen der Schneehasen primitiver als die nördlichen, besonders in Hinsicht
auf den Bau des Schädels. Die höhere Spezialisierung der nördlichen Formen
habe ihre Ursache in der Anpassung an die exzessive Kälte.

                                      M. Hilzheimer - Stuttgart.

**Ch. Depéret. Die Umbildung der Tierwelt. Eine Einführung in die Ent-
wickelungsgeschichte auf paläontologischer Grundlage.** Ins Deutsche
übertragen von R. N. Wegner. Stuttgart, Schweizerbart. 1909. 329 S.

Über den Inhalt dieses vortrefflichen Buches haben wir in dieser Zeitschrift (1, 144) ausführlich berichtet. An der im wesentlichen gelungenen
Übersetzung sind kaum materielle Ausstände zu machen. Nur hätten
Rhynchonella und *Pentacrinus* nicht unter den ausgestorbenen Typen auf-
geführt zu werden brauchen. In formeller Beziehung wären Ausdrücke
wie „Zoologische Philosophie", „Paläontologische Philosophie" zu bean-
standen. „Philosophie der Tierwelt", „Philosophie der Vorwelt" muß man
im Deutschen sagen, denn der Franzose setzt bekanntlich unsere Genetiv-
bezeichnungen vielfach ins Adjektiv.   Steinmann.

K. Deninger. Über Babirusa. Ber. nat. Ges. Freiburg i. B. **17** 1909.
S. 179—200, t. 1—3.

Im Anschluß an die Resultate Stehlins, wonach die *Bunodontie* der
Suiden durch einen Kerbungsvorgang aus der *Selenodontie* hervorgegangen
und verschieden von ursprünglicher *Bunodontie* ist *(Neobunodontie)*, versucht
der Verfasser die Abstammung von *Babirusa* zu ermitteln. Er findet in
dem miozänen *Merycopotamus* einen Verwandten, der beträchtliche habituelle
und morphologische Übereinstimmungen mit *Babirusa* aufweist, der aber
durch extreme *Selenodontie* und einige Merkmale am Schädel und Unterkiefer davon abweicht. Die extreme Ausgestaltung der Eckzähne, wie sie
Babirusa besitzt, erscheint in dem Verhalten von *Merycopotamus* vorgebildet;
ebenso lassen sich die Molaren des heutigen *Babirusa* auf die seines mutmaßlichen Vorfahren ohne Schwierigkeit zurückführen. Wir dürfen hiernach annehmen, daß der ausgestorbene *Merycopotamus* im heutigen *Babirusa*
in etwas veränderter Form weiterlebt.   Steinmann.

O. Jaekel. Über die Klassen der Tetrapoden. Zoologischer Anzeiger **34** p. 193
bis 212. (1909.)

Jaekel teilt die Vertebrata in die drei Unterstämme Tetrapoda,
Pisces und Tunicata ein. In der vorliegenden Arbeit gibt er die Gesichts-
punkte bekannt, die ihm für die systematische Beurteilung der ältesten
Tetrapoden leitend erscheinen.

Wenn man die Unterscheidungsmerkmale im Skelettbau der Reptilien
und Amphibien zugrunde legt, kann man die ältesten Tetrapoden zu der
einen oder zu der anderen dieser beiden Klassen nur dann stellen, wenn
man einzelne Merkmale einseitig betont. Man (auch Jaekel selbst) hat
früher alle älteren Formen mit stegalem[1]) Schädeldach als „Stegocephalen"

---

[1]) Statt der Gauppschen Bezeichnungen „stegokrotaph" und „zygokrotaph" möchte
Jaekel „stegal" (für Schädelbildung ohne Durchbrüche) und „zygal" (solche mit Durch-
brüchen) gebraucht wissen.

zusammengefaßt. Dies Vorgehen erscheint aber wegen der Differenzen in dem stegalen Schädelbau und in den sonstigen Organisationsverhältnissen der so zusammengefaßten Formen nicht angängig. Die verschiedene Ausbildung der Schädeldurchbrüche wertet man bei den andern Tetrapoden als Klassenmerkmale. Da muß man folgerichtig auch die verschiedenen Arten des stegalen Schädelbaus als systematisch bedeutungsvoll betrachten. Als Ausgangspunkt für all diese letzteren[1]) muß man sich ein einheitliches Dach vorstellen, „das erst unter dem Zug und unter der Spannung der überdachten Kopfteile in Regionen und bestimmte Knochenplatten zerlegt wurde". In den großen Differenzen in der Sonderung des stegalen Schädeldaches kommen z. T. die Unterschiede zum Ausdruck, „die lange vor der Differenzierung des Schädeldaches in den inneren Organen vorhanden waren". Die ältesten Formen sind schon so mannigfaltig, daß man allein schon deshalb „die Stegocephalie als ein Durchgangsstadium der Schädelbildung aller Formenreihen älterer Tetrapoden" ansehen muß. Systematisch verwerten läßt sich nur die spezifische Gliederung der stegalen Schädelformen.

Wenn die Stegocephalen somit kein geschlossener Formenkreis sind, so erscheinen nun auch die Verschiedenheiten in der Wirbelbildung bei den paläozoischen Tetrapoden in höherer Bedeutung. Die ältesten bis jetzt bekannten Tetrapoden lassen sich in das bisherige System der Landwirbeltiere nicht einreihen. Dasselbe bedarf daher einer Erweiterung. Zunächst müssen diejenigen Formen zu einer neuen Klasse „Hemispondyla" vereinigt werden, deren Wirbel in Teilstücken verknöchert oder unverknöchert persistieren. Hierher gehören Formen mit temnospondylen und solche mit embolomeren Wirbeln. Ein typischer Vertreter ist Archegosaurus. Das Wesen der Hemispondylie besteht darin, daß der Wirbelkörper aus dem Hypozentrum und zwei Pleurozentren gebildet wird, die aber vielfach knorpelig persistieren und im hinteren Teil des Körpers jederseits in ein oberes und ein unteres Stück zerfallen. Diese Wirbelbildung steht in keinem Zusammenhang mit der normalen Wirbelbildung der übrigen Tetrapoden. Zu den Hemispondyla gehören als 1. Ordnung die Branchiosauri und als 2. die Sclerocephali, also Gattungen wie Branchiosaurus, Melanerpeton, Discosaurus, Archegosaurus, Eryops, Metopias usw.

Die Hemispondyla erlangen erst im Perm eine reichere Entwicklung; deswegen kann man sie nicht als primitivste Vertreter des ganzen Unterstammes betrachten. Ihre niedrige Organisation ist vielmehr als die Folge ihrer sekundären Anpassung an das Wasserleben aufzufassen. Die Hemispondylie[2]) ist als epistatische Hemmung ontogenetischer Bildungsprozesse zu erklären. Als Vorfahren anderer Tetrapoden können die Hemispondyla nicht in Betracht kommen, weil diese einheitlich ossifizierte („holospondyle") Wirbel besitzen.

Diejenigen holospondylen, stegocephalen Tetrapoden, „die nicht unmittelbar der Organisation der Reptilien und Amphibien zuneigen", bilden eine zweite neue Klasse, die „Microsauria" (Dawson mod. Jaekel.) Die vier Ordnungen dieser Klasse sind die Haplosauri, Urosauri, Aistopodi und Nectridei. Sie umfassen eidechsen- oder schlangenartige Formen mit verschiedenartigem, stegalem Schädelbau, diplocölen[3]) Wirbelkörpern, gut

[1]) Wenn sich im Fischschädel Analogien und ein gewisser Parallelismus zum Stegocephalenschädel zeigen, so darf man diese Ähnlichkeiten nicht in stammesgeschichtlichem Sinne verwerten.

[2]) Die auch bei Ganoiden sekundär auftritt.

[3]) „Diplocöl" ist richtiger als das meist gebrauchte „amphicöl".

entwickelten Zygapophysen und Querfortsätzen und meist zweiköpfigen Rippen[1]).

Die Urosauri und Nectridei sind im Paläozoikum ausgestorben. „Die Haplosauri scheinen den Ausgangspunkt der Reptilien zu bilden." Die Aistopodi sind ausgestorben oder mit den Gymnophionen in Verbindung zu bringen. —

Die A m p h i b i e n könnte man für eine jüngere Gruppe mit sekundärer Rückkehr zum Wasserleben halten, wenn nicht Williston den Lysorophus als einen karbonischen Amphibier mit wohl entwickeltem Visceralbogen beschrieben hätte.

„Die R e p t i l i e n entwickeln sich allem Anschein nach im Karbon aus Mikrosauriern", und zwar von den einen Diapsida, von andern Synapsida. „Auch in der für die Reptilien charakteristischen Konzentration der Hinterhauptsgelenke an der Basis des Foramen magnum finden sich Übergänge, bei denen die Occipitalia lateralia von der Gelenkbildung zurücktreten und diese den Basioccipitale allein überlassen."

Die V ö g e l leiten sich von Diapsiden her.

Die S ä u g e r gehen von Synapsiden aus. Ihr doppelter Hinterhauptscondylus knüpft an primitive Reptilien an, bei denen noch die Occipitalia lateralia zur Gelenkbildung dienten. Der Schädel der Anomodontier zeigt schon gewisse Säugetiermerkmale. —

Dies der Inhalt des interessanten Aufsatzes. Es ist gewiß bemerkenswert, daß Jaekel in einem wichtigen Punkte zu demselben Ergebnis kommt wie Steinmann[2]), nämlich darin, daß die Stegocephalen keine einheitliche Gruppe, sondern daß die Stegocephalie ein Durchgangsstadium für verschiedene Formenreihen ist. Aufgefallen ist uns, daß Jaekel schreibt: „Von den gegenwärtig lebenden Amphibien können wir die Anuren n u r b i s i n d a s T e r t i ä r zurückverfolgen." Es würde einer Erklärung wert gewesen sein, warum er die Bedeutung des Fundes eines typischen Frosches im oberen Jura von Lerida (Spanien)[3]) nicht anerkennt. Auch über die Belege für die vorkarbonische Existenz der Insekten wäre eine nähere Mitteilung erwünscht gewesen, nachdem A. Handlirsch[4]) neuerdings mehrfach betont hat, daß die ältesten insektenführenden Schichten unteres Oberkarbon, ältere Insekten aber unbekannt sind.   O t t o W i l c k e n s , Bonn.

---

[1]) Jaekel und Schwarz haben die Mikrosaurier aus dem Oberkarbon von Ohio und Nürschan neu geprüft, und letzterer hat (Beitr. z. Pal. u. Geol. v. Österreich-Ung. u. d. Orients 21 p. 63—104 1908) unter den von ihm untersuchten Formen zwei Wirbeltypen unterschieden:
1. solche, bei denen die oberen Bögen mit dem Wirbelkörper verschmolzen sind. Intercentra fehlen;
2. solche, bei denen die oberen Bögen und die Wirbelkörper getrennt sind. Intercentra treten gelegentlich im Schwanz auf.
Auf diese Unterschiede möchte Jaekel kein sehr großes Gewicht legen. — Die lepospondyle Wirbelform, auf Grund deren Zittel die Unterordnung Lepospondyli aufstellte, st nichts Wesentliches. Sie kommt auch bei Amphibien vor.
[2]) G. Steinmann, Die geologischen Grundlagen der Abstammungslehre. S. 206 bis 208 (1908).
[3]) L. M. Vidal, Sur la présence de l'étage Kimeridgien au Montsech (Province de Lérida, Espagne) et découverte d'un Batracien dans ses assises. (Mem. de la Real. Acad. de Ciencias y Artes de Barcelona 4 Nr. 18 1902. Referat von Broili mit Abbildung in N. Jahrb. f. Min. Geol. Pal. 1907 II S. 287.)
[4]) A. Handlirsch, Die fossilen Insekten und die Phylogenie der rezenten Formen (1908), S. 55—57, und Zeitschrift für induktive Abstammungs- und Vererbungslehre 1 p. 239.

Williston, S. W. The oldest known reptile. — Isodectes punctulatus Cope. The Journal of Geology **16** p. 395—400. 1908.

1896 hat Cope als ältestes echtes Reptil den *Tuditanus punctulatus* aus dem mittleren oder unteren Oberkarbon von Ohio beschrieben. In denselben Schichten wurde 1897 ein zweites, ähnliches Skelett gefunden, das Williston jetzt genauer untersucht hat und das er *Isodectes Copei* nennt. Es ist eine Form, die mit dem von Thevenin aus dem jüngsten Karbon beschriebenen „ältesten in Frankreich gefundenen Reptil" *Sauravus Costei* verwandt ist. Infolge der neueren Entdeckungen stehen die Stegocephalen mit den primitiven Reptilien so eng verbunden da, daß als einziges wichtiges Unterscheidungsmerkmal eigentlich nur die stärkere oder geringe Entwicklung des Parasphenoids übriggeblieben ist. Da nun der Schädel von *Sauravus Costei* und *Isodectes Copei* unbekannt, so ist es wohl etwas kühn, zu sagen, daß es sich hier um Reptilien handelt. Aber zu den Rhynchocephalen, zu denen Thevenin ihn gestellt hat, gehört Sauravus wohl sicher nicht. Wenn das Parasphenoid — worüber uns spätere Funde noch unterrichten müssen — bei den beiden Formen beträchtlich reduziert ist, so müssen sie, selbst wenn zwei Condyli occipitales vorhanden sein sollten, zu den Reptilien, andernfalls aber zu den Mikrosauriern gestellt werden. In jedem Fall aber zeigen sie beide deutlich reptilische Merkmale in ihrem Skelettbau.

Manche Forscher halten die Reptilien für Abkömmling zweier getrennter Amphibiengruppen, der Mikrosaurier und der Temnospondyli. *Isodectes Copei* spricht für diese Annahme; denn seine Verwandtschaft mit den Mikrosauriern ist unverkennbar. Die nahen Beziehungen zwischen solchen Formen wie Pariotichus, Procolophon, Telerpeton, den Pelyco-, Cotylo- und Pareiosauriern und den Temnospondylen sind aber noch nicht erklärt, und das ganze Problem des Ursprungs der Reptilien erscheint heute noch in tiefem Dunkel. Otto Wilckens, Bonn.

E. Stromer von Reichenbach. Lehrbuch der Palaeozoologie. I. Teil: Wirbellose Tiere. 342 S., 398 Textfiguren, 1 Taf. Aus „Naturwissenschaft und Technik in Lehre und Forschung", herausg. von Doflein und Fischer. B. G. Teubner. 1909.

Dieses Lehrbuch soll zwar in erster Linie den Zoologen über den jetzigen Stand der Paläontologie orientieren, ist aber auch für den Paläontologen dadurch wertvoll, daß es die Fortschritte der Wissenschaft bis auf die neueste Zeit berücksichtigt. Es bezweckt nicht, den Anfänger in die Paläontologie einzuführen und nimmt daher keine Rücksicht auf dessen praktische Bedürfnisse, sondern behandelt im wesentlichen nur die allgemeinen Verhältnisse der Organisation, der Lebensweise und Verbreitung der Fossilien, wobei gewisse zoologische Vorkenntnisse vorausgesetzt werden. Sorgfältige Durcharbeitung des Stoffes und gute Illustrationen zeichnen es aus; doch erscheint manchmal der Raum etwas zu knapp gemessen, um verwickelte Organisationen hinreichend klar und verständlich zu machen, wie beispielsweise bei den Rudisten.

Vor allem war der Verfasser bestrebt, Tatsachen und Theorien streng zu scheiden, und das ist ihm im großen und ganzen auch gelungen, da die stammesgeschichtlichen Betrachtungen auf einen besonderen Abschnitt am Ende des zweiten Bandes beschränkt werden. In die Darstellung selbst sind nur vereinzelt kurze Bemerkungen phylogenetischer Natur eingeschaltet, aber auch an diesen sieht man, wie schwer die Scheidung zwischen Tatsachen und Theorien ist. So dürfte weder die Ableitung aller irregulären Seeigel

von den Holectypoideen, noch die der Clymenien von den Goinatiten, ebensowenig die wiederholte Herausbildung der „Gattung" Vola aus normalen
Pectiniden allseitigen Beifall finden. Andererseits ist nicht recht einzusehen,
welche Gründe gegen eine Ableitung von Spirula von der tertiären Spiruli-
rostra geltend gemacht werden könnten. Erst nach dem Erscheinen des
zweiten Bandes wird man in der Lage sein, den Standpunkt des Verfassers
in bezug auf stammesgeschichtliche Fragen zu würdigen.

Bei der Bewältigung eines so umfangreichen Stoffes laufen. Unrichtig-
keiten naturgemäß mit unter. So ist Bothriocidaris (Fig. 196 A) in der
alten, unrichtigen Stellung wiedergegeben; der Deckel der Rudisten wird
beim Öffnen der Schale nicht nur „gehoben", sondern auch gedreht; Längs-
skulpturen kommen auch bei jurassischen Ammoniten (nicht nur bei älteren)
vor, z. B. bei Amaltheus, Liparoceras und Strigoceras; die Schale von Argo-
nauta wird nicht nur sekundär mit Hilfe der Arme, sondern anfänglich nur
vom Mantel abgeschieden, und die innere Schalenlage ist ausschließlich Produkt
des Mantels.

Etwas ungewohnt und störend wirkt auf den Leser die häufige Angabe
der geologischen Verbreitung in verkehrtem Sinne wie: „Danach war der
Höhepunkt der Pelmatozoa schon in der Zeit vom Unterkarbon bis zum
Untersilur!" Die „ausgestorbenen" Tierformen sind mit einem Totenkreuz
bezeichnet. Wer wagt denn aber heute anzugeben, welche Formen ausgestorben und welche nur abgewandelt sind?   S t e i n m a n n.

Fig. 1.

Fig. 2.

Fig. 3.

Fig. 4.

Zeitschrift für induktive Abstammungs- und Vererbungslehre

Inhaltsverzeichnis von Bd. III Heft 3

ZEITSCHRIFT

FÜR

INDUKTIVE ABSTAMMUNGS-

UND

VERERBUNGSLEHRE

HERAUSGEGEBEN VON

C. CORRENS (MÜNSTER), V. HAECKER (HALLE), G. STEINMANN (BONN),
R. v. WETTSTEIN (WIEN)

REDIGIERT VON

E. BAUR (BERLIN)

BERLIN
VERLAG VON GEBRÜDER BORNTRAEGER
W 35 SCHÖNEBERGER UFER 12a
1910

Verlag von Gebrüder Borntraeger in Berlin

W 35 Schöneberger Ufer 12 a

Arten und Varietäten

und ihre Entstehung durch Mutation. An der Universität von Kalifornien gehaltene Vorlesungen von **Hugo de Vries.** Ins Deutsche übertragen von Professor Dr. H. Klebahn. Mit 53 Textabbildungen. Geheftet 16 Mk., gebunden 18 Mk.

Das umfangreiche Werk von de Vries. Die Mutationstheorie, wird nur für denjenigen wissenschaftlichen Leser Interesse haben, der eigene Untersuchungen anstellen oder auf die Quellen zurückgehen will. Um aber Ziele, Erfolge und Grenzen der Forschung auf diesem Gebiete dem allgemein gebildeten Leser, dem praktischen Pflanzenzüchter oder auch dem auf anderen Gebieten arbeitenden Botaniker wie dem Biologen überhaupt vorzuführen, ist das vorliegende Buch geeigneter. Es bietet den Stoff in abgerundeter Form, mit den wichtigsten Einzelheiten, in neuer Anordnung und teilweise auch nach neuen Gesichtspunkten. Eine Neuerung des Werkes ist ferner eine stattliche Reihe von Abbildungen großenteils Originalzeichnungen nach Photographien und Skizzen von de Vries.

Die Bedeutung der Reinkultur.

Eine Literaturstudie von **Dr. Oswald Richter,** Privat-dozenten und Assistenten am Pflanzenphysiologischen Institut der deutschen Universität in Prag. Mit drei Textfiguren. Geheftet 4 Mk. 40 Pf.

Studien über die Regeneration

von **Professor Dr. B. Němec.** Mit 180 Textabbildungen. Geheftet 9 Mk. 50 Pf., gebunden 11 Mk. 50 Pf.

Auf Grund zahlreicher neuer und origineller Versuche wird in dem Buche das wichtige Problem der Regeneration von verschiedenen Seiten aus behandelt. Die vielen Fragen, die an die Regenerationsvorgänge anknüpfen, sucht der Verfasser der Lösung näherzubringen, indem er ausgewählte und günstige Objekte einer eingehenden experimentellen Untersuchung unterwirft; so gelangt er zu einer Reihe von Resultaten, die auf die fraglichen Vorgänge in vieler Beziehung ein neues Licht werfen und die für jeden Biologen von Interesse und Wichtigkeit sind

Ausführliche Prospekte gratis und franko.

Further Studies on the Apogamy and Hybridization of the Hieracia

(Experimental and Cytological Studies on the Hieracia, by C. H. Ostenfeld
and O. R°se^berg, Part III)

by **C. H. Ostenfeld,** Köbenhavn

(with Plate 4).

Contents.

Introduction.

In 1906 I published a paper on some experimental investigations
on the apogamy and hybridization of the Hieracia (Ostenfeld 1906,
1907). It was the beginning of rather extensive studies on the reproduction of this interesting genus, which studies I am still pursuing
and of which I shall here publish some results. I do not mean to
say, however, that the investigations are near their end, far from it,
and I can very well repeat what I wrote in 1906 (l. c., p. 247),
"that at present we are only at the very beginning of our knowledge
of these phenomena". In the meantime, however, I have discovered

facts which, in my opinion, are rather interesting and which I think
worthy of publication. They touch upon both problems, apogamy
and hybridization.

As to the apogamy, a species has been found whose "races" differ
in this respect, and we have here, in all probability, the apogamy
in statu nascendi. And with regard to the hybridization it has
become apparent that the first hybrid generation (F_1) affords such a
complexity of combinations of the characters[1]), while the later hybrid
generations (F_2, F_3, etc.) breed true, that — for the one subgenus —
an understanding of the famous polymorphy of the genus is suggested.

A good deal of the following remarks may perhaps seem fragmentary; this is due, at least in part, to the fact that several experiments have failed, and that transplanting and the like have checked
the investigation. Moreover, I have been away from the Gardens part
of the summer every year, and the summer of 1909 was so unu-
sually rainy and cold as to greatly influence the thriving of the
delicate species.

My friend, Dr. O. ROSENBERG of Stockholm has, as before, taken
his share in the experiments in that he has had collected materials for
cytological use of all my experimental plants. I only need to point
to his well-known cytological investigations on the Hieracia (ROSEN-
BERG 1906, 1907), in order to show the benefit I have had from his
excellent collaboration.

I.

Apogamy.

(Castration Experiments.)

In 1906 I summed up the results of my experiments on the
apogamy of the Hieracia in the following way (l. c., p. 235): — „In

---

1) H. WINKLER (1909, p. 342) has advanced the theory: „Es scheint demnach,
als sei es ein wesentlicher Unterschied des Pfropfbastardierungsprozesses von dem
sexuellen Bastardierungsprozeß und für ihn besonders charakteristisch, daß er
nicht wie dieser eine im wesentlichen homogene, sondern eine vielgestaltige Generation F_1 liefert", and STRASBURGER (1909h, p. 519) seems to agree with him herein
and expresses himself still more explicitly, saying: „Pfropfbastarde, denen zudem die
besondere Eigenschaft zukommen soll, daß sie nicht homogen wie sexuelle Bastarde,
sondern vielgestaltig sind", and further: „Derartiges [verschiedene Kombinationen
der Merkmale] ist für sexuelle Bastarde nicht bekannt." Both authors must have
forgotten that heterogeneity in F_1 has been found in several cases in sexual hybrids,
e. g. in *Rubus* and, already discovered by MENDEL, in *Hieracium*. It is therefore not
a special property of the supposed grafting hybrids.

the genus *Hieracium* we have apogamic and non-apogamic species together with transitions between both kinds. The three subgenera are in this respect not quite alike; the subgenus *Stenotheca* representing the most primitive stage with typical fertilization: the subgenus *Pilosella* being intermediate as it comprehends both apogamic and typically fertilizing species, nevertheless mostly apogamic; and the subgenus *Archieracium* representing the most developed stage with nearly all species apogamic, only excepting the *H. umbellatum* group." — This main result is still valid, but several details have been found, enlarging our knowledge of the phenomena.

1. Subgenus Stenotheca.

For the subgenus *Stenotheca* I have nothing really new to add; my plantings of the species of this subgenus have not been successful. These North American species seem to require a longer and warmer summer than we have in Denmark.

In the spring of 1908 I succeeded in getting seeds of *H. Gronovii* L., *H. longipilum* Torr. and *H. scabrum* Michx.; they were sown immediately at the end of April, but did not reach flowering that year. After wintering in pots in a frost-less place they were planted out in 1909, but is was not till towards the end of September that a few specimens of *H. Gronovii* came to flowering, and then it was too late to try castration. No fruit, further, was developed in any of the plants left to themselves.

My plants of the only European species of this group, *H. staticifolium* Vill., did not fruit in 1909, neither without nor after castration, so that I have nothing positive to say about this species either.

The plants of *H. venosum* L. and *H. Gronovii* L. used for my experiments in 1905 (OSTENFELD 1906) and their offspring died already in the winter 1906—1907; they did not seem to be able to endure our winter, and in the summer of 1906 they did not flower early enough to give ripe fruits. Thus I cannot say anything more about the reproduction in the subgenus *Stenotheca* than in my paper of 1906, viz., that both the two hitherto examined species require normal fertilization in order to produce seeds capable of germinating.

It will be of great importance to have some more species of this subgenus examined, and I think it a promising task to an American botanist to subject this matter to examination. He will also be able, more easily than I am, to procure rich material of seeds. It will be specially interesting, if he could get seeds of the peculiar Andine species.

2. Subgenus Archieracium.

The castration experiments with species of the subgenus *Archieracium* have been continued in 1906—1909, always with new species, in order to examine as many as possible of the immense number of species of this subgenus. In this way it was hoped to ascertain how common apogamy is in this subgenus and whether certain sections perhaps differed from the others.

I think it appropriate here briefly to explain my method of investigation, whose main point is the so-called "castration" invented by C. RAUNKIAER (1903):

The seeds of the species to be examined are always sown in small pots with baked soil to prevent contamination by other Hieracia; when they have germinated, they are transplanted to somewhat larger pots with good nutritive soil (the baked soil is not good for the growth of the seedlings), and when they have reached a sufficient size, generally 5[1]) individuals are planted out in beds. If the sowing has taken place in spring, some species come to flowering in autumn, and the experiments may then be made, but a good and plentiful flowering and favourable conditions for experiments are generally not obtained before the next summer. When the flowering has begun, a number of heads of one individual, and preferably in the same shoot of the plant, are chosen for castration; they must not yet have opened, but must be so near flowering, that it can be expected in 2 or 3 days. The castration is made by cutting off, with a sharp razor, the upper half of the head. By this operation are removed: the upper part of the involucral bracts, the corolla to the tube, the anthers and the upper part of the styles with the stigmas, besides the uppermost part of the pappus rays. There remain: the lower part of the bracts, the ovary and the lower part of the pappus. It is thus not a castration in the proper sense of the word, but an operation which removes both the male element and the conducting parts of the female element.

The castrated head becomes covered on the wounded surface with a quickly coagulating latex, which, however, later, as a rule, drops

---

[1]) In experiments to show the heterogeneity or homogeneity of crosses and the like, of course, all the material is used.

off or is removed. Notwithstanding this violence, the heads of the apogamic species develop themselves undisturbedly and the fruits ripen as usual, but the heads are, in the ripe state, when they have opened, easily distinguished from the intact heads by the short pappus, which renders them much smaller in size and less conspicuous.

By this "castrating" process we would imagine that every possibility of fertilization has been removed. The objections which might be raised, can all be refuted, and they fall to the ground before the cytological investigations of ROSENBERG (1906, 1907) in the apogamic species. The seeds of the castrated head are always sown in order to test their germinating power, and the plants raised are generally preserved till full development to compare them with their parents.

In the Hieracia — as in the other *Compositae* — not all the fruits in a head develop, so that they contain a seed capable of germinating. With a little practice one can rather easily distinguish with great probability the full fruits (that is, those which have seeds capable of germination) from the empty ones, merely from their outer appearance. The empty fruits are generally somewhat smaller and more slender and of a paler colour (pale-brown to dark-brown), whereas the full ones are bigger and plumper and, in most species, of a black or black-brown colour (in some species brown in different shades, in a few species pale-brown, almost straw-coloured). The percentage of empty fruits in a head varies greatly in the different species, in the different plants of the same species, and even in the same plant, according to the season and from year to year, but the heads which ripen about the same time in the same plant have no doubt about the same proportion of empty fruits and full ones.

Now it may be supposed that this proportion is altered by the castration. This seems probable considering that certain species of the subgenus *Pilosella*, which produce fruits apogamically, are also able to hybridize, which requires a fertilization of those ovules that develop into seeds from which hybrids come forth. The investigations of ROSENBERG have also shown that in these species a few normally developed embryo-sacs are found. In such cases the number of full fruits should be smaller in castrated heads than in heads which have had an opportunity for pollination from the visits of insects, so numerous in these plants (especially of bees, humble-bees and butterflies).

By examining a sufficient number of castrated and non-castrated heads of the same plant one should now be able to decide the question. This means, in other words, to answer the question, whether the plant concerned has wholly lost the power of developing fertilized seeds or some flowers of each head require fertilization in order to produce seeds, while others develop seeds apogamically. I think that this way of solving the problem is better than that of the microscopical examination. Then, if only a small number of the flowers require fertilization, it is very difficult by means of microscopical investigation to find the rare stages in the development of the embryo-sac, which show the phases of chromosome-reduction and which consequently prove the necessity of fertilization[1]).

A difficult thing to find out is, how great a numerical material is required to get trustworthy results from these investigations, and here I am sorry to say that my material is hardly sufficiently extensive. My tables (I—III) show just that the greater the numbers are, the better the percentages agree.

In 1906 I could enumerate 14 species of *Archieracium* in which I had found apogamy. As the tables (I and II) show, the number of forms has now increased to **60.** The seeds of most of these I have had from various Botanical Gardens from their seed catalogues. The names under which these seeds were received have in many cases been wrong, and to get better determinations I applied to our best hieraciologist, Dr. H. DAHLSTEDT of Stockholm and asked him to determine my experiment-plants. I take here the opportunity of expressing my sincerest thanks to him for his obliging answer to my request. His determinations have led to the number of examined forms being considerably diminished; it comprehends only about 33 species, taken in a very wide sense.

The species examined belong to very different groups of the subgenus, and considering that among all the experiment plants only one species, viz. *H. virga aurea* Coss. — setting aside the forms of *H. umbellatum* L. and the nearly allied *H. lactaris* Bert. — has not been found to be apogamic, I think I am justified in saying that almost all the numerous species of the subgenus Archieracium are apogamic. There is no reason to go through the list of the single species, it must be sufficient to refer to the

---

[1]) I think it hardly correct, therefore, when S. MURBECK (19c4, p. 294) concludes that, because in three *Hieracium* species examined he never found pollen tubes in the style nor in the micropyle, "die drei betreffenden Arten sehr wahrscheinlich stets parthenogenetisch sind". The result is, in all probability, right, but the conclusion is not allowable.

Table I, where they have been put down alphabetically. The species belong to both sections: *Aurella* and *Accipitrina* into which A. PETER (1894) in ENGLER & PRANTL, Natürliche Pflanzenfamilien, divides *Archieracium*, and almost all the 23 groups, into which the two sections have been divided, are represented. Of course, it would be desirable to get more of the aberrant species examined than I have succeeded in getting into cultivation, but the seed catalogues do not present many more than I have got hold of, and otherwise it is difficult to get seeds. I may especially point out the desirability of studying the South European forms (mostly group *Italica* PETER) and the group *Pseudostenotheca* where differences might perhaps be found.

Of the species enumerated in the table, I may direct attention to *H. alpinum* L., var. *Halleri* Vill.; it has the peculiarity that the heads never open; the yellow tips of the corollas are seen peeping out of the bracts, but they do not reach farther. In spite of this, the plant has plenty of fruits with seeds capable of germinating. On the whole several forms of *H. alpinum* seem to have this peculiarity, in good harmony with the apogamy.

Further it is worth noticing that *H. canadense* Michx. which is classed among the group *Umbellata*, is apogamic, in contrast to its allies, *H. umbellatum* and *H. lactaris*. Furthermore, it is a native of North America, so that not all North American species require fertilization, as do the species of *Stenotheca*. — With regard to our northern *Archieracia* I think I can say that I have examined species of all groups and found that all are apogamic with exception of *H. umbellatum*.

If we turn to the question, if something can be said numerically whether the species are absolutely apogamic or not, I think that the numbers given in Table I permit the following conclusion: by far most of the examined species are absolutely apogamic. The percentage of full fruits is not disturbed by the castration in any degree worth mentioning, and the deviations go now to the one, now to the other side.

The numbers given under *H. pulmonarioides* Vill. present a fine example. Of this easily recognisable species I have had experiment plants from 4 different sources, and they formed fruits very well and did not show any dissimilarity in their outer appearance. Of these 4 sets one shows a slight tendency in favour of the castration (83 : 80 p. ct.); while the others go a little to the other side (97 : 99; 97 : 98; 69 : 76 p. ct.); these numbers refer to a great many fruits and are therefore more trustworthy than many of the other numbers.

Table I.

No.	Archieracium 1	Origin of the Plants	Year of the Experiments	A. Castrated Heads — Number of Heads	A — Full Achenes	A — Empty Achenes	A — Percentage of full Achenes	B. Not castrated Heads — Number of Heads	B — Full Achenes	B — Empty Achenes	B — Percentage of full Achenes	Difference between A and B, Percentage
234	alpinum, Halleri Vill.	Zürich	1907	3	226 x	40	86	1	146	74	66	+20
224	anglicum Fr.	Dublin	1907		x	y						+1
273	balcanum Uechtr.	Budapest	1906		329	25	93		94	8	92	+1
228	bifidum Fr. (?), an spec. nova?	Salzburg	1906		307	47	87		151	10	94	÷7
377	boreale Fr.	Svendborg (spont.)	1909		302	32	90	5	291	16	95	÷5
257^a	boreale Fr., coll.	Stockholm	1909	5	248	399	38	5	193	190	50	÷12
327_2	boreale Fr., coll.	Lille	1906	8	33	116	22					
327_2	„ „ „	Offspring of 257^a	1908	9	181	332	35	4	62	156	28	+7
327_2	„ „ „	„ „ „	1909	5	104	253	29		145	245	37	÷8
269	boreale Fr., aff.	Dublin	1906		157	110	59		280	153	65	÷6
246	boreale, chlorocephalum Uechtr.	Klausenburg	1906		214	76	74		298	51	83	÷9
241	Bornmülleri Freyn	Göttingen	1907		195	249	44		221	308	42	+2
218	bupleuroides, Tatrae Griscb.	Klausenburg	1907		739	105	88		705	102	87	+1
250	canadense Michx.	Petersburg	1907		217	11	95		262	41	86	+9
251	canadense Michx.	Paris	1906		115	90	56		73	87	45	+11
276	canadense Michx., aff.	Northampton, Mass.	1906		162	127	56		182	145	56	0
236	carpaticum Griscb.	Budapest	1906		153	3	97		103	4	96	+1
217	compositum Lap.	Budapest	1907		x	y						
227	corruscans Fr., subsp.	La Mortola	1907		472	228	67		401	239	63	+4
275	Dewarii Boswell	Dublin	1907		377	34	92		250	21	92	0

No.	Species	Locality	Year	a	b	c	d	e	f	g	h	±
277	hirsutum Benth., Fr.	Madrid	1906		734	27	96		456	21	9?	0
267	intybaceum Jacq.	Marburg	1906		97	9	92		15	1	94	−2
267	" "	"	1907		252	14	95		132	12	92	+3
225	iricum Fr.	Dublin	1907		291	83	79		488	152	76	+3
229	laevigatum Willd.	Madrid	1906		152	101	58		128	22	85	+27
238	laevigatum Willd.	Leipzig	1906		322	96	62		206	83	71	−9
222	longifolium Schleich.	Lausanne	1907		280	189	60		413	241	63	+3
244	lycopsifolium Froel.	Salzburg	1906		338	32	91		190	9	95	−4
376	porrifolium L.	St. [?]	1909	7	621	17	97		427	11	97	0
264	prasiophaeum Arv.-Touv., subsp.	Triest	1906		255	42	86		447	37	92	−6
247	prasiophaeum Arv.-Touv., subsp.	Madrid	1906		504	97	84		452	78	86	−2
242	prasiophaeum Arv.-Touv., subsp.	Berlin	1907		486	30	94	6	302	51	85	+9
262	prenanthoides Vill., subsp.	Stockholm	1906		99	41	71		179	34	84	−13
216	pseudoillyricum Zahn, forma	München	1907		67	1	98	4	174	7	96	+2
221	pulmonarioides Vill.	Nancy	1907	7	563	18	97	4	302	2	99	−2
231	pulmonarioides Vill.	Lyon	1907	11	819	167	83	12	724	181	80	+3
237	pulmonarioides Vill.	Berlin	1907	6	522	19	97	6	470	11	98	−1
271	pulmonarioides Vill.	Krakau	1907		428	189	69		626	193	76	−7
454	rigidum Fr., coll.	Svendborg (spont.)	909	5	211	79	73	5	309	21	94	−21
	sabaudum L., subsp.	St. Louis	1909	5	180	97	65		259	23	92	−27
	silvaticum L., coll.	Svendborg (spont.)	1909	10	439	49	90	5	199	14	93	−3
	silvaticum L., aff.	[?] (spont.)	1907		192	51	79					
235	speciosum Hornem.	Dublin	1906		167	72	70		347	142	71	+1
220	speciosum Hornem.	Breslau	1907	7	786	310	72		227	92	71	0
13	virosum Pall.	Breslau	1906		107	43	71					
263	virosum Pall.	Madrid	1906	1	12	23	34					
	viscosum Arv.-Touv.	Alpes marit. (spont.)	1906		x	y		5				
	vulgatum (Fr.) Almq.	Svendborg (spont.)	1909	4	81	66	55					
215	vulgatum Fr., coll.	Göttingen	1906		472	32	94		192	39	83	−18

(For viscosum Arv.-Touv., the entry is given as $x > y$.)

Of course these countings are based on gatherings of castrated and non-castrated heads of the same individual (generally even from the same shoot) and taken at the same time. How necessary it is to make the comparison only between gatherings from the same year is shown by the following case: in 1908 the offspring of a form of *H. boreale* Fr. (from Lille) turned out in favour of apogamy (difference: 7 p. ct.), while in 1909 the same individual gave the reverse result (8 p. ct. in favour of fertilization).

The objection that such a sorting from the outer appearance into full and empty fruits is uncertain and ought to be replaced by germination experiments, will apply in the same degree both to the castrated and to the non-castrated fruits and may therefore be dismissed as unimportant for a purely comparative consideration[1]).

If we go through Table I, we still find some deviations so considerable that we cannot explain them as casual. The above mentioned form of *H. alpinum* seems to have had advantage from the castration (86 : 66), but I think we ought not to regard this case as convincing, as only the fruits in one non-castrated head have been counted, and in these species with few and large heads the largeness of the heads varies considerably.

The other more noteworthy deviations are, 1^0: *H. sabaudum* L. where the castration no doubt has diminished the fruiting power (65 : 92); 2^0, the case is similar with *H. laevigatum* Willd., of which there are countings of two different sets and of which one set has a great deviation (58 : 85), the other only a small one (62 : 71), both in favour of fertilization, 3^0, and finally, a *H. vulgatum* Fr. and a *H. rigidum* Fr., both from Svendborg in Denmark, seem to show the same (55 : 83 and 73 : 94). As to these deviations, the differences in percentage between castrated and non-castrated fruits seem to indicate, that these species have not wholly lost the power of having fertilized fruits[2]). If we were to try to make hybrids within the *Archieracia*, we have here hints, which species we are to use.

----

[1]) In order to get an idea how great the germinating power is in the fruits considered as full, I have made a simple germination experiment, laying "full" fruits on wet filter-paper under glass in an ordinary room. The result was in one case 83 p. ct. germinated seeds, in another 70 p. ct.

[2]) The supposition is only of a restrained value, as the investigations are few, and most of the deviations are from 1909 with its rainy summer. Thus it is possible that the frequent rains may have had more influence on the heads made open through castration than upon the intact heads, which are protected by their bracts.

Table II.

No.	Archieracium II	Origin of the Plants	Year of the Experiments	A. Castrated Heads — Number of Heads	A — Full Achenes	A — Empty Achenes	A — Percentage of full Achenes	B. Not Castrated Heads — Number of Heads	B — Full Achenes	B — Empty Achenes	B — Percentage of full Achenes	Difference between A and B. Percentage
262	*virga aurea* Coss.	Roma	1906		0	8	0		194	54	78	
262	„ „ *lactaris* Bert.	Lyon	1909	8	0	8	0	5	x	y	40	
383	„ „ „		1909	8	0	8	0	5	152	227	43	
253	*umbellatum* L., s. l.	St. Petersburg	1906	8	0	8	0		24	32	29	
253_1	„ „ „ s. l.	—	1909		0	8	0		152	372	58	
253_4	„ „ „ s. l.	—	1909		0	8	0		x	y	61	
256	*umbellatum* L., s. l.	Madrid	1906	2	0	8	0		117	86	68	
256_1	*umbellatum* L., s. l.	—	1909		0	8	0		313	202	60	
257_2	*umbellatum* L., s. l.	Lille	1907	3	0	8	0		127	61	66	
257_1	„ „ „ s. l.	—	1909		0	8	0		339	2	65	
257_2	„ „ „ s. l.	—	1909		0	8	0		x	y	80	
258	*umbellatum* L., s. l.	Stockholm	1906		0	8	0	10	x	y	19	
258_3	„ „ „ s. l.	—	1907		0	8	0		674	342	29	
258_3	„ „ „ s. l.	—	1909	12	0	8	0		291	156	85	
259	*umbell tam* L., s. l.	Kristiania	1909		0	8	0	8	340	84	60	
281	*umbell tam* L., s. l.	Leiden	1906		0	8	0	5	89	378	78	
281_6	*umbell tam* L., s. l.	—	1906		0	8	0	5	39	95	50	
389	*umbell atm* L., s. l.	Zürich	1909		0	8	0		946	113		
446	*mbel tam* L., s. l.	Lithauen (spont.)	1909		0	8	0		275	183		
449	*umbellatum* L., s. l.	Danmark, Skaarup (spont.)	1909		0	8	0		343	97		
	„ L., s. l.	Svendborg (spont.)	1909		0	8	0		219	217		
261	*umbellatum* L., s. l.	St. Petersburg	1906	10	274	75	79	10	214	22	91	+ 12
261	„	—	1907		640	142	82	6	655	169	79	+ 3
$3+4$	„	—	1909	6	184	218	46	5	347	99	78	+ 32
261_2	„	—	1909	5	196	156	56	6	316	51	86	+ 30
261_3	„	—	1909	6	257	166	61	5	345	122	74	+ 13
261_4	„	Offspring of 261 (1906)	1908	5	208	122	63	8	152	138	52	+ 11
329_2	„	—	1909	8	295	286	51		541	104	84	+ 33

The two sets of *H. canadense* Michx. give a tendency in favour of castration (95 : 86 and 56 : 45), while the form named *H. canadense, aff.* gives no tendency (56 : 56). Here more investigations must be made before an opinion can be expressed.

As mentioned above, *H. virga aurea* Coss. is not apogamic; I have tried castration several times, but always got the same result, that the heads are quite sterile if castrated. When left to itself, it fruits rather well, and from these fruits come a very heterogeneous offspring, which indicates that crossing must have gone on. It flowers too late, however, in our latitude to be a good experiment plant. —

Among the *Archieracia* is still left the group *H. umbellatum*, which I have studied more thoroughly, as it seems to me to be particularly interesting. When, in 1905, it had become evident that four forms of this group required fertilization in order to fruit, or more correctly that they did not fruit after castration, I procured from the seed catalogues as many forms of this group as possible. I have in the years since then examined altogether twelve forms (sets), see Table II. From the castration experiments made in 1906 I got the result that two sets of *H. umbellatum* were apogamic, the other sets not. I had, however, to go to work with caution, for the seeds received from the Botanical Gardens were so untrustworthily determined that not even the five experiment plants selected from a sowing were similar. For example, in 1906 in the one experiment, with a *H. umbellatum* from Lille, I got seeds after castration, while the two plants of the same set that were examined in 1907 and 1909 gave a negative result. The offspring of the apogamic individual — that evidently has been among the three of the five original experimental plants which died in the winter 1906—1907 — gave also fruit after castration, just as the parent had done. This dissimilarity is easily explained when we learn that the apogamic individual belongs, not to *H. umbellatum*, but to *H. boreale,* the seeds of which must have been intermingled with those of *H. umbellatum;* while on the other hand the two plants examined in 1907 and 1909 are true *H. umbellatum.* In consequence, the one case of apogamy in *H. umbellatum* has to drop.

The other set of *H. umbellatum*, which gave fruit after castration, is from St. Petersburg and was named *H. umbellatum*, var. *linearifolium*, but looks like a typical *H. umbellatum.* Dr. DAHLSTEDT confirms that it is a true *H. umbellatum.* There is then a form of *H. umbellatum* which is capable to fruit apogamically, but which in outer appearance does not differ from the other forms of *H. umbellatum*, which all require fertilization. The differences in percentage of full fruits in the apogamic form between castrated and non-castrated heads seem to indicate that the apogamy is not absolute (79:91, 82:79, 46:78, 56:86, 61:74, 63:52, and 51:84). — All the other examined sets of *H. umbellatum*, including all those that proceed from spontaneous forms, and further the nearly allied species *H. lactaris* Bert., have not given any fruit capable of germination after castration and thus agree with the cytological investigations by O. JUEL (1905). We have thus in *H. umbellatum* the peculiarity that most of the forms, "races", are normally sexual, while a single form is apogamic[1]).

Looking through Table II it is curious to see how unlike the races of *H. umbellatum* are in regard to fruiting and how small the percentage of full fruits is in most cases. It seems to be a species whose fruiting at the present time is little stable and in which we might hope to find something to help us to an understanding of the mysterious phenomenon of apogamy. Still, I have as yet no hints of this understanding, but I hope that further investigations on this species will clear up the matter.

3. Subgenus Pilosella.

In my paper of 1906 I could record that *H. auricula* L. did not fruit after castration — which ROSENBERG's cytological investigations (1907) also confirmed — while the other five examined species of the subgenus *Pilosella* were able to do so. I have later repeated my experiments with *H. auricula*, also using other sets of this species, and with the same result. Connected with this fact is, no doubt,

---

[1]) In *Rosa* something similar seems to be the case. DINGLER (1907), who previously supposed apogamy in some cases, doubts that there is apogamy, and STRASBURGER (1904) has shown that in the species examined, among others in *Rosa canina*, the development of the embryo-sac is quite typical and that fertilization is necessary. On the other hand O. ROSENBERG (1909, p. 155—158) has examined a form, *R. canina*, subsp. *persaticifolia* Almq., in which the development of the embryosac points to apogamy, consequently differing from the "race" of *R. canina* studied by STRASBURGER.

Besides E. LUNDSTRÖM (1909, p. (16)) in a preliminary note has recorded, that he has had fruits developed after castration in *R. virentiformis* Matss. and in *R. glauca* Vill., subsp. *Afzeliana*, var. *dilatans* Almq., which latter according to ROSENBERG (l. c., p. 156) must also be supposed apogamic.

It is remarkable that the number of chromosomes in the apogamic race of *R. canina* is about double what it is in the normally sexual race of the same species.

the pronounced disposition of this species to hybridize, as will be mentioned later.

All the other species of *Pilosella* examined in 1906—1909 have been able to give fruit after castration. My investigations, unfortunately, do not comprehend so many species as is desirable — altogether 23 sets belonging to 14 species. The species of *Pilosella* have comparatively small heads and are therefore, technically, rather difficult to castrate, the heads easily being spoilt during the operation, especially in the very small-headed forms. The small fruits are also difficult to count from their outer appearance, and in several species each head gives few fruits. All these circumstances impede the investigation. The countings tabulated in the Table III are therefore much more incomplete than in the case of *Archieracium*, and the numbers given are admittedly too small. Still, I think they point to the general conclusion that the number of full fruits is somewhat diminished by castration — in other words, that the apogamic species of Pilosella are not absolutely apogamic, but that some of the flowers of each head require fertilization.

There are altogether 7 sets that can be used for comparison, and, of these, five distinctly point in the direction named. Of the two pointing the opposite way, one (*H. florentinum* All.) at least is too insufficiently investigated, as the numbers are small. The other is a set of *H. aurantiacum* and is hardly very convincing. Just about this species MENDEL (CORRENS 1905) has written, that it is absolutely unable to be used for crossing experiments (that is to say as mother plant, but its pollen can very well fertilize other species), and this would agree well with its being absolutely apogamic. Further, another set of *H. aurantiacum* gives the opposite result. The general conclusion from these cases is, therefore, in my opinion, that the countings given are without value, so far as *H. aurantiacum* is concerned.

Although the experiments with species of *Pilosella* are not so comprehensive as they ought to be, we may sum them up in the following general sentences: Within the subgenus Pilosella the species *H. auricula* is absolutely sterile after castration[1]), while the other species examined are capable to fruit apogamically, yet apparently in such a way that, at least in most species, a small part of the flowers require fertilization. This result agrees with ROSENBERG's cytological investigations (1907) and with the great number of hybrids known in this subgenus.

---

[1]) Several experiments seem to indicate that it is even self-sterile.

Table III.

No.	Pilosella	Origin of the Plants	Year of the Experiments	A. Castrated Heads — Number of Heads	A. Full Achenes	A. Empty Achenes	A. Percentage of full Achenes	B. Not castrated Heads — Number of Heads	B. Full Achenes	B. Empty Achenes	B. Percentage of full Achenes	Difference between A and B, Percentage
342	*aurantiacum* L.	Odessa	1909	7	393 >	23	94	5	262	32	82	+ 10
343	*aurantiacum* L.	Lyon	1909	8	436 >	37	92	5	196	128	60	÷ 25
345	*aurantiacum* L.	Zürich	1909	5	144 <	265	35					
348	*aurantiacum* L.	Ulm	1909	3	116 >	41	74					
125	*brachiatum* Bess., subsp.	Herculesbad (spont.)	1906		x >	y						
2 6	*colliniforme* N. & P.	Braunschweig	1 96		33	13	72					
270	*colliniforme* N. P.	Bukarst	1906		117	17	87	90	12	88		÷ 1
209	*colliniforme* N. P.	Göttingen	1907		x <	y						
355	*cruentum* N. P.	Stockholm	1909	1	21	15	58	277	97	74		+ 13
211	*florentinum* All., subsp.	Ängen	1909	4	136	71	66	131	22	86		÷ 23
268	*macrolepideum* Norrl.	Göttingen	1906		55	8	87					
201	*magyaricum* N. P., subsp.	Karlsruhe	1907	1	93	29	76					
214	*nigriceps* N. P., aff.	Triest	1906		57	33	63					
210	*pannonicum* N. P., subsp.	Göttingen	1907		25 <	82	24					
124	*pannonicum* N. P., subsp.	Herculesbad (spont.)	1906		x >	y						
437	*pilosella* L.	St. Petersburg	1909	1	112 >	27	81					
M18	*pilosella* L.	Danmark (spont.)	1906		x <	y						
M18	*pilosella* L., fma	"	1907		x <	y						
367	*praealtum* Vill.	" Lyon	1909	1	11	9	55					
204	*substoloniflorum* N. P.	Bonn	1906		25 <	47	35		217	104	68	÷ 16
204	" "	Offspring of 204	1907		315	293	52		216	26	90	÷ 30
427	" "	Öland (spont.)	1909		257	173	60					
306x	*subpraealtum* Ldbg.		1907	1	x >	y						
205	*auricula* L.	Göttingen	1906	10	0	∞	0					
205	*auricula* L.		1907		0	∞	0					
M17	*auricula* L.	Danmark (spont.)	1906	20	0	∞	0					
M17	*auricula* L.		1907		0	∞	0					
351	*auricula* L., f. pilosa	Tabor	1909		0	∞	0					

II.

Hybridization Experiments.

In my paper of 1906 I reported that I had artificially produced the following hybrids:

H. pilosella × *aurantiacum*
H. excellens × *aurantiacum*
H. excellens × *pilosella*.

My method of crossing was as simple as possible: I isolated under bell-jars before unfolding some heads of the plants I wished to use. When a few days later the heads had opened — at any rate the outer flowers of the heads — I picked off the head whose pollen was to be used and rubbed it cautiously to and fro over the stigmas of the head of the plant to be used as mother parent; this manipulation was sometimes repeated one or two days later with a new head of the father plant, but with the same one of the mother plant in which now the more central flowers of the head had opened. The head thus pollinated was kept continually under the bell-jar, closed below with wadding, until sometime after the flowers had withered. As soon as the withered corollas, on touching, easily dropped off in a clump, the wadding was removed, as it caused the air in the jar to be continually saturated with vapour and thus sometimes furthered an attack of mould on the heads. The head was now permitted to ripen under the bell-jar, but with free access of the air from below. The jar only served to prevent the ripe fruits from being carried away by the wind, if the gathering happened to be a little delayed. — In the sowing of the fruits, the same precautions were taken as have been mentioned under the castration experiments.

This method, which I still use, is thus much simpler than that used by MENDEL (1870) and F. SCHULTZ (1856), and it has the shortcoming that it does not give results which can be used for counting, self-fertilization (when the mother plant is hermaphrodite) not being excluded; but I consider it as the only easily practicable method when working with *Compositae* that have small flowers.

F. SCHULTZ transferred, by means of a fine brush, the pollen on to the stigmas, but did not take special precautions against self-fertilization; his method is thus not more exact than mine, but more difficult to carry out.

On the other hand, MENDEL's method is the most exact; by means of fine pins he removed the anthers before the opening of the flower (most of the flowers of the head were taken away) and fertilized the thus rightly castrated flower with the pollen of the father species. This method, however, is so difficult and gives such small results, as the delicate flowers are often destroyed in the operation, that a patience and dexterity like MENDEL's are required in order to employ it.

In the following I shall give the results of my crossing-experiments, obtained since 1905, especially the results of the study of the later generations of the first produced crosses, together with a report of a new cross.

1. H. pilosella × aurantiacum.

In 1904 I had obtained a hybrid (No. 55) by crossing *H. pilosella* with *H. aurantiacum*. The single individual of this cross (represented in the plate af the 1906 paper as fig. 7) did not fruit in 1905 after isolation or castration, in contrast to both parents. But when the heads were left to themselves during flowering, a few full fruits were developed, from which plants arose, different from one another and to be considered as the result of new crosses caused by visits of insects. Some of these were apparently pure *H. pilosella* and might be supposed to be segregations, by back-crossing with the mother parent.

The castration was repeated in 1906, 1907 and 1909, but always with negative result. Isolation of some few heads was also tried, but no fruit capable of germination was obtained in that way either. The hybrid may thus be regarded as self-sterile.

An experiment of crossing it with the pollen of the father plant *(H. aurantiacum)* has until now given only a single individual as off-spring; this was very much nearer to *H. aurantiacum* than was the primary hybrid, but was still not a pure *H. aurantiacum* and was also quite sterile[1].

2. H. auricula × aurantiacum.

As before mentioned, *H. auricula* requires fertilization in order to produce fruits capable of germinating, and it was therefore to be

---

[1] An experiment with similar result has already been made by MENDEL (C°RRENS 1905, p. 245) by crossing the hybrid *H. praealtum × aurantiacum (= H. magyaricum × aurantiacum)* with *H. aurantiacum*. He got as offspring: „zweierlei Pflanzen, solche nämlich, welche mit der Bastard-Mutterpflanze ganz übereinstimmten, und andere, welche dem *H. aurantiacum* um vieles näher standen." The former of these categories is evidently apogamic F_2, while the latter corresponds to my experiment.

supposed that this species would be favourable to crossing experiments, as, indeed, MENDEL had already pointed out. He writes in a letter to NÄGELI (CORRENS 1905, p. 230) that: "*H. auricula* ist . . . bei einiger Vorsicht eine vollkommen verläßliche Versuchspflanze". He has crossed more than a hundred heads of this with several other species, and whenever he got fruits capable of germinating, they always gave rise to hybrids ("allein die aus denselben erzogenen Pflanzen sind ohne Ausnahme Bastarde"; CORRENS 1905, p. 230).

In his short paper on *Hieracium* MENDEL (1870, p. 51) already mentions that by crossing *H. auricula* with *H. aurantiacum* he got two specimens of the same cross differing from each other, one red-flowered and quite sterile, and one yellow-flowered in which "ein einziger gut ausgebildeter Same", appeared. In his letters he repeatedly mentions this hybrid combination, a great number of which he has produced. For example, in a letter of 1870 he reports that he has planted 98 specimens out in his garden; of these, 84 flowered in the same year, some died, and others did not reach flowering. About the flowering specimens he says (CORRENS 1905, p. 238): "Die Abweichungen unter denselben sind sehr beträchtlich. Jedes Bastard-Merkmal erscheint in einer gewissen Anzahl von Varianten, welche Übergänge von einem Stamm-Merkmale zu dem anderen darstellen. Es scheint, daß die Varianten der verschiedenen Merkmale miteinander in allen möglichen Verbindungen auftreten können. Das letztere wird dadurch wahrscheinlich, daß an den vorhandenen Bastardpflanzen die Anordnung der Merkmal-Varianten eine außerordentlich mannigfaltige und kaum in zwei Fällen eine völlig gleiche ist." And further (l. c., p. 239) that: "etwa der vierte Theil als vollkommen fruchtbar, die Hälfte als theilweise und ein Viertel als ganz unfruchtbar zu bezeichnen ist. Der Grad der Fruchtbarkeit erscheint als unabhängig von der Form des Bastardes". Once more this hybrid is mentioned in MENDEL's letters (l. c., p. 243), when he says that in 1871 he put down the following remark on it: "Circa 90 Bastarde zum Theile fruchtbar, sehr verschieden". The last words have been written to show the contrast to crosses between *H. auricula* and several races of *H. pilosella*, in which crosses all the specimens of each cross were alike.

My experiments are, strictly speaking, only repetitions of those made by MENDEL; but the fact that *H. aurantiacum* is capable to fruit after castration and consequently is, at least in part, apogamic, throws a new light on the matter.

a. The 7th of July 1906 I pollinated an isolated head of *H. auricula* (the same set which was used for castration experiment; No. M 17) with pollen from an isolated head of *H. aurantiacum* (this too had been used — and with positive result — for castration experiment; No. 58). Only four specimens appeared from the sowing of the seeds gathered, and these were all hybrids, all unlike each other, standing in their characteristics in different degrees between the parents. No correlation seems to exist between the different characters; e. g. a hybrid, in colour of the flowers near to *H. aurantiacum*, does not also in other characters resemble the father.

With regard to the colour character the family showed the following gradation:

1 specimen (No. 286_1) was very near to *H. aurantiacum*.

1 specimen (No. 286_3) was less near than the preceding, but still nearer to the father than to the mother.

1 specimen (No. 286_2) was intermediate or perhaps a little nearer to the mother.

1 specimen (No. 286_4) died before I had noticed its flower colour; it was a decided hybrid.

The first two specimens do not seem to be able to have full fruit; at least, it appears from castration and isolation experiments, that they are self-sterile. The third one (No. 286_2), however, has yielded fruit after castration. Already under the first scanty flowering in autumn 1907 one head was castrated. The small number of fruits gathered from this experiment were sown in May 1908, and the plants (F_2) reached a scanty flowering in September of the same year and have later flowered copiously in 1909 (June). Again the family F_2 consists of only four specimens, but these are all quite alike in all characters and quite similar to the parent plant; they have given a fair number of fruits. Castration of F_1 (No. 286_2) was repeated in 1908 and out of the much more numerous offspring (No. 467) one plant reached flowering in September 1909; it was also quite similar to the parent plant, and the same seems to be the case with the remaining ones, as far as can be judged from the vegetative characters alone.

We are thus allowed to conclude, that while the first generation (F_1) of *H. auricula × aurantiacum* is heterogeneous, the second generation (F_2) is quite homogeneous and like the parent individual of F_1, in so far as it can arise at all.

b. As the experiment reported on only gave a few hybrid specimens, the same cross, with the same parent individuals, was repeated in 1907.

17*

One isolated corymb (two heads) of *H. auricula* was pollinated with isolated heads of *H. aurantiacum* (also from only one corymb). The fruits gathered were sown in April 1908 and produced a family of 29 individuals, most of which reached flowering in the autumn of the same year. They presented an astonishing variety or heterogeneity, and there were not two individuals completely alike and all (with perhaps one exception?) were hybrids. They varied with regard to the colour of the flowers, of which the annexed reproduction of coloured drawings on Plate 4 will give a better idea than long descriptions. The specimens in flower in autumn 1908 have been arranged on the plate after flower colour alone, forming a series from *H. auricula* to *H. aurantiacum*. Further, they varied with regard to the size and hairiness of the head; the number of heads; the length and hairiness of the scapes; the form, colour and hairiness of the leaves; the form and vigour of the stolons, e. t. c. No correlation between the variations of the different characters was discovered.

Some heads of the autumnal flowering specimens were isolated. In 12 specimens all the fruits were empty, but in 5 specimens at least some few fruits were apparently full and were sown in the spring of 1909. Four of these gatherings have germinated and produced a few plants of F_2 which, however, owing to the bad summer, did not reach flowering in the same year, and about which I can say nothing more than that the rosettes of each set seem to be homogeneous.

In the winter 1908—09, unfortunately, 7 of the 29 plants of F_1 died. Among the rest, heads of several individuals were isolated in the summer of 1909 and with similar result as in the preceding year, most of them producing only empty fruits. Some experiments of crossing the hybrids with the parents also gave only empty fruits, but these experiments must necessarily be repeated.

The hybridization experiments hitherto carried out with *H. auricula* and *H. aurantiacum*, thus agree fully with the above-mentioned extensive experiments made by MENDEL. My experiments have the advantage that only one single corymb of both father and mother has been employed for the cross, so that is cannot be objected that the heterogeneity in F_1 depends on different father or mother individuals.

Thus we have substantiated in the cross *H. auricula × aurantiacum* an astonishing heterogeneity in F_1, and no correlation as to the characters mutually. Most individuals of F_1 are sterile, but a few of them bear some few fruits and these are even developed apogamically as in the father. With regard to the fertile F_1 individuals, they produce an F_2 which is completely homogeneous and quite like the parent individual of F_1; this must no doubt be attributed to the apogamy. From another point of view, the origin of species by means of-hybridization, we may be allowed to say that the cross *H. auricula* ✕ *aurantiacum* can give rise to new forms or species, at once quite constant.

3. *H. excellens* ✕ *aurantiacum.*

a. As mentioned in my paper of 1906 (p. 239), in June 1904 I castrated some heads of the many-headed *H. excellens* (related to *H. magyaricum* N. P.) and isolated others, and at the same time pollinated some heads of another corymb of the same individual with *H. aurantiacum*. The castrated and the isolated heads gave rise to a new, apogamically developed generation, while the result of the crossing was 20 individuals of pure *H. excellens* and 6 hybrids. These 6 were all different to one another, but the differences in characters were almost always within the range of the characters of the two widely different parents. Most prominent was the difference in sexuality; the mother plant, *H. excellens*, is purely female, while the father plant, *H. aurantiacum*, is hermaphrodite, and some of the hybrids followed the mother, others the father. The characters of the 6 hybrids can be described briefly in the following way:

No. 46_1. Vegetative part comparatively weak, and development of stolons much poorer than in either of the parents; hermaphrodite; corolla pure yellow.

No. 46_2. Vegetative part vigorous; very similar to the mother; but more robust: female; corolla yellow as in the mother, but the head a little larger and with dark, more hairy involucre.

No. 46_3. Vegetative part vigorous; similar to the mother, but more robust; female; corolla orange-yellow with a red stripe on the underside and red teeth; head as in 46_2.

No. 46_4. Vegetative part vigorous; rather intermediate; hermaphrodite; corolla yellow-orange-red with red underside and red teeth; head as in 46_2. (Figured in the paper of 1906 as fig. 5.)

No. 46_5. Vegetative part weak; development of stolons rather poor; hermaphrodite; corolla nearly as 46_4, perhaps a little nearer to the father; quite sterile, died after first flowering.

No. 46_6. Vegetative part weak; leaves of the rosette narrower than in the parents. Died in the winter of 1906—07 without any flowering.

These short descriptions will show how different the members of this family were. It is worth noticing that No. 46_1, 46_5 and 46_6 are vegetatively, especially with regard to the development of stolons, weaker than both the parents. Most frequently hybrids are said to be vigorous and often more vigorous, than the parents.

Only the four first enumerated specimens have kept under cultivation, and I have followed them through several generations.

1. *H. excellens × aurantiacum*, No. 46_1.

The primary hybrid, F_1, died in 1905, after bearing fruits under isolation. Hence arose an F_2 of 3 individuals, all of which were vegetatively weak, without regular development of stolons and with pure yellow hermaphrodite flowers, thus quite like the F_1. In one of these individuals castration, as well as isolation, was made with respectively 4 and 3 heads, but the development of full fruits was very slight. Thus the F_3, which arose from sowing of these fruits, consisted of only 4 and 8 individuals, all alike und all like F_1. F_4 came out in 1909, but did not reach flowering.

We thus have full constancy in the second and the third hybrid generation, in so far as the small number of developed fruits permits us to judge.

2. *H. excellens × H. aurantiacum*, No. 46_2.

The primary hybrid from 1904 is still alive. Without isolation seeds were got, which gave rise to an F_2 of 25 individuals, all alike and like F_1, and female. As this experiment was not exact, a corymb of the primary hybrid was isolated in 1906, and from the gathered seeds there came 85 individuals of F_2, all alike and all like F_1, yet with the exception of one individual which had reddishly tinged leaves and scape. One corymb of this individual was isolated, and an F_3 of 38 individuals was produced, all alike and like F_1, i. e. without any reddish tint; nor was the F_2-individual itself this year reddishly tinged. The reddish colour is consequently not inheritable, but is no doubt a result of bad conditions, most probably of drought, and was here most likely caused by ants, which, by establishing their nest round the base of the plant, let too much fresh air into the soil and perhaps also injured the roots.

In this hybrid also there is full constancy in the second and the third generation.

3. *H. excellens* × *aurantiacum*, No. 46₃.

The primary hybrid is still alive. With the first isolation (in 1905) only one individual of F_2 was obtained; it was quite like F_1. Isolation was therefore repeated in 1906, and now there came out an F_2 of 53 individuals which flowered in 1908. Out of these, 52 were homogeneous and quite like F_1, but one individual differed very considerably. This mutant is vegetatively weak and with slight development of stolons, with yellow corollas and with copious pollen, apparently hermaphrodite, while all the other individuals as well as F_1 are female[1]). It resembles much No. 46₁, but differs with regard to the colour of the corollas, being in the mutant orange-reddish on the underside. Unfortunately it is quite sterile on isolation, which has been tried both in 1908 and 1909.

F_3, sprung from the normal F_2, was planted out in 1909, but did not reach flowering.

We have then here a case where the main part of the second generation of the hybrid behaves as in the two foregoing cases, but where suddenly an individual has come out which is a distinctly and easily recognisable mutant. It is not a retrograde step to any of the parent species, but a new combination of their characters. It is a pity that it is not possible to work further with this mutant, as it seems quite sterile.

4. *H. excellens* × *aurantiacum*, No. 46₄.

From the primary hybrid, which is now dead, was got by isolation an F_2 of 27 individuals and by castration 11 individuals, and all 38 specimens were quite homogeneous and like F_1. By isolation of one of the 27 individuals of F_2 were obtained 107 individuals of F_3, and by castration of one of the 11 individuals of F_2 were obtained 98 individuals; altogether, F_3 consisted of 205 individuals, all alike and like F_1. Still, several of them were reddishly tinged and somewhat weaker than the others, but this must no doubt be explained in the same way as above. F_4 was planted out in 1909, but did not reach flowering.

---

[1]) It is not unknown that a mutant differs from its parent with regard to sexuality; e. g. *Oenothera lata*, one of DE VRIES's classical mutants, is purely female while *O. Lamarckiana* is hermaphrodite. See R. R. GATES (1907a, 1907b, 1909a) who has worked out its behaviour thoroughly.

In this hybrid there is thus full constancy with regard to the second and the third generation, just as in the two first hybrids of *H. excellens × aurantiacum*.

b. In the summer of 1904 another cross with *H. excellens* and *H. aurantiacum* was made, using another specimen of *H. aurantiacum*. The result was, besides some pure *H. excellens*, one hybrid (No. 48a) which was near to the mother in characters. It differed in having somewhat larger and more dark-hairy heads and, at least, in some of the outer yellow corollas, a distinct, though often small and feeble red stripe on the underside. Like the mother the hybrid was purely female. It is still alive.

By castration was obtained only one individual of F_2 and by several isolations altogether 13 individuals, all alike und like F_1. By means of isolation a third generation, F_3, consisting of 106 individuals came out, all alike, still with individual differences with regard to the intensity of the feeble reddish tint on the underside of the marginal corollas. As in the first reported cross here also constancy in the later hybrid generations rules.

c. A cross between *H. excellens* and *H. aurantiacum*, made in 1907, produced one hybrid, which quite resembled the just mentioned No. 48a, but has not been studied further.

All the experiments here reported on show that the crosses between *H. excellens* and *H. aurantiacum* give a heterogeneous F_1, but that each individual of these primary hybrids is able to produce a quite constant and homogeneous offspring, if it is not quite sterile. The explanation of this constancy is probably that the offspring comes from seeds developed apogamically. The one mutant in F_2 of No. 46_3 is hitherto an isolated fact, which does not allow far reaching conclusions, still it shows that also apogamic plants are able to mutate.

The little table (IV) given here recapitulates the number of hybrid offspring produced during the experiments:

Table IV.

Number of Hybrid-Offspring of *Hieracium excellens × H. aurantiacum*.

	F_1	F_2	F_3	
46_1	1	3	12	
46_2	1	110	38	
46_3	1	52[1])	—	[1]) To these is to be added a single mutant.
46_4	1	38	205	
48a	1	14	106	

Several experiments of crossing the hybrids with the parent species have hitherto given no results of interest, the offspring always being like the mother plant, i. e. the offspring have always been produced apogamically, the crossing being quite ineffective. The experiments made may just be enumerated:

a. *H. excellens* ⨯ [*excellens* ⨯ *aurantiacum*, No. 46₄]. Result: 3 pure *H. excellens*.

b. *H.* [*excellens* ⨯ *aurantiacum*, No. 46₃] ⨯ *aurantiacum*. Result: 19 individuals, like No. 46₃.

c. *H. excellens* ⨯ [*excellens* ⨯ *aurantiacum*, F₂ of No. 46₄] Result: 29 pure *H. excellens*.

4. *H. excellens* ⨯ *pilosella*.

By crossing, in 1904, *H. excellens* with *H. pilosella* there came out, besides some pure *H. excellens*, 8 hybrid specimens, which did not behave quite as the hitherto mentioned hybrids, being indeed somewhat heterogeneous, but not in the same degree as these.

Here follows a list over this family of hybrids with characteristics:

No. 50₁. Vegetative part vigorous; well developed stolons; the corymb with long scape and many subumbellate heads of which some indeed on long stalks issuing from the lower part of the scape; on the whole rather near *H. excellens*, but a little coarser and lower and the heads a little larger; female.

No. 50₂. Much as the preceding and also female, but perhaps still a little nearer *H. excellens*.

No. 50₃. Much as the preceding, also female. (A not typical, slender and few-headed corymb from an autumnal flowering has been figured in 1906 as fig. 6.)

No. 50₄. Low and nearer to *H. pilosella*; the corymbs with few, distant and long-stalked, large heads; hermaphrodite; yet the rosette leaves resemble those of *H. excellens*.

No. 50₅. Much as the foregoing; hermaphrodite.

No. 50₆. Died without flowering, but was an evident hybrid.

No. 50₇. Also died without flowering.

No. 50₈. Tall and vegetatively vigorous with subumbellate rich corymb on a long scape; resembles 50₂ and 50₃, and female.

If we do not consider the two hybrids that died before flowering, we have six individuals left, and of these the four were fairly, but not absolutely, alike, and near *H. excellens* from which they differed in being coarser and somewhat lower in the corymb-scape and with slightly larger heads, all characters from *H. pilosella*. The two others (No. 50_4 and 50_5) were also much alike and near *H. pilosella*, but still greatly differing by the corymb-scapes having several (not solitary), long-stalked heads, whose size was a great deal under that of the heads of *H. pilosella*. They were hermaphrodite, while the four other individuals (*sub-excellens*) were female.

All 6 individuals have in common that their power of fruiting is very slight. Notwithstanding repeated experiments in different ways I have not yet succeeded in getting more than a few apparently full fruits in any experiment and in most of them no full fruits at all. Thus, after isolation I have got only a single F_1-individual of 50_2, of 50_3 and of 50_8 each, — that is of three individuals of the *sub-excellens*-group; these F_2 individuals have all been like their F_1.

An experiment of crossing 50_5 with the mother parent (*H. pilosella*) gave rise to only three individuals which were different from one another and all three different from their F_1-parent. One (No. 406_1) was, at least apparently, pure *H. pilosella*, and consequently a complete segregation must have taken place. The other two showed hybrid characters: one of them (No. 406_3) was rather near the mother (the primary hybrid), still somewhat nearer *H. pilosella*, and the third (No. 406_2) was very peculiar; it had leaves narrower than those of both parents, long thin stolons, mostly approaching the *excellens*-type; the corymb bore long branches with few flower-heads, much as the inflorescences on the stolons of *H. excellens*. Unfortunately both the last named plants were weak and died in the winter after the first flowering; they seemed to be quite sterile.

The cross between *H. excellens* and *H. pilosella* has thus given only the following result: the primary hybrid is heterogeneous, but less than in the other crosses, being nearly dimorphous[1]). All the individuals of F_1 are nearly sterile, the few individuals of F_2 point to constancy, while the poor experiment of back-crossing may be said to show segregation.

On the whole, this hybrid combination seems to be unfavourable as a subject of experiment. It has therefore not been used so much for experiments, as interest in its peculiar behaviour would merit.

If we sum up the result of all the hybridization experiments hitherto made, we get the following conclusions:

---

[1]) Such cases H. DE VRIES (1907, 1908) has named Twin-hybrids.

1. It seems natural to place in one group *H. pilosella* × *aurantiacum* and *H. excellens* × *pilosella*, consequently both combinations, with *H. pilosella* as the one parent plant[1]). In this group the F_1-generation is (under isolation) wholly or nearly without power of forming fruits capable of germination, — consequently self-sterile. By crossing the F_1 with one of the parents, an F_2 of few individuals has been produced which seems to segregate.

2. Opposed to this stands the other group where F_1 is rather fertile by isolation and where F_2 and F_8 show full constancy. The type of this group is *H. excellens* × *aurantiacum*; still perhaps No. 46_1 and the mutant of No. 46_3 belong to the first group.

The hybrid *H. auricula* × *aurantiacum* must probably be divided so that most individuals of F_1 belong to the first group, while some few belong to the second.

The second group is of more interest, for here an e x p e r i m e n t a l proof is given that by hybridization between far distant species within the subgenus Pilosella new forms can arise which are fully constant and which behave as new species.

III.
Apogamy and its Relation to Polymorphism.

From the researches of MURBECK (1904), KIRCHNER (1905) and especially from the cytological investigations of ROSENBERG (1906, 1907) on the apogamy of *Hieracium*, it has been shown that the development of the non-fertilized embryo goes on in different ways, partly by true apogamy, partly by the curious apospory discovered by ROSENBERG. We shall not enter into the cytology at great length, but only mention that the embryo is always developed from an "egg-cell" which has the vegetative (unreduced) number of chromosomes; this form of apomixis is by H. WINKLER (1908, p. 11) called s o m a t i c p a r t h e n o g e n e s i s. Still, I prefer to maintain the terminology of STRASBURGER (1904, p. 113 and p. 118), according to which our case falls under apogamy, as we speak of parthenogenesis only in the case where the egg-cell has the reduced number of chromosomes and yet develops into an embryo without fertilization (H. WINKLER's

---

[1]) As regards the dimorphism of *H. excellens* × *pilosella*, it is worth recalling that MENDEL has produced a great number of hybrids between *H. auricula* (as mother) and different races of *H. pilosella*, and that these hybrids of F_1 have been like one another (CORRENS 1905, p. 243). It seems thus that *H. pilosella* hybrids behave in a different way from those in which *H. aurantiacum* is father parent.

generative parthenogenesis); this has hitherto not been found in the
phanerogams.

The definition I gave for apogamy in my paper of 1906 was
perhaps rather indistinct; it runs: "that it comprehends all cases
where a plant gives seeds, developed from the ovules, without fertilization, whether the egg-cell or other cells of the embryo-sac or
a cell from the nucellus are the starting point" (l. c., p. 233, foot-
note).   The last-named case was intended to correspond to the
apospory which ROSENBERG had then found.   Now, I shold prefer
to use the following short definition, employing the terminology given
by H. WINKLER.   Apogamy is the apomictic development of
a sporophyte from one or several cells of the gametophyte,
assuming that the number of chromosomes is unreduced. Thus
I include in apogamy both WINKLER's apogamy and his somatic
parthenogenesis, making no sharp distinction between the apomictic
development of the "vegetative egg-cell" and that of the other
gametophyte cells, but considering the former case only as a special
case of apogamy.

H. WINKLER in his excellent account of parthenogenesis and
apogamy in plants (1908) has put together all the then known cases
of apogamy in its different forms. Since then, several new cases have
been found, especially with regard to the phanerogams. In the
following I restrict myself to the phanerogams and the considerations
expressed apply only to these and among them especially to the
dicotyledons, with the apogamy of *Hieracium* as main point of view.

A list of the hitherto known cases of apogamy (in my sense)
among phanerogams will have the following appearance:

Monocotyledones.

Triuridaceae: *Sciaphila nana* Bl. (V. A. POULSEN, 1905).
Burmanniaceae: *Burmannia coelestis* Don. (A. ERNST, 1909).
Thismia clandestina Miq. (K. MEYER, 1909).
Thismia javanica J. J. Sm. (A. ERNST and Ch. BERNARD. 1909).

Dicotyledones.

Saururaceae: *Houttuynia javanica* Thbg. (SHIBATA and MIYAKE, 1908).
Moraceae:[?] *Ficus hirta* Vahl, and perhaps other species (TREUB, 1902),

Urticaceae:[?] *Elatostema acuminatum* Brogn. (TREUB, 1905).

Elatostema sessile Forst. (Modilewsky, 1908).

Menispermaceae:[?] *Disciphania Ernstii* Eichl. (ERNST, 1886).

Ranunculaceae: [?] *Thalictrum Fendleri* Englm. (DAY, 1896).

Thalictrum purpurascens L. (OVERTON, 1902).

Rosaceae: *Alchimilla*, sect. *Eualchimilla* (MURBECK, 1897, 1901)

Rosa glauca Vill., subsp. }
Rosa virentiformis Matss. } (E. LUNDSTRÖM, 1907).

Thymelaeaceae: *Wikstroemia indica* L., Buitenzorg (H. WINKLER, 1904).

Balanophoraceae: *Balanophora elongata* Bl. (TREUB, 1898).

Balanophora globosa Jungh. (LOTSY, 1899).

Helosis guyanensis Rich. (CHODAT and BERNARD, 1900).

Compositae: *Antennaria alpina* (L.) Gärtn. (O. JUEL, 1898, 1900).

Antennaria fallax Greene } (LEAVITT and
Antennaria neodioica Greene } SPALDING, 1905).

Taraxacum, all species examined (RAUNKIAER, 1903).

Hieracium, subgen. *Pilosella* } nearly all species,
Hieracium, subgen. *Archieracium* }
(OSTENFELD and RAUNKIAER, 1904; OSTENFELD, 1906).

It will be seen that the apogamy appears here and there in the families of the phanerogams without relation to their systematic position or affinities; still it is noteworthy that it is so common in the young family of *Compositae*, which must be supposed to be in its full vigour. There is therefore no reason for setting apogamy in any communication with degeneration.

The quoted cases of apogamy are not all certain, at least the cytological evidence is still wanting for several of them. Among the uncertain ones is *Ficus*, and among the imperfectly examined are *Sciaphila*, *Thismia* and the North-American *Antennaria*'s. Quite unexamined in cytological regard are *Disciphania* and *Thalictrum Fendleri*. These two and *Ficus* are omitted in the following considerations.

Now, if we look at the list, bearing this in mind, we find the peculiarity that not all the species within a genus are apogamic; some are normally sexual. This applies to all the genera named of *Compositae*, as ROSENBERG has lately (1909, p. 151) shown that a species of *Taraxacum* (*T. confertum* Dahlst.) must be supposed to be sexual. *Taraxacum* was hitherto taken to be the only example of a wholly apogamic genus. Further, it applies to *Elatostema*, *Thalictrum*, *Wikstroemia*, *Alchimilla*, *Rosa* and *Balanophora*. We do not know the condition in *Thismia*, *Burmannia*, *Sciaphila* and *Helosis* — all saprophytic or parasitic plants — as cytological investigations have not yet embraced other species of the genera named than the apogamic ones here enumerated. Lastly, it has to be added that *Houttuynia* is a monotypic genus.

Another noteworthy fact with regard to apogamic plants is that comparatively many apogamic plants are pale, chlorophyll-wanting saprophytes or parasites, viz.: *Sciaphila*, *Thismia*, *Burmannia coelestis*, *Balanophora* and *Helosis*. Whether this fact may be of some importance or is casual, is difficult to decide at present. A. ERNST and ED. SCHMID are no doubt right in saying in their paper on the normally sexual *Rafflesia patma* Bl. (1909, p. 184): "so wird man auch bei anderen Parasiten in der Annahme von Beziehungen zwischen Reduktion der vegetativen Organe und Anomalien in der Embryosackentwicklung mit oder ohne Apogamie vorsichtig sein müssen."

The list shows, however, a third fact worthy of interest and which has already called forth many considerations, that is, the evident relation of apogamy to polymorphism. We must here except the pale saprophytes and parasites, and further *Houttuynia*, in which we know nothing about polymorphism. But with these exceptions all the hitherto thoroughly examined cases of apogamy (in the dicotyledons) fall within polymorphic genera, that is, genera in which at the present time an intense evolution of species is supposed to be taking place. The polymorphism in *Alchimilla*, *Rosa*, *Taraxacum* and *Hieracium* is well known. In *Antennaria* we find polymorphism in North America (not in Europe), in *Thalictrum* both in North America and in Northern Europe; *Elatostema* is a "critical" genus. Finally, H. WINKLER (1908, p. 147) and STRASBURGER (1909, p. 85—87) have shown that *Wikstroemia indica* is a polymorphic species, of which for the present only the examined "race" from the Buitenzorg Gardens has been proved to be apogamic, while others seem to be normally sexual. Thus it cannot longer be used as an instance of "Apogamie ohne Polymorphismus" (TISCHLER, 1908, p. 139)[1]).

---

[1]) It would also agree very well with the relation of apogamy to polymorphism, if R. R. GATES (1909b) is right in his new supposition, that *Oenothera lata*, one of

The first who touched upon this apparent relation of apogamy to polymorphism, was Sv. MURBECK, who as early as 1897 (p. 277) — he accentuates it a little too strongly later (1904, p. 295) — has intimated that for the *Alchimilla*'s there must be a certain relation between the constancy shown by the apogamy and the polymorphism. His words, however, are very vague. Having mentioned that the reason for the great constancy of the *Alchimilla* species has to be sought in the apogamic development of the seeds, which is really to be considered as a kind of layer-formation, he says that in a later detailed cytological investigation he will perhaps also have occasion to express himself "on a question at present obscure, how the poly-morphism now ruling within the genus has come about. For that, however, is required an exact knowledge of the geographical distribution of the forms"[1]).

Somewhat more fully and decisively RAUNKIAER expresses himself (1903, p. 136—138) about the *Taraxacum* species. From the fact that all the species examined by him, which have widely different geographical distributions, are apogamic, he concludes "that the power of forming seeds without fertilization has originated in *Taraxacum* before this genus was split into many species and that the existing species have originated without any fertilization or crossing"[2]). If this conclusion is right, he thinks that in *Taraxacum* we have a genus which may be of importance for the study of the origin of species, and that future investigations on the species and their geographical distribution will contribute to the solving of the question, whether the origin of species has been occasioned in the Lamarckian way or in the Darwinian way (incl. that of mutation).

In his paper on apogamy in *Taraxacum* and *Hieracium* MURBECK (1904) — as already mentioned — comes back to this problem,

the mutants of *Lamarckiana*, is partly apogamic, "though only in a small percentage of cases". But "this indication of apogamy in *O. lata* of course requires to be substantiated by a more detailed study".

Mrs. R. HAIG TH°MAS has recently (1909) published a short paper on „Partheno-genesis in Nicotiana", and probably we have here a new case of apogamy, which agrees well with the relation-theory, as *Nicotiana* is a critical genus.

[1]) "om ett annat för närvarande dunkelt spörsmål, huru den nu rådande poly-morfismen inom släktet en gång kommit til stånd. Härför erfordras emellertid en noggran kännedom om formernas geografiska utbredning".

[2]) "at Evnen til at danne Kim uden Befrugtning er opstaaet hos Taraxacum, för denne Slaegt er blevet spaltet i flere Arter, og at de existerende Arter er opstaaet, uden at Befrugtning og Krydsning har spillet nogen Rolle".

and says, that the geographical distribution of the Scandinavian *Alchimilla* species has not been able to contribute to the solving of the problem, as they have proved to be widely distributed in Europe[1]). He then says: "Ganz anders verhält sich *Hieracium*. Betreffs dieser Gattung weiß man gewiß — besonders infolge der sorgfältigen und eifrigen Forschungen DAHLSTEDT's und seiner Schüler —, daß Hunderte von kleinen Arten auf die Skandinavische Halbinsel beschränkt sind und daß eine Menge von ihnen nur kleinere Teile derselben bewohnen. Da unter den übrigen Phanerogamen Skandinaviens Endemismen äußerst selten sind, weil ja die ganze Flora der Halbinsel nach der Eiszeit eingewandert ist, so muß man annehmen, daß eine große Menge Hieracien in einer verhältnismäßig sehr späten Zeit daselbst entstanden sind und daß eine lebhafte Artbildung · sozusagen vor unseren Augen stattfindet. Dagegen ist man geneigt, die Apogamie bei dieser Gattung als eine Erscheinung von verhältnismäßig hohem Alter zu betrachten, da sie innerhalb verschiedener Gruppen und auch bei der Untergattung *Pilosella* aufgewiesen ist. Ist diese Auffassung die richtige, so würde daraus folgen, daß eine Menge Hieracien aus Formen, die selbst apogam waren, entstanden sind und noch immer entstehen. Da aber so beschaffene Formen nicht individuell variierend sind[2]), so muß man annehmen, daß die jetzt lebenden apogamen Hieracien aus inneren und unbekannten Ursachen und sozusagen sprungweise entstanden sind." To these interesting suppositions, which I have quoted *in extenso*, he adds, however, the following weakening words: "Von der Richtigkeit dieser Folgerung bin ich doch selbst keineswegs recht überzeugt, da die wichtigste Prämisse, nämlich die Annahme des hohen Alters der Apogamie, wie wahrscheinlich sie auch sein mag, doch nicht auf hinlänglich sicherem Grunde ruht. Um zu einem solchen zu gelangen, sind jedenfalls mehr umfassende Untersuchungen vonnöten als die bisherigen". I think that the investigations made since then are all in favour of MURBECK's suppositions and go against the reservation so strongly accentuated by himself.

In the meantime, both MURBECK's and RAUNKIAER's reflections touch more upon the question of the origin of species and its relation to apogamy, and not so much upon the question if there is a causality

---

[1]) The just published monograph of the northern *Alchimillae* by HARALD LINDBERG (1909) shows that there are considerable and very interesting differences in the distribution of the species, pointing to·quite different ways of immigration.

[2]) This is scarcely correct, see later. C. H. O.

between apogamy and polymorphism, and the question probably connected herewith, the origin of the apogamy.

STRASBURGER is the first who has raised this problem particularly. In his interesting paper on the apogamy in *Alchimilla* (1904), he has rather extensively treated the question of the relation of apogamy to polymorphism. By examination of some *Rubi* and *Rosae* he has shown that they were normally sexual, so that we dare not speak of an absolute connection between the two phenomena. Still, he supposes that in the polymorphic *Eualchimillae* "übermässige Mutation" has caused the sexual abnormality which here also becomes apparent by the degeneration of the pollen. His opinion is the following (l. c., p. 152): "Wenn aber übermäßige Mutation die Sterilität fördern sollte, so würde sie das Fortbestehen der betroffenen Art gefährden. Apogame Fortpflanzung stellt sich als Aushilfe in bestimmten Fällen ein, doch auch sie dürfte Rettung wohl nur für eine phylogenetisch begrenzte Zeitdauer bringen, da die apogame Art aller der Vorteile verlustig geht, welche die geschlechtliche Fortpflanzung mit sich bringt". In his summary (p. 160) he repeats the same opinion. It seems then that he thinks the commencement of the period of mutation to be prior to the apogamy and the latter called forth by excess of the mutation. In *Eualchimilla* he supposes that the mutation period is over, while about *Hieracium* he says (p. 157): "An sich erscheint die Möglichkeit der Fortdauer der Mutation bei Hieracien nicht ausgeschlossen. Denn es ist durchaus nicht bewiesen, daß diese mit Eintritt des Geschlechtsverlustes ihr Ende nehmen müsse", and here he refers to the polymorphic alga genus *Caulerpa*, in which no sexual propogation has been found, and to the inheritable bud-mutation found by R. v. WETTSTEIN (1904) in *Sedum reflexum*. In my opinion the investigations on the *Hieracia* are rather to be interpreted in the following way. The presence of apogamy fixes the new mutants, which in a normally sexual genus would perhaps disappear by crossing with the parent species; but mutation (polymorphism) and apogamy cannot be considered as cause and effect.

After STRASBURGER another German botanist G. TISCHLER has taken up the question in his cytological studies on hybrids (1908), taking a special interest in the slight production of pollen, so frequent in many polymorphic genera, a fact which he connects with the apogamy. He says (l. c., p.138): "Es erscheint wohl dabei sicher, daß nicht die Apogamie das Primäre, die Pollenreduktion das Sekundäre ist, sondern daß gerade umgekehrt erstere sich einfand, nachdem

eine normale Befruchtung nicht mehr möglich war," and further (p. 146):
„Apogamie hat sich als "Aushilfe" auf die Mutation und Sterilität des
Pollens eingestellt und ist nicht das Primäre und die Pollenobliteration
das Sekundäre." He thus expresses himself much more explicitly
than STRASBURGER. I think that these considerations are untenable,
as e. g. *Hicracium aurantiacum* is a typical apogamic species, which
must be admitted already from MENDEL's experiments (CORRENS
1905, p. 240), at least compared with mine, but it has good pollen
able to fertilize other species, as shown by the hybridization experiments.
This has been pointed out by CORRENS (1905, p. 249), and both
O. ROSENBERG (1909, p. 160) and H. WINKLER (1908, p. 136) have
used this fact as an objection against STRASBURGER and TISCHLER.

H. WINKLER again, as a further objection, points to *Thalictrum
purpurascens* and *Taraxacum* — both apogamic and with apparently
good pollen —, in which, without proof certainly, he supposes that
the pollen must be able "eine wirksame Befruchtung auszuführen".
WINKLER himself is very cautious and weighs all possibilities for an
explanation of the origin of apogamy, as appears clearly from his
summarizing words, viz.: "Nach dem gegenwärtigen Stande unserer
Kenntnisse können wir also über die Faktoren, die phylogenetisch die
Einführung der habituellen Parthenogenesis oder Apogamie bewirkt
haben, ebensowenig etwas Sicheres aussagen als über die Natur der
Reizvorgänge, die jeweils im Verlauf der Ontogenese sie auslösen"
(p. 138). In his last chapter he advances the possibility, that in
strongly mutating forms there is greater probability for the arising
of a mutant, which is apogamic or has apogamic tendencies, sooner
than in not-mutating forms, and as in such cases the "ausgleichende
Moment" of the fertilization is absent, the mutant can keep constant.
Here he refers to MURBECK's explanation of the remarkable constancy
of the *Eualchimillae*. Still, this view implies, in his opinion, the following
supposition, "daß parthenogenetisch oder apogam gewordene Pflanzen
nicht mehr mutieren oder variieren können" (l. c., p. 148). I do not
see that this supposition is necessary or even correct, and here my
opinion agrees with that of STRASBURGER quoted above.

Quite recently O. ROSENBERG (1909) has put together the hitherto
known "Tatsachen" about apogamy. He points out the correlation
between apogamy and a great number of chromosomes, in contrast
to, most frequently, half the number in the non-apogamic species
within the same genus. He discusses the possible causes of apogamy
and, as mentioned above, refers among other things to the fact that

apogamy does not originate as a reaction against sterility of the pollen (the case of *H. aurantiacum*).

Taking all the quoted opinions together I regard the above given sentences of H. WINKLER as a good expression for the present position of the question with regard to the origin of apogamy.

I may sum up my views on these matters in the following way, bringing together what the investigations, in my opinion, have proved: — There is, at least with regard to the dicotyledons, an evident relation of apogamy to polymorphism, but it is not allowable to draw any conclusion as to causality between them or as to the age of the apogamy.

The supposition of STRASBURGER and TISCHLER, that apogamy is a secondary thing while degeneration of pollen is primary, is not tenable.

WINKLER's supposition, too, that apogamic plants do not vary or mutate, is scarcely correct.

As to *Hieracium* it must even be considered unlikely that the species now existing have originated before apogamy arose. Nothing hinders the supposition that new species can originate from apogamic parents, and we may compare this case with the inheritable bud-mutations which have been studied, e. g. by WETTSTEIN (1904) and W. JOHANNSEN (1908). The results of my hybridization experiments, mentioned in the earlier part of this paper, point in that direction. It has there been proved that a mutant has arisen in F_2 of an apogamic hybrid; — certainly only one specimen.

The hybridization experiments show further that hybrids are able to propagate apogamically and then are constant. This makes it allowable to conclude, 1[o] that within *Hieracium* the evolution of new species goes on coincidently with the existence of apogamy; 2[o] that the new species reach constancy at once just because of the apogamy[1]); 3[o] that the polymorphism is correlated to the apogamy in such a manner only that apogamy, through the constancy of the species, apparently furthers the polymorphism.

---

1) Almost the same conclusion has been drawn by R. v. WETTSTEIN (1904, p. 517), who says, "Es ist leicht verständlich, daß bei solchen Pflanzen [*Alchimilla* and *Hieracium*], bei welchen die Rückführung in den ursprünglichen Typus durch Kreuzbefruchtung ausgeschlossen ist, jede auftretende Mutation sofort fixiert werden und — insofern die so entstehende Pflanze nicht unzweckmässig ist — zur Neubildung einer Art führen kann. Der Polymorphismus solcher Gattungen ist dann — zum Teile wenigstens — direct der Ausdruck der Mutationsfähigkeit derselben."

IV.

The Importance of Hybridization for the Origin of New Species, with special regard to Hieracium.

It would far exceed the scope of the present paper to give a full account of the question about the importance of hybridization for the origin of species. Much has been said *pro et contra* in this matter, which in the last decennium has entered upon a quite new phase by the general acknowledgment of the fundamental importance of the Mendelian segregation, both in the animal and the vegetable kingdom.

In the following pages I restrict myself to some remarks — with the *Hieracia* as starting point — on the question what views are now applicable to this interesting and important matter.

We find the only detailed remarks on the importance of the Hieracium hybrids for the origin af new forms in the monumental work by C. von Nägeli and A. Peter on the *Piloselloideae* of Central Europa (1885) and in the detailed paper by A. Peter on the hybrids of the *Piloselloideae* (1884). A most remarkable thing, regarding our question, in these papers is to see how little these authors have understood the value of Mendel's experimental researches, and this seems still more extraordinary when we think of the letters from Mendel to Nägeli, published posthumously by Correns (1905), letters which have so often been quoted in the preceding pages and which contain much more copious information on Hieracium hybrids than Mendel's own short account of 1870. The importance of Mendel's researches has evidently not become clear to the eminent botanist Nägeli; nor to W. O. Focke, who in his meritorious book "Die Pflanzenmischlinge" (1881) only briefly enumerates the hybrids published by Mendel (1870), and, later on, incidentally mentions *Hieracium* as an exception from one of his rules ("Sätze"), viz.: that all individuals of the first hybrid generation are "einander in der Regel völlig gleich" (l. c., p. 469).

The papers of Nägeli and Peter, mentioned above treat only of the subgenus *Pilosella*. The authors point out that by hybridization is "im allgemeinen keine neue Erscheinung hervorgebracht, weil die Bastarde lediglich eine Mischung der elterlichen Merkmale repräsentieren" (1885, p. 63). The heterogeneity of the first hybrid generation (F_1) is well known to them, and they even give an explanation of it, viz.:

"Diese Thatsache wird erklärlich, wenn man bedenkt, daß die Merkmale der beiden Eltern mit ihrem ganzen Formenkreise aus den Bastard vererbt werden, und daß demnach unter günstigen Umständen der Formenkreis des Bastardes ein beträchtlich weiterer sein kann, als der jeder Elternsippe eigene" (l. c., p. 63), — an explanation which, in my opinion, does not say anything. Besides, they attribute to the hybrids remarkably small importance for the evolution of the genus: "Bastarde sind vorübergehende Erscheinungen, ihre Befestigung ist nur ausnahmsweise möglich, fast nur dann, wenn ein Bastard zufällig isolirt wird und im Laufe der Generationen vermöge der allgemein geltenden[1]) Eigenschaft der Bastarde, nach und nach fruchtbarer zu werden, sich dauernd fortpflanzen kann" (l. c., p. 64). These considerations are, however, as hypothetical as those which the authors make on the slight chances of the hybrids for maintaining their existence when growing in company with the parents. As a proof of how difficult it is for hybrids to arise and of how little worth they are for the genus, the authors refer to the fact that in the Botanic Gardens of Munich, "unter den denkbar günstigsten Bedingungen"[1]), when more than 2000 sets of *Piloselloideae* have been cultivated, during 17 years only about 70 hybrid combinations have arisen. In the opinion of the authors the hybrids are of value only when the relationship of the species (forms) among one another is to be decided on, — a rather theoretical value, if I may say so.

The hieraciologists of the present time have, on the whole, more confidence in the importance of the hybrids for the origin of species within this genus, at any rate with regard to the subgenus *Pilosella*[2]). But we find no investigations to prove the considerations about the matter, merely casual remarks here and there.

---

[1]) ? C. H. O.

[2]) Recently F. Vollmann (1909) has made some considerations on the matter. He is of the opinion that Nägeli and Peter have greatly underrated this species-forming factor. After a short remark on Murbeck's discovery of apogamy in Hieracium and "die auf demselben Gebiete sich bewegenden Versuche von Ostenfeld und Raunkiaer" [sic!], he enumerates a whole series of cases, where he thinks it necessary to suppose, that the forms in question have arisen by hybridization, but he has made no experiments to prove these suppositions. Instead of these speculations, which may be correct enough, I should have preferred to see some experiments from him. Purely theoretical assertions have not much more worth than his introductory considerations, where among other things he says about "die direkte Bewirkung" [i. e. Lamarckismus], "daß dieser Art von Variation so manche Hieracium-Form ihre Entstehung verdankt, ist so gut wie sicher."

In order to get better information, we must touch the great
problem of the importance of hybridization for the origin of species
in general and not restrict ourselves to a study of the papers on
Hieracia, but we will not lose sight of the fact that our principal
object is to answer the question with regard to the *Hieracia*. Generally
taken, the question runs: Is hybridization of any importance
as a species-producing factor in the Flowering Plants?

But before we can try to answer this question, we must briefly
make clear what inheritance in hybrids means; in other words, we
must learn what, at the present time, the workers in the problem
of heredity say about the matter.

In his "Mutationstheorie" (vol. II, 1902—03) and later in his
lectures (1906), HUGO DE VRIES has copiously treated the problem.
He distinguishes sharply between variety hybrids and species hybrids,
just by reason of the supposed difference in inheritance ("balanced and
unbalanced crosses"). In variety hybrids we find Mendelian segregation in force, while "es eine nicht unerhebliche Reihe von constanten
Rassen giebt, welche durch künstliche Verbindung von zwei verschiedenen Arten entstanden sind, und sich im Laufe der Generationen
in jeder Beziehung, höchstens mit Ausnahme der verminderten Fruchtbarkeit, wie gewöhnliche Arten verhalten" (Mutationstheorie, II,
p. 73). He has himself produced a constant hybrid, *Oenothera muricata* × *biennis,* which indeed has only a very limited fertility; moreover,
he mentions as examples the hybrid *Aegilops speltiformis,* famous in
the last century, and a hybrid *Anemone silvestris* × *magellanica* produced by JANCZEWSKI, and calls attention to A. KERNER's merits
for having emphasized the hybridization as an important factor in the
origin of species in nature.

To be sure, the examples of natural hybrids, put forth by KERNER,
cannot be said to be unassailable proofs, as we do not know the
origin of these hybrids exactly, nor do we know whether the hybrids
now existing are several generations old (consequently constant) or
only the first generation which in course of time has propagated
vegetatively; then all the examples are perennial plants. Nevertheless
DE VRIES seems to agree with KERNER's supposition and to be inclined to consider species hybrids as important and as constant. It
must not be forgotten, however, that by segregation through several
generations new constant forms can also be produced, and that in
the long run it is of no consequence whether the hybrid is constant

at once as F_1, or only later becomes so[1]). But here we only speak about species hybrids which become constant in the first generation and in which no segregation takes place. DE VRIES has called this type the Hieracium type, as, referring to MENDEL's experiments, he took the Hieracium hybrids as the best known case of this form of inheritance in hybrids.

It appears, from what I have quoted here as well as from many other remarks of DE VRIES, that he considers this non-segregating type as rather widely spread, though only very few exact experiments have been carried out to prove its existence. A concurrent cause hereof is that species hybrids are so often quite sterile. A well known example is the *Verbascum* hybrids, which very easily arise both in nature and in Botanic Gardens, but which, as far as I know, are always quite sterile.

In contrast to DE VRIES, W. BATESON goes so far that he considers the non-segregating hybrids as rare exceptions. In his recent publication "Mendel's Principles of Heredity" (1909) he deals with these exceptions in the first part of a particular chapter (XIV), which he begins with the following words: "Of the various cases alleged to be exceptional, or declared to be incompatible with Mendelian principles, few have any authenticity. Several rest on errors of observation or of interpretation and some have even been created by a mistranslation or a misprint." The part of the chapter interesting to us here is "Crosses breeding true without segregation" (pp. 246—251); it comprehends two sections, viz. A. Parthenogenetic cases, and B. Sexual Types.

The first section consists even of *Hieracium*, and BATESON here briefly reports what has been known hitherto about the hybridization

---

1) Of this case we have an example in *Rubus*. B. LIDFORSS (1905, 1907) has by experiments shown that new species in this genus can arise both by mutation and by hybridization. As to the hybridization he has discovered the peculiarity that, while F_1 most frequently is homogeneous and oftenest intermediate, there arises after self-fertilization a very polymorphous F_2 the heterogeneity of which, at any rate in part, must be supposed to be called forth by a mutation released by the hybridization. Also F_2 is inconstant, but in a less degree, and it seems as if constancy increases with the number of generations, so that constant new forms finally can be produced in this way.

As to the well known polymorphy in *Rubus*, it must be remembered that each individual has, practically seen, an indefinite lifetime and is able to form whole stocks by propagating only vegetatively. Thus both F_1 as well as the multifarious forms of F_2, etc. can respectively keep to the spot where they have risen, even if they do not give constant offspring sexually.

of the *Hieracia* and the pure-breeding of the hybrids. Together with this case he puts forward the remarkable fact that in certain Orchids a species, when fertilized with the pollen of different other species, still gives rise to an offspring which is completley like itself and shows no trace of the father parent. He considers this phenomenon, which he calls monolepsis, as "tantamount — as regards heredity — to parthenogenesis" (l. c., p. 249).

With regard to the sexual types (B) almost all the known cases are, in BATESON's opinion, "open to the criticism made in the last section, that either actual parthenogenesis or monolepsis may be occurring" (p. 249), as far as the question is about plants. He quotes as the most trustworthy cases DE VRIES's above mentioned *Oenothera muricata* × *biennis* and JANCZEWSKI's *Anemone silvestris* × *magellanica;* but both these cases have in common that the fertility in the hybrid is very limited, which fact BATESON expressly mentions as weakening the convincing power of the cases. The same objection is made more emphatically by R. H. LOCK (1909) who says that such cases do not prove anything, for perhaps the segregating factor is hidden in such a way that those germ-cells which should give the segregating in-dividuals. are not functional. This objection is, in my opinion, valid. If then the vegetable kingdom does not show any incontestable case of true-breeding hybrids[1]), still some, though few, are found within the animal kingdom (mulatto, rabbits, butterflies), so that the existence of true cross-breeding cannot be denied, but we must clearly under-stand that it is the exception, and segregation the rule.

Even if BATESON's position is rather extreme, I think that this reaction is useful, especially as it makes clear to us what we know with certainty in this matter, — and that is very little, at least with regard to species hybrids.

In W. JOHANNSEN's "Elemente der exakten Erblichkeitslehre" (1909), published a few weeks before BATESON's book, similar points of view are held out. JOHANNSEN defines clearly and appropriately constant hybrids thus: "darunter versteht man ein Kreuzungsprodukt, F_1, das nicht spaltet" (p. 424), and also for him they are the ex-ception, segregation the rule. In contradiction to DE VRIES, he — as

---

[1]) BATESON does not seem to know a paper (written in Swedish) by T. HEDLUND (1907). according to which a *Malva* hybrid (*M. parviflora* × *oxyloba*) seems to be quite fertile and constant in its offspring and still to have full fertility, but the experimental method of HEDLUND is perhaps not quite indisputable.

also BATESON (1909, p. 285) — means, that there is no settled difference between segregating variety hybrids and non-segregating species hybrids, and here I quite agree with these authors.

JOHANNSEN reports briefly the main points of my investigations on the Hieracia which I had placed at his disposal for this purpose, and points out, that: "diese Sache eine große Bedeutung haben kann für das Entstehen neuer Biotypen" (p. 425), but that we are still only at the beginning of the investigations. A little later he comes back to the constant Hieracium hybrids and says: "Es sind eben gleich als F_1, neue Rassen oder Species gebildet. Denn diese Biotypen verhalten sich ja wie homozygotische Organismen — ja sie sind es wohl eigentlich" (p. 437), — sentences with which I fully agree. Moreover, the investigations have now confirmed JOHANNSEN's supposition in the following sentence, viz.: "Inwieweit das Nicht-spalten, wie es bei den S. 425 erwähnten Ostenfeld'schen Hieracium-Bastarden wohl der Fall ist, oft mit Apogamie zusammenhängt, läßt sich noch nicht· entscheiden". This supposition is now proved, as far as the Hieracia are concerned.

In my opinion, BATESON is therefore right in saying that no indisputable examples of non-segregating crosses have been found among plants, as the Hieracium hybrids, which apparently were a proof of non-segregation, have by my investigations been unravelled to be constant only on account of apogamy, and probably would segregate when crossed back with the parents. —

The results of our going through the literature do not seem to indicate that hybridization is of great importance for the origin of species. However, it would be too precipitate to deny its value absolutely. There are many facts to indicate that it is still of some consequence. Firstly, as already stated above, new constant forms can arise also in segregating hybrids through segregation during several generations. And secondly, we have our special case, *Hieracium*, where the artificially produced hybrids immediately act as new species which breed true from seed (on account of apogamy). In nature the same thing must happen; the hybrids act quite as normally sexual species and have consequently the same worth as these. However, this method of the origin of species has, as already pointed out by NÄGELI and PETER, the restriction, that the hybridogenous new species do not bring new characters, but only new combinations of already existing

characters, or as DE VRIES says (1903, p. 492): "Wenn auch durch
Bastardierung keine neue Artmerkmale entstehen können, so können
doch andererseits, zweifelsohne aus Bastarden neue Arten hervorgehen".

New species certainly arise through hybridization, but
this method of the origin of species is limited to certain
cases, e. g. Hieracium, and is checked in many ways.

Literature.

BATES⁰ⁿ, W. (1909): Mendel's Principles of Heredity. Cambridge.

CHODAT, R. et BERNARD, CH. (1900): Sur le sac embryonnaire de l'Helosis guyanensis.
— Journ. de Botanique, vol. 14.

C⁰RRENS. C. (1905): Gregor Mendels Briefe an Carl Nägeli 1866—1873. Ein Nachtrag
zu den veröffentlichten Bastardierungsversuchen Mendels. — Abh. d. math.-phys.
Kl. d. k. sächsischen Ges. d. Wiss., XXIX, Nr. 3, pp. 187—265.

DAY, D. F. (1896): Parthenogenesis in Thalictrum Fendleri. — Botan. Gazette, vol. 22,
p. 241.

DIⁿGLER, H. (1907): Versuch einer Erklarung gewisser Erscheinungen in der Ausbildung und Verbreitung der wilden Rosen. — Mitt. naturhist. Ver. zu Aschaffen-
burg, Bd. 6 (quoted from H. Winkler 1908).

ERNST, A. (1866): A new case of parthenogenesis in the vegetable kingdom. — Nature,
vol. 34, pp. 549—552.

— (1909): Apogamie bei Burmannia coelestis Don. — Ber. d. Deutsch. Bot. Ges.,
XXVII, Heft 4.

— und BERNARD, CH. (1909): Beiträge zur Kenntnis der Saprophyten Javas. III. —
Ann. du Jardin botan. de Buitenzorg, 2. ser., vol. 8, 1e partie.

— und SCHMID, ED. (1909): Embryosackentwicklung und Befruchtung bei Rafflesia
Patma Bl. — Ber. d. Deutsch. Bot. Ges., XXVII, Heft 4.

F⁰CKE, W. O. (1881): Die Pflanzen-Mischlinge. Berlin.

GATES. R. R. (1907a): Pollen Development in Hybrids of Oenothera lata × O. Lamarckiana, and its Relation to Mutation. — Botan. Gazette, vol. 43, Februar.

— (1907b): Hybridization and Germ Cells of Oenothera Mutants, — Ibidem. vol. 44,
July.

— (1909a): The Behavior of Chromosomes in Oenothera lata × O. gigas. — Ibidem,
vol. 48, September.

— (1909b): Apogamy in Oenothera. — Science, N. S., vol. XXX, Nr. 776, November.

HEDLUⁿD, T. (1907): Om artbildning ur bastarder. — Botan. Notiser, Lund, pp. 27—46.
49—61.

J⁰HANⁿSEⁿ, W. (1908): Über Knospenmutation bei Phaseolus. — Zeitschr. f. indukt.
Abstamm. u. Vererbungslehre, Bd. I, Heft 1.

— (1909): Elemente der exakten Erblichkeitslehre. Deutsche wesentl. erweiterte Ausgabe. Jena.

JUEL, H. O. (1898): Parthenogenesis bei *Antennaria alpina* (L.) R. Br. Vorläufige Mitteilung. — Botan. Centralbl., Bd. 74.

— (1900): Vergleichende Untersuchungen über typische und parthenogenetische Fortpflanzung bei der Gattung *Antennaria*. — K. Svenska Vet. Akad. Handl., Bd. 33, Nr. 5.

— (1905): Die Tetradenteilungen bei *Taraxacum* und anderen Cichorieen. — K. Svenska Vet. Akad. Handl., 39, Nr. 4.

KIRCHNER, O. (1905): Parthenogensis bei Blütenpflanzen. — Ber. Deutsch. Bot. Ges., XXII, Generalversammlungsheft, pp. (83)—(97).

LEAVITT, R. G. and SPALDING, L. J. (1905): Parthenogenesis in *Antennaria*. — Rhodora, vol. 7, June.

LIDFORSS, B. (1905 & 1907): Studier öfver artbildningen inom släktet Rubus. — Arkiv f. Botanik, Stockholm, Bd. 4, Nr. 6 u. Bd. 6, Nr. 16.

LINDBERG, H. (1909): Die nordischen *Alchemilla vulgaris*-Formen und ihre Verbreitung. — Acta Soc. Sc. Fennicae, tom. XXXVII, Nr. 10. Helsingfors.

LOCK, R. H. (1909): A preliminary survey of Species Crosses in the Genus *Nicotiana* from the Mendelian Standpoint. — Ann. R. Bot. Gardens, Paradeniya, vol. IV, part V.

LOTSY, J. P. (1899): *Balanophora globosa* Jungh., eine wenigstens örtlich verwittwete Pflanze. — Ann. du Jardin botan. de Buitenzorg, vol. 16.

LUNDSTRÖM, E. (1909): Kastreringsförsök med Rosa-former. — Svensk Botan. Tidskr., Bd. 3. Heft 1.

MENDEL, G. (1870): Über einige aus künstlicher Befruchtung gewonnene *Hieracium*-Bastarde. — Verh. d. naturf. Ver. Brünn, VIII, Abhandl. pp. 26—31. — Reprinted in Ostwalds Klassiker d. exakten Wiss., Nr. 121, pp. 47—53.

MEYER, K. (1909): Untersuchungen über *Thismia clandestina*. — Bull. des Natur. de Moscou, 18 pp., 2 Taf.

MODILEWSKY, J. (1908): Zur Samenbildung einiger Urticifloren. — Flora, vol. 98, 1908.

MURBECK, S. (1897): Om vegetativ embryobildning hos flertalet Alchemillor och den förklaring öfver formbeständigheten inom släktet, som densamma innebät. — Botan. Notiser, Lund, December 1897.

— (1901): Parthenogenetische Embryobildung in der Gattung *Alchimilla*. — Lunds Universitäts årsskrift, Bd. 36, Afd. 2, Nr. 7.

— (1904): Parthenogenese bei den Gattungen *Taraxacum* und *Hieracium*. — Botan. Notiser, Lund, December 1904.

NÄGELI, C. VON und PETER, A. (1885): Die Hieracien Mitteleuropas. I Piloselloiden. München.

OSTENFELD, C. H. (1904a): Zur Kenntnis der Apogamie in der Gattung *Hieracium*. — Ber. d. Deutsch. Bot. Ges., Bd. XXII, Heft 7.

— (1904b): Weitere Beiträge zur Kenntnis der Fruchtentwicklung bei der Gattung *Hieracium*. — Ber. d. Deutsch. Bot. Ges., Bd. XXII, Heft 9.

— (1906): Castration and Hybridisation Experiments with some Species of *Hieracia*. Botan. Tidsskr., Köbenhavn, Bd. 27, Heft 3.

— (1907): Castration and Hybridisation in the Genus *Hieracium*. — Rep. 3rd. internat. Conference 1906 on Genetics, London.

— og RAUNKIAER, C. (1903): Kastreringsforsög med *Hieracium* og andre *Cichorieae*. — Botan. Tidsskr., Köbenhavn, Bd. 25, Heft 3.

OVERTⁿ, J. B. (1902): Parthenogenesis in *Thalictrum purpurascens*. — Botan. Gazette, vol. 33.

PETER, A. (1884—85): Über spontane und künstliche Gartenbastarde der Gattung *Hieracium*, sect. *Piloselloidea*. — Englers Botan. Jahrb., vol. 5, pp. 203—286, 448—496, vol. 6, pp. 111—136.

— (1894): *Hieracium*, in Engler u. Prantl, Die Natürliche Pflanzenfam., IV. Teil, 5. Abt., pp. 375—387.

POULSEN, V. A. (1905): *Sciaphila nana* Bl. Et Bidrag til Stövvejens Udvikling hos Triuridaceerne. — Vidensk. Medd. Naturhist. Forening, Köbenhavn, f. 1906.

RAUNKIAER, C. (1903): Kimdannelse uden Befrugtning hos Mälkebötte *(Taraxacum)*. — Botan. Tidsskr., Köbenhavn. Bd. 25, Heft 2.

ROSENBERG, O. (1906): Über die Embryobildung in der Gattung *Hieracium*. — Ber. Deutsch. Bot. Ges., XXIV, Nr. 3.

— (1907): Cytological Studies on the Apogamy in *Hieracium*. — Botan. Tidsskr., Köbenhavn, Bd. 28, Heft 1—2.

— (1909): Über die Chromosomenzahlen bei *Taraxacum* und *Rosa*. — Svensk Botan. Tidskr., Bd. 3, Heft 2.

SCHULTZ, F. (1856): Plantes hybrides. — Archives de Flore, Journal botanique, II, p. 254—255. Wissembourg.

SHIBATA, K. u. MIYAKE, K. (1908): Über Parthenogenesis bei *Houttuynia cordata*. — Botan. Magazine, Tokyo, XXII, Nr. 261.

STRASBURGER, E. (1904): Die Apogamie der Eualchimillen und allgemeine Gesichtspunkte, die sich aus ihr ergeben. — Jahrb. f. wissensch. Botanik, Bd. 41, Heft 1.

— (1909a): Zeitpunkt der Bestimmung des Geschlechts, Apogamie, Parthenogenesis und Reduktionsteilung. — Histologische Beitr., VII. Jena.

— (1909b): Meine Stellungnahme zur Frage der Pfropfbastarde — Ber. d. Deutsch. Botan. Ges., vol. 29, Heft 8.

THOMAS, Mrs. Rose Haig (1909): Parthenogenesis in Nicotiana. — The Mendel Journal, No. 1.

TISCHLER, G. (1908): Zellstudien an sterilen Bastardpflanzen. — Archiv f. Zellforschung, Bd. I, Heft 1.

TREUB, M. (1898): L'organe femelle et l'apogamie du *Balanophora elongata*. — Ann. du Jardin botan. de Buitenzorg, vol. 15.

— (1902): L'organe femelle et l'embryogénèse dans le *Ficus hirta* Vahl. — Ibidem, 2. sér., vol. 3.

— (1905): L'apogamie de l'*Elatostemma acuminatum* Brongn. — Ibidem, 2. sér., vol. 5.

VOLLMANN, F. (1909): Die Bedeutung der Bastardierung für die Entstehung von Arten und Formen in der Gattung *Hieracium*. — Ber. XII der Bayer. Botan. Ges., München.

DE VRIES, H. (1902—03): Die Mutationstheorie, Bd. II. Leipzig.

— (1906): Species and Varieties. Their Origin by Mutation. 2 ed. Chicago & London.

— (1907): On Twin Hybrids. — Botan. Gazette, vol. 44, December.

— (1908): Über die Zwillingsbastarde von *Oenothera nanella*. — Ber. d. Deutsch. Botan. Ges., Bd. XXVIa, Heft 9.

WETTSTEIN, R. v. (1904): Die Erblichkeit der Merkmale von Knospenmutationen. — Festschrift für Ascherson, Berlin.

— (1908): Über sprungweise Zunahme der Fertilität bei Bastarden. — Wiesner-Festschrift, Wien.

WINKLER, Hans (1904): Über Parthenogenesis bei *Wikstrōmia indica* (L.) C. A. Mey. — Ber. d. Deutsch. Bot. Ges., XII, Heft 10.
— (1906): Botanische Untersuchungen aus Buitenzorg II. 7. Über Parthenogenesis bei *Wikstrōmia indica* (L.) C. A. Mey. — Ann. Jard. Bot. Buitenzorg, 2. sér., vol. V.
— (1908): Parthenogenesis und Apogamie im Pflanzenreiche. — Progressus Rei Botan., Bd. 2, Heft 3.
— (1909): Weitere Mitteilungen über Pfropfbastarde. — Zeitschr. f. Botanik, I, Heft 5.

Explanation of Plate 4.

Reproduction of coloured drawings of flowering heads, seen from above and of the outer flowers, seen from below ($^3/_2$ and $^3/_1$ nat. size). Uppermost: *Hieracium auricula* and *H. aurantiacum*. Beneath: 23 specimens of one and the same family of hybrids between these two species. The figures have protocol numbers; but the arrangement here used should show the gradation in flower colour, reaching from the yellow mother to the orange-red father. This gradation is not correlated to the vegetative characters.

The drawings have been made by Mr. N. HALKJAER.

Referate.

Lang, A. Über Vererbungsversuche. 3. Fig. i. T. und 2 Taf. Verhandl. Deutsch. Zoologischen Gesellschaft 1909. S. 17—84.

In experimentellen Untersuchungen über Vererbung, Bastardierung und Artbildung haben während der letzten Jahre unstreitig die Botaniker die Führung gehabt. Die Zoologen haben sich sehr zurückgehalten und ganz besonders gilt dies für die deutschen Zoologen. Das scheint jetzt anders zu werden. Auf der letzten Tagung der Deutschen Zoologischen Gesellschaft haben gerade Vererbungsfragen die wichtigste Rolle gespielt. Ref. erinnert hier nur an die ausgezeichneten Untersuchungen an Daphniden, über die Woltereck berichtet hat. Die erweiterte Wiedergabe eines andern, auf der gleichen Tagung gehaltenen Vortrages von A. Lang liegt in der hier zu referierenden Abhandlung vor. Die Arbeit gibt in klarer, gedrängter Form eine speziell für Zoologen bestimmte erste Einführung in die wichtigsten Ergebnisse und die neuen Fragestellungen der „exakten Erblichkeitslehre", um mit Johannsen zu reden. Daß diese Einführung inhaltlich vollkommen auf der Höhe ist, braucht wohl nicht erst hervorgehoben zu werden, und es ist auch wohl nicht nötig, auf Einzelheiten hier einzugehen. In allen prinzipiellen Fragen vertritt Lang Anschauungen, die denjenigen Johannsens und wohl der Mehrzahl der übrigen experimentell arbeitenden Botaniker ungefähr entsprechen.

Möge die anregend geschriebene Abhandlung Propaganda machen! Es gibt doch sehr zahlreiche Tiere, deren Kultur, auch bei sehr großen Individuenzahlen nicht mehr Mühe macht als die Kultur der Pflanzen. Besonders für die Frage der experimentellen Auslösung von Mutationen nach dem Beispiel der wichtigen Untersuchungen Towers dürften sicher auch viele andere Tiere gute Versuchsobjekte abgeben, bessere als im allgemeinen die

Pflanzen. Raum zur Aufstellung von Aquarien oder von allerhand Behältern.
für Käfer, Schmetterlinge, Blattläuse, Schnecken usw. wird doch wohl fast
überall in den Gewächshäusern der botanischen Gärten zu erobern sein,
die bei uns ja leider noch immer viel zu wenig für wissenschaftliches experimentelles Arbeiten ausgenutzt werden.   Baur.

Weismann, A. Die Selektionstheorie. Jena (G. Fischer) 1909.
    Diese Abhandlung, eine kurze, klare Darstellung der mit strengster
Konsequenz durchgeführten Selektionstheorie, in nichts von den früheren
Darlegungen des Verfassers, etwa der in seinen Vorträgen über Deszendenz-
theorie abweichend, ist von Weismann zu dem Darwin-Jubelbande der
Universität Cambridge beigesteuert und liegt hier in erweiterter deutscher
Übersetzung vor. Es kann uns nicht einfallen, hier die Stärken und Schwächen
der Weismannschen Selektionstheorie sans phrase im einzelnen darzulegen.
Im übrigen fällt es auf, wie billig sich W. mit den in neuerer Zeit immer
zahlreicher werdenden Tatsachen abfindet, die für das Vorkommen sprung-
weiser Entwicklung sprechen: „sie beziehen sich meist auf Haustiere, die
schon seit lange hin und her gezüchtet und gekreuzt sind, und bei denen man
sich nicht wundern kann, daß aus ihrem viel gemischten und beeinfluß-
ten Keimplasma unter Umständen auffallende Erscheinungen hervorgehen
können".... und „wenn es aber auch sprungweise Abänderungen gibt, so
läßt sich doch nicht annehmen, daß sie jemals zu Formen geführt haben,
die lebensfähig waren unter den Bedingungen des freien Lebens." Buntblättrigkeit z. B. scheint mir durch Sprungentwicklung entstanden, und
Lotsy beobachtete in Java, daß von grünen und buntblättrigen Abutilons,
die von einer Farm am Urwaldrande verwildert waren, sich die grünen nur
in vereinzelten Stücken halten konnten, die buntblättrigen aber die ursprüngliche Vegetation stellenweise verdrängt hatten und auf großen Flecken in
Reinkultur vorhanden waren. Der Selektion unterliegen natürlich sprungweise Variationen ebenfalls. — Auch scheint Verf. Rouxs „Kampf der Teile
im Organismus" nicht genügend zu würdigen, wenn er meint, dieser setze
schon zweckmäßig beschaffene Zellen voraus: gerade die zweckmäßige Beschaffenheit der Zellen erklärt ja Roux durch die Konkurrenz der kleinsten
Lebenseinheiten in der Zelle um Nahrung und findet darin die Ursache für
das Zusammenfallen von funktionellem und trophischem Reiz, indem Lebenseinheiten, für die der funktionelle Reiz trophisch wirkt, stärker wachsen und
die anderen schließlich verdrängen — während W. das Entstehen zweckmäßig beschaffener Zellen wieder auf Selektion der Individuen, auf Personal-
selektion zurückführen will. — Als neu an dieser Untersuchung hebt W.
hervor, „daß es gelang, den von Darwin und Wallace erschlossenen Prozeß
der Selektion als etwas wirklich in der Natur vorkommendes erwiesen zu
haben," und zwar im Bereiche der geschlechtlichen Zuchtwahl, dort, wo
die Männchen direkt um die Weibchen kämpfen. Dort genügt schon
ein geringes Übergewicht, um den Sieg zu verleihen und so die Eigenschaften
des Siegers auf die Nachkommen zu übertragen. Immerhin muß W. sagen,
„wir müssen die Selektion annehmen, weil sie die einzig mögliche Erklärung ist." So klingt auch der letzte Trumpf bei den Anhängern der
Vererbung somatogener Eigenschaften. So sehr auch die Abstammungslehre
durch Tatsachenbeweise gestützt ist, so spärlich sind diese noch für die
Selektionstheorie. Viel exakte Forschung ist noch nötig, um für das stolze
Gebäude der Selektionstheorie ein festes Fundament zu schaffen.
                                                        R. Hesse.

Godlewski, E. jun. Das Vererbungsproblem im Lichte der Entwicklungsmechanik betrachtet. Vorträge und Aufsätze über Entwicklungsmechanik der Organismen, herausgegeben von **W. Roux**, Heft 9. Leipzig (Engelmann) 1909. 302 S. 67 Textfiguren.

Das große Interesse, welches zur Zeit von Seiten der biologischen Forschung dem Vererbungsproblem zugewandt wird, kommt auch darin zum Ausdruck, daß immer häufiger zusammenfassende Berichte erscheinen, welche sich auf ganz bestimmte Spezialgebiete der Vererbungslehre erstrecken oder den Gegenstand von einer speziellen Betrachtungsweise aus behandeln. So will denn auch Godlewski in seiner Zusammenfassung in erster Linie die mit entwicklungsmechanischen Methoden auf dem Gebiet der Vererbungserscheinungen erzielten Ergebnisse und die weiteren, für die Entwicklungsmechanik hier erwachsenden Aufgaben besprechen. Natürlich ist die Grenze nach den benachbarten Arbeitsfeldern hin nicht immer scharf zu ziehen und, da speziell auf zytologischem Gebiete die deskriptiv-vergleichende und die experimentell-physiologische Forschung aufs innigste miteinander verbunden sind, so konnte der Verfasser auch die Berücksichtigung mancher rein deskriptiver Ergebnisse nicht umgehen. Im ganzen wird aber die Schrift der besonderen Aufgabe, welche sich der Verfasser gesetzt hat, in vollkommener Weise gerecht, indem sie eine vortreffliche Übersicht über die entwicklungsmechanisch-vererbungsgeschichtlichen Forschungsergebnisse darbietet und so den Leser in bequemer Weise in die Kenntnis der Einzelfragen, Versuchsanordnungen und Resultate der verschiedenen Autoren einzuführen vermag.

Die Schrift will aber nicht nur referieren, sondern natürlich auch die eigenen Anschauungen des Verfassers zum Ausdruck bringen. Einer der Grundgedanken, welcher in den einzelnen Kapiteln immer wieder hervortritt, ist die Vorstellung, daß Kern und Protoplasma bei der Übertragung erblicher Eigenschaften wirksam sind. Von diesem Standpunkt aus, der im ganzen demjenigen Verworns entspricht, wird hervorgehoben, daß die einfache Analyse der Karyokinese, wie sie zuerst von Roux durchgeführt wurde, keine direkten Beweise für die Bedeutung der Kernsubstanzen bei den Vererbungsprozessen liefern könne, es weisen im Gegenteil, wie Godlewski meint, die immer zahlreicher werdenden Angaben über das häufige Vorkommen amitotischer Kernteilungen auf eine Gleichwertigkeit der Karyokinese und Amitose hin und schwächen damit die Beweiskraft der Rouxschen Argumentation ab[1]).

Ebenso seien auch die Beweise, welche O. Hertwig für die Hypothese von dem Vererbungsmonopol des Kerns angeführt hat, nicht stichhaltig, vielmehr könne die Frage nach der Lokalisation der spezifischen, die Kontinuität enthaltenden Substanz nur auf experimentellem Wege gelöst werden. Was nun die bekannten gegensätzlichen Resultate der bahnbrechenden Versuche Boveris (Bastardbefruchtung kernloser Eifragmente) und derjenigen von Godlewski selbst anbelangt, so hebt der Verfasser hervor, daß die ersteren keineswegs das Vererbungsmonopol des Kerns dartun (S. 169), während die letzteren beweisen, daß mindestens bis zum Gastrulastadium, ohne Vorhandensein des mütterlichen Kerns, mütterliche Charaktere zum Vorschein kommen können (S. 175). Einen Ausgleich zwischen den

---

[1]) Der Verfasser gibt selbst die Möglichkeit einer Verwechslung amitotischer Bilder teils mit „Pseudoamitosen", teils mit Verschmelzungsvorgängen zu. Es scheint mir also zu viel gesagt zu sein, wenn der Verf. meint, daß aus den experimentellen Forschungen klar hervorgehe, daß bei den Metazoen die Amitose der indirekten Kernteilung gleichwertig sein könne (S. 123, vgl. auch S. 268).

beiderseitigen Resultaten hat ja übrigens schon Boveri (Zellenstudien 6, S. 249 ff) zu schaffen versucht. In bezug auf die Versuche von Herbst, welcher bei Echinideneiern durch leichten Anstoß zur Parthenogenesis eine Verschiebung der Vererbungsrichtung nach der mütterlichen Seite bewirkt hat, wird das tatsächliche Resultat als tatsächliche Resultat betrachtet und in seinem vollen Werte anerkannt, aber einen Beweis für das Vererbungsmonopol des Kerns liefern nach G. auch diese Untersuchungen nicht.

Durch Boveris Arbeit über die mehrpoligen Mitosen scheint auch dem Verf. der Nachweis erbracht zu sein, daß die Chromosomen in bezug auf das Gestaltungsgeschehen verschiedenwertig seien. Indessen hebt G. auch hier hervor, daß aus diesen Untersuchungen keineswegs der Schluß abgeleitet werden dürfe, daß das Protoplasma am Vererbungsmechanismus keinen Anteil nehme, und von demselben Gesichtspunkt aus sucht G. auch die divergenten Resultate bezüglich der Lokalisation der organbildenden Faktoren im Ooplasma (Echiniden einerseits, Ctenophoren, Mollusken, Ascidien andrerseits) mit einander in Einklang zu bringen.

Von Interesse ist die Stellung, welche der Verfasser ganz allgemein gegenüber den zytologischen Untersuchungen und Theorien einnimmt. Während, wie Godlewski zugibt (S. 6), in der modernen Biologie immer mehr die Anschauung durchdringt, daß sehr viele Resultate der experimentellen Forschungen in der Vererbungslehre erst durch zytologische Untersuchungen ergänzt, kontrolliert, resp. bewiesen werden können, äußert er sich über den Wert der vielerseits so sympathisch aufgenommenen Chromosomentheorie der Vererbung und der darin enthaltenen Interpretation der Mendelphänomene in durchaus skeptischer Weise (S. 277). Godlewski meint sogar, daß solche auf hypothetischem Fundament aufgebauten Hypothesen noch weniger als Hypothesen seien. Vielleicht schätzt er aber doch den anregenden und befruchtenden Einfluß viel zu niedrig ein, den alle diese Hypothesen, von den Anschauungen Weismanns über die Bedeutung der Richtungskörper bis zu der (auch vom Referenten für verfehlt angesehenen) Hypothese von der Parallelkonjugation, nicht bloß auf die zytologische Forschung, sondern auch auf die experimentelle Vererbungslehre ausgeübt haben. Dankenswert ist jedenfalls der nachdrückliche Hinweis Godlewskis darauf, daß insbesondere auch die zytologischen Studien über das Wesen der Vererbungserscheinungen mit der Tatsache zu rechnen haben[1]), daß in einer und derselben Tiergruppe die einen Merkmale nach dem gemischten, die anderen nach dem alternativen Vererbungstypus übertragen werden können (Echiniden, Helix).   V. Haecker.

Wittmack, L. Die Stammpflanze unserer Kartoffel. Landwirtschaftliche Jahrbücher 38. S. 551—605. 1909. Tafel 2; Textabbildungen 16.

The author has brought together in this short paper many facts which are interesting both to the systematist and to the student of genetics. Especial stress is laid upon the shape of the calyx points in differentiating the species of the tuber-bearing solanums. In one group, having long pointed sepal tips and five-pointed wheel shaped corollas, are placed *S. tuberosum* and its varieties, and *S. maglia*. In a second group with the same corolla form, but with short rounding three-cornered sepals, he places

---

[1]) Vgl. auch E. Baur, Vererbungs- und Bastardierungsversuche mit Antirrhinum. Diese Zeitschr., 3. Bd. Heft 1/2, 1909, S. 96.

S. Caldasii, S. Fernandezianum, S. Bridgesii and *S. etuberosum* Lindley. In a third group, like the second in calyx form, but differing from it in having deeply five-parted star-shaped corollas, he places *S. Commersonii, S. Ohrondi, S. cardiophyllum* and *S. Jamesii.*

To support these claims a considerable amount of interesting historical data is .cited. But as the history of the potato is more or less familiar from the exhaustive work of Roze, the interest of students of heredity centres around the use he makes of the classification, granting its validity. His first attack is upon the recent work of A. W. Sutton, upon *S. etuberosum.* He points out that the tuberless plant, from the seed of which Sutton raised tuber bearing plants, is nothing but a *S. tuberosum* and quite different in its characters from Lindley's type plant. His second criticism is directed toward the *S. Commersonii violett* of Labergerie. The author sis has given considerable time and study to his preparation of this discussion, and no one could ask for a more judicial consideration than Labergerie receives at his hands. The facts appear to be as follows.

Ed. Heckel of Marseilles gave some tubers of typical *S. Commersonii* to J. Labergerie of Verrieres. During several years culture at Marseilles, these tubers continued to produce typical *S. commersonii.* At Verrieres in 1901, however, Labergerie found one plant with a thick stalk and short stolons that produced· violet-colored tubers. These tubers, in succeeding years, have produced crops far exceeding any that *S. Commersonii* has been . known to produce. They have shown a certain amount of variation but no reversion to the typical *S. Commersonii.* In shape of fruit, size of tuber, color of tuber, color and shape of corolla, and shape of calyx, these plants are exactly like a commercial variety of *S. tuberosum* known as Paulsen's Blue Giant. Either a combination of mutations in all of these characters occurred in 1901, or there has been a mixture with *S. tuberosum.* Labergerie's work has been apparently been careful, yet there is not absolute certainty that such a mixture has not occurred. He himself had not raised the Blue Giant, but his father several miles away had done so a number of years before the supposed mutations appeared. It also appears that owing to the dry mild climate at Verrieres, potato tubers might have remained in the soil for some time and finally have produced plants. No bud mutations in so many characters has ever been known before and scientists are not likely to approve this case unless it can be shown beyond question that the violet tubers came from *S. Commersonii.* Absolute proof of this fact would entirely upset our conception of bud variations, and until such proof is forthcoming, biologists will remain unconvinced.

It might be remarked that the reviewer obtained some tubers of Labergerie's stock imported by J. J. H. Gregory & Son, Marblehead, Massachusetts in 1906. After observing the plants for two seasons, the following statement was made in an article entitled „A study of the factors influencing the improvement of the potato": „I am compelled to state that in no character of leaf, stem, flower or tuber, is the plant different from common purple-tubered varieties of *S. tuberosum*".

The author also devotes some space to a discussion of the symbiosis theory of tuber production, but as the burden of proof still remains with the propounders of the theory, it seems scarcely worthy of scientific consideration.   E. M. E a s t , Harvard University.

Nilsson-Ehle, H., Kreuzungsuntersuchungen an Hafer und Weizen. Lunds
Universitets Årsskrift. N. F. Afd. 2. Bd. 5, Nr. 2 1909, S. 1—122.

This remarkable contribution to genetics clears up several unsettled
points in Medelian inheritance. It points a way to the interpretation of
an even broader field of phenomena than the author has discussed.

The writer began his investigations at the plant breeding station
"Sveriges Utsädesförening" at Svalöf in 1900, and his conclusions, therefore, are supported by a large amount of data. Critics may object that
he is too ardent a Mendelian to give a perfectly fair interpretation of his
facts, but one can hardly fail to agree with him that all the characters
of wheat and oats that he has had under observation are better interpreted
by Mendelian formulae than by anything else yet proposed.

The fact that all these characters are Mendelian in their inheritance
is not so important, however, as is one particular class of his facts. He
shows conclusively that more than one Mendelian pair exist, each of which
is the same potential character. For example, in most of his crosses between presence and absence of black in the glumes of oats, the character
was transmitted as a simple Mendelian mono-hybrid: yet in one case there
were two definite independent allelomorphic pairs in each of which presence of black was dominant to absence of black. If these blacks are
represented by the letters B_1 and B_2, and a black-glumed variety B_1B_2 is
crossed with a white-glumed variety b_2b_2, in the F_2 generation there will
appear 15 black-glumed plants to one white-glumed plant. Furthermore,
a black-glumed plant B_1b_2 may be crossed with a black-glumed plant b_1B_2
and the same result obtained. This seems to be a logical explanation of
many cases of reversion in commercial plant breeding when two varieties
apparently pure for a certain character are crossed and in the F_2 generation
the absence of that character appears.

In wheat he found three independent allelomorphs for presence of red
color in the seed coat of a very old red variety from the north of Sweden.
In all other red varieties the color was due to only one pair. When the
three independent allelomorphs were present, the theoretical expectation
of the F_3 generation as proved by the crops of the F_2 generation, should
be 37 constant red, 8 segregating reds and whites in the ratio 63 : 1,
12 segregating and reds whites in the ratio 15 : 1, 6 segregating reds and
whites in the ratio 3 : 1 and 1 constant white, out of a total of 64 plants.
What he actually obtained was 50 constant red, 5 segregating 63 : 1,
15 segregating 15 : 1, 8 segregating 3 : 1 and 0 constant whites out of 78
plants of the F_2 generation. It was unfortunate that he did not obtain
the expected pure white, but this might well happen when dealing with
such a small number.

In still another case, he found that instead of behaving as a mono-
hybrid — the usual manner — presence of ligule in one variety of oats
needed four independent allelomorphs to account for the ratios obtained in
the F_3 generation. Of course where one is dealing with four characters
and only one pure recessive is expected in 256 plants, the field results
are necessarily difficult to analyze. This case cannot be said to have been
definitely proved, but in the other two instances there can be no doubt
about the facts.

The reviewer has independently obtained similar facts in maize, and
granting their frequent occurrence it can be shown that here there is a
logical interpretation of many cases where variation is apparently continuous. Further, if in certain cases the character pairs are cumulative in

their effect when added to each other, and not exactly alike as Nilsson-Ehle found, the origin of new characters is acounted for and a great stumbling-block to Mendelism is thereby cleared away.

E. M. East, Harvard University.

Löbner, Max, Leitfaden für gärtnerische Pflanzenzüchtung. Jena. Fischer, 1909, 160 S., 10 Abb.

Der Verfasser ist der Ansicht, daß der Gartenbau eine wesentliche Förderung erfahren würde, wenn den Gärtnern die wissenschaftlichen Grundlagen des Pflanzenbaues mehr bekannt wären. Aus diesem Grunde will er die Gärtner in dem Buch mit jenen bekannt machen, welche auf Züchtung Bezug haben. Der erste allgemeine Teil enthält Angaben über die Möglichkeit der Gewinnung neuer Pflanzenformen. Die übliche Unterscheidung zwischen Veredelungs- und Neuzüchtung wird dabei nicht gemacht und unter Sportbildung wird die Benützung der vegetativen Mutation verstanden. Verhalten nach Mendel hält der Verfasser bei Gartenpflanzen für selten, dabei betrachtet er, wie es scheint, nur jenes Verhalten als Mendelsches, bei welchem Dominanz- und Spaltungsregel gilt, denn er sagt „intermediär" „soll mehr den Gegensatz darstellen zu den Mendelschen Hybriden, die in erster Generation die Bastardnatur" (doch nur bei lediglich rezessiven Merkmalen der ♀, Referent) „noch gar nicht erkennen lassen" (S. 41). Der angewandte Teil bringt geschichtliche Angaben über die Züchter und Züchtung der einzelnen Pflanzen und die in der Praxis gewonnenen Ansichten des Verfassers über die Zuchtrichtungen. Angaben über Blüh- und Fruchtungsverhalten, Verhalten bei Bastardierung, Anzucht von Sämlingen etc., welche es dem Züchter ermöglichen, die Züchtung einer Pflanze durchzuführen, finden sich nur bei einigen Pflanzen, wären für alle in dem beschränkten Raum auch nicht unterzubringen. Fruwirth.

Sumner, F. A., Some effects of external conditions upon the white mouse. — Journal of Experimental Zoology, Vol. VII, No. 1, pp. 97—155, 14 diagr., August 1909.

Die Schwanzlänge (ohne von ausgesprochenem Unterschied in der Wirbelzahl begleitet zu sein), Fußlänge, Ohrlänge waren größer bei warm- als bei kaltgehaltenen weißen Mäusen. Die Körperlänge war nicht sicher beeinflußt, der Einfluß aufs Gewicht war nicht konstant und schien vom Geschlechte abzuhängen. Hingegen ergab sich sowohl durch Feststellung des Gewichts als auch der Zahl eine größere Durchschnittsmenge von Haaren bei kalt gehaltenen Mäusen, wobei der Prozentsatz, um welchen diese die warmgehaltenen übertreffen, noch steigt, wenn er auf die Größe der Individuen bezogen wird. Doch herrscht große Variabilität innerhalb jeder Versuchsreihe, welche Variabilität in den Resultaten des Warmraumes nicht konstant verschieden war von derjenigen des Kaltraumes. Sowohl diese Variabilität, als auch die von den äußeren Faktoren hervorgebrachten Unterschiede nahmen ab mit fortschreitendem Wachstum und Alter der Tiere. Diese Unterschiede sind solche, wie sie auch in der Natur südliche und nördliche Säugetierrassen trennen. In den Experimenten war, wie Verf. selbst betont, der Feuchtigkeitsfaktor von dem hauptsächlich in Rechnung gezogenen Temperaturfaktor nicht genau isoliert, und Verf. läßt deshalb die Möglichkeit offen, daß auch die Feuchtigkeit, bzw. Trockenheit zu einigen Resultaten beigetragen haben möge. Doch wird es ihm, wie Ref. bemerken möchte, als eine Bestätigung der Richtigkeit seiner Resultate

dienen, daß inzwischen ausgeführte und vor dem Kongreß deutscher Natur-
forscher und Ärzte zu Salzburg (1909) vorgetragene Untersuchungen
Przibrams an weißen Ratten, also einem sehr nahe verwandten Ver-
suchsobjekt in der Hitze einerseits, bei normalen kühlen Temperaturen
andererseits ganz analoge Veränderungen zutage gefördert haben.

Von den erzielten Veränderungen tragen Anpassungscharakter die
stärkere Behaarung und geringere Entfaltung der Oberflächenorgane bei
den kalt gezogenen Mäusen, — beides physiologisch erklärbar entweder durch
direkten Temperatureffekt auf die wachsenden Teile oder durch Vermittlung
der von der Temperatur veränderten Blutzirkulation. Die Vergrößerung
des Fußes bei den warm gehaltenen Mäusen ist erklärbar als funktionelle
Anpassung an das dort statthabende schnellere und häufigere Hin- und
Herlaufen. — Daß mit zunehmendem Alter eine Rückkehr zum Mittelmaß,
eine Gewöhnung an die unverändert fortwirkenden äußeren Bedingungen
stattfindet, wird als ein Gegensatz zu Weismanns Germinalselektion und
als neuer Beitrag zur Regulationsfähigkeit der Lebewesen hervorgehoben.
Es wäre interessant gewesen, wie Ref. hinzufügen möchte, dieses Gewöhnungs-
gesetz der Ontogonese in Parallele zu bringen mit einer Gewöhnungsregel
der Phylogonese, welches Pictet auf Grund von Schmetterlingsversuchen
aufstellt: durch Nahrungsveränderung bekam nämlich Pictet Farbver-
änderungen der Falter, die sich, wenn die nächste Generation wieder normal
aufgefüttert wurde, erblich erhielten. Wenn aber die abnormale Nahrung
durch zwei Generationen hintereinander gereicht wurde, so schlugen die Falter
unverkennbar zum Normaltyp zurück. Die Veränderungen schwinden in
dem Maße, als sich die Tiere an die veränderten Bedingungen gewöhnen
und unter diesen nunmehr ebensogut ihr Fortkommen finden, wie unter den
ursprünglich gewohnten. Wie ich hier nicht näher ausführen kann, dürfte
jedoch diese Gewöhnungsmaßregel nur auf solche veränderte Merkmale
Anwendung finden, welche lediglich der Ausdruck von Konstitutions-
schwächungen oder -Stärkungen darstellen, so in Pictets Schmetterlingsversuchen auf die der veränderten Nahrung folgende Verzwergung und Aus-
bleichung, bzw. auf den Riesenwuchs verbunden mit satten Farben.

                                                    Kammerer, Wien.

**Peter, Karl. Experimentelle Untersuchungen über individuelle Variation in
der tierischen Entwicklung.** Arch. f. Entwicklungsmech. XXXII. Bd.,
2. Heft, S. 153—243, 5 fig., Taf. III, IV, 23. Februar 1909.

Nach Untersuchungen an Seeigeln *(Sphaerechinus granularis, Echinus
microtuberculatus)* und Seescheiden *(Phallusia mammillata)* teilt Verf. mit, daß
die Lebewesen bereits während ihres embryonalen Lebens in derselben,
gesetzmäßigen Weise abändern wie im ausgebildeten Zustande, und zwar
kann man Verschiedenheiten im Entwicklungsgrad (zeitliche Variation) und
in der Entwicklungsart (qualitative Variation) unterscheiden. Nicht absolut,
wohl aber relativ und daher mit zunehmendem Alter abnehmend ist die
individuelle Verschiedenheit der Embryonen höher als die der erwachsenen
Tiere. Die Variationsbreite ist für jede Art, jedes Organ, Merkmal und
Stadium verschieden und für diese in gewissen Grenzen konstant, doch von
gewissen Faktoren zu beeinflussen, zu vergrößern und zu verringern, ob
unter das Minimum, welches an frei lebenden, nicht künstlich gezogenen
Larven zur Beobachtung gelangt, ist fraglich. Von Einfluß ist wahrscheinlich
jede Veränderung in den Lebensbedingungen, Jahreszeit, Temperatur,
Chemikalien und die durch letztere beiden Faktoren hervorgebrachte Veränderung in der Entwicklungsgeschwindigkeit. Die Variationen sind jedoch

bei Geschwisterembryonen nicht so stark wie bei Embryonen verschiedener Abstammung.

Durch Kälte und angesäuertes Wasser wird die Entwickluug verzögert, die Variation erniedrigt, durch warmes und alkalisches Wasser das Gegenteil hiervon bewirkt: hierdurch werden sehr große Verschiedenheiten erzielt, die dennoch alle lebensfähig sind und der Artbildung eine besonders günstige Grundlage abzugeben scheinen. Größe und Ernährungszustand der Elterntiere scheinen auf die Variation der Embryonen keinen Einfluß zu nehmen (dieses Resultat ist allerdings durch Befunde anderer Beobachter an anderen Organismen nicht gestützt, wonach die Größe der Embryonen und Früchte mit zunehmender Größe der Erzeuger zunimmt, besser ernährte Erzeuger auch kräftigere Nachkommen haben — Ref.).

Kammerer-Wien.

Galloway, A. R., Canary breeding. A partial analysis of records from 1891— 1901. Biometrika, Vol. 7, 1909.

Dr. Galloway's paper comes from one who has had a long experience in the breeding of canaries for show purposes and is thoroughly familiar with the canary fancy. It forms, as might be expected, a valuable addition to the literature of the subject, and its value is enhanced by the several excellent coloured plates which accompany it. From his records the author has been able to collect material bearing upon the inheritance of crest, of yellow as opposed to buff (a structural feature), of coloured plumage as distinct from clear plumage, and of cinnamon. From his data he agrees with previous work in regarding plainhead as recessive to crest, and buffness as recessive to yellowness. In respect to the inheritance of coloured plumage, either variegated or green, as opposed to clear plumage, the author differs from Davenport who found that clear was a simple recessive to coloured. According to the figures given by Galloway (p. 26) variegated × variegated gave 109 coloured and 12 clear inshead of a proportion of 3 : 1. Similarly variegated × clear gave 68 variegated and 17 clear instead of the expected equality. Unfortunately no evidence is given that these variegated were all known to be heterozygous, and without such evidence no significance can be attributed to Galloway's figures. The facts as to the peculiar inheritance of cinnamon reported by earlier writers are confirmed by Galloway, and he further points out that there is nothing in his results at variance with the current Mendelian interpretation of these facts.

In addition to the experimental part the paper contains a good deal of interesting speculation as to the origin of the different varieties of the canary. The author considers that these have all arisen as „sports" and that the oldest sport of all was the cinnamon. Directly or indirectly the cinnamon sport is responsible for the many varieties now in existence. The question is discussed from the point of view of the earlier literature and of the known behaviour of cinnamons on crossing. Many records have been collected of wild cinnamon sports from different species of finches as well as of cinnamon canary hybrids and the interesting fact is brought out that these are always, or very nearly always, of the female sex. On the other hand the great majority of wild white sports and white hybrids are males. In conclusion the author puts in a plea for better agreement on the nomenclature of characters used in the fancy, and his discussion of the varieties of crest and the meaning of such terms as "baldness" and "perfect crest", coming from an acknowledged authority, will be welcome to those who are interested in these matters.

R. C. Punnett.

Neresheimer, Eugen. Blutsverwandtschaft und Serumreaktion bei Salmoniden.
In: Berichte der k. Bayer. Biolog. Versuchsstation in München. Bd. II.
1909. S. 79—87.

Verfasser injizierte einem Kaninchen Bachforellenblut und stellte so ein
Anti-Bachforellenserum her, auf welches er 19 Süßwasserfische prüfte. Es
gaben Bachforelle, Seeforelle, Lachs volle, Bachsaibling, Seesaibling starke,
Huchen mäßige, Regenbogenforelle mittlere, Äsche, Maräne schwache, Hecht
sehr schwache Reaktion. Dagegen verliefen Versuche mit anderen Süßwasser-
fischen wie Cyprinoiden, Gaditen und Acanthopteren völlig negativ, auch mit
sehr stark wirkendem Antiserum.

Es wurde auch die Geschwindigkeit bis zum Eintreten der Reaktion gemessen und die Zahlen in einer Tabelle vereinigt. Doch konnte diese kein
Kriterium für den Grad der Verwandtschaft bilden.

Die Zahlen der Präzipitatmenge jedoch sind für die Erkenntnis der Verwandtschaft wichtig. Sie stimmen mit der durch anatomische Untersuchungen
festgestellten Befunde überein. daß die Truttaarten als geschlossene Gruppe
der Bachforelle näher stehen, als die ebenfalls unter sich geschlossene Gruppe
der Salmo-Arten.   M. Hilzheimer-Stuttgart.

Nettleship, E., On some hereditary diseases of the eye. (Being the Bowman
Lecture.) Trans. Ophthal. Soc. Vol. 29, 1909.

Carefully collected pedigrees dealing with the human species are still
scarce enough to give a peculiar value to a paper like the present one. The
author has collected together a large number of cases, partly from the literature,
partly from personal observation, dealing with certain hereditary diseases of the
eye. The paper treats more especially of cataract (prenatal, lamellar, and congenital), retinitis pigmentosa, night blindness, Leber's disease, and hereditary
nystagmus where the available data are more abundant. but sundry other
diseases are touched upon where the evidence is scantier. The pedigrees are
throughout rendered more valuable because the annotations of the author
are the critical notes of an acknowledged authority.

Two forms of transmission are distinguished viz. continuous and discontinuous. In the former, among which are to be numbered prenatal and
congenital cataract. congenital night blindness and certain cases of retinitis
pigmentosa, the affection is only transmitted by individuals who themselves
suffer from it, and the author suggests that if allowances are made for defective
observation the affected condition may be regarded as behaving like a Mendelian dominant to the normal. In pedigrees where discontinuous descent
is the rule it is usual for the disease to be transmitted to the male by the
unaffected female, and this form of transmission is the more usual one in
Leber's disease. In other families however which are affected by the same
disease it may be transmitted to the females as well as to the males. Discontinuous descent is also to be found in some families where retinitis pigmentosa
occurs, so that this disease, as well as Leber's, may apparently be inherited on
more than one scheme. What these schemes are is at present obscure. The
author is inclined to consider that in these complex cases there may exist some
form of correlation between the disease under consideration and some other
disease, and he instances the fact that retinitis pigmentosa, progressive nerve
deafness, and feeblemindedness or idiocy seem capable of acting as mutual
equivalents or substitutes. Albinism again, according to the author, is complicated with defects of the nervous system in a disproportionate number of

cases, and the association must therefore be looked upon as more than a coincidence.. The memoir is replete with bibliographical references, and more than 140 pedigrees are illustrated in the text or in the appendices.

R. C. P u n n e t t.

Weinberg, W., Die Anlage zur Mehrlingsgeburt beim Menschen und ihre Ver-erbung. In: Archiv f. Rassen-. u. Gesellschafts-Biologie. 1909. VI. Jahrg., Heft 3—5, S. 322—339, 470—482, 609—630.

Schon in einer früheren Arbeit (Archiv f. d. ges. Physiologie, Bd. 88, 1901) hatte sich W e i n b e r g mit der Frage der Mehrlingsgeburten beschäftigt. Die Resultate der modernen Vererbungsforschung und ein größeres statisti-sches Material, das aus den Familienregistern von Stuttgart und anderen württembergischen Gemeinden gewonnen war, machte eine Neuuntersuchung nötig. Mit Hilfe einer einfachen Methode (Differenzmethode) konnten die eineiigen und mehreiigen Mehrlingsgeburten gesondert werden. Erstere sind regellose Monstrositäten, während für letztere gewisse Regelmäßigkeiten im Auftreten nachgewiesen werden konnten. Es sind dies folgende:

1. Die Fähigkeit zur Hervorbringung von Mehrlingsgeburten läßt rassen-weise Unterschiede erkennen.

2. Sie ist vererbbar, jedoch nur durch weibliche, nicht durch männliche Familienmitglieder.

3. Aus der verschiedenen Art der Vererbung, die nicht auf alle weiblichen Mitglieder gleich wirkt, folgt, daß auch die Fähigkeit zu Mehrlingsgeburten mendelt, und zwar scheint sich die Anlage rezessiv zu verhalten.

4. Jedoch wirken außer der Vererbung noch äußere Faktoren auf die beobachtete Variabilität des tatsächlichen Vorkommens der Mehrlingsgeburten bei einer und derselben Frau. So entstehende Komplikationen können nur auf anatomischem Wege aufgeklärt werden.

5. Die durchschnittliche Anlage zur Mehrlingsgeburt bleibt aber ziemlich konstant. Dies liegt an der größeren Sterblichkeit der Mehrlingsfrüchte.

6. Diese Konstanz macht es wahrscheinlich, daß der Mensch die Uniparität sprungweise durch kleine Mutationen erworben habe; allein aus der großen Sterblichkeit der Mehrlingsfrüchte, wie dies S t r a ß m a n n versucht hat, läßt sie sich nicht erklären.

M. H i l z h e i m e r - Stuttgart.

Schlosser, M. Über einige fossile Säugetiere aus dem Oligozän von Ägypten (Zool. Anz. 35, 1910 No. 16, 500—508).

Ägypten hat sich bekanntlich in jüngster Zeit als eine reiche Fund-stätte für alttertiäre Säuger erwiesen, und zwar finden sich dort im Oligozän von fluviomariner Bildungsweise größtenteils Tierformen, die man aus dem Alttertiär anderer Gegenden gar nicht kennt. Große *Proboscidier*-artige Formen, teils von isolierter Stellung, wie *Arsinoitherium*, teils offenbare Vor-fahren von Mastadon und Elephas hatte schon A n d r e w s vor mehreren Jahren neben *Hyrax*-artigen Vertretern beschrieben. Weitere Funde wurden von O s b o r n beschrieben, und jetzt überrascht uns Schlosser durch die vorläufige Mitteilung von neuem hochwichtigem Material, das in das Stutt-garter Museum gelangt ist. Wir heben daraus hervor die unerwartet reich vertretenen Hyracoiden, von denen 6 Gattungen mit 15 Arten unterschieden werden können, ganz besonders aber die 3 neuen Affengattungen, da man echte Affen aus so alten Schichten überhaupt noch nicht kennt. Die eine, *Moeripithecus*, etwa von der Größe eines *Cebus*, ist nur dürftig erhalten,

Parapithecus, etwa so groß wie *Chrysothrix*, würde den Cebiden zugerechnet werden können, wenn er nicht einen Eckzahn besäße. Schlosser bezeichnet ihn als eine Form, die den alteozänen Halbaffen *Anaptomorphus* mit *Simiiden* und vielleicht auch mit den *Cercopitheciden* verknüpft. *Propliopithecus* ist ein kleiner Affe (an Größe zwischen *Cebus* und *Chrysothrix* stehend, der dem Gibbon-Stamme nahe steht und sich von dem miozänen *Pliopithecus* durch seine geringe Größe, schwache Entwicklung der Eckzähne und Kürze und Einfachheit der Prämolaren unterscheidet. Schneide-Eckzähne und Prämolaren stehen aber vertikal. Nach Schlosser haben wir darin nicht nur den Ahnen aller Simiiden, sondern auch vermutlich aller Hominiden zu erblicken. Nach diesen zunächst noch spärlichen Funden steht zu erwarten, daß die Vorgeschichte der *Simiae* und *Bimana* durch weitere Nachforschungen in dieser Gegend einmal aufgeklärt werden wird.   Steinmann.

Lull, R. S., Dinosaurian distribution. (Amer. Journ. of Science, 4th ser, 29, 1910, 1—39).

Diese kleine Schrift ist eine erwünschte Ergänzung zu den Monographien v. Huenes über Dinosaurier. (Diese Zeitschr. Bd. 3, S. 98 ff.) Sie behandelt hauptsächlich die Lebensweise, die geologische und geographische Verbreitung, sowie die Wanderungen der Dinosaurier. Wir möchten doch darauf hinweisen, weil Lull die phylogenetischen Zusammenhänge in etwas anderer Weise sucht als v. Huene. Er läßt die Linien der größeren Dinosaurier-Gruppen allgemein nicht unerheblich früher zusammenfließen als jener und nimmt zu Beginn der Triaszeit schon 7 getrennte Stämme an, während v. Huene sämtliche Stämme erst im Muschelkalk aus den Thecodontosauriden divergieren läßt. Man ersieht aus dieser Differenz, wie dasselbe Material einer sehr verschiedenen phylogenetischen Ausdeutung fähig ist, und es ist erfreulich zu sehen, wie auch Spezialforscher sich von den traditionellen, aber unwahrscheinlichen Annahmen kurzfristiger und weitwinkliger Divergenzen zu emanzipieren beginnen.   G. Steinmann.

Neue Literatur.

Unter Mitwirkung von

E. M. East-Cambridge Mass. (Harvard University), H. Gerth-Bonn, R. C. Punnett-Cambridge, Engl., Th. Roemer-Jena, W. Schleip-Freiburg.

zusammengestellt von

E. Baur-Berlin, G. Steinmann-Bonn.

(Im Interesse möglichster Vollständigkeit der Literaturlisten richten wir an die Autoren einschlägiger Arbeiten die Bitte, an die Redaktion Separata oder Zitate einzusenden, vor allem von Arbeiten, welche an schwer zugänglicher Stelle publiziert sind.)

I. Arbeiten allgemeineren Inhalts.

1. Theoretisches über Artbildung und über Vererbung. Lehrbücher. Zusammenfassende Darstellungen. Sammelreferate.

Abel, O. Was verstehen wir unter monophyletischer und polyphyletischer Abstammung? Verh. K. K. Zool. Botan. Ges. Wien **59** 1909. S. 243—256.

Barre, H. W. Metaphysics and Mendelism. Science. N. S. **31** 1910. S. 68—69.

Beck, G. v. Über Pflanzenarten und deren Umwandlung in neue. Lotos **57** 1909. S. 162—172.

Benedict, M. Der heutige Stand der Vitalismusfrage und des Kreuzungsproblems. Wiener klin. Wochenschr. 1909. Nr. 33. 9 S.

Bevan-Lewis, W. The presidential address, on the biological factor in heredity, delivered at the 68. annual meeting of the medico-psychological association, held at Wakefield on July 22nd and 23nd 1909. The Journal of mental science **55** 1909. No. 231, p. 591—630.

Delage, Y. et Goldsmith, M. Les théories de l'évolution. Paris 1909. 8⁰

Dennert, E. Die Entwicklung, ihr Wesen und ihre Erforschung. Godesberg 1909.

Driesch, H. Philosophie des Organischen. 2 Bände. Leipzig 1909. 548 und 409 S.

— Zwei Vorträge zur Naturphilosophie. I. Die logische Rechtfertigung der Lehre von der Eigengesetzlichkeit des Belebten. II. Über Aufgabe und Begriff der Naturphilosophie. Leipzig 1910. 38 S.

Frech, J. Die Deszendenzlehre in der modernen Geologie. Medizin. Klinik 6. Jahrg. 1910. Heft 1 und 6.

Gates, R. R. Studies of inheritance in the evening primrose. 6. S. The Chicago Medic. Recorder 1909.

Giglio-Tos, E. Les problèmes de la vie. Essai d'une interprétation scientifique des phénomènes vitaux. Partie IV. La variation et l'origine des espèces. Cagliari 1909. 230 S.

Godlewski, E. Das Vererbungsproblem im Lichte der Entwicklungsmechanik. Vortr. u. Aufs. ü. Entwicklungsmech. d. Org. Heft 9 1909. 301 S.

Hilzheimer, M. Atavismus. Zschr. i. Abstamm. u. Vererbungslehre 3 1910. S. 201—214.

Hunzinger, A. Der Monismus Häckels. Altenburg 1909. 20 S.

Konkle. An appreciation of evolution and Darwinism. New York Medical Journ. 90 No. 15.

Leiber, A. Lamarck. Studie über die Geschichte seines Lebens und Denkens. München 1910. 62 S.

Letourneau, C. La Biologie. Paris 1909. 518 S.

Morgulis, S. Is regeneration a repetition of the ontogenetic or phylogenetic processes. The Americ. Naturalist 44 1910. S. 92—107.

Mudge, G. P. Biological Iconoclasm, Mendelism, Inheritance etc. Mendel Journ. 1909. No. 1.

Petzold, J. Die vitalistische Reaktion auf die Unzulänglichkeit der mechanischen Naturansicht. — Sammelreferat. Zeitschr. f. allg. Physiol. 10 1909. S. 69—118.

Powers, J. H. Are species realities or concepts only. Amer. Nat. 43 1909. S. 598—610.

Pringsheim, H. Die Variabilität niederer Organismen. Eine deszendenztheoretische Studie. Berlin (Springer) 1910 gr. 8°. 216 S.

Reinke, J. Über Vererbung, eine Grundfrage der Biologie (Vortrag). Ztschr. f. Philosophie u. philos. Kritik 136 1909. S. 113—131.

Schiffner, V. Über die Grenzen der Deszendenzlehre und Systematik. Verh. Zool. Botan. Ges. Wien 49 1909. S. 345—364.

Schwalbe, G. Über Darwins Werk: ,,Die Abstammung des Menschen". Stuttgart 1910 8° 32 S. (Deutsche Ausgabe eines Abschnittes aus: ,,Darwin and modern science").

Semon, R. Der Reizbegriff. Biol. Centralbl. 30 1910. S. 181—192.

Shull, G. H. Genetics. (Sammelreferat.) Botanic. Gazette 48 1909. S. 466—472.

Vignoli, T. Evoluzione psicorganica. Rendic. Istit. Lomb. Sc. e. Lett., Milano ser. 2., Vol. 42. p. 563—576.

Vries, H. de. Fertilization and hybridization. The Monist. 19 1909. S. 514—555.

Wagner, A. Neo-Vitalismus. Zschr. Philosophie u. Philos. Kritik. Ergänzungsheft 1909. S. 111—138.

— Die Auffassung des Organischen im Darwinismus und Lamarckismus. Vierteljahrsschr. wiss. Philos. u. Soziol. 1909. S. 199—227.

Weiss, F. E. Chapters from the evolution of plants. Manchester Museum Handbrooks. Publ. 64 1909. S. 5—22.

Wheldale, M. Note on the physiological interpretation of the Mendelian factors for colour in plants. Rep. Evolution Comm. Roy. Soc., V, 1909. S. 26—31.

II. Botanische Literatur.

2. Phylogenie von einzelnen Familien, Gattungen und Arten und von einzelnen Organen auf Grund vergleichend-anatomischer, morphologischer, systematischer oder historischer Untersuchungen.

Aronsohn, A. Wild wachsende Getreidearten in Palästina und Syrien Verh. K. K. Zool. Botan. Ges. Wien **49** 1909. S. 485—509.

Diels, L. Zur Phylogenie der Angiospermen. Zschr. i. Abst. u. Vererbungslehre **3** 1910. S. 103—108. (Sammelreferat.)

Schuster, J. Über die Morphologie der Grasblüte. 3 Taf. 35 Fig. i. T. Flora **100** 1910. S. 213—266.

Schwertschlager, J. Die Rosen des südlichen und mittleren Frankenjura: ihr System und ihre phylogenetischen Beziehungen erörtert mit Hinsicht auf die ganze Gattung Rosa und das allgemeine Deszendenzproblem. München (Isaria-Verlag) 1910. gr 8° 248 S. 2 Taf.

3. Arbeiten über Polymorphismus einzelner „großer" Arten, über Elementararten.

Fischer, H. Nicht-hybride Zwischenformen bei Farnen. Naturw. Wochenschrift **25** 1910. S. 12—13.

Miyoshi, M. Über das Vorkommen gefüllter Blüten bei einem wild wachsenden japanischen Rhododendron nebst Angabe über die Variabilität von Menziesia multiflora Maxim. 3 Taf. Journ. College of Science. Imp. University Tokyo **27** 1909. 13. S.

4. Modifizierung von Form und Bau der Pflanzen durch Außenbedingungen. Variationsgesetze. Variationsstatistiken. Anpassung. Vererbung erworbener Eigenschaften.

Becquerel, P. Variation du Zinnia elegans sous l'action des traumatismes C. Rend. Acad. Sciences Paris **149** 1909. S. 1148—1150.

Brunnthaler, J. Der Einfluß äusserer Faktoren auf Gloeothece rupestris (Lyngb.) Born. 1 Taf. Stzsber. Akad. Wiss. Wien. Math. Nat. Klass. **118** 1909. S. 501—573.

Bruyker, C. de. Over dubbele halve curven. Hand. twaalfde Vlaamsch Nat.- en Geneeskund. Congres St. Niklaas 1908. S. 215—224.

— Scabiosa atropurpurea percapitata. Voeding en teeltkeus. 1 Meded. — Hand. twaalfde Vlaamsch Nat. -en Geneesk. Congres 1908. S. 248—255.

— Voeding en teeltkeus: De aarlengte der graangewassen. Hand. 13. Vlaamsch Nat.- en Geneeskundig Congres 1909. S. 170—174.

Harris, J. A. A bimodal variation polygon in Syndesmon thalictroides and its morphological significance. Amer. Nat. **44** 1910. S. 19—30.

— Variation and correlation in the flowers of Lagerstroemia indica. Dpt. Missouri Botanic. Garden **20** 1909. S. 97—104.

Klebs, G. Über die Nachkommen künstlich veränderter Blüten von Sempervivum. Stzgsb. Heidelberger Akad. Wissensch. Math. Nat. Cl. 1909. 5. Abh. 32 S., 1 Taf. 2 Fig. i. T.

Koriba, K. Über die individuelle Verschiedenheit in der Entwicklung einiger fortwachsenden Pflanzen mit besonderer Rücksicht auf die Außenbedingungen. 5 Taf. Journ. College of Science Imp. University Tokyo 27 1909. 86 S.

Tropea, C. Di una maniera di remplificare la costruzione dei poligoni empirici di frequenza. Contrib. Biol. Veget. (Palermo). 4 1909. S. 193—203.

Vogler, P. Variation der Anzahl der Strahlblühen bei einigen Kompositen. 5 Fig. i. T. Beih. Botan. Centralbl. 25 1910. S. 387—396.

5. Beobachtungen und experimentelle Untersuchungen über Entstehung neuer Arten.

Chevalier, A. Sur les Dioscorea cultivés en Afrique tropicale et sur un cas de selection naturelle relatif ä une espèce spontanée dans la forêt vierge. C. Rend. Ac. Sc. Paris 149 1909. S. 610--612.

Gates, R. R. An analytical key to some of the segregates of Oenothera. Ann. Rpt. Missouri Botan. Gard. 20 1909. S. 123—137.

Minin, A. Zur Frage über das Entstehen der Pflanzen, welche von der Normalform abweichen. 4° 4 S., 3 Taf. (Russisch mit deutschem Resumé). Moskau 1910.

Örtendahl, J. En jätte i sitt slag. (Antirrhinum majus giganteum.) Svensk Botanisk Tidskrift 3 1909. S. 104—106.

Planchon, L. Note sur la mutation culturale de Solanum Commersonii Dun. et sur la culture du Solanum Maglia Schlecht. Rev. hortic. Marseille 55 1909. S. 155—163.

Woodhead, J. W. und **Brierley. M. M.** Development of the climbing habit in Antirrhinum majus. 3 Taf. 5 Fig. i. T. New Phytologist 8 1909. S. 284—298.

6. Experimentelle Erblichkeits- und Bastardierungsuntersuchungen. Spaltungsgesetze.

Baur, E. Vererbungs- und Bastardierungsversuche mit Antirrhinum (Taf. 1 und 3 Fig. i. T.) Zschr. i. Abst. u. Vererbungslehre 3 1910. S. 34—98.

Blaringhem, L. Disjonction des caractères d'hybrides entre espèces affines d'Orges C. Rend. Soc. Biolog. Paris 66 1909. S. 633—635.

Davis, B. M. Genetical studies on Oenothera I. Notes on the behavior of certain hybrids of Oenothera in the first generation. The Americ. Natural 44 1910. S. 108—115.

East, E. M. A mendelian interpretation of variation that is apparently continuous. The Americ. Natural 44 1910. S. 65—82.

Gates, R. R. Apogamy in Oenothera. Science. N. S. 30 1909. S. 691—694.

Holdefleiss, P. Bastardierungsversuche mit Mais. Ber. physiol. Labor. u. Versuchsanst. Landw. Institutes. Halle 20 1909. S. 178—198.

Hurst, C. C. Inheritance of Albinism in Orchids. The Gardeners Chronicle 1909 February 6th.

Marryat, D. C. E. Hybridisation experiments with Mirabilis Jalapa. Rep. Evolution Comm. Roy. Soc. **5** 1909. S. 32—50, 2 Taf.

Shull, G. H. Results of crossing Bursa bursa-pastoris and Bursa Heegeri. Proc. 7. Intern. Zoolog. Congress Boston 1907. — Cambridge Mass. 1910, 6. S.

— A simple chemical device to illustrate mendelian inheritance. The Plant World **12** 1910. S. 145—153.

— Color inheritance in Lychnis dioica L. The Americ. Natural. **44** 1910. S. 83—91.

Spillmann, W. J. The Mendelian view of Melanin formation. The Americ. Naturalist **44** 1910. S. 116—123.

Wheldale, M. Further Observations upon the inheritance of flower-colour in Antirrhinum majus. Rep. Evolution. Comm. Roy. Soc. **5** 1909. S. 1—26.

— Note on the physiological interpretation of the mendelian factors for colour in plants. Repts. to the Evol. Committee of the Roy. Soc. London. Rept. **5** 1909. S. 26—31.

7. Wild gefundene Bastarde. Bedeutung spontaner Bastardierung für die Artbildung.

Alexander, W. B. Hybrid between Orchis maculata and Habenaria conopsea. Yorkshire Naturalist 1909. S. 342.

Armitagr, E. Hybrids between Galium verum and G. mollugo. New Phytologist **8** 1909. S. 351—353.

Becker, W. Viola nebrodensis, var. pseudo-gracilis × splendida Becker et Lacaita = V. Lacaitaeana Becker, nov. hybr. Malpighia **22** 1909. S. 522—526.

Becker, W. Violenstudien. 3 Fig. i. T. Beih. Botan. Centralbl. **26** 1910. S. 1—44.

Capitaine, L. A propos du × Verbascum Humnickii Franch. 1 Taf. 1 Fig. i. T. Bull. Soc. Bot. France 4 sér. **9** 1909. S. 548—553.

Hy, F. Sur quelques Polygonum hybrides. Bull. Soc. Botan. France. 4. sér. **9** 1909. S. 542—548.

Junge, P. Rosa tomentosa Smith × R. dumetorum Thuillier = R. Zachariasiana. Allg. Botan. Zeitschr. **15** 1909. S. 185—186.

Murr, J. Rassenbildung durch Rückkreuzung. Mag. Bot. Jap. 1909.

Norlind, A. Dianthus deltoides L. × superbus L. Botan. Notiser 1909. S. 295—298.

Neumann, L. M. Två svenska hybrider. Botaniska Notiser 1909. S. 299.

Seymann, V. Ein neuer Achillea-Bastard aus Südungarn. Mag. Bot. Jap. 1909.

Trabut, L. Sur quelques fait relatifs ä hybridation des Citrus et à l'origine de l'oranger doux (Citrus aurantium). Compt. Rend. Acad. Sciences Paris **149** 1909. S. 1142—1144.

8. Vererbung und Bestimmung des Geschlechtes.

Bruyker, C. de. De heterostylie bij Primula elatior Jacq. Statistische gegevens. Hand. 12. Vlaamsch. Nat- en Geneeskund. Congres 1908. S. 241—248.

Bruyker, C. de. Heterostylie (ongelijkstijligheìd) bij Primula elatior en hare secundaire kenmerken. Botanisch Jaarboek Dodonaea 14 1908. S. 17—20.

Keeble, F. The Heredity of sex. Nature, 83 1910. S. 487—488.

Shull, G. H. The inheritance of sex in Lychnis, 2 Fig. i. T. The Botanic. Gazette 49 1910. S. 110—125.

9. Cytologisches. Vererbungsträger. Sterilität bei Bastarden.

Farmer, J. B. and **Digby, L.** On the cytological features exhibited by certain varietal and hybrid ferns. Mit Taf. 16—18. Annals of Botany 24 1910. S. 191—212.

Gates, R. R. The behavior of the chromosomes in Oenothera lata and O. gigas. Bot. Gaz. 48 1909. S. 179—198, Fig. 26.

— The stature and chromosomes of Oenothera gigas, de Vries. 2 Taf. Arch. f. Zellforschung 3 1909. S. 525—552.

— Apogamy in Oenothera. Science N. S. 30 1909. S. 691—694.

Strasburger, E. Chromosomenzahl. 1 Taf. Flora. 100 1910. S. 398—446.

10. Pfropfbastarde.

Baur, E. Pfropfbastarde. Periklinalchimären und Hyperchimären. Ber. Deutsch. Botan. Ges. 27 1909. S. 603—605.

Damel, L. Sur un nouvel hybride de greffe entre Aubepine et Néflier. C. Rend. Ac. Sc. Paris 149 1909. S. 1008—1010.

Griffon, E. Quatrième série de recherches sur le greffage des plantes herbacées. 1. Taf. Bull. Soc. Botan. France 4. Sér. 9 1909. S. 612—618.

Mac Callum, W. B. The reciprocal influence of scion and stock. Plant World 12 1909. S. 281—286.

Winkler, H. Über die Nachkommenschaft der Solanum-Pfropfbastarde und die Chromosomenzahlen ihrer Keimzellen. Ztschr. f. Botanik 2 1910. S. 1—38.

11. Züchtungsbestrebungen und sonstige „angewandte" Vererbungs- und Bastardierungslehre.

Balls, W. L. Botanical notes on cotton. Cairo Scientific Journal, 3 1909. S. 1—6.

Briem, H. Die Steigerung des Zuckergehaltes der heutigen Rüben. Jahresbericht der Rübensamenzüchtungen von Wohanka, Prag 1909 XX. S. 1—5.

Cipaianu, G. Die Einführung der Zuckerrübenzüchtung u. des Zuckerrübensamenbaues in Rumänien. Dissertation Leipzig 1909. 92 S.

Fruwirth, C. Bemerkungen zur Züchtung der Sandluzerne. Mitt. der Deutschen Landwirtschafts-Gesellschaft, 1910 6. S. 82—84.

— Vielförmigkeit der Landsorten. Monatshefte für Landwirtschaft 1910 2. S. 48—62.

Heckel, E. Fixation de la mutation gemmaire culturale du Solanum maglia; variation des tubercules mutés. C. Rend. Acad. Scienc. Paris 149 1909. S. 831—833.

Kiese, H. Über Verwendung, Pflege und Neuzuchtung der Rosen. Sitzgs.-berichte und Abhdlgen der kgl. sächsischen Ges. Bot. u. Gartenbau „Flora" XII—XIII. 1909. S. 67.

Lochow, F. v. Prüfung auf Leistung bei der Kartoffelzüchtung. Illustrierte landw. Zeitung 1910 16. S. 135.

Löbner. Über Rosensämlingsstammzucht. Sitzgsbericht u. Abhdlgen d. kgl. sächs. Ges. Bot. u. Gartenbau „Flora" 1909, XII—VIII. S. 80—84.

Löbner, M. Leitfaden für gärtnerische Pflanzenzüchtung. Jena 1909.

Nilsson, H. Återblick på Utsädesföreningens arbetsmetoder och de med dem vunna resultaten. Sveriges Utsädesföreningens Tidskrift **19** 1909. S. 235—249.

Oetken, W. Über Veredelungsauslese bei Kartoffeln. Illustrierte landw. Zeitung 1910 21. S. 197.

Rudsinski, v. Ist die Samenerblichkeit von Einzelpflanzen konstant? Fühlings landw. Zeitung 1910 5. S. 164—168.

Saunders, C. E. The inheritance of strength in wheat. Journ. agric. Science. 3 1909. S. 218—222.

Sperling, E. Ist der Proteingehalt der Gerste eine erbliche Eigenschaft? Landwirtsch. Umschau 1910 9. S. 212—215.

— Die Korrelation zwischen Gewicht u. proz. Proteingehalt bei Gersten-körnern. Illustrierte Landw. Zeitung 1910 19. S. 176.

Spillmann, W. J. Application of some of the principles of heredity to plant breeding. U. S. Dept. Agr. Bur. Plant Ind. Bul. **165** 1909. S. 7—74.

— The hybrid wheats. State Collegs of Washington. Dpt. Agric. Bull. No. 89 1909. 27. S., 6 Fig. i. T.

Stoll, H. Weizenbastard. Deutsche landw. Presse 1910 13. S. 143.

Straughn, M. N. and **Church, C. G.** The influence of environment on the composition of sweet corn. 1905—1908. U. S. Dept. Agr. Bur. Chem. Bul. **127** 1909. S. 11—69.

Tschermak, E. v. Die Veredelung der Proskowetz-Original-Hanna-Gerste. Wiener landw. Ztg. 1910 11. S. 98—99

Waldron, D. R. A suggestion regarding heavy and light seed grain. Amer. Nat. **44** 1910. S. 48—56.

Zobel. Vererbung und Inzucht. Illustrierte landw. Zeitung 1909 Nr. 97. S. 897—898.

III. Zoologische Literatur.

12. Phylogenie von einzelnen Familien, Gattungen und Arten und von einzelnen Organen auf Grund vergleichend-anatomischer, morphologischer, systematischer oder historischer Untersuchungen.

Cunningham, J. T. The evolution of man. Mendel Journ. 1 1909. S. 29—44.

Hadzi. Bemerkungen zur Onto- und Phylogenese der Hydromedusen. Zool. Anz. 35 1909. S. 22—29.

Haller, B. Phyletische Stellung der Großhirnrinde der Insektivoren. Jenaische Zeitschr. f. Naturwiss. 45 1909. Heft 2.

Leche, W. Zur Frage nach der stammesgeschichtlichen Bedeutung des Milchgebisses bei den Säugetieren. 1. Mitt. Zool. Jahrb. Abt. f. Syst. **28.** S. 449—456.

Poulton, E. B. Mimicry in the butterflies of North America. Ann. Ent. Soc. of Amer. 2 1909. S. 203—242.

Roth, W. Studien über konvergente Formbildung an den Extremitäten schwimmender Insekten. II. Coleopteren. Internat. Rev. geš. Hydrobiol. u. Hydrographie 2 1909. H. 4 u. 5

Ssinitzin, D. Th. Studien über die Phylogenie der Trematoden. 1. Bucephalus v. Baer und Cercaria ocellata De la Vall. Zeitschr. wiss. Zool. **94** 1909. S. 299—355.

Wasmann, E. Über das Wesen und den Ursprung der Symphilie. Biolog. Centralbl. **30** 1910. S. 97—102, 129—138, 161—181.

13. Experimentelle Untersuchungen und Beobachtungen über Vererbung, Bastardierung und Mutationen.

Bordage, E. Mutation et régéneration hypotypique chez certains Atyidés. Bull. scientif. (7) **43** 1909.

Castle, W. E. and **Little, C. C.** The peculiar inheritance of pink eyes among colored mice. Science N. S. **30** 1909. S. 313—314.

Castle, W. E. and **Phillips, J. C.** A successful ovarian transplantation in the guinea-pig, and its bearing on problems of genetics. Science N. S. **30** 1909. S. 312—313.

Conte, M. A. Annomalies et varations spontanées chez des oiseaux domestiques. C. R. Ac. Sc. Paris **150** 1910. S. 187—189.

Crellitzer. Zur Methodik der Untersuchung auf Vererbung geistiger Eigenschaften. Zeitschr. f. angewandte Psychologie **3** H. 3 u. 4. S. 216—229.

Frets. Über die Varietäten, die Wirbelsäule und ihrer Erblichkeit. Verhandl. anat. Gesellsch. 23. Vers. Gießen 1909. Anat. Anz. Ergänzungsh. z. Band 34. S. 105—140.

Guyer, M. F. Atavism in guinea-chicken hybrids. Jour. Exp. Zoology. **7** 1909. S. 723—745.

Hase, A. Über die deutschen Süßwasser-Polypen Hydra fusca L., Hydra grisea L. und Hydra viridis L. Eine biologische Vorarbeit, zugleich ein Beitrag zur Vererbungslehre (mit 10 Figuren). Arch. Rass. u. Ges. Biologie **6** 1909. S. 721—753.

Holmes, S. J. and **Loomis, H. M.** The heredity of eye color and hair color in man. Biol. Bul. **18** 1909. S. 50—65.

Kuttner, O. Untersuchungen über Fortpflanzungsverhältnisse und Vererbung bei Cladoceren. Intern. Rev. ges. Hydrobiol. u. Hydrographie. 2 H. 4 und 5. 1909.

Lang, A. Über alternative Vererbung bei Hunden. Zeitschr. indukt. Abstammungs- u. Vererbungslehre III. 1910. S. 1—33.

Mc Cracken, Isabel. Heredity of the race-character univoltinism and bivoltinism in the silk-worm (Bombyx mori). Jour. Exp. Zoology. **7** 1909. S. 747—764.

de Meijere, J. C. H. Über Jacobsons Züchtungsversuche bezüglich des Polymorphismus von Papilio Memnon L. ♀ und über die Vererbung sekundärer Geschlechtsmerkmale. (Mit Tafel 3.) Ztschr. i. Abst.- u. Vererbungslehre **3** 1910. S. 161—181.

Sollas, I. B. J. Inheritance of colour and of supernumerary mammae in Guinea-pigs, with a note on the occurrence of a dwarf form. Rep. Evolution Comm. Roy. Soc. 5 1909. S. 51—79, 1 Taf.

Tennent, D. H. The dominance of maternal or of paternal characters in Echinoderm hybrids. 2 Fig. i. T. Arch. Entwicklungsmech. 29 1910. S. 1—14.

14. Modifizierung von Form und Bau durch Außeneinflüsse. In das Gebiet einschlagende Arbeiten über Entwicklungsmechanik. Variationsgesetze. Variationsstatistiken. Vererbung erworbener Eigenschaften.

Bachmetjew, P. Analytisch-statistische Untersuchungen über die Anzahl der Flügelhaken bei Bienen. Zeitschr. wiss. Zool. 99 1909. Heft 1.

Bluntschli. Beiträge zur Kenntnis der Variation beim Menschen. 1. Aufgabe und Bedeutung einer vergleichenden Variationsforschung. 2. Variationsbilder aus der subkutanen Muskulatur des Kopfes und Halses. Morphol. Jahrb. 40 H. 2/3 1909. S. 195—261.

Conte, M. A. Anomalies et variations spontanées chez les oiseaux domestiques. C. R. Acad. sc. Paris 150 1910. p. 187—189.

Daniel. Adaptation and immunity of lower organisms to Ethyl Alcohol. Journ. exper. Zool. 6 No. 4 1909.

Delcourt, A. Sur la variabilité du genre Notonecta. Bull. scientif. (7) 43 1909.

Goeppert, E. Über die Entwicklung von Varietäten im Arteriensystem. Untersuchungen an den Vordergliedmaßen der weißen Maus. Morph. Jahrb. 1909.

Levi. Le variazioni delle arterie surrenali e renali studiate col metodo statistico seriale. Arch. ital. di Aanat. e di Embr. 8 fasc. 1 1909.

Reiff, W. Contributions to experimental entomology. I. Junonia coenia Hübn. II. Two cases of anabioses in Arctias. Journ. exp. zool. 6 No. 4 1909.

Sumner, Francis B. The reappearance in the offspring of artificially produced parental modifications. Amer. Nat. 44 1910. S. 5—18.

15. Vererbung und Bestimmung des Geschlechtes.

Boveri, Th. Über Beziehungen des Chromatins zur Geschlechtsbestimmung. Sitz. Ber. Phys. Med. Gesellsch. Würzburg 1908/09. 10 S.

Doncaster, L. Gametogenesis of the Gall-fly, Neuroterus lenticularis (Spathegaster baccarum). Proc. Roy. Soc. B. vol. 82, 1910. S. 88 bis 113, 3 Taf.

Gutherz, S. Wird die Annahme einer Beziehung zwischen Heterochromosomen und Geschlechtsbestimmung durch das Studium der Gryllus-Oogenese widerlegt? Stzgsber. Ges. naturf. Freunde zu Berlin 1909. S. 565 bis 575, 6 Fig. i. T.

Hurst, C. C. Mendelism and sex. The Mendel Journ. I 1909. S. 125—158.

Mc Clendon, J. F. On artificial parthenogenesis of the sea urchin egg. Science N. S. 30 1909. S. 454—455.

Poll, H. Zur Lehre von den sekundären Sexualcharakteren. 2 Taf. 4 Fig. i. T. Stzgsber. Ges. Naturf. Freunde zu Berlin 1909. No. 6 S. 331—352.

Schoener, O. Bestimmung des Geschlechts am menschlichen Ei vor der Befruchtung und während der Schwangerschaft. Beitr. z. Geburtshilfe u. Gynäkologie 14 1909. Heft 3.

Shull, A. F. Do parthenogenetic eggs of Hymenoptera produce only males? The Americ. Naturalist 44 1910. S. 127—128.

Weinberg, W. Zur Frage der Vorausbestimmung des Geschlechts beim Menschen. Beitr. z. Geburtshilfe und Gynäkologie 15 1910. 8 S.

16. Cytologisches. Vererbungsträger. Sterilität bei Bastarden.

Fick, R. Bemerkung zu Boveris Aufsatz über die Blastomerenkerne von Ascaris und die Theorie der Chromosomen. Arch. f. Zellforschung 3 1909. S. 521—523.

Haecker, V. Ergebnisse und Ausblicke in der Keimzellenforschung. (5 Fig. i. T.) Ztschr. i. Abst.- u. Vererbungslehre 3 1910. S. 181—200.

Hart, D. Berry, The Structure of the Reproductive Organs in the Free-Martin, with a Theory of the Significance of the Abnormality. Proc. Roy. Soc. Edinburgh, 30 1910. S. 230—241, 2 Taf.

Popoff, M. Experimentelle Zellstudien. II. Über die Zellgröße, ihre Fixierung und Vererbung. Arch. f. Zellforschung 3 1909. H. 1 u. 2.

Růžička. Über Erbsubstanz und Vererbungsmechanik. — Sammelreferat. Zeitschr. f. allg. Physiol. 10 1909. S. 1—55.

17. Angewandte Vererbungs- und Bastardierungslehre. Vererbungslehre in der Medizin und Soziologie.

Abramowski. Zur Erblichkeitsfrage der Phthisis. Zeitschr. f. Tuberculose. 15.

Berze, J. Die manisch-depressive Familie H. Beitrag zur Hereditätslehre. Monatsbl. Psychiatrie u. Neurol. 26 1909. S. 276—288.

Bachofen, E. Typenvererbung im Halbblut. Frauenfeld 1909 8°. 47 S., 12 Abb.
— Schweizerische Landespferdezucht im Halbblut. Frauenfeld 1908. 90 S. 8°.

Brödermann. Allgemeine Züchtungsgrundsätze. Mittlgen der Landwirtschaftskammer f. d. Herzogtum Sachsen-Altenburg 1909 8 S. 2—6.

Bruce, A. B. Self-fertilisation and Loss of Vigour. Nature, Mar. 3., 1910.

Bunsow, R. Über Farbenvererbung in der Vollblutzucht. Sportwelt 1910 45.

Claasen, W. Der Rückgang der Stilltätigkeit der Frauen und seine Ursachen auf Grund der neuesten amtlichen Statistik. Arch. Rass. Ges. Biologie 6 1909. S. 798—802.

Cronelius, P. Der Tierkörper und die Scholle. 9. Flugschrift der Deutschen Gesellschaft für Züchtungskunde. Hannover 1909.

Dannemann. Der Kurs über Familienforschung und Vererbungslehre zu Gießen. Mitt. d. Zentralst. f. deutsche Personen- u. Familiengeschichte 1909, Heft 5.

v. Dungern. Über Nachweis und Vererbung biochemischer Strukturen und ihre forensische Bedeutung. Münchener med. Wochenschr. 57 1910. S. 293—296.

Hoffmann, L. Welche Züchtungsgrundsätze lassen sich aus den Einrichtungen zur Förderung der Tierzüchtung in England feststellen? Hannover 1909. Arbeiten der Deutschen Gesellschaft für Züchtungskunde. Heft 4.

Jackmann, O. Der Einfluß der Mikroben auf die Entstehung der Menschenrassen. Arch. Rass. Ges. Biologie 6 1909. S. 754—797.

Kraemer, H. Lamarckismus u. Tierzucht. Mitt. der Deutschen Landwirtschafts-Gesellschaft 1910 7. S. 91—96.

Lang, A. Über alternative Vererbung bei Hunden (Taf. 2 u. 4 Fig. i. T.). Ztschr. i. Abst.- u. Vererbungslehre 3 1910. S. 1—33.

Lydtin u. Hermes. Der Reinzuchtbegriff u. seine Auslegung in deutschen und ausländischen Züchtèrvereinigungen. Arbeiten der deutschen Landwirtschaftsgesellschaft Heft 157 8⁰. 181 Seiten.

Mieckley, E. Über Württembergs Pferdezucht. Zeitschrift für Gestütskunde 1910, 2. Heft. S. 25—32.

Mushat. Angeborene familiäre Kontraktur des kleinen Fingers. Mediz. Klinik 5 Nr. 39 1909.

v. Natzmer. Über Kreuzungszucht. Illustrierte landw. Zeitung 1910 21. S. 198.

Nettleship, E. On some hereditary diseases of the eye. Trans. Ophthal. Soc. 29 1909. S. LVII—CXCVIII.

— Seven new pedigrees of hereditary cataract. Trans. Ophthal. Soc. 29 1909. S. 188—211.

Oettingen, B. v. Horse breeding in theory and praxis. London 1909.

Pöhlmann, A. Danersche Erkrankung in drei Generationen. Arch. für. Dermatol. u. Syphilis, 47 H. 2 u. 3.

Rossmeisl, J. Untersuchungen über die Milch kastrierter Kühe. Biochemische Zeitschrift 1909, Bd. 16, Heft 2 u. 3. S. 164—181.

Voss. Ein Beitrag zur Frage der hereditären familiären spastischen Spinalparalyse. Neurolog. Centralbl. 1909. No. 10.

Whetham, W. C. D. and C. D. The family and the nation: A study in natural inheritance and social responsibility. London 1909 8⁰ VII, S. 233.

IV. Paläontologische Literatur.

18. Allgemeines.

Blytt, A. (Theorie von der Einwanderung der norwegischen Flora unter einem Wechsel trockener und feuchter Perioden) (Norwegisch). Bergens Museums Aarbog. 1909. 18 S.

Dall, W. H. Conditions governing the evolution and distribution of Tertiary Faunas. Journ. of Geol. 17 1909. S. 493—502.

Jaekel, O. Entgegnung an Herrn G. Steinmann. Centralbl. f. Min. etc. 1909. S. 706—709.

Leuthardt, F. Sur les colonies d'animaux fossiles et leur transformation dans un laps de temps très court. Arch. Sci. phys. nat. Genève. 26 1908. S. 554—555.

Shimer, H. W. Dwarf faunas. Am. Naturalist 42 1908. S. 472—490.

Tietze, E. Eine Bemerkung zu Steinmanns Grundlagen der Abstammungslehre. Verh. k. k. geol. Reichsanst. Wien 1909. S. 331—337.

Walcott, C. D. Evolution of early paleozoic faunas to their environment, III. Journ. of Geol. 17 1909. S. 193—202.

19. Faunen.

Arnold, R. Environment of the Tertiary Faunas of the Pacific Coast of the United States. Journ. of Geol. **17** 1909. S. 509—533.

Bassler, R. S. The Nettelroth Collection of Invertebrate Fossils. Smith. Misc. Coll. **52** 1909. S. 121—152, Taf. 9—11.

Beutler, K. Über Foraminiferen aus dem jungtertiären Globigerinenmergel von Bahna im Distrikt Mehediuti (rumänische Karpathen). Neues Jahrb. f. Min. etc. 1909 II. S. 140—162. Taf. 18.

Bogatchew, V. Faunes pliocènes d'eau douce de la Sibérie occidentale. Bull. Com. géol. Russie **27**. Petersburg 1908. S. 259—296.

Böhm, J. u. **Heim, Arn.** Neue Untersuchungen über die Senonbildungen der östlichen Schweizeralpen. Abh. schweizer pal. Gesellsch. **36** 1909. S. 1—61, Taf. 1 u. 2.

Campana, D. del. Fossili della Dolomia principale della valle del Brenta. Bull. Soc. geol. ital. **26** 1908. S. 465—494. 1 Taf.

Degrange-Touzin. Liste complémentaire de fossiles recueillis dans les environs d'Orthez. (Basses Pyrénées.) Actes Soc. Lin. Bordeaux **62**. 1908. S. 47—50.

Dohm. Mitteilungen über eine neue Fundstelle unterdevonischer Versteinerungen im Kreise Daun. Verh. naturh. Ver. Rheinl. u. Westf. **66** 1909. S. 153—164.

Girty, H. The fauna of the Caney shale of Oklahoma. Bull. U. S. Geol. Surv. 377 Washington 1909. S. 1—75, Taf. 1—13.

Kittl, E. Beiträge zur Kenntnis der Triasbildungen der nordöstlichen Dobrudscha. Denksch. Akad. Wien **81** 1908. S. 447—532, 3 Taf.

Krause, P. G. Über Diluvium, Tertiär, Kreide und Jura in der Heilsberger Tiefbohrung. Jahrb. kgl. preuß. geol. Landesanst. **29**, I, 1908. S. 185—326, Taf. 3—8.

Lee, G. W. Notes on fossils from Prince Charles Foreland. Proc. R. Physic. Soc. Edinburgh **17** 1908.

Malling, C. u. **Grønwall, K. A.** En Fauna i Bornholm Lias. (Dänisch mit franz. Resumé.) Medd. fra Dansk geol. For. **3** 1909. S. 271—314, Taf. 10 u. 11.

Nowak, J. Gliederung der oberen Kreide in der Umgebung von Halicz. Bull. Ac. Sci. Cracovie, Classe Sci. math. et nat. 1909. S. 871—877. Taf. 46.

Parona, C. F., Crema, C. e **Prever, P. L.** La Fauna coralligena del Cretaceo dei Monti d'Ocre nell' Abruzzo Aquilano. Mem. p. s. alla desc. della carta geol. d'Italia **5** 1909. S. 1—242, t. 1—28.

Principi, P. Studio geologico del Monte Malbe e del Monte Tezio. Boll. Soc. geol. ital. **27** 1908. S. 159—224. 2 Taf.

Reed, F. R. C. The Devonian faunas of the northern Shan States. Mem. Geol. Surv. India, Paleont. Indica n. ser. **2** 1908. 183 S., 20 Taf.

Reis, O. M. Die Binnenfauna der Fischschiefer in Transbaikalien. Recherches géologiques et minières le long du chemin de fer de Sibérie. Livr. 29. St. Petersburg 1909. 68 S., 5 Taf.

Simionescu, J. u. **Theodorescu, V.** Note préliminaire sur une faune pontique de Moldavie. Ann. Sci. de l'Univ. de Jassy 1909. 3 S.

Sommer, K. Die Fauna des Culms von Königsberg bei Gießen. N. J. f. Min., Beilbd. 28 1909. S. 611—660, Taf. 27—30.

Stanton, F. W. Succession and distribution of later Mesozoic Invertebrate Faunas in North America. Journ. of Geol. 17 1909. S. 410—423.

Toniolo, A. R. L'Eocene dei dintorni di Rozzo in Istria e la sua fauna. Palaeontogr. Italica. 15 1909. S. 237—295, Taf. 24—26.

Torley, K. Die Fauna des Scheddenhofes bei Iserlohn. Abh. k. preuß. geol. Landesanstalt 53 1908. 56 S., 10 Taf.

Toula, F. Die jungtertiäre Fauna von Gatun am Panamakanal und die von Emil Böse beschriebene Pliocänfauna Südmexikos (Isthmus von Tehuantepec und Tuxtepec). Verh. k. k. geol. Reichsanstalt 1909. S. 159—161.

Vinassa de Regny, P. Fossili dei Monti di Lodin. Paleontogr. italica 14 1908. S. 171—190, Taf. 21.

Wilckens, R. Paläontologische Untersuchungen triadischer Faunen aus der Umgebung von Predazzo in Südtirol. Verh. naturh. mediz. Ver. Heidelberg (N. F.) 10 1909. S. 81—231, Taf. 4.

Yabe, H. Zur Stratigraphie und Paläontologie der oberen Kreide von Hokkaido und Sachalin. Ztsch. deutsch-geol. Ges. 61 1909. S. 402 bis 444.

20. Protozoen.

a) Foraminiferen.

Boussac, T. Valeur stratigraphique de Nummulites laevigatus. Bull. Soc. géol. France (4) 8 1908. S. 100—101.

Checchia-Rispoli, G. Nuova contribuzione alla conoscenza delle Alveoline eoceniche della Sicilia. Palaeontogr. Ital. 15 1909. S. 59—70, Taf. III.

Checchia-Rispoli, G. e Gemmellaro, M. Seconda nota sulle Orbitoidi del sistema cretaceo della Sicilia. Giorn. Sci. nat ed Econ. Palermo 27 1909. S. 158—174.

Degrange-Touzin. Notes sur les nummulites du sud-ouest de la France. Actes Soc. Lin. Bordeaux 62 1908. S. 343—353.

Douvillé, H. Sur quelques gisements à Nummulites de l'Est de l'Europe. Bull. Soc. géol. France (4) 8 1908. S. 266—267.

— Rectifications à la nomenclature de quelques Nummulites. Bull. Soc. géol. France (4) 8 1908. S. 267—268.

Douvillé, R. Sur des Foraminifères oligocènes et miocènes de Madagascar. Bull. Soc. géol. France (4) 8 1908. S. 321—323.

— Observations à propos de la note de M. Rovereto „sur le Stampien des Environs de Varazze". Bull. Soc. géol. France (4) 8 1908. S. 271.

Fabiani, R. Nuovi giacimenti a Lepidocyclina elephantina nel Vicentino e Osservazioni sui cosidetti Strati di Schio. Atti R. Ist. Veneto Sci. Lett. et Arti 68 1908/09. S. 821—828.

Fornasini, C. Revisione delle Lagene reticolate fossili in Italia. Rendic. Acc. Sci. Bologna (n. ser.) 18 1909, Classe Sci. fis. S. 3—8, 1 Taf.

Heron-Allen, E. and Earland, A. On Cycloloculina, a new Generic type of the Foraminifera. Journ. R. Micr. Soc. 1908. S. 528—543, Taf. 12.

Osimo, G. Studio critico sul Genere Alveolina d'Orb. Palaeont. Ital. **15** 1909. S. **71—100**, Taf. 4—7.

Provale, J. Di alcune Nummulitine e Orbitoidine dell'isola di Borneo. II. Riv. ital. di Paleont. **15** 1909. S. 65—96, Taf. 2 u. 3.

Rovereto, G. Sur le Stampien à Lepidocyclines des environs de Varazze. Bull. Soc. géol. France (4) **8** 1908. S. 271.

Spandel, E. Der Rupelton des Mainzer Beckens, seine Abteilungen und deren Foraminiferenfauna. Ber. Offenbacher Ver. f. Naturkunde 1909. S. 59—230, 2 Taf.

Staff, H. v. Beiträge zur Kenntnis der Fusuliniden. N. J. f. Min. Beilage. Bd. **27** 1909. 48 S., Taf. 7 u. 8.

b) Radiolarien.

Carnevale, P. Radiolarie e silicoflagellati di Bergonzano (Reggio Emilia) Mem. R. Ist. Veneto di Sci., Lett. e Arti. **28** 1908. S. 1—46, Taf. 1—4.

Principi, P. Contributo allo studio dei Radiolari miocenici italiani. Boll. Soc. geol. ital. **28** 1909. S. 1—22, 1 Taf.

21. Coelenteraten.

Gerth, H. Ächte und falsche Hydrozoen aus Niederländisch-Indien. Sitzgsber. Niederrh. Ges. Natur- u. Heilk. Bonn. 9 S.

Giattini, G. B. „Manzonia aprutina", nuova esattinellide del Miocene medio di S. Valentino (Chieti). Rivista ital. di Paleont. **15** 1909. S. 57—64, Taf. 1.

Parks, W. A. Notes on silurian Stromatoporoids from Hudson's Bay. Ottawa Naturalist **22** 1908. S. 25—29.

Yabe, H. Bemerkungen über die Gattung Raphidiopora Nicholson u. Foord. Centralbl. f. Min. etc. 1910. S. 4—10.

22. Echinodermen.

Airaghi, C. Di alcuni Echinidi miocenici del gruppo del M. Majella. Att. Soc. ital. Sci. Nat. Pavia **47** 1909. 6 S., 1 Taf.

Bather, F. A. Common Crinoids names. Ann. Mag. Nat. Hist. (8) **4** 1909. 6 S.

Blayac, J. Note sur le Crétacé supérieur du bassin de la Seybouse. C. Rend. Ac. Sci. Paris 1909, März. 3 S.

Clark, A. H. The Origin of the Crinoidal Muscular Articulations. Am. Journ. Sci. (4) **29** 1910. S. 40—44.

Fourtau, R. Note sur les Echinides fossiles recueillis par M. Teilhard de Chardin dans l'Eocène des environs de Minieh. Bull. Inst. Egypt. (5) **2** 1909. S. 122, 2 Taf.

Gregory, W. The name Archaeocidaris. Ann. Mag. Nat. His. (8) **1** 1908. S. 208, 1 Taf.

Lambert, J. Révision de quelques Cidaridae de la Craie. Bull. Soc. Sci. hist. et nat. Yonne 1908. 63 S., 1 Taf.

— Observation à l'occasion de l'étude de quelques Echinides de l'Ardèche et du Gard. Ann. Soc. Lin. Lyon **56** 1909. S. 93, 6 Taf.

Lambert, J. Les formes-inférieures dé là vie dans les faluns de la Touraine. Feuille jeunes natural. (4) **38** 1908. 8 S., 5 Taf.

Lambert, J. et **Thiery, P.** Notes échinologiques. Langres 1909. 3 Teile **28**, 10 u. 17 S., 1 Taf.

Lemoine, P. Sur la présence d'Astéries dans le Portlandien supérieur du pays de Bray. Bull. Soc. Amis Sci. nat. Rouen, 1908. 3 S., 1 Taf.

— Sur l'existence de la craie marneuse aux environs de Foucarmont. C. Rend. Ac. Sci. Páris 1909. 24. Mai. 2 S.

Loriol, P. de. Notes sur quelques Stellérides du Santonien d'Abou-Roach. Bull. Instit. Egyptien (5) **2** 1909. S. 169, 3 Taf.

Lovisato, D. Clypeaster Pillai Lov. Palaeont. Ital. **15** 1909. S. 297—302, Taf. 27.

Pack, W. Notes on Echinoids from the Tertiary of California. Bull. Dep. Geol. Calif. **5** 1909. S. 275, 2 Taf.

Parks, W. A. Notes on the Ophiurian genus Protaster, with description on a new species. Trans. Canad. Inst. **8** 1908. S. 363—372, 1 Taf.

— On an occurrence of Hybocystis in Ontario. Ottawa Naturalist **21** 1908. S. 232—236, 1 Taf.

Rollier, L. Les Oursins du Chasseral. Le Rameau de Sapin. Neuchâtel **42** 1908. No. 7. 1 Taf.

Schöndorf, Fr. Die fossilen Seesterne Nassaus. Jahrb. nass. Ver. f. Naturk. **62.** Wiesbaden 1909. S. 7—46, Taf. 2—5.

— Organisation und Aufbau der Armwirbel von Onychaster. Jahrb. nass. Ver. f. Naturk. **62.** Wiesbaden 1909. S. 47—63, Taf. 6.

— Die Asteriden des russischen Karbon. Palaeontogr. **56** 1909. S. 323 bis 338, Taf. 23, 24.

— Paläozoische Seesterne Deutschlands. II. Die Aspidosomatiden des dtsch. Unterdevon. Palaeontographica **57** 1910. S. 1—66, Taf. 1—3.

Springer, F. u. **Slocum, A.** Hypsocrinus, a new genus of Crinoids from the Devonian. Public. Field Columbian Mus. Geol. Ser. **2.** S. 267 bis 271, 1 Taf.

Stefanini, G. Echinidi del Miocene medio dell' Emilia pt. II. Palaeont. Ital. **15** 1909. S. 1—57, Taf. 1 u. 2.

Weller, St. Description of a permian Crinoid fauna from Texas. Journ. of Geol. **17** 1909. S. 623—635, 1 Taf.

Wood, E. A critical summary of Troost's unpublished manuskript on the crinoids of Tennessee. U. S. Nat. Mus. Publ. **64** 1909. 150 S., 15 Taf.

23. Bryozoen.

Brydone, R. M. Notes on new or imperfectly known Chalk Polyzoa. II. Geol. Mag. (5) **7** 1910. S. 4—5, Taf. 3.

— New Chalk Polyzoa. Geol. Mag. (5) **7** 1910. S. 76—77, Taf. 8.

Canu, F. Iconographie des Bryozoaires fossiles de l'Argentine. An. Mus. nac. Buenos Aires **17.** S. 245—341, 13 Taf.

24. Brachiopoden.

Douvillé, H. Sur quelques Brachiopodes à test perforé: Syringothyris du Sud Oranais, Spiriferella de la Steppe des Kirghises et Derbya du Salt Range. Bull. Soc. géol. France (4) **9** 1909. S. 144—157. Taf. 4 u. 5.

Greger, D. K. Some rare and imperfectly known Brachiopods from the Mississippian. Am. Journ. Sci. (4) **29** 1910. S. 71—75.

25. Mollusken.

Buckman, S. S. Certain jurassic (inferior Oolite) Ammonnites and Brachiopoda. Geol. Soc. London. Nov. 1909.

Cerulli-Irelli, S. Fauna malacologica mariana. pte IIIᵉ append. Palaeont. Ital. **15** 1909. S. 125—213, Taf. 13—23.

Galdieri, A. Sul trias dei dintorni di Giffoni. Atti dell Acc. Pontaniana **38** 1908, 123 S., 3 Taf.

Horusitzy, H. Neuere Beiträge zur Kenntnis des Lösses u. d. diluvialen Molluskenfauna. Földt. Közl. **34.** Budapest 1909. S. 195—204.

Ihering, H. v. Mollusques du Pampéen de Mar del Plata et Chapalmaláu. An. Mus. Nac. Buenos Aires **17** 1908. S. 429—438.

— Nouvelles recherches sur la formation magellanienne. An. Mus. Nac. Buenos Aires **19** 1909. S. 27—43.

Kranz, W. Das Tertiär zwischen Castelgomberto, Montecchio Maggiore, Creazzo und Monteviale im Vicentin. N. J. f. M. Beil.-B. **29** 1910. S. 180—268, Taf. 4—6, 1 K.

Newton, R. B. Notes on some upper Palaeozoic shells from Madagascar. Ann. Mag. Nat. Hist. (8) **5** 1910. S. 6—10, Taf. 1, Fig 6—11.

Scalia, S. Il gruppo del Monte Judica. Boll. Soc. geol. Ital. **28** 1909. S. 269—340, Taf. 8 u. 9.

Thévenin, A. Types du Prodrome de paléontologie de d'Orbigny. Ann. de Paléont. .4 1909. S. 65—80 u. 153—164, Taf. 16—19.

a) Lamellibranchiaten.

Bogatchew, V. Unionides du miocène supérieur du Caucase. Bull. Com. géol. Russie **27** 1908. S. 237—255. Taf. 4.

Borissjak, A. Über die Embryonalschalen der Pelecypoden aus den Spaniodontschichten im Kaukasus. (Russisch u. Deutsch.) Annuaire géol. et min. d. l. Russie **12** 1909. S. 38—40 Russ., 40—42 deutsch.

— Pseudomonotis ochotica Tell. (Russisch mit deutschem Resumé.) Bull. Com. géologique Russ. **28** 1909. S. 87—97 Russ., 97—101 Deutsch, Taf. 4.

Jackson, J. W. On some fossil Pearl-Growth. Proc. Malacol. Soc. London **8** 1909. S. 318—320, Taf. 14.

Martin, K. Die Fossilien von Java auf Grund einer Sammlung von Verbeek u. anderen. Sammlungen des geol. Reichsmuseums Leiden. N. Folge. **1** 1909. S. 333—356. Taf. 46—50.

Parona, C. F. Radiolites liratus (Conz.) e Apricardia Noetlingi (Blanck.) nel Cretaceo Superiore della Siria. Atti R. Acad. Sc. Torino **44** 1908 bis 1909. S. 1—7, Taf. 1.

Rogala, W. Über einige Lamellibranchen aus dem Lemberg-Nagorzanyer Senon. Bull. Ac. Sci. Cracovie, Class. Sci. math. et nat. 1909. S. 689 bis 702, Taf. 28.

Sokolow, D. N. Über die ältesten Aucellen. Bull. Com. géol. Russie. **27** 1908. S. 383—388.

Woods, H. A Monograph of the Cretaceous Lamellibranchia of England vol. II, pt. VI. Pal. Society **63** 1909. S. 217—260, Taf. 35—44.

b) Gastropoden.

Bellini, R. Revisione delle Dentaliidae dei terreni terziari e quaternari d'Italia. Palaeontogr. Italica **15** 1909. S. 215—235.

Boury, E. de. Catalogue des Sous-genres de Scalidae. Journ. Conch. Paris **57** 1909. S. 255—258.

Brösamlen, R. Beitrag zur Kenntnis der Gastropoden des schwäbischen Jura. Palaeontogr. **56** 1909. S. 177—321, Taf. 17—22.

Dollfus, G. F. Essai sur l'Etage Aquitanien. (Helix Ramondi, Melania Escheri.) Bull. serv. carte géol. France **19** 1909. No. 124. S. 80—116, Taf. 1—4.

Jackson, I. W. On the Type-specimen of Pseudomelania vittata (Phil.). Geol. Mag. (5) **6** 1909. S. 542—543.

Kormos, Th. Zwei Gastropoden aus dem ungarischen Pleistozän. Földt-Közl. **34** 1909. S. 95—98.

— Campylaea banatica (Partsch) Rm. u. Melanella Holandri Fer. im Pleistozän Ungarns. Földt-Közl. **34** 1909. S. 204—209.

Maillieux, E. Quelques observations sur la Kochia capuliformis Koch sp. du Dévonien inférieur. Bull. Soc. belge de géol. **23** 1909. S. 348—353.

Menzel, H. Über das Vorkommen der Weinbergschnecke (Helix pomatia L.) in Deutschland. Naturw. Wochenschr. N. F. **8** 1909. S. 554—555.

Neuenhaus, H. Über eine neue Helicide, Archaeoxesta pelecystoma, sowie einige Funde aus den Diluvialsanden von Biebrich. Jahrb. nass. Ver. f. Naturk. **62** Wiesbaden 1909. S. 64—67.

Rollier, L. Les nérinées du Crêt de l'Anneau. Le Rameau de Sapin. Neuchâtel **42** 1908. No. 11, 3 Taf.

Smith, B. Note on the Morphology of Fulgur. Proc. Acad. Nat. Sci. Philadelphia 1909. S. 369—372.

Thies, O. Über das Vorkommen von Helicodonta pomatia L. im Diluvium und Alluvium Norddeutschlands. Centralbl. f. Min. 1910. S. 52.

c) Cephalopoden.

Benecke, E. W. Über Belemnites latesulcatus u. Pronoella lotharingica. Centralbl. f. Min. etc. 1910. S. 129—133.

Buckman, G. S. Yorkshire Type Ammonites pt. I. London, W. Wesley & Son. p. I—XII, i—ii, 12 pl. & descript. No. 1—8.

Kilian, W. Un nouvel exemple de phénomènes de convergence chez les Ammonitidés; sur les origines du groupe de l'Ammonites bicurvatus Mich. (sousgenre Saynella Kil.) Compt. Rend. Ac. Sci. Paris **150** 1910. S. 150—152.

Koch, F. Beiträge zur Kenntnis der Gattung Tmaegoceras. Földt-Közl. **34** 1909. S. 308—313.

Till, A. Neues Material zur Ammonitenfauna des Kelloway von Villany (Ungarn). Verh. k. k. geol. Reichsanst. 1909. S. 191—195.

Whiteaves, I. F. Description of a new species of ammonites (Stepheoceras) from some rocks of presumably jurassic age in the Nicola Valley, Brit. Col. The Ottawa Naturalist **23** 1909. S. 21—23, Taf. 1.

26. Würmer und Arthropoden.

Andrée, K. Neue Funde von Arthropleura armata Jordan. Centralbl. Min. etc. 1909. S. 753—755.

Bervoets, R. Un Aradide nouveau du Copal récent de Madagascar. Bull. Soc. Entom. France 1909. S. 280—281.

Chapman, F. On a new species of Leperditia from the Silurian of Yass, New South Wales. Proc. R. Soc. Victoria 22 1909. S. 1—5, Taf. 1, 2.

Cockerell, T. D. A. Descriptions of tertiary Insects. Amer. Journ. Sci. 28 1909.

— Two Fossil Chrysopidae. Canadian Entomol. 1909. S. 218—219.

— Eocene fossils from Green River, Wyoming. Am. Jour. Sic. 38 1909. S. 447—448.

Fuchs, Th. Über einige neuere Arbeiten zur Aufklärung der Natur der Alectoruriden. Mitt. geol. Ges. Wien 2 1909. S. 335—350.

Handlirsch, A. Zur Kenntnis frühjurassischer Copeognathen und Coniopterygiden. Zoolog. Anzeiger 35 1909. S. 233—240.

Jarosz, J. Fauna des Kohlenkalks in der Umgebung von Krakau. 1. Teil. Trilobiten. Bull. Intern. Acad. Sci. Cracovie 1909. S. 371—384, Taf. 11.

Meunier, F. Monographie der Leptiden und der Phoriden des Bernsteins. Jahrb. k. preuß. geol. Landesanst. 30 1909. S. 64—90, Taf. 3—7.

— Über einige Dipteren und eine Grabwespe (Hym.) aus der untermiocänen Braunkohle von Thurnich (Rheinpreußen). Jahrb. K. preuß. geol. Landesanst. 1909.

— Nouvelles Recherches sur les Insectes du Terrain Houiller de Commentry (Allier). Ann. de Paléont. (4) 4 1909. S. 125—152, Taf. 1—5.

Reis, O. M. Zur Fucoidenfrage. Jahrb. K. K. geol. Reichsanstalt 59 1909. S. 615—638, Taf. 17.

— Handlirschia Gelasii nov. gen. et spec. aus dem Schaumkalk Frankens. Abh. K. bayr. Ak. Wiss. Math. Phys. Kl. 23 1909. S. 661—694, 1 Taf.

Wickham, H. F. New Fossil Coleoptera from Florissant with notes on some already described. Am. Journ. Sci. (4) 29 1910. S. 47—51.

Woodward, H. The genus Hastimima from Brasil and the Cape. Geol. Mag. (5) 6 1909. S. 486—488.

27. Wirbeltiere.

Hay, O. P. On the restoration of skeletons of fossil vertebrates. Science N. S. 30 1909. S. 93—95.

Jaekel, O. Über die ältesten Gliedmaßen von Tetrapoden. Stzgsber. Ges. Naturf. Freunde zu Berlin 1909 No. 10. S. 587—615.

Williston, S. W. The faunal relations of the early Vertebrates. Journ. of Geol. 17 1909. S. 389—402.

28. Fische.

Bayer, F. Neue Reste von Portheus Cope (Xiphactinus Leidy) aus dem böhmischen Turon. Tschech. mit dtsch. Auszug. Bull. intern. Acad. Sci. de Bohême 14 1908. 6 S., 1 Taf.

Brunati, R. Sopra alcune ossa faringee fossili. Atti Soc. ital. sci. nat. 48 1909. S. 103—114.

Fraas, E. Chimäridenreste aus dem oberen Lias von Holzmaden. Jahresb. Verein vaterl. Naturk. Württemberg 1910. S. 55—63, Taf. 3.

Hay, O. P. On the nature of Edestus and related genera with description of one new genus and three new species. Proc. U. S. Nat. Mus. 37 1909. 37 S.

Smith, Burnett. On some dinichthyid armor plates from the Marcellus shale. Americ. Naturalist 43 1909. S. 588—597.

Traquair, R. H. The Ganoid Fishes of the British Carboniferous Formations, I, 4. Palaeoniscidae. Pal. Society 63 1909. S. 107—122, Taf. 24—30.

Woodward, A. S. On some remains of Pachycormus and Hypsocormus from the Jurassic of Normandy. Mém. Soc. Linn. Norm. 23 1908. S. 29—34, Taf. 3.

— The fossil Fishes of the English Chalk, V. Pal. Society 63 1909, S. 153—184, Taf. 33—38.

— On some Permocarboniferous fishes from Madagascar. Ann. Mag. Nat. Hist. (8) 5 1910. S. 1—6, Taf. 1, Fig. 1—5.

29. Amphibien und Reptilien.

Andrews, C. W. On some new Plesiosauria from the Oxford Clay of Peterborough. Ann. Mag. Nat. Hist. (8) 4 1909. S. 418—429.

Bogolubow, N. Sur les restes de Mosasauriens trouvés dans le gouvernement d'Orenbourg. Ann. géol. et min. Russie 12 1909.

Fucini, A. La Chelone Sismondai Port. del Pliocene di Orciano in provincia di Pisa. Palaeontogr. Italica. 15 1909. S. 101—123, Taf. 8—12.

Gilmore, Ch. W. A new rhynchocephalian reptile from the jurassic of Wyoming with notes on the fauna of "Quarry 9". Proc. U. S. Nat. Mus. 37 1909. 1 Taf.

Huene, F. v. Ein Beitrag zur Beurteilung der Sacralrippen. Anat. Anzeiger 33 1908. S. 378—381.

— Ein Beitrag zur Lösung der Präpubisfrage bei Dinosauriern u. anderen Reptilien. Anat. Anzeiger 33 1908. S. 401—405.

Jaekel, O. Über das System der Reptilien. Zoolog. Anzeiger 35 1910. S. 324—341.

Lull, R. S. Dinosaurian Distribution. Am. Journ. Sci. (4) 29 1910. S. 1 bis 39.

Moodie, R. L. Carboniferous air-breathing vertebrates of the U. St. Nat. Mus. Proc. U. S. Nat. Mus. 37 1909. S. 11—28, Taf. 4—10.

Schönfeld, G. Bericht über einen neuen Stegocephalenfund aus dem sächsischen Rotliegenden und die entwicklungsgeschichtl. Stellg. der Stegocephalen. Isis, Dresden 1909. S. 6.

Sternberg, Ch. H. An armoured dinosaur from the Kansas Chalk. Kansas Academy of Science 1909. S. 257—258.

Stremme, H. Wie ist Diplodocus richtig aufzustellen? Naturw. Wochenschr. N. Folge 8 1909. S. 796—799.

Tornier, G. Ernstes und Lustiges aus Kritiken über meine Diplodocus-Arbeit. Stzgsber. Ges. naturf. Freunde Berlin 1909. S. 505—535.

— War der Diplodocus elefantenfüßig? Ebenda S. 536—557.

316 Neue Literatur (Paläontologie).

Watson, D. M. S. Note on two new genera of Upper Liassic Plesiosaurs. 1 Taf., 6 Fig. i. T. Mem. Proc. Manchester Lit. Phil.-Soc. **54** 1910. S. 1—28.

Williston, S. W. New or little-known Permian Vertebrates. Trematops, n. g. Journ. of Geol. **17** 1909. S. 636—658.

— New or little-known Permian Vertebrates. Pariotichus. Biolog. Bulletin **17** 1909. S. 241—255.

— Diplocaulus. Trans. Kansas Acad. of Sci. 1910.

30. Vögel.

Miller, L. H. Pavo californicus, a fossil peacock from the quarternary asphalt beds of Rancho La Brea. Univ. of Calif. Public. Departm. of Geol. **5** 1909. S. 285—289.

— Teratornis, a new Avian genus from Rancho la Brea. Univ. of Calif. Publ. Dep. of Geol. **5** 1909. S. 305—317.

31. Säugetiere.

Andrews, C. W. The systematic position of Moeritherium. Nature. **81** 1909. S. 305.

Athanasiu, S. Contributiuni la studiul faunei tertiare de mamifere din România. 2. (Rumän. mit deutsch. Resumé.) Ann. Inst. Geol. Roman. **2** 1908. S. 379—434, 10 Taf.

Deninger, K. Über einen Affenkiefer aus den Kendengschichten von Java. Centralbl. f. Min. 1910. S. 1—3.

Douglass, Earl. A new species of Procamelus from the Upper Miocene of Montana, with notes upon Procamelus madisonius Douglass. Ann. Carneg. Mus. **5** 1909. S. 159—165, Taf. 9—11.

Gidley, J. W. Notes on the fossil mammalian genus Ptilodus with descriptions of new species. Proc. U. S. Nat. Museum **36** 1909. S. 611—626, Taf. 70.

Harlé, E. Faune de la grotte à Hyènes rayées de Furninha et d'autres grottes du Portugal. Bull. Soc. géol. France (4) **9** 1909. S. 85—99.

Hasse, G. Les morses du pliocène Poederlien à Anvers. Bull. Soc. belge de Géol. Pal. et Hydrol. **23** 1909. S. 293—320, Taf. 3—6.

— Un marsupial dans l'argile de Boom. Ann. Soc. Zool. et Malacol. Belgique **44** 1909. S. 77—78.

Hermann, R. Die Rehgehörne der geol.-pal. Sammlungen des Westpr. Provinzialmuseums. Schriften Naturf. Ges. Danzig. N. F. **12** 1909. S. 81—101, 1 Taf.

Hofmann, A. Säugetierreste aus einigen Braunkohlenablagerungen Bosniens und der Herzegowina. Wiss. Mitt. Bosniens u. Herzegow. **11** 1908. S. 558—571, 3 Taf.

Martin, K. Über Rangifer tarandus aus Niederland. Kon. Akad. Wetensch. Amsterdam. Versl. Verg. Wis- en Natuurk. Afd. 1909. S. 422 bis 432, Taf. 18.

Matthew, W. D. The Carnivora and Insectivora of the Bridger Basin, Middle Eocene. Mem. Am. Mus. Nat. Hist. **9** 1909. S. 291—559, Taf. 43—52.

Matthew, W. D. u. **Cook, H. J.** A Pliocene fauna from western Nebraska. Bull. Amer. Mus. Nat. Hist. **26** 1909. S. 361—414.

Meli, R. Rinvenimenti di denti fossili di elefante. Boll. Soc. geol. ital. **27** 1908. S. 432—434.

Merriam, J. C. The skull and dentition of an extinct cat closely allied to Felis atrox Leidy. Univ. Calif. Publ. Dep. of. Geol. **5** 1909. S. 291 bis 304, Taf. 26.

Nordenskjöld, E. Ein neuer Fundort für Säugetierfossilien in Peru. Arkiv for Zoologi **4** 1908. 22 S., 2 Taf.

Olcott, T. F. New species of Teleoceras from the Miocene of Nebraska. Am. Journ. Sci. **28** 1909. S. 403—404.

Osborn, H. F. New carnivorous mammals from the Fayum-Oligocene, Egypt. Bull. Am. Mus. N. Hist. **26** 1909. S. 415—424.

Peterson, O. A. A new genus of carnivorous from the Miocene of western Nebraska. Science 1909. S. 620—621.

— A revision of the Entelodontidae. Mem. Carneg. Mus. **4** 1909. S. 41—146. Taf. 54—62.

Regalia, E. Ancora sul Cammello della grotta di Zachito (Salerno). Archiv per l'Antrop. **38** 1908.

Reynolds, S. H. A Monograph of the British Pleistocene. Mammalia II, pt. III. The Canidae. Pal. Society **63** 1909 S. 1—28, Taf. 1—6.

Rutten, L. M. R. Die diluvialen Säugetiere der Niederlande. Berlin, Friedländer 1909. 116 S., 2 Taf., 2 Karten.

Schäfer, H. I. Über die pleistocäne Säugetierfauna und die Spuren des paläolithischen Menschen von Burgtonna i. Thür. Ztschr. dtsch. geol. Ges. **61** 1909. S. 445—469.

Scharff, R. F. On the Irish Horse and its early history. Proc. Roy. Irish Acad. **27** Sect. B. S. 81—86.

Stehlin, H. G. Anthracotherium aus dem marinen Sandstein von Vaubruz (K^{ton} Freiburg). Eclog. geol. Helvet. **10** 1909. S. 754—755.

True, F. W. Observations on living white whales (Delphinapterus leucas) with a note on the dentition of Delphinapterus and Stenodelphis. Smiths. Misc. Collect. **52** 1909. S. 325—330, 1 Taf.

— A new genus of fossil Cetaceans from Santa Cruz Territory, Patagonia, and description of a mandible and vertebrae of Prosqualodon. Smiths. Misc. Coll. **52** 1909. S. 441—455, 3 Taf.

Wegner, R. N. Ein überzähliger Prämolar beim Siamang. Zeitschr. f. Ethnologie 1908. S. 86—88.

Woodward, B. H. Extinct Marsupials of western Australia. Geol. Mag. (5) **6** 1909. S. 210—211.

32. Mensch.

Boule, M. L'homme fossile de la Chapelle-aux-Saints. (Corrèze) II. L'Anthropologie **20** 1909. S. 257—271.

Breuil, H. et **Obermaier H.** Crânes paléolithiques façonnés en coupes. L'Anthropologie **20** 1909. S. 523—530.

Capitan et· **Peyrony.** Deux squelettes humains au milieu de foyers de l'époque mousterienne. C. R. Ac. Inscript. et Bell. Lettr. Paris 1909 S. 797—806.

Czarnowski, G. S. Menschliche Maxilla u. Mandibulae aus den Höhlen der Gegend von Ojcow am linken Ufer des Pradnik. (Polnisch) Weltall Warschau 1909. 11 S.

Freudenberg, W. Spuren des paläolithischen Menschen in. der Pfalz. Ber. Oberrhein. geol. Vereins 1909. S. 64—65.

Gorjanovic-Kramberger, K. Die verwandtschaftlichen Beziehungen zwischen dem Homo Heidelbergensis aus Mauer u. dem Homo primigenius aus Krapina in Kroatien. Anatom. Anz. 35 1909. S. 359—364. Taf. 3.

— Über Homo Aurignacensis Hauseri. Verh. k. k. geol. Reichsanstalt Wien 1909. S. 302—303.

— Der Unterkiefer der Eskimos (Grönländer) als Träger primitiver Merkmale. Sitzgsber. pr. Ak. Wiss. 52 1909. S. 1282—1294, Taf. 15 u. 16.

Kormos, Th. Die Spuren des pleistozänen Urmenschen in Tata. Földt.- Közl 34 1909. S. 210—212.

Kriz, M. Die Schwedentischgrotte bei Ochoz in Mähren und Rzehaks Bericht über Homo primigenius Wilseri. Verh. k. k. geol. Reichsanst. Wien 1909. S. 217—233.

Lalanne, G. L'abri des carrières, dit "Abri Audi". Station de la fin de l'époque moustérienne aux Eyzies (Dordogne). Actes. Soc. Lin. Bordeaux 62 1908. S. 385—397, Taf. 17—25.

Lehmann-Nitsche, R. Homo sapiens und Homo neogaeus aus der argentinischen Pampasformation. Naturw. Wochenschr. N. F. 8 1909. S. 657—661.

Lull, R. S. Restoration of Paleolithic man. 1 Taf. · Americ. Journ. of Science. 4. Ser. 29 1910. S. 171—172.

Noetling, F. Die Känguruhspuren im Kalkstein von Warrnambool. Centralbl. f. Min. etc. 1910. S. 133—137.

Obermaier, H. Der diluviale Mensch in der Provinz Santander (Spanien). Prähist. Ztschr. 1909. S. 183—186.

— Ein neues Moustérienskelett. Prähist. Zeitschr. 1909. S. 187—188.

Pohlig, J. Der neueste und beste Fund des echten Neandertalmenschen. Neue Weltanschauung 1909. Heft 11.

Rutot, A. Sur l'âge probable du crâne d'Engis. Bull. Soc. belge de Géol. Pal. et Hydrol. 23 1909. S. 226—227.

— Sur la position réelle des squelettes de Spy. Bull. Soc. belge de Géol. Pal. et Hydrol. 23 1909. S. 235—239.

— Sur l'âge probable du squelette de Galley-Hill. Bull. Soc. belge de Géol. Pal. et Hydrol. 23 1909. S. 239—246.

— Coup d'oeil synthétique sur l'Epoque des cavernes. Bull. Soc. belge· Géol. Pal. et Hydrol. 23 1909. S. 247—292.

— L'homme primitif à Boncelles. 1909. 6 S.

Sasse, J. Twee nieuwe vondsten van Neandertal-Schedels. Tijdschr. v. Kgl. Aardrijkskund. Genootsch. (2) 26 1909. S. 636—639.

Schwalbe, G. Über Darwins Werk: Die Abstammung des Menschen. Ztschr. für Morphologie u. Anthrop. 12 1909. S. 441—472.

Senet, R. Los ascendientes del hombre segun Ameghino. Bol. Instruc. publ. **2** 1909. S. 7—52.

Werweke, L. van. Auf den Spuren des Menschen im Rheintal. Schutz dem fossilen Menschen. Mitteil. Philomath. Ges. Els.-Lothr. 1909. S. 175—183.

Wilser, L. Der Unterkiefer von Mauer. Ztschr. f. d. Ausbau der Entwicklungslehre **3**.

33. Pflanzen.

Arber, E. A. N. Recent progress in the study of british carboniferous plants. Science Progress 1909. S. 135—149.

Brockmann-Jerosch, H. u. M. Die fossilen Pflanzenreste des glazialen Delta bei Kaltbrunn (Kanton St. Gallen) und ihre Bedeutung für die Auffassung des Wesens der Eiszeit. Anhang: Tabellarische Zusammenstellung der fossilen Phanerogamenflora (nebst Characeen) der Dryastone und einiger verwandter Vorkommnisse. Jahrb. St. Gallischen Naturw. Gesellsch. 1909. 189 S., 1 Karte.

Cambier, R. et Renier, A. Observations sur le Pinacodendron, E. Weiss. C. Rend. Ac. Sc. Paris **149** 1909. S. 1167—1169.

Chapman, F. Report on jurassic plants. Records Geol. Survey Victoria **2** 1908. S. 212—220, Taf. 35—37.

Chaves, F. A. Gisements de Diatomées fossiles à Furnes (Ile de S. Miguel). Bull. Soc. portug. Sci. nat. Lisbonne **2** 1909. S. 231—255, 1 Taf.

Clerici, E. Diatomee della farina calcarea raccolta presso il lago di Avigliana. Boll. Soc. geol. Ital. **27** 1909. S. 163—164.

Cockerell, T. D. A. The miocene trees of the Rocky Mountains. The Americ. Naturalist. **44** 1910. S. 31—47.

— Eocene fossils from Green River, Wyoming. Am. Journ. Sci. **28** 1909, S. 447—448.

— Descriptions of Tertiary Plants III. Am. Journ. Sci. (4) **29** 1910. S. 76—78.

Fritel, P. Révision de la flore fossile des grès yprésiens du bassin de Paris. Journ. de Botanique **22** 1909. S. 86—91, 101—112.

Hilbert. Die Diluvialflora der Provinz Ost- und Westpreußen nebst einer Bemerkung über ältere Floren dieses Gebietes. Jahresber. preuß. botan. Vereins 1908. S. 4—9.

Jackson, W. Discovery of Archaeosigillaria Vanuxemi (Göppert) at Meathop Fell, Westmorland. Geol. Mag. (5) **7** 1910. S. 78—81.

Kubart, B. Untersuchungen über die Flora des Ostrau-Karwiner Kohlenbeckens. I. Die Sporen Spencerites membranaceus n. sp. Denkschr. Kais. Ak. Wissensch. Wien **85** 1909.

Lauby, A. Nouvelle méthode tecnique pour l'étude paléophytologique des formations sédimentaires anciennes. Bull. Soc. Bot. France 4. sér. **9** 1909. Memoires. 15. S. 1—110.

Lignier, O. Végétaux fossiles de Normandie 6. Flore jurassique de Mamers (Sarthe). Mém. Soc. Linn. de Norm. **24**. S. 1—47. Taf. 1 u. 2.

Lillie, D. G. Fossil Flora of Bristol coal-field. Geol. Mag. (5) **7** 1910. S. 58—67. Taf. 7.

Osborne, T. G. B. The lateral roots of Amyelon radicans and their my-corrhiza. Ann. of Botany 23 1909. S. 603—613.

Pelourde, F. Recherches comparatives sur la structure des Fougères fossiles et vivantes. Ann. scienc. nat. Botanique 10 1909. S. 115—148.

Potonié, H. Abbildungen und Beschreibungen fossiler Pflanzenreste. Lief. 6. Berlin 1909. N. 101—120.

Raciborski, M. (Rhizodendron in den senonen Mergeln der Umgebung von Lemberg.) (Polnisch.) Kosmos, Lemberg 1909.

Scott, D. H. and **Maslen, A. J.** On Mesoxylon, a new genus of Cordaitales. Preliminary note. Ann. Botany 24 1910. S. 236—239.

Seward, A. C. Fossil plants from the Witteberg Series of Cape Colony. Geol. Mag. (5) 6 1909. S. 482—485. Taf. 28.

Sinnoth, E. A. W. Paracedroxylon, a new type of araucarian wood. 2 Taf. Rhodora. 11 1909. S. 165—173.

Stopes, M. C. Studies on the structure and affinities of cretaceous plants. Geol. Mag. (5) 6 1909. S. 557—559.

Stopes M. C. and **Fuji, K.** Studies on the structure and affinities of cretaceous plants. (Abstract.) Ann. of Botany 24 1910. S. 231—252.

Tuzson, I. Zur phyletisch-palaeontologischen Entwicklungsgeschichte des Pflanzenreiches. Botan. Jahrbücher Systematik 43 1909. S. 461—473.

Waterschoot van der Gracht, W. A. I. M. van. Deeper Geology of the Netherlands and adjacent regions with special reference to the latest borings in the Netherlands, Belgium and Westphalia. With con-tributions on the fossil flora by W. I. Jongmans. Mitteil. Bohrverwalt. Niederlande. Amsterdam 1909. 8°, 11 Taf.

White, D. The upper Paleozoic Floras, their succession and range. Journ. of Geol. 17 1909. S. 320—341.

Wieland, G. R. The Williamsonias of the Mixteca alta. Botanic. Gazette 48 1909. S. 227—441.

Wuest, E. Sporen im Buntsandstein — die Makrosporen von Pleuromeia? Ztschr. f. Naturw. Halle 80 1908. S. 299—300.

34. Problematica.

Fuchs, Th. Über einige neuere Arbeiten zur Aufklärung der Natur der Alectoruriden. Mitteil. geol. Ges. Wien 3 1909. S. 335—350.

Karpinsky, A. P. Sur quelques fossiles problématiques du Japon. Bull. Acad. Imp. Sci. St. Petersburg 1909. S. 1045—1056, 1 Taf.

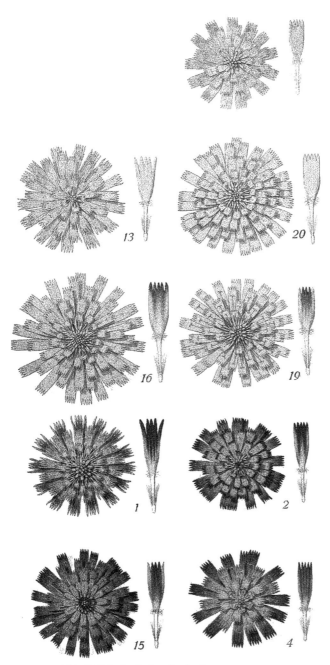

N. Halkjær lith. Sophus Kruckow Impr. Copenhagen.

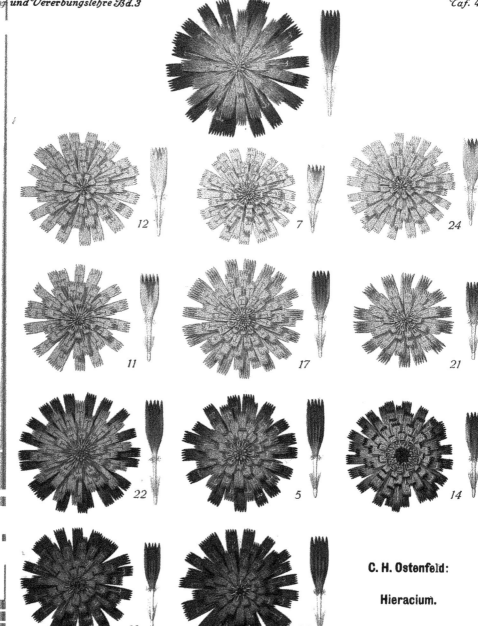

C. H. Ostenfeld:

Hieracium.

Verlag von Gebrüder Borntraeger in Berlin

W 35 Schöneberger Ufer 12a

TABULAE BOTANICAE

unter Mitwirkung von

A. J. Blakeslee (Cambridge, Mass.), A. Guilliermond (Lyon)

redigiert von

Privatdozent Dr. E. Baur (Berlin) und Dr. E. Jahn (Berlin).

Erschienen sind bereits:

Tafel I: Myxobacteriaceae. Entwicklung von Polyangium fuscum.

„ II: Fruchtkörper von Chondromyces und Myxococcus. Sporenbildung von Myxococcus.

„ III: Acrasieae. Dictyostelium.

„ IV: Sporangien und Plasmodien der Myxomyceten. Dictydium Trichia, Leocarpus.

„ V: Stoma. Rhoeo discolor.

„ VI und VII: Mucorineae. Mucor, Rhizopus.

„ VIII: Ustilagineae I. Ustilago Tragopogonis.

„ IX: Volvocaceae. Eudorina elegans.

„ X und XI: Phaeophyceae. Ectocarpus I und II.

Das Tafelwerk soll die gesamte Anatomie und Entwicklungsgeschichte der Pflanzen umfassen; besonders sollen auch die niederen Pflanzen mehr berücksichtigt werden.

In Farbendruck ausgeführt, haben die Tafeln ein Format von 150 : 100 cm. Jeder Tafel wird eine Erklärung in drei Sprachen beigegeben.

Die Tabulae Botanicae gelangen in Serien von je vier Tafeln zum Preise von 30 Mark pro Serie zur Ausgabe; einzeln bezogen erhöht sich der Preis auf 10 Mark pro Tafel. — Auch aufgezogen auf Leinwand mit Stäben sind die Tafeln zu haben; der Preis erhöht sich dann um 3 Mk. 50 Pfg. pro Tafel.

=== Weitere Tafeln sind in Vorbereitung. ===

Ausführliche Prospekte gratis und franko.

Zeitschrift für induktive Abstammungs- und Vererbungslehre

Inhaltsverzeichnis von Bd. III Heft 4

Die »Zeitschrift für induktive Abstammungs- und Vererbungslehre« erscheint
in zwanglosen Heften, von denen vier bis fünf einen Band von 25 Druckbogen
bilden. Der Preis des Bandes beträgt 20 Mark.

Manuskripte, zur Besprechung bestimmte Bücher und Separata, sowie alle
auf die Redaktion bezüglichen Anfragen und Mitteilungen sind an **Dr. E. Baur,
Berlin NW 7, Dorotheenstraße 5,** zu senden; alle geschäftlichen Mitteilungen an
die **Verlagsbuchhandlung Gebrüder Borntraeger in Berlin W 35, Schöneberger
Ufer 12 a.**

Die Mitarbeiter erhalten für Originalabhandlungen und kleinere Mitteilungen
ein Bogenhonorar von 32 Mk., für Referate 48 Mk., für Literaturlisten 64 Mk.

Die Abhandlungen und Kleineren Mitteilungen können in · deutscher,
englischer, französischer oder italienischer Sprache verfaßt sein. Referiert wird
im wesentlichen in deutscher Sprache.

Von den Abhandlungen werden den Autoren 50 Separata ohne besonderen
Titel auf dem Umschlag gratis geliefert. Werden weitere Sonderabzüge gewünscht,
so ist die Anzahl rechtzeitig, spätestens bei Rücksendung der ersten Korrektur,
zu bestellen. Die über 50 Expl. hinaus gewünschte Anzahl der Separata wird
mit 15 Pfg. für jeden Druckbogen berechnet. Ein besonderer Titel auf dem
Umschlag verursacht 4 Mk. Extrakosten. Etwa gewünschte Änderungen der
Paginierung werden besonders in Ansatz gebracht. Bei mehr als 50 Separata
gelangt stets ohne besonderen Auftrag ein Extra-Umschlag mit besonderem
Titel zur Verwendung.

ZEITSCHRIFT

FÜR

INDUKTIVE ABSTAMMUNGS-

UND

VERERBUNGSLEHRE

———

HERAUSGEGEBEN VON

C. CORRENS (MÜNSTER), **V. HAECKER** (HALLE), **G. STEINMANN** (BONN),
R. v. WETTSTEIN (WIEN)

REDIGIERT VON

E. BAUR (BERLIN)

———

BERLIN
VERLAG VON GEBRÜDER BORNTRAEGER
W 35 SCHÖNEBERGER UFER 12a
1910

Verlag von Gebrüder Borntraeger in Berlin

W 35 Schöneberger Ufer 12a

Monographia Uredinearum

seu specierum cognitarum omnium ad hunc usque diem des-
criptio et adumbratio systematica auctoribus **P. et H. Sydow.**
Volumen I: G e n u s P u c c i n i a. Cum XLV tabulis. Geheftet
75 Mark.
Volumen II — Fasciculus I: G e n u s U r o m y c e s. Cum V
tabulis. Geheftet 11 Mk. 25 Pf.

„ ... *Die Verfasser haben sich die grosse Aufgabe gestellt,
eine vollständige Darstellung der sämtlichen bis heute bekannten
Uredineen zu geben. Es wird den Verfassern die Anerkennung
nicht versagt werden, dass sie eine Arbeit in die Hand genommen
haben, die nicht nur den Uredineenforschern, sondern
allen Mykologen gute Dienste leisten wird.“*

Thesaurus litteraturae mycologicae et liche-nologicae

ratione habita praecipue omnium quae adhuc scripta sunt
de mycologia applicata quem congesserunt **G. Lindau** et
P. Sydow. 2 Volumina. A—Z. Geheftet 140 Mk.

Krankheiten des Flieders

von Professor **Dr. H. Klebahn.** Geheftet 4 Mk. 20 Pf.

*Die Frühtreiberei des Flieders hat sich zu einem wichtigen
gärtnerischen Industriezweig entwickelt, der einen Massenanbau von
Fliedersträuchern gezeitigt hat. Jede Massenkultur hat aber oft
verheerende Krankheiten im Gefolge. Diese Schädlinge werden in
der vorliegenden Monographie eingehend behandelt.*

Die wirtswechselnden Rostpilze.

Versuch einer Gesamtdarstellung ihrer biologischen Verhältnisse
von Professor **Dr. H. Klebahn.** Mit 8 Tafeln. Geheftet 20 Mk.
in Halbfranz gebunden 23 Mk.

*Das Werk gibt in zusammenhängender Darstellung ein Gesamt-
bild vom gegenwärtigen Stande der Biologie der Rostpilze.*

Ausführliche Prospekte gratis und franko.

Die Vererbung der Blütenfarbe bei
Antirrhinum majus.

Von

M. Wheldale.

Fellow of Newnham College, Cambridge, England.

In der letzten Nummer dieser Zeitschrift[1]) veröffentlichte Dr. Baur eine wichtige Abhandlung über die Vererbung einer Reihe von Eigenschaften bei der Gattung *Antirrhinum*. Unter diesen Eigenschaften befand sich auch Blütenfarbe. Auch ich habe gleichzeitig Versuche über die Vererbung der Blütenfarbe bei *Antirrhinum majus*[2]) gemacht, und durch die Güte Dr. Baurs ist es mir gelungen, meine Farbenfaktoren mit den seinigen zu vergleichen und die Ergebnisse haben sich im ganzen als übereinstimmend erwiesen.

Da die von uns gebrauchten Benennungen in den meisten Fällen verschieden sind, erschien es ratsam, eine kurze Zusammenfassung meiner Arbeit zu veröffentlichen und außerdem einen Vergleich anzustellen zwischen den von uns in unseren Versuchen angewendeten Rassen und Faktoren.

Die Farbenrassen.

Im großen und ganzen habe ich die Farbenrassen von *Antirrhinum majus* in drei Gruppen einteilen können, nämlich:

die nicht anthokyanische,
die rein rot anthokyanische
und die bläulich rot anthokyanische.

---

[1]) Baur, E. Vererbungs- und Bastardierungsversuche mit *Antirrhinum*. Zeitschr. für induktive Abstammungs- und Vererbungslehre. Bd. III. Heft 1 u. 2. 1910. Ferner: Untersuchungen über die Erblichkeitsverhältnisse einer nur in Bastardform lebensfähigen Sippe von *Antirrhinum majus*. Ber. d. deut. Bot. Ges. 1907. Einige Ergebnisse der experimentellen Vererbungslehre. Beihefte zur Medizinischen Klinik. 1908. Die Aurea-Sippen von *Antirrhinum majus*. Zeitschr. für induktive Abstammungs- und Vererbungslehre. 1908.

[2]) Wheldale, M. The Inheritance of Flower-colour in *Antirrhinum majus*. Proc. Roy. Soc. London. B. 79. 1907. Ferner: Further Observations upon the Inheritance of Flower-Colour in *Antirrhinum majus*. Reports to the Evolution Committee of the Royal Society. Report V. 1909.

Die **nicht anthokyanische** Gruppe schließt die Varietäten „ivory",
„yellow" und „white" ein, da diese stets völlig frei von dem Farbstoff Anthokyan sind.

„**Ivory**", identisch mit **elfenbein** von Dr. B a u r, hat elfenbeinfarbige Lippen und Röhre, einen gelben Gaumen und zwei Reihen
gelber Haare auf der inneren Fläche der Röhre.

Die Elfenbeinfarbe rührt von dem blaßgelben Chromogen her,
welches wahrscheinlich in der Form eines auflösbaren Flavons in dem
Zellsaft enthalten ist. Dieses elfenbeinfarbige Chromogen ist daran
zu erkennen, daß es mit basischem Bleiacetat einen gelben Niederschlag, und mit Basen (Kali, Natron, usw.) eine gelbe Farbe liefert.
Die gelbe Farbe des Gaumens und der Haare wird durch die örtliche
Anwesenheit eines gelben Chromogens bewirkt, welches in seinen Eigenschaften dem elfenbeinfarbenen Chromogen gleicht, aber sich in seinen
chemischen Wirkungen einigermaßen davon unterscheidet, da es mit
basischem Bleiacetat einen gelblichroten Niederschlag und mit Basen
eine gelblichrote Farbe liefert.

„**Yellow**", identisch mit **gelb** von Dr. B a u r, hat ganz gelbe Lippen
und eine Röhre wie bei elfenbein.

Die gelbe Farbe wird durch dasselbe Chromogen bewirkt, wie das
am Gaumen und an den Haaren der elfenbein Varietät.

„**White**", identisch mit **weiß** von Dr. B a u r, hat rein weiße Blüten,
bei denen sowohl das elfenbein als auch das gelbe Chromogen gänzlich fehlen[1]).

Die **rein rot anthokyanische** Gruppe umschließt die „rose doré"
und „bronze" Varietäten, welche den Farbstoff enthalten, den ich
als rein rotes Anthokyan bezeichnet habe. Es ist wahrscheinlich, daß
diese Form von Anthokyan ein oxydiertes Erzeugnis des elfenbeinfarbenen Chromogens ist, und daß die Oxydierung durch die Wirksamkeit
einer Oxydase hervorgebracht wurde. Rein rotes Anthokyan ist daran
zu erkennen, daß es mit basischem Bleiacetat einen rötlichen Niederschlag und mit Basen keine bläuliche Farbe liefert.

In den von mir bis jetzt veröffentlichten Mitteilungen habe ich
allein das Bestehen dieser Gruppe erwähnt und habe über das Verhältnis, in dem sie zu andern Farben steht, keinen Bericht erstattet.
Einige Einzelheiten über die Kreuzungen der rein roten Gruppe mit
andern Rassen sind am Schluß der vorliegenden Mitteilung angebracht.

---

[1]) Von jetzt ab werde ich „ivory", „yellow", und „white" einfach elfenbein,
gelb und weiß nennen.

„Rose doré", welches Dr. Baur **chamois rosa auf elfenbein ganz** bezeichnet, ist in mehreren verschiedenen Varietäten vorhanden, welche sich in der Intensität der Farbe unterscheiden. Ich habe das Verhältnis, in dem die verschiedenen Farbentöne zueinander stehen, noch nicht völlig ausgearbeitet, doch kann man über die folgenden Varietäten bestimmtes feststellen:

„Ivory tinged with rose doré", unter fleischfarbig auf elfenbein ganz, von Dr. Baur eingeschlossen, hat elfenbein, leicht mit rose doré gefärbte Lippen und eine Röhre von sehr blassem rose doré.

„Pale (blaß) rose doré" hat sowohl Röhre als Lippen blaß rose doré.

„Intermediate (mittel) rose doré" hat Röhre sowohl als Lippen etwas dunkler als die vorhergehende Varietät und ist wahrscheinlich identisch mit **chamois rosa auf elfenbein ganz** von Dr. Baur (Fig. 14, Tafel I)[1]).

„Deep (dunkel) rose doré" hat Röhre und Lippen dunkler als „mittel" und ist wahrscheinlich identisch mit **rubin auf elfenbein ganz** von Dr. Baur.

„Bronze", von Dr. Baur **chamois auf gelb ganz** bezeichnet, wird entweder durch eine Mischung des rose doré Farbstoffes mit dem gelben Chromogen in den Zellen der Lippen bewirkt oder aber durch einen bronze Farbstoff, erzeugt durch Oxydierung des gelben Chromogen mittels eines Vorganges, der gleichartig ist mit der Bildung des rose doré Farbstoffes aus dem elfenbeinfarbenen Chromogen. Es ist mir noch nicht gelungen, festzustellen, welche von diesen beiden Annahmen die richtige ist. Bronze existiert in Tönen, die mit denen von rose doré übereinstimmen.

„Yellow tinged with bronze", unter fleischfarbig auf gelb ganz von Dr. Baur eingeschlossen, hat gelbe, leicht mit bronze gefärbte Lippen und eine sehr blasse rose doré Röhre.

„Pale (blaß) bronze", Lippen blaß bronze, Röhre blaß rose doré.

„Intermediate (mittel) bronze", dunkler als die vorhergehende Varietät und wahrscheinlich identisch mit **chamois rosa auf gelb ganz** von Dr. Baur.

„Deep (dunkel) bronze", dunkler als die vorhergehende Varietät.

---

[1]) Die ausgezeichnete farbige Tafel, welche Dr. Baurs Mitteilung in der Zeitschrift für induktive Abstammungs- und Vererbungslehre begleitet, ermöglicht es dem Leser, die Rassen mit Leichtigkeit zu identifizieren.

In all den oben erwähnten Varietäten kann der Faktor — Oxydase — in den Lippen vorhanden sein, trotzdem er in der Röhre fehlt, welche dann elfenbeinfarbig ist; in diesem Fall wird die Varietät als „delila" Form bezeichnet, identisch mit delila von Dr. Baur.

Also können wir folgende Varietäten haben: **elfenbein leicht ge-färbt mit rose doré delila, blaß, mittel, und dunkel rose doré delila, gelb leicht gefärbt mit bronze delila, blaß, mittel, und dunkel bronze delila.**

Die **bläulich rot anthokyanische** Gruppe umfaßt „crimson" und „magenta" Varietäten, welche den Farbstoff enthalten, den ich als bläulichrotes Anthozyan bezeichnete. Meines Erachtens ist dieser Farbstoff wahrscheinlich ein weiteres Oxydierungserzeugnis des rein roten Anthokyan durch die Wirksamkeit eines anderen oxydierenden Enzyms. Bläulich rotes Anthokyan ist daran zu erkennen, daß es mit basischem Bleiacetat einen grünen Niederschlag und mit Basen eine grüne Färbung liefert.

„**Magenta**", von Dr. Baur **rot auf elfenbein ganz** bezeichnet, ist in verschiedenen Schattierungen vorhanden, welche mit den Farben-tönen von rose doré übereinstimmen.

„**Ivory tinged with magenta**", von Dr. Baur unter **fleischfarbig auf elfenbein ganz**[1]) eingeschlossen, hat elfenbein, leicht magenta gefärbte Lippen und eine blaß magenta Röhre.

„**Pale (blaß) magenta**", wahrscheinlich identisch mit **blaßrot auf elfenbein ganz** von Dr. Baur, hat blaß magenta Lippen und Röhre.

„**Intermediate (mittel) magenta**", wahrscheinlich identisch mit **rot auf elfenbein ganz** von Dr. Baur ist dunkler als die vorhergehende Varietät.

„**Deep (dunkel) magenta**" ist dunkler als die vorhergehende Varietät. Es ist zweifelhaft, ob diese Varietät identisch ist mit **schwarzrot auf elfenbein ganz** von Dr. Baur, da in seinem Fall schwarzrot über rot dominiert, während deep (dunkel), intermediate (mittel) magenta gegenüber rezessiv ist.

„**Crimson**", von Dr. Baur **rot auf gelb ganz** bezeichnet, wird, ähnlich wie bronze, entweder durch eine Mischung des magenta Anthokyan mit dem gelben Chromogen bewirkt, oder aber durch einen bestimmten crimson Farbstoff, erzeugt durch die Oxydierung

---

[1]) Ich bin Dr. Baur zu Dank verpflichtet für die Mitteilung, daß seine Gruppe fleischfarbig auf elfenbein ganz Varietäten umfaßt, welche entweder leicht rose dosé oder aber leicht magenta gefärbt sein können und daß der Unterschied, besonders in delila Formen schwer zu bestimmen ist. Letztere Angabe kann ich in vollem Maße bestätigen.

des gelben Chromogens. Crimson ist in verschiedenen Nuancen vorhanden, welche denen des magenta entsprechen.

„**Yellow tinged with crimson**", von Dr. Baur unter **fleischfarbig auf gelb ganz** angeführt, hat gelbe, leicht crimson gefärbte Lippen und eine blaß magenta Röhre.

„**Pale (blaß) crimson**", wahrscheinlich identisch mit **blaßrot auf gelb ganz** von Dr. Baur, hat blaß crimson Lippen und eine blaß magenta Röhre.

„**Intermediate (mittel) crimson**", wahrscheinlich identisch mit **rot auf gelb ganz** von Dr. Baur, ist dunkler als die vorhergehende Varietät.

„**Deep (dunkel) crimson**" ist wiederum dunkler als die vorhergehende Varietät.

All die oben angeführten Rassen sind in der Delilaform vorhanden, nämlich als „**elfenbein leicht magenta gefärbt delila, blaß, mittel, und dunkel magenta delila, gelb leicht gefärbt mit crimson delila, blaß, mittel, und dunkel crimson delila**".

Eine Vergleichung der von Dr. Baur und mir selbst verwendeten Varietäten mag auf folgende Weise gemacht werden:

Baur.	Wheldale.
Weiß	White.
Gelb	Yellow.
Elfenbein	ivory.
Fleischfarbig auf elfenbein ganz	{ ivory tinged magenta. { „ „ rose doré.
Fleischfarbig auf elfenbein delila	{ ivory tinged magenta delila. { „ „ rose doré „
Fleischfarbig auf gelb ganz	{ Yellow tinged crimson. { „ „ bronze.
Fleischfarbig auf gelb delila	{ Yellow tinged crimson delila. { „ „ . bronze „
Chamoisrosa auf elfenbein ganz	Intermediate rose doré.
„ „ „ delila	„ „ „ delila.
Rubin auf elfenbein ganz	Deep rose doré.
Chamoisrosa auf gelb ganz	Intermediate bronze.
„ „ „ delila	„ „ delila.
Blaßrot auf elfenbein ganz	Pale magenta.
„ „ „ delila	„ „ delila.
Blaßrot auf gelb ganz	Pale crimson.
„ „ „ delila	„ „ delila.
Rot auf elfenbein ganz	Intermediate magenta.
„ „ „ delila	„ „ delila.
Rot auf gelb ganz	Intermediate crimson.
„ „ „ delila	„ „ delila.

Die Faktoren.

Die oben angeführten Klassen werden durch die Anwesenheit, Abwesenheit und die verschiedenen Kombinationen einer Reihe von mendelnder Faktoren bewirkt, welche folgenderweise erklärt werden können:

Y. Ein Faktor, der für ein gelbes Chromogen steht, wahrscheinlich ein Flavon (Xantheïscher Farbstoff) und der seinen Sitz in den Lippen hat. In Korrelation dazu steht ein elfenbeinfarbiges Chromogen, auch vom Typus eines Flavon in der Röhre und das oben erwähnte gelbe Chromogen in zwei Reihen von Haaren auf der inneren Fläche der Röhre.

I. Ein Faktor, möglicherweise ein Enzym, welches auf das gelbe Chromogen — Y — so einwirkt, daß dasselbe in den Lippen ein weniger stark gefärbtes Chromogen bildet (abgesehen von einem Fleck gelben Chromogens, der auf dem Gaumen bleibt). I kann sich nur bei Vorhandensein von Y äußern.

L. Ein Faktor, möglicherweise eine Oxydase, die beim Einwirken auf das elfenbein Chromogen eine leichte Färbung von rein rotem Anthokyan in den Lippen hervorbringt (Gaumen bleibt gelb).

Bei Vorhandensein des gelben Chromogens ist die Schattierung bronze.

T. Ein L ähnlicher Faktor, der eine leichte Färbung von rein rotem Anthokyan in der Röhre erzeugt. T kann sich nur dann äußern, wenn L auch anwesend ist.

D. Ein Faktor, der die leicht rote Färbung intensifiziert und mittel rose doré erzeugt. Er tritt nur dann auf, wenn Y oder I mit L und T verbunden, auch anwesend sind.

B. Ein Faktor, wiederum wahrscheinlich ein Enzym, welches auf das rein rote Anthokyan einwirkt und es in bläulich rotes oder magenta Anthokyan verwandelt. Sofern nur L und T anwesend sind, so ist die Blüte leicht magenta gefärbt. Ist D anwesend, so ist die Blüte mittel magenta. Bei Abwesenheit von I ist die Blüte entweder mittel crimson oder leicht crimson gefärbt, je nach der An- oder Abwesenheit von D.

Unter Dr. Baurs Rassen gibt es zwei leicht gefärbte Varietäten rosarücken auf elfenbein oder auf gelb, und fleischfarbig auf e. oder auf g. Daher braucht Dr. Baur zwei Faktoren zur leichten Färbung, nämlich F, den rosarücken Faktor, und R, den fleischfarbigen Faktor. R dominiert über F und seine Äußerung hängt von der Gegenwart von F ab.

Mit rosarücken, welches einen leichten Schimmer auf dem Rücken der Lippen und in der Röhre hat, bin ich bekannt, obgleich ich es in meinen Versuchen nicht verwendete.

Meine Rassen waren offenbar immer homozygotisch in R, so daß die rosarücken Varietät nie vorkam.

· Wenn ich die oben erwähnten Faktoren mit denen von Dr. Baur vergleiche, so finde ich folgende Übereinstimmung:

Baur.		Wheldale.
B	. . . .	Y
C	. . . .	I
F und R	. . . .	L
D	. . . .	T
M	. . . .	D
A	. . . .	B

Außer den oben erwähnten Faktoren besteht noch ein Faktor, welcher den Unterschied zwischen dem mittel und **dunkel magenta** und den entsprechenden mittel und **dunkel crimson** Varietäten bewirkt. Die dunkle Varietät wird von der mittleren dominiert, auch wenn die F$_1$-Bastarde dunkler sind als mittel magenta; daher enthält die mittlere Varietät wahrscheinlich irgend einen hemmenden Faktor, welcher in der dunklen Varietät fehlt.

Bis jetzt habe ich das zwischen dunkel magenta und anderen Varietäten bestehende Verhältnis noch nicht vollständig ausgearbeitet. Ein Fehlen des B-Faktor in dunkel magenta oder dunkel crimson erzeugt **dunkel rose doré** und **dunkel bronze**.

Rassenformeln in Faktoren ausgedrückt.

Nachdem die Faktoren aufgezählt worden, soll nun nachgewiesen werden, wie sie verbunden werden können, um die bekannten Varietäten zu liefern.

Ein Individuum der Zusammensetzung YYIILLTTDDBB (Baur: BBCCFFRRDDMMAA) hat **mittel magenta** Blüten. Die Farbe bleibt unverändert, wenn das Individuum in Y, I, T oder D heterozygotisch ist, sollte das Individuum aber in L heterozygotisch sein, d. h. YYII-LITTDD, so ist die Blüte **blaß magenta**. Dr. Baur findet einen beträchtlichen Unterschied im Farbenton, wenn das Individuum in F heterozygotisch ist, d. h. BBCCFfRRDDMMAA.

Das Fehlen von D, dem intensifizierenden Faktor ergibt ein Individuum YYIILLTTddBB (Baur: BBCCFFRRDDmmAA), welches **elfenbein, leicht magenta gefärbte** Blüten hat.

· Das Fehlen von T ergibt die als delila bekannte Varietät, bei welcher die Röhre elfenbein ist, während die Lippen entweder leicht gefärbt oder blaß, oder mittel magenta sein können.

YYIILLttDDBB . . . .   Mittel magenta delila.
    (Baur: BBCCFFRRddMMAA)
YYIILlttDDBB . . . .   Blaß magenta delila.
    (Baur: BBCCFfRRddMMAA)
YYIILLttddBB . . . .   Elfenbein leicht magenta gefärbt delila.
    (Baur: BBCCFFRRddmmAA)

T kann sich nicht äußern, wenn nicht L auch in dem Individuum vorhanden ist, d. h. die Röhre kann keine Farbe haben, wenn die Lippen nicht auch gefärbt sind. Überdies besteht zwischen Lippen- und Röhrenfarbe eine Korrelation, derart, daß die Röhre immer den gleichen Ton annimmt wie die Lippen.

Das Fehlen von B, dem bläuenden Faktor, bewirkt entweder **mittel rose doré** oder **elfenbein leicht gefärbt mit rose doré,** je nach dem Vorhandensein oder der Abwesenheit von D. Auch bestehen entsprechende delila Formen.

YYIILLTTDDbb . . . .   Mittel rose doré.
    (Baur: BBCCFFRRDDMMaa)
YYIILLttDDbb . . . .   „   „   „ delila.
    (Baur: BBCCFFRRddMMaa)
YYIILLTTddbb . . . .   Elfenbein, leicht rose doré gefärbt.
    (Baur: BBCCFFRRDDmmaa)
YYIILLttddbb . . . .   „   „   „   „   „ delila.
    (Baur: BBCCFFRRddmmaa)

Das Fehlen von L in den Lippen ergibt **elfenbein** — YYIIIITTDDBB (Baur: BBCCffRRDDMMAA).

Da T, D und B sich nicht äußern können, es sei denn L auch vorhanden, so kann ein elfenbein Individuum entweder T, D oder B; oder alle zusammen tragen.

Das Fehlen von I, dem modifizierenden Enzym, ergibt **gelb,** wenn L auch fehlt — YYiiIITTDDBB (Baur: BBccffRRDDMMAA).

Gelb kann entweder T, D oder B oder alle zusammen tragen. Die Hinzufügung von L, T, D und B erzeugt eine Reihe von Varietäten, welche außer dem gelben Chromogen, entweder rein rotes oder magenta Anthozyan enthalten; die sich daraus ergebende Farbe ist ein Ton von bronze oder crimson.

YYiiLLTTDDbb . . . .   Mittel bronze.
    (Baur: BBccFFRRDDMMaa)
YYiiLLttDDbb . . . .   „   „   delila.
    (Baur: BBccFFRRddMMaa)
YYiiLLTTddbb . . . .   Gelb, leicht bronze gefärbt.
    (Baur: BBccFFRRDDmmaa)
YYiiLLttddbb . . . .   „   „   „   „   delila.
    (Baur: BBccFFRRddmmaa)
YYiiLLTTDDBB . . . .   Mittel crimson.
    (Baur: BBccFFRRDDMMAA)
YYiiLLttDDBB . . . .   „   „   delila.
    (Baur: BBccFFRRddMMAA)
YYiiLlTTDDBB . . . .   Blaß crimson.
    (Baur: BBccFfRRDDMMAA)
YYiiLlttDDBB . . . .   „   „   delila.
    (Baur: BBccFfRRddMMAA)
YYiiLLTTddBB . . . .   Gelb leicht crimson gefärbt.
    (Baur: BBccFFRRDDmmAA)
YYiiLLttddBB . . . .   „   „   „   „   delila.
    (Baur: BBccFFRRddmmAA)

Das Fehlen von Y ergibt **weiß** — yyIILLTTDDBB (Baur: bbCCFF-RRDDMMAA).

Der Albino kann in allen anderen Faktoren homo- oder heterozygotisch sein, da sich keiner der letzteren äußern kann, es sei denn Y vorhanden.

Kreuzungen von Bronze und anderen Varietäten.

In meinen früheren Mitteilungen habe ich über die Kreuzungen zwischen den rein roten und magenta Gruppen nicht berichtet, abgesehen von einer Behauptung, daß rose doré und mittel magenta dunkel magenta ergeben können. Dieses Ergebnis wird durch die Tatsache erklärt, daß einige der verwendeten rose doré Pflanzen von der dunklen Schattierung waren, die dem dunklen Magenta entspricht und den Faktor nicht besaßen, der den Unterschied zwischen mittel- und dunkel magenta bewirkt. Daher waren die F_1 dunkler als mittel magenta. Die folgenden Kreuzungen zeigen allein das Verhältnis zwischen den roten und blauen Gruppen an; die Bedeutung aller Töne von magenta ist noch nicht ganz ausgearbeitet, ich habe deshalb den bei magenta erlangten Ton nicht angeführt.

Bronze und gelb.

F_1 bestand aus 34 Crimsons. Da der gelbe Elter aus magenta gewonnen war, trug er den bläuenden Faktor in sich.

Bronze und elfenbein.

Eltern: —

      YYiiLLTTDDbb . . . . bronze
      YYIIllTTDDBB . . . . elfenbein.

F_1: —

      YYIiLlTTDDBb . . . . magenta (magenta 109)[1]).

F_2: —

		Theoretische Zahlen	Gefundene Zahlen
27	YILTDB . . . . magenta	27	33
9	YILTD . . . . rose doré	9	3
9	YlTDB . . . . elfenbein	12	13
9	YLTDB . . . . crimson	9	7
3	YlTD . . . . elfenbein		
3	YLTD . . . . bronze	3	2
3	YBTD . . . . gelb	4	4
1	YTD . . . . gelb		

Bronze und elfenbein leicht magenta gefärbt.

Eltern: —

      YYiiLLTTDDbb . . . . bronze
      YYIILLTTddBB . . . . elfenbein, leicht magenta gefärbt.

F_1: —

      YYIiLLTTDdBb . . . . magenta (magenta 21).

Bronze und crimson.

Eltern: —

      YYiiLLTTDDbb . . . . bronze
      YYiiLLTTDDBB . . . . crimson.

F_1: —

      YYiiLLTTDDBb . . . . crimson (crimson 44).

Kreuzungen von rose doré und anderen Varietäten.
Rose doré und weiß.

Eltern: —

      YYIILLTtDDbb . . . . rose doré
      yyIilttDDBB . . . . weiß.

F_1: —

Fall I YyIiLlTtDDBb . . . . magenta } (magenta 55)
„ II YyIILlTtDDBb . . . . „   }
„ III YyIiLlttDDBb . . . . magenta delila } (magenta delila 60)
„ IV YyIILlttDDBb . . . . „   „ }

---

[1]) Die Zahlen in Klammern zeigen das gefundene Ergebnis an.

Bei F$_2$ würden wir folgendes erwarten:

	Fall I	Fall II	Fall III
YILTDB . . . . magenta	x	x	
YILTD . . . . rose doré	x	x	
YILDB . . . . magenta delila	x	x	x
YITDB . . . . elfenbein	x	x	
YLTDB . . . . crimson			
YILD . . . . rose doré delila	x	x	x
YITD . . . . elfenbein	x	x	
YIDB . . . . elfenbein	x	x	x
YLTD . . . . bronze			
YLDB . . . . crimson delila	x		
YTDB . . . . gelb			
YID . . . . elfenbein	x	x	x
YLD . . . . bronze delila	x		
YTD . . . . gelb			
YDB . . . . gelb			
YD . . . . gelb			
— . . . . weiß	x	x	x

In allen drei Fällen waren die durch Versuche erlangten Zahlen zu klein, als daß sie von quantitativem Werte wären. Bei Fall I erscheinen alle Varietäten, ausgenommen crimson delila; wäre eine größere Anzahl von Pflanzen gezogen worden, so wäre zweifellos die fehlende Varietät erschienen. Bei Fall II und III erschienen all die erwarteten Varietäten. Eine Pflanze wie bei Fall IV wurde nicht verwendet.

Rose doré und elfenbein.

F$_1$ bestand aus 77 magenta Pflanzen, bei denen der elfenbeinfarbige Elter den bläuenden Faktor in sich trug.

Rose doré und gelb leicht magenta gefärbt.

Eltern: —

     YYIILLTTDDbb . . . . . rose doré
     YYiiLLTTddBB . . . . . . gelb, leicht magenta gefärbt.

F$_1$: —

     YYIiLLTTDdBb . . . . . . magenta (magenta 48).

Rose doré und elfenbein leicht magenta gefärbt.

Eltern: —

     YYIILLTTDDbb . . . rose doré
     YYIILLTTddBB . . . . elfenbein, leicht magenta gefärbt.

F$_1$: —

     YYIILLTTDdBb . . . magenta (magenta 35).

Rose doré und crimson.

Eltern: —
        YYIILLTTDDbb   . . . rose doré
        YYiiLLTTDDBB   . . . crimson.

F_1: —
        YYIiLLTTDDBb   . . . magenta (magenta 42).

Rose doré und magenta.

Eltern: —
        YYIILLTTDDbb   . . . rose doré
        YYIILLTTDDBB   . . . magenta.

F_1: —
        YYIILLTTDDBb   . . . magenta (magenta 32).

F_2: —

		Theoretische Zahlen	Gefundene Zahlen
3 YILTDB	magenta	48	49
1 YILTD	rose doré	16	15

Gestreifte Varietäten.

Bei gestreiften Varietäten von *Antirrhinum* tritt der durch den intensifizierenden Faktor D dargestellte Körper nicht in allen Zellen der Blütenkrone auf, sondern bleibt auf Striche und unregelmäßige Flecke beschränkt (in welchem Fall D an die Stelle von S gesetzt werden kann).

Wenn das Individuum in L heterozygotisch ist, so sind, wie man voraussetzen wird, die Striche blaß magenta, wenn homozygotisch in L, ist die Farbe der Striche mittel magenta.

Es ist nachgewiesen worden, daß in ungestreiften Varietäten die Blütenfarbe dieselbe ist, ob das Individuum homo- oder heterozygotisch in D sei. Doch haben gestreifte, in S heterozygotische Individuen magenta Streifen auf einem leicht magenta gefärbten Grund, während, wenn sie homozygotisch in S sind, die Grundfarbe zwischen den Streifen elfenbein ist.

Die vier Zygotentypen können folgendermaßen dargestellt werden:

1 YYIILLTTSS . . . . elfenbein, mittel magenta gestreift
2 YYIILITTSS . . . . „ blaß „
3 YYIILLTTSs . . . . leicht gefärbtes elfenbein, mittel magenta gestreift
4 YYIILITTSs . . . . „ „ „ blaß „ „

Entsprechende delila und crimson Varietäten treten bei Fehlen von T, beziehungsweise I auf; 3 und 4 sind heterozygotische Formen, welche nie rein gezogen werden können, sondern immer 1 und 2 abwerfen.

Das Verhältnis von leicht gefärbt elfenbein mit Streifen zu elfenbein mit Streifen ist immer wie 2 zu 1, wie auch bei blaß gestreift zu mittel gestreift magenta.

Wenn gestreifte Varietäten mit leicht gefärbten gekreuzt werden, so ist, wie man voraussetzen wird, das Gestreifte dominant.

Wenn gestreifte Formen mit ganz magenta Formen gekreuzt werden, so ist der intensifizierende Faktor in der Form des Gestreiften allelomorphisch und rezessiv gegenüber dem normalen Zustand, so daß gestreift und ungestreift ungestreifte Bastarde ergibt.

Obgleich das Gestreifte im ganzen sich wie eine mendelnde Eigenschaft verhält, so kann es doch vorkommen, daß die theoretischen und die gefundenen Ergebnisse nicht immer völlig miteinander übereinstimmen, denn ein gestreiftes Individuum kann jederzeit leicht ein ungestreiftes Individuum hervorbringen.

Ein geringer Prozentsatz von ungestreiften Formen wird sich gewöhnlich unter den Nachkommen einer gestreiften Form befinden. Diese Abweichungen beeinflussen jedoch die Gültigkeit der Vererbungstheorie nicht wesentlich. Soviel ich weiß, tritt das Phänomen der Streifung in der rein roten Gruppe, d. h. in rose doré und bronze nicht auf.

Für die Übertragung meiner Mitteilung vom Englischen ins Deutsche bin ich Fräulein Marie Belser zu Dank verpflichtet.

Referate.

E. B. Poulton, Charles Darwin and the „Origin of species". Adresses etc. in America and England in the Year of the two Anniversaries. London. 1909.

Das Buch ist eine Sammlung von Vorträgen und Ansprachen, die Verf. im Darwin-Jubiläumsjahr gehalten hat. Sie sind ganz vorwiegend biographischen und historischen Inhalts, bringen neben Bekanntem auch gar manche interessante neue Einzelheiten über die Person des großen Mannes und die Geschichte seiner Hauptwerke, und besprechen die Weiterentwickelung der Darwinschen Gedanken. Nur einer der Vorträge, „Mimicry in the Butterflies of North America", fällt aus diesem Rahmen heraus; er enthält eine sehr lesenswerte Betrachtung der verhältnismäßig wenigen Fälle von Mimikry unter den nordamerikanischen Schmetterlingen, die deshalb so wichtig für die theoretische Würdigung der sonderbaren Erscheinung sind, weil als nachgeahmte Modelle hier Einwanderer aus fremden Gebieten auftreten, einerseits die Danaiden *(Danaïda plexippus* und *berenice)*, deren ganze Verwandtschaft in der alten Welt lebt und auch dort vielfach mimetischen Formen als Modell dient, andererseits einer der Aristolochia-fressenden Papilioniden *(Pharmacophagus philenor)* aus Südamerika. Damit ist es ausgeschlossen, die Ähnlichkeit in der Färbung auf die äußeren Einflüsse der gleichen Umgebung zurückzuführen. Die Umbildung der Nachahmer ist wahrscheinlich jüngeren Datums und kann durch Vergleich mit unveränderten Formen genauer analysiert werden.   R. Hesse.

Holmes, S. J., The categories of variation. The American Naturalist. Vol. 43, pp. 257—285. 1909.

This paper gives no new classification of the several kinds of variation; it is confined to criticism of the supposed beliefs of various modern writers on variation and heredity, illustrated by special cases taken from their investigations. The words „supposed beliefs" are used advisedly because it is questionable whether there are many authors that have not seen fit to modify and adjust their views in accordance with increasing knowledge in the field of genetics during the past decade. The arguments of the author are in the main directed against statements which De Vries made in 1901 and 1903 in the Die Mutationstheorie. If De Vries at the present date held strictly to many of these statements he would find scant support among biologists; yet in view of the fact that De Vries himself has thrown new light upon many of the problems discussed in his large work, it seems improbable that he has not accepted many of the conclusions drawn by other investigators, and that if he found time in the immediate future to issue a revised edition of Die Mutationstheorie, his opinions upon the great questions of heredity and variation would be found to have kept pace with the advance in knowledge during the last few years. For example, the author makes an extended criticism of De Vries' earlier claim that there is a fundamental distinction in the heredity of what he calls elementary species and what he calls varieties. Genetic research may lead to definite distinctions between species and varieties, but De Vries was certainly not in position to make such a distinction in 1903. The recent work of Brainerd and of Price has shown definitely that characters possessed by different species of Viola and of Lycopersicum do mendelize when crossed. Other work with species crosses has shown that certain characters apparently blend in the F_1-generation. If these characters break up in the F_2-generation, it may be due to the complicated inter-action of a large number of Mendelian characters; if they remain true, it may be because only zygotes possessing certain characters can be formed. On the other hand, there may be true blending characters, whose behavior in inheritance has not been determined. It is only when light is thrown on these different questions, that genetic distinctions between species and varieties will be possible.

Notwithstanding the fact that there is a probability that many of the authors cited would have anticipated Prof. Holmes in his criticisms had they discussed these matters at the present time, nevertheless he has undoubtedly served biology in calling attention to various tentative conclusions from different more or less fragmentary researches, which, when considered together in their relations to the fundamental problems of biology, are either insufficient to support their claims or antagonistic to each other. Whether these bones do not fit the skeleton involved, as the author believes, or whether it is a question of finding the lost pieces and assembling them correctly, must be left for future decision.

The article touches so many points which the author himself has not systematized in his outline that it is almost impossible for a reviewer to consider them without utilizing too much space; we therefore quote his own conclusion.

„In the preceding discussion the attempt has been made to show that the various categories of variations recognized by De Vries and others are not sharply separable either on morphological grounds or by their behavior when subjected to crossing experiments. The attempt was made also to show that neither the facts of variability nor those of Mendelian inheritance give any support to the doctrine of pangens, determinants, or other assumed bearers of unit characters, and that unit characters as elements that can enter or depart from the complex of tendencies that make up an organism probably have no existence. It is evident that variations differ in their stability, but the explanation of this fact may lie in the physiological relations of the variation rather than in hypothetical representative units. Whether the variations of the discontinuous type have been influential, in any marked degree, in shaping the course of evolution is a question upon which we need much more evidence. Mutations, as we have seen, may be very small affairs. About the only criterion by which they may be recognized is their stability, and even that gives some evidence of being a matter of degree. No limit has been discovered to the minuteness of the stable modifications that may occur, and it may happen that further study will reveal the comparatively frequent appearance of the very slight variations of this kind. In fact, considerable progress has even now been made in this direction by the study of grains; and the number of more or less stable modifications that are likely to be discovered threatens to overwhelm systematists with the labor of naming and describing them. In many organisms not propagated by self-fertilization the detection of these small steps is no easy task and the attempt to describe them all would undoubtedly prove a futile effort."

Biologists must agree that there are variations that are not inherited and variations that are inherited. If we call the one a fluctuation and the other a mutation, we have a distinction that will stand final analysis. There are a great many facts that show us that there are different kinds of mutations and if a further classification furnishes a working hypothesis, by all means let us make a further classification; but why cannot it be understood that it is simply an hypothesis.

Even in 1903 De Vries clearly recognized (as indeed Holmes states) that mutations are of all sizes, in certain cases so small that they are obscured by fluctuations. The work of Johannsen and of Jennings has shown us that variation due to the immediate environment of the individual is not inherited. This we may properly call fluctuating variation. When changes of environment radically affect the reproductive cells of the individual, we no longer have a fluctuation but a mutation. Since their attention has been called to it, all investigators working with growing plants and animals have noticed the great frequency with which inherited changes occur. But whether we should say that the appearance of a red color in a new race of flowers previously white is a larger change than the lengthening of a sepal one millimeter, because it appears greater to the casual observer, is a question not to be decided until we know considerably more of plant physiology during development.

Furthermore, the presence and absence hypothesis with the use of "factors" describes a large number of facts relating to Mendelian inheritance. The fact that we do not know the nature of a factor no more affects the utility of the hypothesis than does the possibility that matter may be simply different manifestations of energy affect the utility of Dalton's Atomic Theory. Whether we say that organisms are made up of unit characters, to which Professor Holmes objects, or whether we use his own term and say that they are a "complex of tendencies" seems to make very little difference at present. Let us hope, however, that in the near future, we shall have sufficient knowledge for a more precise description than is understood from either term.

The author has seconded Spillman in calling attention to the fact that the existence of a greater number of pairs of Mendelian characters in different individuals than the gametic number of chromosomes is not a proof that the Mendelian phenomena are not functions of the chromosomes, yet he believes that there are grave difficulties in the way of accepting the reducing division of the germ cells as the mechanism of segregation. This criticism is worthy of careful consideration by investigators: but the biologist receives no aid in his next assertion, that "Mendelian phenomena can be explained on the basis of the sorting out of ancestral tendencies as wholes instead of as unit charaters."

Let us consider one other portion of the paper. The author states: "If now it should turn out that stability is a matter of degree the last distinguishing feature of the mutation theory would be destroyed."

This statement needs some qualification. A distinction should be made between the theoretical features that a mutation should possess and the more or less tangible qualities by which it is recognized. If we bring together two chemical compounds a third may be formed that soon breaks up into other compounds through a second reaction, yet the instability of the first compound under the attending conditions does not keep it from being a definite compound. In like manner a theoretically true mutation may exist and not be inherited at all, since new conditions in the development of the zygote may cause the loss of the newly formed character before it manifests itself to the eye. Furthermore, we should be extremely careful in concluding that definite gametic changes are not indicated because the progeny of supposed mutants include either further variants or reversions to the original stock. Holmes questions De Vries' results on this account, but the questions do not appear to be pertinent if we regard merely the distinction between mutation and fluctuation which has already been suggested. We know that some change has taken place in O. Lamarckiana for example, since it manifested itself in succeeding generation. At the time of the publication of Die Mutationstheorie there was little from which to conclude the exact nature of these changes except some unanalyzed pedigree culture ratios. At present our knowledge along this line is considerably increased even if we cannot yet give a complete explanation of the changes that have occured. From the work of Gates and Miss Lutz, it is known that great chromosomic changes have taken place in certain cases. From further work of De Vries, and from the work of Correns and Castle it begins to appear that certain gametes are aborted because it is impossible for them to take part in forming zygotes. These facts open a way to an explanation of ratios that formerly were inexplicable. By the work of the Mendelian school it is seen that certain characters do not become manifest until other characters have been taken away, until they have been uncovered as it were; that several factors may have to meet to form a character; that factors may have to be dropped to from a combination to form a patent character. Such facts should act as a deterrant to premature decision against a mutation because certain pedigree culture ratios are at present inexplicable.

E. M. East, Harward University.

Ziegler, H. E. Die Streitfrage der Vererbungslehre (Lamarckismus oder Weismannismus). Vortrag, gehalten gemäß den Bestimmungen der Paul von Ritterschen Stiftung am 17. Juli 1909 in der Aula der Universität Jena. In: Naturwissenschaftliche Wochenschrift. N. F. Bd. IX. 1910. Nr. 13. S. 193—202. Mit 1 farb. Tafel und 6 Textfig.

In dieser kritischen Arbeit kommt der Verf. zu einer vollkommenen Ablehnung des lamarckistischen Prinzips der Vererbung erworbener Eigenschaften. Die bekannten Versuche E. Fischers am Bär *(Arctia caja)* seien entweder die Folge einer direkten Beeinflussung des Keimplasmas oder einer von E. Fischer ausgeübten Selektion. Durch letztere seien auch Kammerers Amphibienversuche zu erklären. Geradezu beweisend für Weismann aber seien Towers Experimente mit Koloradokäfern, der erbliche Abänderungen bei den Nachkommen solcher Versuchskäfer erhielt, die selbst nicht abgeändert waren. — Auch die rudimentären Organe können eine Vererbung erworbener Eigenschaften nicht beweisen, da viele von ihnen durch Gebrauch oder Nichtgebrauch, z. B. Zähne, gar nicht direkt beeinflußbar sind. Das Rudimentärwerden von Organen sei in den meisten Fällen durch Korrelation zu erklären. Wie deren Wirkung zu verstehen sei, wird an einem theoretischen Beispiel gezeigt.

Hilzheimer, Stuttgart.

Arnim-Schlagenthin. Der Kampf ums Dasein und züchterische Erfahrung.
Berlin 1909. Paul Parey.

In dieser Schrift leugnet der Verfasser die züchterische Wirkung des Kampfes ums Dasein. Dieser sei einmal überhaupt nicht imstande, eine Auslese der Besten zu bewirken und dann könne er nur wirksam sein, wenn man eine bis jetzt noch nicht bewiesene Vererbbarkeit erworbener Eigenschaften annehme. Wenn auch letztere Ansicht, wie Weismann u. a. zeigen, dem Ref. eine irrtümliche zu sein scheint, so ist doch die auf Grund praktischer, züchterischer Erfahrungen versuchte Widerlegung der Ansicht von der züchterischen Wirkung des Kampfes ums Dasein sehr beachtenswert. Sie bleibt es auch dann, wenn man einsieht, daß der Verf. diesen Begriff viel zu eng, eigentlich nur als Intraspezialkampf faßt.

Seine Ausführungen gipfeln etwa darin, daß schon auf einem Acker, wo alle äußeren Bedingungen möglichst gleich sind, die Samen nicht so verteilt sind, daß nun auch wirklich die bestausgerüsteten mit den schlechter ausgerüsteten in Kampf treten müßten. Der Kampf tritt nur zwischen nah benachbarten ein. Das können aber gerade gut ausgerüstete sein. Diese würden sich dann gegenseitig schwächen, so daß gar nicht überall ein Kampf zwischen besser und schlechter ausgerüsteten Individuen stattfindet. Ob aber nun gerade wieder die Samen der kräftigeren Pflanzen aufgehen, hängt von vielen von der Pflanze unabhängigen Zufälligkeiten ab. Sie haben nicht mehr Chancen zu keimen als die anderen. Denn selbst auf einem Acker mit relativ gleichen Bedingungen, gibt es doch günstigere und ungünstigere Plätze, um wieviel mehr in der freien Natur. Die Naturalselektion wirkt nach Ansicht des Verf. nicht verbessernd, sondern nur erhaltend.

Diese Ablehnung der Wirkung des Kampfes ums Dasein enthält auch sonst noch mancherlei beherzigenswerte Ausführungen, wie der Nachweis des Gegensatzes zwischen künstlicher und natürlicher Züchtung, die Identifizierung von Variationen und Mutationen mit Kreuzungsfolgen im Mendelschen Sinne.

Ein großer Irrtum des Verf. scheint aber die Ansicht zu sein, daß als Folge seiner Argumente gegen die Selektion durch den Kampf ums Dasein auch die Deszendenztheorie aufzugeben sei. Diese besagt doch weiter nichts als eine stammbaumartige-Fortentwicklung der Lebewelt. Die Grundlagen dafür liefert die Anatomie, Embryologie und Paläontologie und z. T. die Chemie. Die züchtende Wirkung des Kampfes ums Dasein war ein Erklärungsversuch, nicht aber, wie der Verf. annimmt, die Grundlage der Theorie, und konnte dies natürlich auch nicht sein. Denn der Kampf ums Dasein einerseits und die innerhalb einer Art beobachtete Variabilität andererseits hätten niemals zur Deszendenztheorie führen können, dies konnten nur Befunde, die eine Verwandtschaft der Arten zur Wahrscheinlichkeit machten.

Und wenn der Verf. diese bestreitet, wenigstens im Kapitel, das „die embryologischen Beweise für die Selektions- und Deszendenztheorie" behandelt und dabei fortwährend gegen den „*Bathybios Haeckelii*" ankämpft, die außerordentlich komplizierten Organe mancher Tiere dagegen ins Feld führt, wenn er schließlich meint, „daß alle paläontologischen Funde genau die entgegengesetzte Deutung zulassen, als jetzt vexiert ist, nämlich die, daß der Entwicklungsprozeß, vor dem wir stehen, ein Degenerationsprozeß ist, dem die großen Saurier und andere unzählige ausgestorbene Organismen zunächst zum Opfer fielen und ein Tier- und Pflanzengeschlecht nach dem anderen jetzt noch weiter, meist völlig ersatzlos, zum Opfer fällt", dann scheint er den Stoff doch nicht so zu beherrschen, wie es bei jemand vorausgesetzt werden muß, der es unternimmt, eine so wohl begründete Theorie zu stürzen, wie es die Deszendenztheorie ist.   Hilzheimer, Stuttgart.

**Gemelli Agostino, L'Enigma della Vita e i nuovi orizzonti della Biologia. —
Introduzione allo Studio delle Scienze Biologiche.** Con XIII tavole e
59 figure nel testo. — Firenze, Biblioteca della "Rivista di Filosofia Neo-
Scolastica", Serie C, Nr. 2, 1910.

Bei einem Buche, welches auf dem Titelblatt das Imprimatur des Erz-
bischofs von Florenz trägt, dürfte man von vornherein überzeugt sein,
daß seine Besprechung in einer Zeitschrift für Abstammungslehre, überhaupt in einer naturwissenschaftlichen Zeitschrift nicht recht am Platze sei.
Diese Überzeugung wird noch bestärkt, wenn wir im Vorwort lesen: "Einen
Wink schuldet der Verfasser denjenigen Lesern, welche seinen Gesichtspunkt nicht anerkennen. Dieser Gesichtspunkt ist der des christlichen
Naturforschers, welcher davon überzeugt ist, daß die Wahrheit der Natur-
ordnung nicht wirklich im Widerspruch sein könne mit der überirdischen
Offenbarung…" Und wenn auch der Herr Verfasser weiter die Worte des
Kardinals Mercier zitiert: "Laßt uns nicht unter der Herrschaft über-
triebener religiöser Vorurteile die berechtigte Freiheit des Gelehrten hindern;
laßt uns die Wissenschaft um ihrer selbst willen pflegen, ohne irgend einen
apologetischen Zweck damit zu verbinden!" —, wenn er auch diese aus dem
Munde eines Priesters hochherzig klingenden und vielleicht auch hochherzig
gemeinten Worte zu seinem Grundsatz zu machen vorgibt, so verraten
dennoch die ganzen Ausführungen des Buches zur Genüge, daß eben nicht
die Darstellung der neuen wissenschaftlich-biologischen Anschauungen,
sondern ihre Verdrehung zu apologetischen Zwecken das Hauptziel des
Buches gewesen.

Allein in diesem Sinne ist es gefährlicher als die meisten Bücher seines
gleichen: denn während in diesen zumeist die völlige Unzulänglichkeit
des vorgebrachten Tatsachenmateriales davor schützt, daß sie von be-
rufener Seite ernst genommen werden, hat Gemelli in viel weitergehen-
dem Maße wirklich die von der modernen Naturwissenschaft gewonnenen
Entdeckungen zu benützen, die Hauptlinien ihrer Probleme herauszufinden
und geschickt zu verwenden verstanden. Er ist diesbezüglich viel fort-
geschrittener als mancher Urheber eines Werkes, daß keine anderen Zwecke
als nur den verfolgt, ein Wissensgebiet nach seinem gegenwärtigen Stande
vorurteilslos darzustellen. So findet in Gemellis Werk die experimentelle
Biologie, die Züchtungskunde und Entwicklungsmechanik, die künstliche
Parthenogenese und verunglückte Versuche, mit ihrer Hilfe die Urzeugung
aus dem Anorganischen zu erklären, die organische Chemie, die Kristallo-
graphie nebst der Lehre von den scheinbar lebenden, flüssigen und
fließend weichen Kristallen, die physikalische Chemie, die Lehre von den
Fermenten und Kolloiden eingehende Berücksichtigung.

Daß Verf. dabei schließlich zur Anerkennung der vitalistischen Anschauungen und zur Behauptung der Existenz einer besonderen Lebens-
kraft gelangt, ist nach dem eingangs Gesagten ebenso selbstverständlich,
wie seine Worte im Schlußkapitel: "Omnis cellula e cellula. Sie hat ihren
Ursprung nehmen müssen durch Schöpfung, durch unmittelbares Eingreifen
des Urhebers der Welt. Uns kommt es nicht zu, nachzudenken über die

Ausdehnung und die Art eines solchen Eingreifens. Es genügt, festzustellen,
daß die Untersuchungen der modernsten Biologie dahin führen, die Notwendigkeit der Schöpfung zu bejahen . . . die Notwendigkeit der Existenz
eines Schöpfers.'   Kammerer, Wien.

Shull, G. H. Colour inheritance in Lychnis dioica L. Americ. Naturalist **44**
   1910. p. 83—91.

Wie schon für andere Pflanzen gefunden wurde, ist auch das Gen,
das die Rotfärbung der Blüten bei *Lychnis dioica* hervorruft, nicht von ein-
heitlichem Charakter. Verf. vermochte nämlich zu zeigen, daß es aus
wenigstens 2 Komponenten zusammengesetzt ist, von denen die eine mehr
eine bläuliche, die andere mehr eine rötliche Blütenfärbung bedingt. Aus
Hybridisierungs-Experimenten, die mit ,,blau-", ,,rot-" und außerdem noch
mit weißblütigen Individuen vorgenommen wurden, ergab sich mit genügender Deutlichkeit, daß sämtliche Kreuzungen typisch mendelten.

Dabei erwies sich die ,,blaue" Komponente als hypostatisch
(,,recessiv") der ,,roten", während bisher — vielleicht mit alleiniger Ausnahme von *Primula sinensis* — stets eine Epistase des Blau über Rot
beobachtet war.

Worauf dieser Unterschied von dem gewöhnlichen Verhalten beruht,
ist noch nicht anzugeben. Man kann einmal, um den niedrigsten Farb-
grad zu erreichen, für *Lychnis* das Vorhandensein von 2 Genen (B u C)
postulieren, die gemeinsam vorkommen müssen, um überhaupt eine Farbe,
hier Blau, erscheinen zu lassen. Ein drittes Gen (R) müßte dann angenommen werden, um eine zweite Farbenstufe, hier Rot, hervorzurufen,
aber dieses könnte wieder nur in Gemeinschaft mit B und C seine Eigenschaften entfalten. Diese Annahme würde (vom Boden der ,,Presence-
Absence-Hypothese aus) fordern, daß die ,,Presence" bei jedem der 3 Gene
über ,,Absence" dominiere.

Möglich wäre indes auch, daß für B ,,Absence" über ,,Presence"
dominierte, Blau sich also nur als Homozygote manifestieren könnte, während
es als Heterozygote vorhanden, die Epistase von Rot nicht zu verhindern
vermöchte. Dann wäre Rot die erste Farbenstufe, wie auch bei den
anderen untersuchten Pflanzen, z. B. *Lathyrus*, hervorgerufen durch Zusammenwirken von R und C. Und B würde bei *Lychnis* nur s c h w ä c h e r
sein als bei *Lathyrus*, seine Eigenschaften nur entfalten können, wenn es
im ,,Doppelzustande" homozygotisch in dem Individuum steckte.

Unzweifelhaft würde die zweite Annahme in größerer Harmonie zu
den sonstigen in der Literatur vorliegenden Angaben stehen, eine Entscheidung der Alternative war aber auf Grund der Kreuzungsergebnisse
bisher noch nicht möglich.

Die Tatsache, daß die Rotfärbung bei *Lychnis* auf mindestens 3 Gene
zurückzuführen ist, vermag auch einige Schwierigkeiten zu erklären, die
bei Annahme eines e i n h e i t l i c h e n Farbe-Gens früher in der Deutung der
Zahlenverhältnisse, bei Kreuzungen zwischen gefärbten und weißblütigen
Individuen auftauchten. Selbst bei Kreuzung zweier rein weiß blühender
Individuen würde sich unter Umständen Purpurblütigkeit erwarten lassen,
da die ,,weiße" Farbe an und für sich noch nichts über das etwaige Vorhandensein von Einzelkomponenten einer ,,Rot" oder ,,Blau"-Färbung aussagen kann.   G. Tischler.

Shull. G. H. Results of crossing Bursa bursa-pastoris and Bursa Heegeri. Proc. 7 th. Internat. Zoölog. Congress Boston. (Advance Print, Cambridge Mass. 1910. 8⁰. 6 S.)

Die nur wenige Seiten lange Arbeit enthält nichts destoweniger eine Fülle interessanter und wichtiger Tatsachen. Verfasser, der sich schon seit Jahren mit Vererbungsversuchen mit *Capsella bursa-pastoris* beschäftigt hat, teilt mit, daß er von dieser Großart. vier, besonders in der Blattform verschiedene in sich konstante Elementararten in Kultur hat. Die Versuche haben ergeben, daß diese vier Elementararten bedingt werden durch die vier verschiedenen möglichen Kombinationen zweier unabhängig von einander mendelnder Erbeinheiten, (bzw. in einer anderen Terminologie: zweier Merkmalspaare) Aa und Bb. Die vier damit gegebenen konstanten Kombinationen haben dann die Einheitsformeln AABB, AAbb, aaBB und aabb.

Mit einer dieser Elementararten und zwar mit der aabb-Sippe hat Verf. nun auch die Solms'sche *Capsella Heegeri*[1]) reziprok gekreuzt. Die Versuche ergaben, daß *Capsella Heegeri* hinsichtlich der Erbeinheiten der Blattform AA BB ist. Die Kreuzungen wurden mit sehr großer Individuenzahl in F_2 analysiert und brachten völlig klare Resultate.

Vollkommen unabhängig von den Erbeinheiten der Blattform spalten die Erbeinheiten der Fruchtform, aber es zeigte sich hier eine auffällige Erscheinung. F_1 war zunächst ganz einheitlich normalfrüchtig. Danach wäre a priori für F_2 folgendes zu erwarten gewesen:

Entweder müßte hier in F_2 1/4 der Pflanzen die typische *Heegeri*-Fruchtform, 3/4 die typische „normale" Fruchtform haben, dies müßte der Fall sein, wenn die *Heegeri*- und die zur Kreuzung verwendete normalfrüchtige aabb-Sippe sich nur in einer Erbeinheit der Fruchtform unterscheiden.

· **Oder** aber es müßten außer „*Heegeri*-früchtigen" und „normalfrüchtigen" Individuen auch noch Pflanzen mit anderen neuen Fruchtformen auftreten. — Dieser Fall müßte eintreten, wenn die beiden P_1-Sippen sich in mehreren Erbeinheiten der Fruchtform unterscheiden. *Heegeri*-Form, Normale Form und die neuen Fruchtformen hätten dann natürlich in Zahlenverhältnissen der Spaltungen bei mehreren Merkmalspaaren gefunden werden müssen.

Keine der beiden erwarteten Möglichkeiten trat nun aber ein, sondern es fanden sich zwar nur typisch normalfrüchtige und nur typisch *Heegeri*-früchtige Pflanzen, aber nicht im Verhältnis 3 : 1, sondern im Verhältnis 2540 : 111, also ungefähr 23 : 1. Die Frage, wie dieses Verhältnis verstanden werden kann, läßt Verf. unentschieden.

Ref. sei es gestattet, darauf hinzuweisen, daß die ganz ausgezeichneten, leider merkwürdig wenig bekannt gewordenen Kreuzungsversuche von Nilsson-Ehle[2]) mit Hafer ähnliche zunächst unverständliche Spaltungen völlig klar gelegt haben. Es kann danach vorkommen, daß z. B. schwarze Spelzenfarbe bewirkt wird von zwei Erbeinheiten, deren jede, unabhängig von dem Vorhandensein der andern, für sich allein schon schwarze Farbe bedingt. Es ist klar, daß eine in bezug auf diese beiden Erbeinheiten heterozygotische Pflanze nicht in 3 schwarz : 1 weiß, sondern in 15 schwarz : 1 weiß aufspalten muß. Ähnlich könnte nun aber auch

---

[1]) Solms-Laubach, H. Graf zu. Cruciferenstudien I. Botan. Zeitung **58** 1900. S. 167.
[2]) Nilsson-Ehle, H. Kreuzungsuntersuchungen an Hafer und Weizen. Lund 1909. 4⁰. 122 S. Refer. diese Zeitschr. dieser Band S. 290.

normale Fruchtform bei *Capsella bursa pastoris* etwa von zwei Erbeinheiten
abhängen, von denen jede einzelne für sich allein schon im „Present"-
Zustand normale Fruchtform bedingt, wenn dies der Fall ist, dann muß
ein in diesen zwei Erbeinheiten heterozygotisches Individuum aufspalten in
15 normalfrüchtig : 1 *Heegeri*-früchtig.

Eine derartige Lage der Dinge ist wohl verbreiteter, als man heute
denkt, und spielt wohl bei manchen Erscheinungen eine Rolle, wo man
heute noch von n i c h t mendelnder Vererbung spricht. Ob nicht auch bei
der Vererbung der Ohrlängen der Kaninchen, wo nach C a s t l e[1]) kein
Mendeln stattfinden soll, ähnliche Verhältnisse vorliegen ? !   B a u r.

**Klebs, G.   Über die Nachkommen künstlich. veränderter Blüten von Semper-
vivum.** Sitzber. Heidelberg Acad. Wiss. 1909. 5. Abhandl. S. 1—30.

Die vorliegende Abhandlung knüpft an die früheren vom Verfasser mit
Sempervivum vorgenommenen Untersuchungen an, welche den Zweck hatten,
durch äußere Eingriffe die Gestaltungsverhältnisse der Art zu verändern.
Bekanntlich war es Verfasser unter anderem gelungen, den Eintritt in die
Blüheperiode bei *Sempervivum* durch äußere Faktoren zu beeinflussen. Neuerdings ausgeführte Analysen blühreifer und nicht blühreifer Rosetten brachten
nun das interessante Ergebnis, daß in blühreifen Rosetten stets der Zucker-
gehalt größer war, als in nicht blühreifen, daß aber andererseits der Gehalt
an löslichen N-Verbindungen in nicht blühreifen Rosetten denjenigen in
blühreifen überwog. Der Quotient aus reduziertem Zucker und löslichen
Stickstoffverbindungen ist also bei den blühreifen Rosetten stets deutlich
größer als bei den nicht blühreifen.

Neben der Veränderung der Blühezeit durch äußere Faktoren hatte
Verfasser dann eine Menge anomal ausgebildeter Blütenformen bei seinen
in Behandlung genommenen *Sempervivum*-Pflanzen beobachten können. Besonders nach Wegschneiden der zuerst angelegten, normalen (archigenen)
Blüten hatte Verfasser an den nunmehr hervortretenden (neogenen) Blüten
vielerlei Abweichungen in dem Aufbau der Blüten nachgewiesen. Das
Hauptproblem der vorliegenden Arbeit besteht nun darin, festzustellen, wie
sich die durch Selbstbefruchtung gewonnenen Nachkommen solcher anomaler,
neogener Blüten verhalten.

Der Tatbestand ist ungefähr folgender. 10 Exemplare von *S. acuminatum*
wurden im Sommer 1904 besonders üppig ernährt und 1905 in einem gut-
gedüngten und geheizten Beete, welches mit Glasfenstern bedeckt war,
weiter kultiviert. Die archegenen Blüten waren durchgängig normal, die
Zahl der Blumenblätter schwankte zwischen 10 und 18. Der Gipfel lag
auf 13. Abweichungen in der Richtung, daß die Staubblätter oder Fruchtblätter in etwas von der Zahl der in derselben Blüte vorhandenen Blütenblätter abwich, traten in 22% der untersuchten Fälle auf. Die neogenen
Blüten schwankten zwischen völliger Apetalie und 24 Blumenblättern Der
Gipfel liegt auf 9 und 10. Anomalien der verschiedensten Art wurden
gefunden. Zu diesen 10 Exemplaren traten, wie aus der Anmerkung auf
Seite 10 hervorgeht. noch einige andere, etwas abweichend kultivierte
Exemplare. Von diesen Versuchspflanzen zusammen wurden nun drei
gewählt, deren abgeänderte Blüten mit eigenem Pollen bestäubt wurden.
Der erhaltene Samen wurde im Frühjahr 1906 ausgesät. Ein Teil der

---

[1]) C a s t l e, W. E.   Studies of inheritance in rabbits. Publ. 114. Carnegie
Institution of Washington. 1909.

Sämlinge ging zugrunde, die übrigen wurden in sandige, nährstoffarme Erde gepflanzt, worin sie bis zur Blüte im Sommer 1909 blieben. Die Nachkommen jeder der drei Ausgangspflanzen waren gesondert gehalten worden und zeigten nun das folgende Verhalten.

Gruppe 1 und Gruppe 3 glichen im Verhalten der archegenen Blüten dem Elternmaterial. Kleine Unterschiede in der Variationsbreite und dem Prozentsatz abweichender Zahlen in Androeceum und Gynaeceum gegenüber den Petalen sagen wegen der nur geringen Zählungen (47 und 57) nichts endgültiges. Gruppe 2 aber zeigt ein recht abweichendes Verhalten. Sie stammt offenbar von den etwas anders kultivierten Exemplaren, da hierfür angegeben wird, daß die Ausgangsrosette bereits im Jahre 1904 im Frühsommer in einem gutgeheizten stark gedüngten Erdkasten; dann auf einem frischgedüngten Gartenbeet erzogen wurde. 1905 kam sie in einem Topfe in ein kleines gutgeheiztes feuchtes Gewächshäuschen auf dem Versuchsbalkon. Die im Sommer 1909 zur Blüte gekommenen Sämlinge zeigten nun das folgende Verhalten. 7 zeigten sich im wesentlichen typisch, ohne von den Pflanzen der anderen Gruppen und den Ausgangspflanzen erheblich abzuweichen. Bei den 4 anderen war die Infloreszenzachse erstens erheblich niedriger als bei den typischen Exemplaren; dann aber wichen sie vor allem erheblich in der Gestaltung der archegenen Blüten ab. Und zwar waren bei A in 64% Abweichungen in den Zahlenverhältnissen in Androeceum und Gynaeceum zu konstatieren, bei B traten Zwischenformen zwischen Rosetten und Blüten und wirkliche Rosetten an Stelle echter Blüten auf. C und D waren am abweichendsten. Hier waren die Kelchblätter an der Spitze zurückgebogen und daselbst rot, ein ganz neuer bisher noch nicht beobachteter Charakter. Abweichungen in der Zahl der Blütenglieder waren zu 100% zu konstatieren und eine sehr häufige Petalodie der Staubblätter trat hinzu.

Nach diesem Tatbestand wäre also aus selbstbefruchteten anormalen Blüten von Pflanzen mit normalen archegenen Blüten eine F_1 zustande gekommen, in der einzelne Individuen anomale und zum Teil ganz abweichend gestaltete archegene Blüten aufzuweisen haben. Ob man nun wirklich das Eintreten der abweichenden archegenen Blüten in A—D der Gruppe 2 auf die doch keineswegs sehr stark abweichende Ernährung der Mutterpflanze dieser Gruppe zurückführen soll, bleibt Ref. allerdings recht zweifelhaft, zumal ja auch hier der normale Typus vertreten war. Auch bedauert Ref., daß die Aszendenz gerade dieser so wichtigen Gruppe mit den wenigen Worten der Anmerkung abgetan wird: außerdem wurden noch einige andere Exemplare benützt, die zum Teil etwas abweichend kultiviert wurden. Wir erfahren das Nähere über ihre Herkunft nicht, obwohl wir wohl annehmen dürfen, daß sie durch Teilung derselben Mutterrosette hervorgegangen sind, wie die übrigen Individuen. Dann aber wäre der hier vorliegende Fall einer Übertragung von Anomalieen in gesteigertem Maße und in vorher nicht beobachteter Verteilung über das Individuum von einer Generation auf die andere jedenfalls von hohem Interesse und ließe sich ohne weiteres an Ergebnissen auf tierischem Gebiete an Schmetterlingen, Käfern usw. an die Seite stellen. Es ist mit Spannung zu erwarten, was das Verhalten der folgenden Generationen ergeben wird. E. Lehmann.

Stevens, R. L. and Hall, J. G., Variation of fungi due to environment. Bot. Gaz. 48 1909, pp. 1—30, Fig. 37.
The authors find changes taking place in artificial cultures of various fungi, as follows:

1. Density of colonies produces various effects with different species. It sometimes inhibits pycnidial formation, resulting in naked spores, it sometimes prevents development of color, it sometimes limits the size of the colony, and sometimes is without effect.

2. Density of mycelium sometimes cause spasmodic periods of rapid growth and quiescence to follow one another, bringing about a zone-like appearance in the culture.

3. Variations such as presence and absence of setae, and presence and absence of catenulate spores is thought to be due to variation in the chemical composition of the supporting medium.

4. "Light exerts little or no effect upon lineal growth." It may inhibit pycnidial development or cause zonation in colonies.

Other changes were noted but not analyzed. It seems to the reviewer very unfortunate that no studies have been made with pure lines of fungi. Until something is known concerning the limits of variation in fungi, the value of breeding disease resistant plants is questionable. If fungi strains can vary to a considerable degree on one host plant, then a comparatively resistant plant may become inoculated through injury and afterwards become susceptible through survival of the most virulent strain of the varying parasite.   E. M. East, Harvard University.

Griggs, R. F., Juvenile kelps and the recapitulation theory. American Naturalist **43** 1909, pp. 5—30, 92—106.

From his study of the four genera *Renfrewia*, *Lessoniopsis*, *Egregia* and *Hedophyllum* in all stages of their development, the author contributes some interesting data on recapitulation in plants.

Renfrewia shows a transition from a pithweb of simple polygonal cells to the complex differentiations of the higher kelps such as *Nereocystis*. "Such plants must of necessity pass through the condition of *Renfrewia* in order to attain mature structure." Further, "All of the young forms pass through a period when the stipe is short as compared with the lamina. In all which have been described [by the author] except *Hedophyllum*, this condition persists until a certain very definite period, after which the stipe elongates rapidly. This condition is so similar to the adult stage of *Renfrewia* that one is tempted to consider it as a recapitulation of such a stage. But instead it may be only a necessary physiological adaptation which the young plant undergoes early in its development in order to provide a large photosynthetic area to furnish the food for rapid growth."

These facts among others appear to the author to justify the theory of Morgan that recapitulation is not the repetition of adult characters during ontogeny, but rather the repetition of embryonic stages similar to those that the ancestors of the species possessed. Nevertheless he believes that organisms are subject to adaptation at any stage of their life cycles, and that, even if many superfluous stages have been discarded, there will be a correlation between the individual life cycle and its ancestral history which may — in certain cases — be very high.

Since the botanists have lagged behind the zoölogists in studies of this character, the author makes a welcome contribution to the literature.
                                   E. M. East, Harvard University.

Ritter, G., Beiträge zur Physiologie des Flächenwachstums der Pflanze. Beihefte z. botan. Centralblatt, **22**, 1907, S. 317—330.

— — **Das normale Längen-, Flächen- und Körperwachstum der Pflanzen.** ibid. **23**, 1908, S. 273—319.

— — **Über diskontinuierliche Variation im Organismenreiche.** ibid. **25**, 1909, S. 1—29.

Ludwig hatte gezeigt, daß die Variationskurven für das Auftreten einer Anzahl meristischer Merkmale (die Blütenköpfchen von *Compositen*, die Früchtchen von *Ranunculaceen* usw.) nicht völlig der Gaußschen Wahrscheinlichkeitskurve entsprechen, sondern daß Nebengipfel auftreten, welche auf den sogenannten Fibonacci-Zahlen zu liegen kommen, und zwar sowohl der Haupt- als der Nebenreihe. Diese Beobachtungstatsache suchte Ludwig durch folgende Auffassung zu erklären: Die Vermehrung der niedersten Formelemente, die ein Organ aufbauen, der Biophoren — die Zerklüftung der wachsenden Substanz muß als ein späterer Akt aufgefaßt werden —, erfolgt schubweise, so zwar, daß das Urelement anfänglich ein neues abgliedert, dann aber in den nächsten Etappen der schubweisen Vervielfältigung nur ältere Elemente sich vermehren, die jüngeren aber eine Reifeperiode überspringen. Tritt die Vermehrung hierbei nun wieder nicht gleichmäßig, sondern ebenfalls in Unteretappen ein, so kommen die Nebenzahlen der Varitationskurven zur Erscheinung. Verf. überträgt nun die Auffassung Ludwigs auch auf die Variabilität anderer Fälle. So zeigt er in der ersten Arbeit, daß auch das Flächenwachstum in gleicher Weise variiert. Er hat das Flächenwachstum der Blätter von *Vaccinium Vitis Idaea, V. Myrtillus, Myrtus communis* usw. studiert und gefunden, daß dasselbe wohl im großen nach dem Queteletschen Gesetze variiert, aber ebenfalls Nebengipfel zeigt, welche hier zusammenfallen mit den mit zehn multiplizierten Wurzeln aus den Fibonacci-Zahlen von Haupt- und Nebenreihe. Daraus wird auch hier auf dieselben Wachstumsverhältnisse der Urelemente geschlossen, nur mit dem Unterschied, daß nach Verf. hier die kleinsten Teilchen nicht linear angeordnet sind, da ja sonst die Zwischenzahlen in direktem Verhältnis zu den Fibonacci-Zahlen stehen müßten.

In der zweiten Arbeit wird zunächst das einfache lineare Längenwachstum studiert, und zwar an Blattspindeln von *Umbelliferen* und *Papilionaceen*. Es ergibt sich, daß auch hier die Variationskurven mit den Fibonacci-Zahlen übereinstimmende Nebengipfel aufweisen. Diese Verhältnisse werden in Beziehung zu der Feststellung gebracht, daß die fertigen Kaulome und Phyllome so oft die Gesetzmäßigkeiten des goldenen Schnittes erkennen lassen, in welchen Fällen dann das Wachstum nach einer bestimmten Fibonacci-Reihe vindiziert wird.

Weiterhin wird die numerische Variation verschiedener in Divergenzen angeordneter Organe untersucht, und gezeigt, daß die Schwendenersche mechanische Theorie bei Heranziehung der Auffassung vom periodischen Wachstum nicht benötigt wird.

· Im folgenden Abschnitt wird dann die Bestätigung für die in der ersten Arbeit über das Flächenwachstum gewonnenen Resultate an einer Reihe anderer Pflanzen erbracht, wie z. B. *Buxus, Majanthemum, Trifolium, Berberis* usw. und gezeigt, daß auch krankhafte Organe, wie z. B. mit Aecidium infizierte *Euphorbia Amygdaloides* die gleichen Erscheinungen des diskontinuierlichen Wachstums aufweisen. Weiterhin wird für das körperliche Wachstum ein Variieren nach den Kubikwurzeln der Fibonacci-Zahlen ermittelt. Es werden Knackmandeln und Kartoffeln zur Untersuchung herangezogen, dieselben mit der Schubleere gemessen oder im Volumeter mit Hilfe des Wassersteigens.

In der dritten Arbeit werden nun vor allem neue, sehr eingehend studierte Beispiele diskontinuierlicher Varianten beigebracht, und zwar einmal für meristische Variation bei *Sanguisorba;* dann für quantitative Variationen von Organen mit zweidimensionalem Wachstum an einer ganzen Reihe von Blattspreiten und ähnlichem. Weiterhin war hauptsächlich von Organen mit dreidimensionalem Wachstum noch neues Material nachzutragen. Es wurde da u. a. die Länge der Früchte von *Quercus*-Arten gemessen und auch hier, übereinstimmend mit den früheren Ergebnissen, traten Nebengipfel auf den Kubikwurzeln der Fibonacci-Zahlen auf.

In einem weiteren Abschnitt wird die Wirkung der Selektion auf die diskontinuierlichen Varianten studiert. Wie schon de Vries zeigte, sprang bei besonders gut ernährtem *Chrysanthemum segetum* der Hauptgipfel von 13 auf 21 über, so auf eine andere Zahl der Fibonacci-Reihe. Entsprechend fand Verf., daß die Gipfel für die Staubfadenzahl von *Chelidonium majus,* die Blütenzahl in den Trugdolden von *Cornus Mas* zu verschiedenen Vegetationszeiten oder an verschieden starken Stöcken auf verschiedenen Zahlen der Fibonacci-Reihe liegen. Auch für die Länge der Blattspreite wurde das an einigen allerdings nicht sehr überzeugenden Beispielen dargestellt, und es wäre nach Ansicht des Referenten doch gut, zur weiteren Feststellung dieser Verhältnisse in Zukunft den Kulturversuch heranzuziehen.

Weiter wird noch kurz des Unterschiedes der Variationen bei Pflanzen und Tieren gedacht, indem bei den Tieren diskontinuierliche Variationen fehlen sollen.

Zum Schluß wird nochmals auf die rhythmische Teilung der kleinsten Teilchen eingegangen, welcher wir schon eingangs in extenso gedacht haben.

E. Lehmann.

Blaringhem, L., Mutation et Traumatisme. Paris 1908.

— — **Production d' une variété nouvelle d'épinards Spinacia oleracea, var. polygama.** Compt. rend. Acad. Sc. Paris **147** 1908. S. 1331—33.

— — **Recherches sur les hybrides d'orges.** ibid. **146** 1908. S. 1293—95.

— — **Sur les hybrides d'orges et la loi de Mendel.** ibid. **148** 1909. S. 854.

Die Arbeiten von Blaringhem, welche sich mit den Fragen der künstlichen Hervorrufung neuer Formen und Arten beschäftigen und in jüngster Zeit sich auch dem Gebiet der Bastardierung zuwenden, verdienen eine eingehende Besprechung in diesen Heften. Aus einer Reihe von früheren Publikationen ist das Hauptwerk des Verf., welches oben an der Spitze zitiert ist, hervorgegangen. Darin finden sich die Literaturnachweise über die früheren Arbeiten. An dieses Hauptwerk schließen sich dann die späteren Arbeiten an.

In Mutation et Traumatismes sucht Verf. nachzuweisen,. wie amomalies végétales ganz allgemein durch die Wirkung von Verwundungen hervorgerufen werden und seine Ausführungen haben deshalb einmal ein rein morphologisches Interesse, indem durch die Verwundungen alle möglichen Gestaltungsverhältnisse der Versuchspflanzen beeinflußt werden, wie Blattstellung, Bildung von Ascidien, Ausbildung des Geschlechtes der einzelnen Blüten u. dgl. m. Dann aber sollen nach Angabe des Autors diese infolge von Verwundung erzielten Gestaltungsveränderungen auch oftmals erblich fixiert werden und den Ausgangspunkt neuer Sippen bilden. Dieser Teil der Blaringhemschen Arbeit ist es nun, welcher unser Interesse an dieser Stelle ganz besonders wachruft.

Die Versuche des Verf. sind zum weitaus überwiegenden Teile mit dem Mais als Versuchspflanze ausgeführt, und — ich möchte das gleich zu Anfang sagen — das ist für die uns hier in erster Linie interessierenden Fragen sehr zu bedauern. Denn — Verf. hat das an verschiedenen Stellen selbst hervorgehoben (vor allem S. 202) — der Mais eignet sich nicht für Vererbungsversuche. Seine fast ausschließliche Fremdbestäubung, die Uebertragung des Pollens durch den Wind, machen die Anstrengung des Erhaltens reiner Linien fast illusorisch. Sagt doch Verf. über die Kultur seiner Samenträger selbst: de cette facon j'ai limité dans la mesure du possible les mélanges de lignées à évolutions distincte. Also eine absolut sichere Isolation war nicht zu erhalten. Und einige Zeilen weiter unten wird der Schwierigkeiten bei Anstellung anderer Kulturen, die allerdings nur selten zur Entnahme von Samen dienten, mit folgenden Worten gedacht: Malgré cette précaution il y eut toujours des mélanges dus à la fécondation croisée par le vent .. etc. Bedenkt man dann weiterhin, mit einer wie alten Kulturpflanze wir es im Mais zu tun haben, wie durcheinander all die zahlreichen Kulturrassen gekreuzt sein müssen, so wird man sich klar gemacht haben, daß wirklich reine Linien kaum zu erhalten sind. Um zu Ergebnissen in der hier gekennzeichneten Richtung zu kommen, hat Verf. seine Versuche ja ursprünglich auch nicht angestellt, sondern zu morphologischen Zwecken und Bestimmung des Geschlechtes (S. 202).

Betrachten wir aber nun etwas mehr im einzelnen die Versuchsanstellung des Verfassers. Er ging aus von vier verwundeten Exemplaren, welche nach der Verwundung anomale Rispen trugen. Die erste Pflanze ergab in ihrer Deszendenz im Höchstfalle 71% anomale Rispen. In der Deszendenz der drei übrigen zeigte sich eine Reihe anderer Anomalien, wie Fasziationen, gedrehte Rispen, Becherbilduugen, rotes Laub, Trauerform u. dgl. mehr in Prozentsätzen von 6—98%.

Von der ersten Pflanze wurden dann noch die folgenden Formen hervorgebracht:

1. Die konstante elementare Art *Zea Mays paecox.*
2. Die konstanten Varietäten *Zea Mays* var. *semi-praecox* und *Zea Mays* var. *pseudo-androgyna.*

Was nun die nicht völlig konstanten, die Anomalie immer nur zu einem bestimmten Prozentsatz hervorbringenden Rassen anbetrifft, so handelt es sich da um Zwischenrassen und diesbezüglich hat schon Klebs hervorgehoben, daß Verf. leicht als Ausgangsexemplar ein Individuum mit zurücktretendem anomalen Merkmal vor sich gehabt haben kann. Für die Zwischenrassen aber ebenso wie für die konstanten Rassen gilt, daß Verf. die Aszendenz zu wenig berücksichtigt hat. Er geht von wenigen Exemplaren aus, die er verwundet hat, und deren Deszendenz dann die anomalen Rassen zeigt. Wie aber die gesamte Vorfahrenschaft sich verhielt, bekommen wir nicht zu wissen. Und doch kann man sich nichts leichter denken, als in derselben habe ein ganzes Bündel von reinen Linien gesteckt, die nun durch die Stammbaumkulturen des Verf. getrennt, deren Anomalien aber durch die Verwundungen verstärkt wurden. Ich möchte bei dieser Gelegenheit nochmals hervorheben, daß das Neuauftreten von Sippen meiner Ansicht nach eben nur dann mit absoluter Sicherheit behauptet werden kann, wenn eine reine Linie durch mehrere Generationen hindurch absolut selbstbefruchtet erzogen wurde, ohne ein bestimmtes Merkmal aufzuweisen, dieses aber dann unter den Augen des Beobachters in

dieser reinen Linie auftrat. Das ist aber hier nicht der Fall, und so können
wir also nicht mit Sicherheit von einer solchen Neuentstehung sprechen.

An anderen Versuchspflanzen zeigt dann Verfasser ebenfalls das Auftreten einer ganzen Reihe von infolge Verwundungen zustandegekommener
Anomalien, über deren Erblichkeit aber nichts ausgesagt wird.

Wenn demnach nach Ansicht des Referenten die hier mitgeteilten Versuche des Verf. bez. der Erblichkeitsverhältnisse durch Verwundung hervor-
gebrachter Anomalien keine endgültigen Resultate zeitigten, so sind dieselben doch von morphologischen Gesichtspunkten aus von hohem Interesse.
Um nur ein Beispiel anzuführen, sei mitgeteilt, daß eine Bildung männlicher
Blüten an den seitlichen Achselsprossen, die sonst nur weibliche Blüten
aufweisen und von weiblichen Blüten in der sonst männlichen Endrispe beobachtet wurde, wenn der Hauptsproß weggeschnitten oder stark verwundet
ist, so daß Seitensprosse hervortreten, welche dann die genannten Bildungen
aufweisen.   Offenbar wird durch Wegschneiden des Hauptsprosses der
Nahrungsstrom in der Weise beeinflußt, daß in den Seitentrieben nunmehr
diese Gleichgewichtsstörungen eintreten. Auf die zahlreichen diesbezüglichen
Ergebnisse läßt sich aber im Rahmen dieses Referates nicht eingehen.

In der 2. obenangeführten Arbeit nimmt dann Verf. seine Verwundungs-
versuche an *Spinacia oleracea* weiter vor.   Er konnte zwitterige Blüten auf
weiblichen Pflanzen durch Verwundung von weiblichen Stöcken der Spinat-
varietät inermis erzielen.   Durch Samen fortgepflanzte Nachkommenschaft
behielt die Eigentümlichkeit der Ausbildung von Zwitterblüten bei. Leider
sind wir aber auch hier über die Aszendenz nicht genügend unterrichtet.

Die folgende Arbeit beschäftigt sich mit Kreuzungsversuchen an Gersten-
rassen.   Die zu den Kreuzungen verwendeten Rassen wurden seit 1904
in Stammbaumkulturen erzogen.   Die Kreuzung wurde 1906 ausgeführt.
Es ergibt sich einmal ein neuer Fall von Kryptomerie, indem 2 reine Linien,
denen beiden das Merkmal 'zerbrechliche Rachis' fehlt, gekreuzt, dasselbe
hervortreten lassen, ein Merkmal, welches sonst nur den wilden Gersten-
formen zukommt.   Weiter wird ein Fall beschrieben, wo Stacheln auf den
Seitenrippen von Körnern (B) über Stachellosigkeit in F. 1 (b) dominieren.
Verf. schließt daraus, daß Stachellosigkeit Varietätsmerkmal, Stacheln aber
Artmerkmal darstellen.   Diese ursprünglich De Vries sche Auffassung dürfte
sich aber kaum halten lassen, da, wie Correns an seiner *Campanula* var.
calycanthema zeigte, die Varietätsmerkmale keineswegs immer rezessiv sind, da
das unzweifelhafte Varietätsmerkmal *calcycanthema* in F1 dominieren.

In der 4. Arbeit endlich wird die F2 des letzten Falles weiter untersucht.   Es ergibt sich allgemein Mendel sche Spaltung der Merkmale, aber
die B. sind höher im Prozentsatz, als nach Mendel anzunehmen wäre.
Bei näherer Analyse zeigt sich dann, daß, im Falle die zur Kreuzung verwandten Linien sehr nahe verwandt sind, die Mendel schen Zahlen sich
genau ergeben, wenn sie aber aus verschiedenen Spezies stammen, die
Prozentsätze von den Mendel schen Zahlen abweichen.   Worauf dies des
näheren beruht, das müssen weitere Untersuchungen ergeben.

E. Lehmann.

**Reuter, Enzio. Zur Morphologie und Ontogenie der Acariden, mit besonderer
Berücksichtigung von Pediculopsis graminum (E. Reut.).** in: Acta soc.
scient. fennicae, Tom. 36, No. 14.   288 S. mit 6 Tafeln und 12 Textfiguren.

In einer umfangreichen Arbeit werden die Resultate oekologischer,
morphologischer und ontogenetischer Untersuchungen an einer vom Verfasser

früher schon beschriebenen, neuen Milbenart *(Pediculopsis graminum)* mitgeteilt.
Dabei vergleicht Verfasser seine eigenen Resultate in ausgedehntem Maß-
stahe mit den bisher bekannt gewordenen Tatsachen über den Bau und die
Entwicklung der Acariden (Milben) überhaupt, so daß der Haupttitel der
Arbeit durchaus berechtigt ist. An dieser Stelle kann nur über einen Teil
des vierten Abschnittes der Untersuchung kurz referiert werden, nämlich
über die Bemerkungen des Verfassers zur Phylogenie der Acariden. Nach
diesen ist die Ansicht verschiedener Autoren durchaus zurückzuweisen, daß
die Milben von den Arachnoiden ganz zu trennen sind und eine besondere
Klasse der Arthropoden darstellen. Auch für die Annahme, daß die Milben
als neotenische Formen zu bezeichnen sind, findet Verfasser keine Anhaltspunkte. Vielmehr sieht er dieselben mit den meisten Autoren als retrograde
Arachnoiden an, wobei aber die rückwärtsschreitende Entwicklung ihre
Ursache nicht in Parasitismus hat, da in allen Milbengruppen die nicht-
parasitischen Formen den ursprünglichsten Charakter tragen. Die bei allen
Arachnoiden erkennbare Tendenz zur Verkürzung und Konzentration des
Körpers, deren tatsächliche Ursache noch unbekannt ist, hat bei den
Acariden ihren Höhepunkt erreicht. Aus morphologischen und embryo-
logischen Gründen schließt Verfasser, daß die Milben am ehesten zu den
Pedipalpen und zwar zu Uropygen-artigen Vorfahren in genetische Be-
ziehung zu bringen sind. Bezüglich der Begründung dieser Ansicht, die
von der verbreiteten Hypothese der Ableitung der Acariden von den
Opiliones abweicht, muß auf das Original verwiesen werden.

W. Schleip-Freiburg i. Br.

Reuter, Enzio. Merokinesis, ein neuer Kernteilungsmodus, in: Acta soc.
scient. fennicae, Tom. 37, No. 7, Helsingfors 1909. 52 S. mit 4 Tafeln.

Verfasser fand in dem sich furchenden Ei einer kleinen Milbe *(Pediculopsis graminum,* E. Reut., vgl. oben) einen Kernteilungsmodus, der von dem
typischen Verlauf der Mitose in den Zellen der Metazoen erheblich abweicht,
und welcher nach Verfasser von dem Gesichtspunkt der phylogenetischen
Entstehung der mitotischen Kernteilung ein allgemeines Interesse besitzt.
Während der Anfangsstadien der Eifurchung, etwa bis zu dem 140-Zellen-
Stadium, ist nämlich in den Blastomeren dieser Art kein einheitlicher Kern
vorhanden, sondern es finden sich ebensoviel isolierte Karyomeren, wie die
Normalzahl der Chromosomen beträgt, nämlich vier. Jede Karyomere enthält
ein Chromosom, das sich von den typischen Chromosomen dadurch unterscheidet, daß es erstens bis auf eine, aber nur zeitweise vorhandene
Chromatinanhäufung an seinen Enden vollkommen achromatisch ist und
zweitens dauernd, auch während der Kernruhe vollkommen erhalten bleibt.
Die Kernteilung beginnt damit, daß in jedem Karyomer das Chromosom
sich längsteilt, alsdann werden die ersteren langgestreckt, um jedes bildet
sich eine besondere Spindel, ohne daß die Karyomeren-Membran verschwindet,
und dann schnürt sich jede Karyomere mitten durch, wobei in jede Teil-
hälfte eines der beiden Tochterchromosomen gelangt. In späteren Furchungsstadien verschmelzen die Karyomeren zu einem einheitlichen Kern, und
dessen Teilung verläuft in typischer Weise, wobei nun die Chromosomen
während der Mitose frei im Plasma liegen und auch chromatisch sind.
Durch diese Befunde erfährt also die Häckersche Anschauung, daß der
Metazoenkern ursprünglich ein Kompositum aus mehreren, den einzelnen
Chromosomen entsprechenden Teilkernen darstellt, eine Bestätigung. Die
Kernteilungsart in den ersten Blastomeren von *Pediculopsis* repräsentiert

daher nach Verfasser eine relativ frühe phyletische Stufe der Metazoen-
kinesis; eine Annäherung an die Verhältnisse gewisser Protozoen findet sich
auch insofern, als die Kernmembran erhalten bleibt. Allerdings mußte man
wohl annehmen, daß der Kernteilungsmodus in dem Ei von *Pediculopsis* sich
dem primitiven Verhalten erst sekundär wieder angenähert hat, da die Erfahrungen an andern Arachnoiden sowie bei den Arthropoden überhaupt
es sehr unwahrscheinlich machen, daß in der ganzen Vorfahrenreihe der
Milben der primitive Kernteilungsmodus sich erhalten haben sollte. In
anderer Beziehung sind die Beobachtungen des Verfassers auch noch für
uns hier von Interesse, und Verfasser geht darauf auch ausführlich ein:
Die Annahme, daß die Chromosomen die Vererbungsträger sind, erfordert
eine Kontinuität derselben von einer Zellgeneration zu der nächsten, die
zuerst von Rabe und Boveri vor längerer Zeit auch schon angenommen
wurde; bei *Pediculopsis* scheint nun dieses Erhaltenbleiben der Chromosomen
besonders deutlich nachzuweisen sein. Ferner wurde schon vielfach die
Frage diskutiert, ob das Chromatin oder die achromatische Grundlage der
Chromosomen das Beständige der Chromosomen darstellt; durch die vor-
stehend referierten Untersuchungen wird die Achromatin-Erhaltungshypothese
von Häcker sehr gestützt.   W. Schleip-Freiburg i. Br.

**Lehrs, Philipp, Studien über die Abstammung und Ausbreitung in den Formen-
kreisen der Gattung Lacerta und ihrer Verwandten.** In: Zoologische Jahrbücher. Bd. 28. Heft 1, Jahrg. 1909. 38 S. mit 3 Tafeln.

Der Begriff Lacerta ocellata ist durchaus kein einheitlicher, vielmehr bildet
die Perleidechse überall Lokalformen. Wenn diese schärfer geschieden sind
von ihrer afrikanischen Verwandten, Lacerta pater, die ebenfalls auf ihrem
Verbreitungsgebiet in zahlreiche örtlich eng begrenzte Arten zerfällt, so liegt
dies in der schärferen Isolierung, die durch Trennung Afrikas von Spanien
infolge des Einbruches des Mittelmeeres verursacht ist. Diese Isolierung
ist es auch gewesen, welche zwei sehr distinkte Formen, Lacerta galloti und
L. simonyi auf den Kanarischen Inseln entstehen ließ. Die Stammform
für alle diese Arten ist L. pater, deren primitive Stellung unter anderen ein
Färbungspolymorphismus anzeigt. Der Fortschritt besteht in einer Vermehrung der Bauchschilderreihen und in einer Änderung der Zeichnung,
die von Querbänderung über Längsbänderung zur Einfarbigkeit führt. Diese
wird angebahnt entweder durch ein Überwuchern der Zeichnung oder durch
ein Überwuchern der Grundfarbe.

Ähnlich wie die Perleidechse ist auch die Smaragdeidechse in verschiedene
Lokalrassen gespalten, wovon es in Deutschland allein 3 zu geben scheint,
eine Rhein-, eine Oder- und vielleicht eine Donau-Form.
                                        M. Hilzheimer-Stuttgart.

Stockard, Charles R. (Marine Biol. Lab. Woods Holl, Mass.) **The development of artificially produced cyclopean fish. The magnesium embryo".** Journ. of Exp. Zoöl., Vol. VI, Nr. 2, pp. 185—337, Pl. I and
63 figg., Febr. 1909.

Die Eier des Fisches *Fundulus heteroclitus* lassen einen namhaften Prozentsatz zyklopenäugiger Embryonen aus sich hervorgehen, wenn sie während
der Entwicklung Lösungen von Magnesiumsalzen in Seewasser ausgesetzt
werden. Die Ergebnisse bleiben dieselben, ob nun die Eier von der

Furchung oder erst auf dem Zwei- bis anfangs des Vierzellenstadiums in die Lösung gebracht werden; mit noch späteren Stadien wurde es nicht mehr versucht. Die Embryonen können ausschlüpfen, viele umherschwimmen und Hindernisse vermeiden, ganz wie normale zweiäugige Exemplare. Alle Variationen von Zyklopie, welche derjenigen des Menschen und anderer Säugetiere vollkommen homolog ist, sind unter den 275 untersuchten Stücken vorhanden: zwei einander ungewöhnlich, bis zur Berührung, genäherte Augen, ein Doppelauge in Mittellage, ein einziges Zyklopenauge, ein normales Auge in asymmetrischer Stellung, während das andere verkümmert ist oder fehlt, ein sehr kleines, stark nach vorn verschobenes Auge, ein tief versstecktes, verkümmertes Auge und endlich völliges Fehlen der Augen. Die Embryonen zeigen diese verschiedenen Grade von zyklopischer Mißbildung von den allerersten Anfängen der Ausstülpung der Augenblasen angefangen; in keinem Falle war die Zyklopie eine Folge der Verschmelzung der zwei Augenkomponenten, nachdem diese sich bereits zuvor voneinander gesondert hatten. Alle Typen bilden Linsen, nicht abhängig vom Berührungsreize zwischen Augenbecher und Haut, sondern in vollkommener Selbstdifferenzierung; sie zeigen, daß die Ansicht von der Abhängigkeit zwischen Linsenbildung und Augenbecher nicht allgemein gültig ist.

Der Umstand, daß die zyklopischen Monstrositäten ausschließlich durch äußere, aber nicht etwa mechanische, sondern rein chemische Agentien hervorgerufen werden, deutet an, daß sie auch in der Natur nicht notwendigerweise immer durch Keimesvariationen, sondern daß sie auch durch Änderungen des Mediums während der Entwicklung entstehen können. Weshalb in seinen Versuchen gerade die Magnesiumlösungen die erwähnten Bildungen verursachten, sucht Verf. mit der allgemein anästhesierenden Wirkung des Magnesiums auf Organismen zu erklären.

Kammerer-Wien.

Pira, A. Studien zur Geschichte der Schweinerassen, insbesondere derjenigen Schwedens. Zoologische Jahrbücher. Supplement 10. 1909. S. 233—426. Mit 52 Abbildungen im Text und 10 Tabellen.

Den Hauptteil der Arbeit bildet die Untersuchung der subfossilen Schweineskelettfragmente von Schweden. Es handelt sich teils um Torfmoorfunde, teils um Funde von menschlichen Wohnplätzen. Die letzteren erstrecken sich von der jüngeren Steinzeit bis zum 17. Jahrhundert. Um an den Knochenfragmenten wilde und zahme Schweine unterscheiden zu können, werden die Verschiedenheiten zwischen beiden zunächst an rezentem Material festgestellt. Die wichtigsten von den durch die Domestikation hervorgerufenen Veränderungen seien hier kurz aufgezählt, sie bestehen in Übereinstimmung mit denen bei anderen Haustieren konstatierten, in Erhöhung und Verbreiterung des Schädels, in einer Verkürzung der Längsachse und damit verbundenen Knickung der Profillinie, steilerer Aufrichtung des Hinterhauptes, Änderung der Form der Augenhöhle und der Lage des Tränenbeins. Man kann sich die Veränderungen am besten so vorstellen, als sei durch den Vorderrand der Augenhöhle eine Horizontalebene gelegt, gegen welche die Teile davor und dahinter gepreßt würden. Eine Verkürzung der Zahnreihe tritt im Gegensatz zu Befunden bei anderen Haustieren erst ein, wenn die Domestikation sehr weit fortgeschritten ist. Alle diese Unterschiede sind durch zahlreiche Figuren und Messungen gut veranschaulicht.

Ebenso die geschlechtlichen Differenzen, die hauptsächlich in anderer Form und Richtung der Eckzähne bestehen. Die Torfmoorfunde gehören alle wilden Schweinen an, und zwar der wegen robusteren Baues als *Sus scrofa ferus antiquus* von Rütimeyer vom heutigen Wildschwein *Sus scrofa ferus recens* abgetrennten Form. Dahin gehört auch ein Teil der Funde aus steinzeitlichen Wohnplätzen.

Jedoch hatte aber Rütimeyer und die meisten Forscher mit ihm von dem europäischen Wildschwein nur sein „Hausschwein" (das unveredelte Landschwein unserer heutigen Schweinezüchter; d. Ref.) ableiten wollen, nicht jedoch das in den Pfahlbauten gefundene zahme Schwein, das „Torfschwein". Dieses sollte von asiatischen Wildschweinen abstammen.

Nun kann P i r a zeigen, daß es von *Sus scrofa ferus antiquus* nicht nur zu dem „Hausschwein" Rütim., sondern auch zu dem „Torfschwein" Rütim. alle Übergänge gibt. Daß es sich dabei nicht etwa um Kreuzungen handelt, dafür sind besonders die Funde aus der Grotte von Stora Karlsö, einem jungsteinzeitlichen Wohnplatz, beweisend. Denn hier wurde in ungestörten Schichten zu unterst *Sus scrofa ferus antiquus*, darüber Reste, die eine Zwischenstellung einnehmen, und erst in den jüngsten Schichten das „Torfschwein" gefunden.

Somit ist der sichere Nachweis geliefert, daß das Torfschwein, das kleinste, bisher bekannte subfossile Schwein, durch Verkümmerung aus dem europäischen Wildschwein hervorgegangen ist, eine Vermutung, die N e h r i n g schon lange hegte. Die Form des Tränenbeins, das den asiatischen Schweinen so ähnlich ist und so die Ursache zur Herleitung des Torfschweins von ihm wurde, ist nur eine Ursache der Domestikation.

Interessant ist, daß in Schweden die Verkümmerung noch weiter gegangen zu sein scheint, indem P i r a an mittelalterlichen Fundplätzen eine noch kleinere Rasse als das Torfschwein nachweisen konnte. Ihre Entstehung scheint schon am Beginn der jüngeren Steinzeit zu liegen.

Die zunächst an den Schädeln gewonnenen Befunde werden durch die Untersuchung der subfossilen Skelettreste bestätigt.

Somit liefert auch diese Arbeit wieder einen Beweis für die auch wiederholt vom Ref. vertretene Ansicht, daß wir zunächst keine Ursache haben, irgendwelche prähistorischen Haustiere aus Asien herzuleiten.

M. H i l z h e i m e r - Stuttgart.

Inhalt.

I. Abhandlungen und kleinere Mitteilungen

II. Sammelreferate.

III. Referate.

354 Inhalt.

V. Liste der Autoren, von welchen Schriften unter der Rubrik „Neue Literatur" angeführt sind.

Inhalt. 361

362 · Inhalt.

Verlag von Gebrüder Borntraeger in Berlin

W 35 Schöneberger Ufer 12 a

Lehrbuch der allgemeinen Botanik

von Professor Dr. E. Warming und Professor Dr. W. Johannsen. Herausgegeben von Dr. E. P. Meinecke. Komplett, zwei Teile. Mit zahlreichen Textabbildungen. Geheftet 16 Mk. 80 Pf. Gebunden 18 Mk.

Studien über die Regeneration

von Professor Dr. B. Němec. Mit 180 Textabbildungen. Geheftet 9 Mk. 50 Pf., gebunden 11 Mk. 50 Pf.

Jugendformen und Blütenreife im Pflanzenreich

von Professor Dr. L. Diels, Privatdozent an der Universität Berlin. Mit 30 Textfiguren. Geheftet 3 Mk. 80 Pf., geb. 4 Mk. 80 Pf.

Leitfossilien.

Ein Hilfsbuch bei der geologischen Arbeit in der Sammlung und im Felde von Professor Dr. Georg Gürich. Lfg. II: Devon. Bogen 7 bis 12 und Tafel 29 bis 52. Subskriptionspreis 14 Mk.

Die erste Lieferung, Kambrium und Silur umfassend, erschien im Oktober 1908. Der Subskriptionspreis dieser Lieferung — 14 Mk. 80 Pf. — erlischt bei Erscheinen der zweiten Lieferung. Der Preis wurde auf 18 Mk. erhöht.

Die Bedeutung der Reinkultur.

Eine Literaturstudie von Dr. Oswald Richter, Privatdozenten und Assistenten am Pflanzenphysiologischen Institut der deutschen Universität in Prag. Mit drei Textfiguren. Geheftet 4 Mk. 40 Pf.

Flora von Steiermark.

Eine systematische Bearbeitung der im Herzogtum Steiermark wildwachsenden oder im Großen gebauten Farn- und Blütenpflanzen nebst einer pflanzengeographischen Schilderung des Landes von Dr. August von Hayek, Privatdozenten an der Universität Wien. Band I Heft 1—12 sind erschienen. Subskriptionspreis 36 Mk.

Erscheint in etwa 18 Lieferungen zu je 5 Druckbogen. Der Subskriptionspreis des Druckbogens beträgt 60 Pf.

Ausführliche Prospekte gratis und franko.

Inhaltsverzeichnis von Bd. III Heft 5.

Inhaltsverzeichnis von Bd. III.

Lightning Source UK Ltd.
Milton Keynes UK
UKHW022148070119
335138UK00013B/893/P